CLINICAL PERFORMANCE EXAMIN

PACIFIC CPX

II
VOLUME

증례집

Cardiology Pulmonology Gastroenterology Nephrology Infection Endocrinology
Allergy Hematology Oncology Rheumatology Surgery Obstetrics Gynecology
Pediatrics Psychiatry Minor Preventive Medicine Medical Law

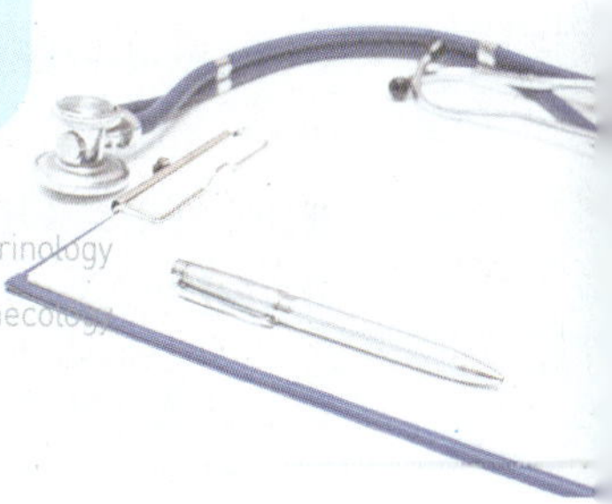

Pacific Book

머 / 리 / 말

의사국가고시 실기시험인 CPX는 단순히 의학지식만 습득하는 것을 넘어 실제 환자를 만났을 때 진료에 필요한 면담과 검진을 얼마나 잘 수행해내는지 평가하는 시험입니다. 따라서 CPX시험을 성공적으로 치기 위해서는 체계적으로 정리된 의학 지식뿐만 아니라 자연스럽게 면담을 진행할 수 있는 충분한 연습이 필요합니다.

많은 학생들이 CPX에 큰 부담을 갖고 있습니다. CPX 48개 주제가 결코 적지 않기 때문인 것도 있지만, 모의 환자를 마주 보고 있는 상황에서 능숙하게 의학 지식을 면담으로 정제해 내는 것이 쉽지 않기 때문일 것으로 생각됩니다. 또한 평소에 잘하던 학생도 시험장에서는 상당한 긴장 상태에 놓이게 되므로 시험에 대한 압박감은 그만큼 커지게 됩니다. 또한 최근에는 모의 환자들이 특정 질환에서 전형적으로 나타날 수 있는 증상만을 가지고 있는 경우가 줄어들었습니다. 대신 복합적으로 여러 가지 증상을 가지고 있는 경우가 점점 많아져서 이제는 다양한 질환의 가능성을 염두에 두고 면담을 진행해야 하는 상황에 이르렀습니다.

퍼시픽 CPX는 이런 상황에서 수험생들이 효율적으로 시험을 준비할 수 있도록 만들어진 교재입니다. CPX는 의학 지식과 면담 연습이 모두 요구되기 때문에 그에 맞게 각 주제별로 필요한 의학 지식을 깔끔하고 일목요연하게 정리하는 한 편, 시험장에서 실제 사용되는 유용한 팁들을 정리해 두었습니다. 실기시험을 준비하는 여러분께 본 교재가 도움이 되길 바라며, 의사가 되는 마지막 단계를 잘 마무리하여 합격의 기쁨을 누리시길 바랍니다.

이 책의 특징 및 장점

1. 48개 주제에 대한 계통별 감별진단 리스트

CPX를 성공적으로 합격하기 위해서는 48개 주제에 대한 체계적인 학습이 필요합니다. 퍼시픽 CPX는 실제 면담을 수행하기 위해서 필요한 지식들을 계통별로 정리하여 시험을 준비하는 수험생들이 가장 효율적으로 학습할 수 있도록 구성하였습니다. 퍼시픽 CPX를 이용하여 면담을 수행하기 전 필요한 지식들을 효율적으로 학습하도록 하십시오.

2. 당장 활용할 수 있는 생생하면서도 유용한 팁

연습장에서 아무리 잘했다 하더라도 실제 시험장에 가면 당황할 수 있습니다. 퍼시픽 CPX는 낯선 현장이 주는 긴장감을 줄이고 돌발 상황에도 유연하게 대처할 수 있도록 시험장 분위기와 시험실 안내도, 면담 요령과 시간 분배 등 생생한 실전 팁과 유익한 정보를 실었습니다.

3. 실제시험을 깔끔하게 대비할 수 있게 만든 구성

CPX를 준비하는 수험생들이 실제 시험의 요소 하나하나를 빠뜨리지 않도록 지침사항－병력청취－신체검진－환자교육－환자 의사 관계를 모두 정리하여 CPX를 완벽하게 대비할 수 있도록 구성하였습니다. 퍼시픽 CPX의 구성을 따라 연습한다면 부족함 없이 CPX를 대비할 수 있을 것입니다.

4. 증례별 자세한 해설과 팁

국가고시 개편으로 CPX 마지막에 치르는 사이시험이 없어졌습니다. 그러나 CPX 마지막 순서인 환자 교육과 질문에 대비하기 위해서는 증례별로 가능한 감별진단과 진단계획, 치료계획을 반드시 알고 있어야 합니다. 퍼시픽 CPX에서는 문제별로 가능한 감별진단과 진단계획, 치료계획뿐만 아니라 환자의 정보를 통해 추론할 수 있는 요소들과 실전 팁까지 꼼꼼하게 정리하여 해설을 구성하였습니다. 증례를 연습한 후 해설을 보며 부족한 점을 보충한다면 CPX 실력을 더욱 빠르게 향상시킬 수 있을 것입니다.

5. 실제 시험과 최대한 유사한 시나리오

보통 짝을 지어 실제 시험과 똑같은 형식으로 연습하는 것을 감안하여 시나리오 파트를 항목별 상황지침－시나리오 순서로 단순하고 깔끔하게 구성하였습니다. **의사 역할을 맡은 학생 A는 상황지침만을 보고, SP 역할을 맡은 학생 B는 뒷면에 있는 시나리오를 보면서 면담을 진행하면서 연습을 하면 됩니다.** 종료 후 Checklist에서 빠진 것을 점검하면 연습의 완성도를 높일 수 있을 것입니다. 실제 시험에서는 긴장도가 높아지니 이를 감안하여 연습할 때는 시간을 12분보다 더 단축해서 연습하시는 것이 좋습니다.

퍼시픽 학술국

CONTENTS

CONTENTS

CHAPTER 4 신장 · 비뇨 _245

CHAPTER 5 내분비 · 전신증상 _293

CHAPTER 6 근골격 · 피부감각기 _345

CONTENTS

CHAPTER 7

산부 · 소아 _403

CHAPTER 8

신경 _493

CONTENTS

CHAPTER 9 정신 _589

CHAPTER 10 상담 _661

CLINICAL PERFORMANCE EXAMINATION

CHAPTER 01

순환기

01 가슴통증

02 두근거림

03 고혈압

04 이상지질혈증

1 가슴통증

대표증례 - 1

상황지침

18세 남자 이재영 씨가 가슴이 아프다며 병원에 왔다.

[활력징후]	
• 혈압 : 110/78mmHg	• 맥박 : 70회/분
• 호흡 : 23회/분	• 체온 : 36.5℃

응시자는 이 환자에게

- 증상과 관련된 병력을 청취하고,
- 증상과 관련된 적절한 신체진찰을 시행한 후,
- 추정진단과 향후 진단계획 등에 대해 환자와 논의하시오.

해설

※ **감별진단** : 원발성 기흉

※ **진단계획/치료계획** : 흉부 X-ray, 일반 혈액 검사, 폐기능 검사 / 산소 공급, 흉관 삽입

- 특별한 위험요인이 없는 젊은 남자가 한쪽 가슴에 찌르는 듯한 통증을 주소로 내원한 case입니다.
- 환자는 키가 크며 마른 체형을 지니고 있습니다. 그래서 추가적으로 키와 몸무게를 물어보는 것이 좋습니다(원발성 자발성 기흉 위험요인 중에 젊고 키 크고 마른 남자가 있습니다).
- 원발성 자발성 기흉은 전체 volume의 15%가 넘지 않으면 산소 공급과 함께 경과 관찰하고, 그 이상인 경우 흉관 삽입을 시행합니다.

시나리오

Sex/Age		M/18
Chief Complaint		가슴이 아파요
Present illness	Location	오른쪽 가슴
	Onset	어제
	Situation	학교에서 수업 듣는 도중 갑자기 아픔
	Time	40분 정도 지속
	Course	어제 이후 두 차례 가량 가슴 통증을 느낌
	Experience	처음
	Character	**오른쪽 가슴이 찌르는 듯이 아픔**, 방사통(−) 밤에 자다가 아파서 깸, VAS 6점
	Factors	악화 요인(기침, 움직일 때 아픔, 호흡, 찬바람, 식사와 관계없음), 완화 요인(시간 지나면 괜찮아짐), 스트레스(−)
	Associated symptoms	발열/오한(−/−), 체중변화(−), 두근거림/어지럼(−/−), **기침**/가래/객혈/**호흡곤란(+**/−/−/**+**; **움직일 때)**, A/N/V/D/C(−/−/−/−/−), 복통/소화불량/속쓰림(−/−/−)
Medical history	약물복용력	종합비타민제
	과거력	DM/HTN/TB/간질환(−/−/−/−), 심폐질환(−) 건강검진 해본 적 없음
	외상/수술력	외상(−), 수술력(−)
	사회력	고등학생, 술(−), 흡연(−)
	가족력	DM/HTN(−/−), 고지혈증(−), 흉부외상(−)
	여성력	−
Physical exam	Vital sign	110/78mmHg, 70회/분, 23회/분, 36.5℃, 180cm, 60kg
	Positive findings	목정맥 확장 정상, 경동맥청진 정상, 흉부 검사 정상, 심장 청진 정상, 복부 검진정상, 오목부종(−), 곤봉지(−)
환자의 질문 또는 기타 특이사항		"너무 괴로워요"

대표증례-2

상황지침

41세 남자 이원일 씨가 가슴이 아프다고 병원에 왔다.

[활력징후]	
• 혈압 : 128/85mmHg	• 맥박 : 67회/분
• 호흡 : 18회/분	• 체온 : 36.9℃

응시자는 이 환자에게

- 증상과 관련된 병력을 청취하고,
- 증상과 관련된 적절한 신체진찰을 시행한 후,
- 추정진단과 향후 진단계획 등에 대해 환자와 논의하시오.

해설

※ **감별진단** : 불안정형 협심증, 급성 심근경색증

※ **진단계획/치료계획** : 심전도, 심근효소 검사, 흉부 X-ray / Nitroglycerin, BB, Aspirin+Clopidogrel, Heparin, Statin

• 활력징후와 증상의 지속시간, 중등도를 통해서 생명을 위협할 수 있는 질환은 아닌지 먼저 확인하여야 합니다. 가슴통증과 호흡곤란을 유발할 수 있는 대표적인 4가지 응급질환인 폐색전증, 급성 심근경색, 긴장성 기흉, 대동맥 박리를 먼저 감별합시다.

• 통증의 위치, 통증 양상(쥐어짜듯/바늘로 콕콕 찌르는 듯/찢어지듯이 아픔), 통증의 중등도를 먼저 파악하는 것이 중요합니다. 통증의 위치는 직접 짚어보라고 물어보도록 합시다. 통증 정도를 평가하기 위해서는 가장 아픈 것을 10점이라고 봤을 때 '몇 점 정도인가요?'라고 물어보는 것이 좋습니다.

• 통증을 호소하는 환자의 경우 아픔에 공감해주고, 통증을 완화하기 위한 니트로글리세린, 진통제를 처방해줄 수 있음을 알려주면서 안심시켜주는 것이 좋습니다.

• 환자가 질병을 대수롭지 않게 생각해서 오전 내로 검사 끝내고 오후에 출근해도 되겠냐는 질문을 하기도 하였습니다. 무턱대고 겁을 줄 필요는 없지만 검사결과에 따라서 추가적인 검사가 필요할 수도 있고, 입원이 필요할 수도 있음을 부드럽게 설명하는 것이 좋습니다.

시나리오

Sex/Age	M/41	
Chief Complaint	가슴이 아파요	
Present illness	Location	왼쪽 가슴
	Onset	어제 밤
	Situation	자려고 누워 있다가 갑자기 아픔
	Time	10분
	Course	6개월 전부터 잠깐씩 증상 있다가 사라지기를 반복, **1주 전부터 점점 자주 증상 생김**, 점점 심해지지는 않음
	Experience	1주 전 회사에서 앉았다 일어설 때 30초 정도 통증 이후에 3번 정도 1분 이내로 통증 나타났었음
	Character	**쥐어짜는 느낌, 빠근함, 등과 왼쪽 어깨로 뻗침** NRS 6~7점
	Factors	6개월 전부터 운동을 시작했는데 최근 웨이트를 심하게 함, 최근 1주일은 통증이 심해서 운동을 자제했다고 함, 기지개 펼 때 아픔, 과식(−), 찬바람(−), 전날 음주(−), 식사(−), 휴식 후 호전(+)
	Associated symptoms	발열/오한(−/−), 체중변화(−), 두근거림/어지럼(−/−), 기침/가래/객혈/호흡곤란(−/−/−/−), A/N/V/D/C(−/−/−/−/−), 복통/소화불량/속쓰림(−/−/−)
Medical history	약물복용력	고혈압약(−), 고지혈증약(−)
	과거력	DM/HTN/TB/간질환(−/−/−/−), 고지혈증(−), 심혈관 질병(−) 2년 전 회사 건강검진에서 정상
	외상/수술력	외상(−), 수술력(−)
	사회력	중소기업 회사원, 술(일주일에 소주1병), 담배(11갑·년), 6개월 전부터 운동(근력 위주), 1주일 전부터 쉬는 중, 평소 식습관(육류, 채소 골고루)
	가족력	가족 중에 심장질환(−), 급사(−), 고혈압(−), 당뇨(−)
	여성력	−
Physical exam	Vital sign	128/85mmHg, 67회/분, 18회/분, 36.9℃
	Positive findings	목정맥 확장 없음, 목동맥 촉진 정상, 심장음, 폐음 모두 정상, 복부 검진 정상, Pitting edema(−)
환자의 질문 또는 기타 특이사항		"오늘 전부 검사해야 하나요? 오후에 출근할 수 있나요?"

대표증례 – 3

상황지침

42세 여자 김지영 씨가 가슴이 아프다며 병원에 왔다.

[활력징후]

- 혈압 : 130/85mmHg
- 맥박 : 79회/분
- 호흡 : 22회/분
- 체온 : 36.5℃

응시자는 이 환자에게

- 증상과 관련된 병력을 청취하고,
- 증상과 관련된 적절한 신체진찰을 시행한 후,
- 추정진단과 향후 진단계획 등에 대해 환자와 논의하시오.

해설

※ **감별진단** : 변이형 협심증

※ **진단계획/치료계획** : 심전도, Ergonovine 유발 검사, 심근효소 검사 / 칼슘통로차단제(CCB), Nitroglycerin

- 특별한 위험요인이 없는 젊은 사람이라면 이형협심증을 떠올리고 과음한 적이 있는지, 음주하는 도중에 발생했는지, 한밤중에 발생했는지 등의 유발 상황을 물어봐야합니다. 이형협습증은 한밤중이나 새벽, 특히 그 전날 술을 마신 겨우 발생하는 흉통이 특징적입니다.
- 환자가 많이 걱정하고 아파하므로 많이 아프셨던 점을 공감해드립시다.
- PPI를 위해 20년 전부터 있던 편두통에 대해서 살짝 언급을 해보는 것도 좋습니다. 주의할 점은 주소와 큰 관계가 없는 부분에 대해서 너무 많은 시간을 쓰면 안 된다는 것입니다. "가슴 아픈 것이 나아지면 편두통에 대해서도 한번 진료를 받아보시는 게 좋으실 것 같네요" 정도만 덧붙인다면 충분할 것입니다.
- "어떤 약물로 치료하나요?"라는 질문에 대해, 대부분의 응시생이 본격적인 필기시험 공부 시작 이전이기 때문에 정확한 약종류를 모르는 경우가 많습니다. 이럴 땐 협심증이 심장으로 가는 혈관이 좁아져서 생기는 병이라고 설명하며 "좁아진 혈관을 늘려주는 약을 쓸 것입니다. 필요하다면 수술적인 치료가 필요할 수도 있고요." 정도로 설명해주는 순발력을 발휘합시다.
- 이형협심증의 치료는 CCB, nitrate로서 편두통의 예방적 치료로 쓰일 수 있습니다. Beta blocker는 금기라는 사실은 필기시험에서도 자주 나오는 포인트입니다.

시나리오

<table>
<tr><td>Sex/Age</td><td colspan="4">F/42</td></tr>
<tr><td>Chief Complaint</td><td colspan="4">가슴이 아파요</td></tr>
<tr><td rowspan="10">Present illness</td><td>Location</td><td colspan="3">가슴 가운데 부위</td></tr>
<tr><td>Onset</td><td colspan="3">3일 전</td></tr>
<tr><td>Situation</td><td colspan="3">–</td></tr>
<tr><td>Time</td><td colspan="3">5분 정도 지속</td></tr>
<tr><td>Course</td><td colspan="3">4일 전에 회식한 이후로(맥주 1~2잔 정도 마심), 1개월 전, 1주 전에 비해 갈수록 통증 심해지고 통증이 한번 생기면 지속기간이 길어짐(1분, 3분, 5분)</td></tr>
<tr><td>Experience</td><td colspan="3">한 달 전 출근하다가, 지난 주 학교에서 수업하다가 한 번</td></tr>
<tr><td>Character</td><td colspan="3">조이고 뻐근함, 등과 왼쪽 어깨로 뻗침, 왼쪽 팔 아래까지 뻗치기도 함
밤에 자다가 아파서 깸, NRS 7점</td></tr>
<tr><td>Factors</td><td colspan="3">악화 요인(호흡, 운동, 찬바람, 식사와 관계없음), 완화 요인(쉬거나, 앞으로 숙이면 조금 나아짐)</td></tr>
<tr><td>Associated symptoms</td><td colspan="3">발열/오한(–/–), 체중변화(–), 두근거림/어지럼(–/–), 기침/가래/객혈/호흡곤란(–/–/–/–), A/N/V/D/C(–/–/–/–/–), 복통/소화불량/속쓰림(–/–/–)</td></tr>
<tr><td colspan="4"></td></tr>
<tr><td rowspan="5">Medical history</td><td>약물복용력</td><td colspan="3">두통 때문에 가끔 타이레놀, 심혈관약(–)</td></tr>
<tr><td>과거력</td><td colspan="3">DM/HTN/TB/간질환(–/–/–/–), 20년 전쯤부터 편두통, 심혈관 질병(–)
건강검진 해본 적 없음</td></tr>
<tr><td>외상/수술력</td><td colspan="3">외상(–), 수술력(–)</td></tr>
<tr><td>사회력</td><td colspan="3">중학교 국어선생님, 술(한 달에 맥주 1~2잔), 흡연(–), 커피(하루에 2~3잔)</td></tr>
<tr><td>가족력</td><td colspan="3">아버지 HTN, 오빠 HTN</td></tr>
<tr><td rowspan="5">Menstrual history
(여성만 해당)</td><td>산과력</td><td colspan="3">2-0-0-2</td></tr>
<tr><td>월경규칙성</td><td>규칙적</td><td>월경 주기</td><td>28</td></tr>
<tr><td>월경량</td><td colspan="3">보통</td></tr>
<tr><td>월경통</td><td colspan="3">없음</td></tr>
<tr><td>LMP</td><td colspan="3">10일 전</td></tr>
<tr><td rowspan="2">Physical exam</td><td>Vital sign</td><td colspan="3">130/85mmHg, 79회/분, 22회/분, 36.5℃</td></tr>
<tr><td>Positive findings</td><td colspan="3">목정맥 확장 없음, 목동맥 촉진 정상, 심음 정상, 폐음 모두 정상, 복부검진 정상, Pitting edema(–)</td></tr>
<tr><td colspan="2">환자의 질문 또는 기타 특이사항</td><td colspan="3">"큰 병이 아닐까 걱정돼요. 어떤 약물로 치료하나요?"</td></tr>
</table>

대표증례 - 4

상황지침

56세 남자 장철수 씨가 가슴이 아프다며 병원에 왔다.

[활력징후]

- 혈압 : 145/95mmHg
- 맥박 : 70회/분
- 호흡 : 22회/분
- 체온 : 36.5℃

응시자는 이 환자에게
- 증상과 관련된 병력을 청취하고,
- 증상과 관련된 적절한 신체진찰을 시행한 후,
- 추정진단과 향후 진단계획 등에 대해 환자와 논의하시오.

해설

※ **감별진단** : 불안정형 협심증, 급성 심근경색증

※ **진단계획/치료계획** : 심전도, 심근효소 검사, 흉부 X-ray / Nitroglycerin, BB, Aspirin + Clopidogrel, Heparin, Statin

- 가슴 통증 환자는 흉부 진찰을 중점적으로 시행합니다. 여성 환자의 경우 신체진찰 이전에 충분한 설명과 동의를 얻고 시행합니다.
- 협심증에서 생길 수 있는 응급상황과 대처법, 예방할 수 있는 치료나 생활 등에 대해 교육합니다.
- 가슴통증이 자세에 따른 변화가 있는지 운동을 하면 심해지는지 휴식 시 호전되는지와 같이 통증의 양상과 변화를 자세히 문진해야 합니다.
- 술/담배, 식습관에 대한 교육도 잊지 말고 시행합니다.
- 최근에도 빈출하는 증례입니다. 최근 문제 경향은 심장마비에 의한 사망이나 고혈압 등의 가족력이 주어지기도 합니다. 환자가 고혈압을 기저질환으로 가지고 있을 수 있으니, 약물복용력, 가족력, 흡연, 음주, 식습관을 꼼꼼히 알아보고, 교육 시 언급하세요!

시나리오

Sex/Age	M/56	
Chief Complaint	가슴이 아파요	
Present illness	Location	가슴 전반
	Onset	40분 전
	Situation	저녁식사 후 운동 삼아 달리기 중 발생
	Time	**15분 정도 지속**
	Course	현재는 호전된 상태, **이전 통증보다는 강도 심해짐**
	Experience	2주 전 등산 중 비슷한 증상 2~3분 지속 1주 전 운동하던 중 통증이 4~5분 지속, 통증 강도 더 심해짐
	Character	짓누르고 조이는듯함, 왼쪽 팔과 목으로 방사통 NRS 7점
	Factors	**찬바람 쐬면 악화(+)**, 자세/운동에 따른 악화(−)
	Associated symptoms	발열/오한(−/−), 체중변화(−), 두근거림/어지럼(−/−), 기침/가래/객혈/호흡곤란(−/−/−/−), A/N/V/D/C(−/−/−/−/−), 복통/소화불량/속쓰림(−/−/−)
Medical history	약물복용력	고혈압약(노바스크)
	과거력	DM/HTN/TB/간질환(−/+/−/−)
	외상/수술력	외상(−), 수술력(−)
	사회력	술(+; 1주일에 2~3회, 소주 1병씩), 흡연(+; 30PY), 운동(−), 맵고 짠 음식 안 좋아하나 기름진 음식 좋아하고 아침은 늘 거름
	가족력	아버지 심근경색으로 사망
	여성력	−
Physical exam	Vital sign	145/95mmHg, 70회/분, 22회/분, 36.5℃
	Positive findings	경동맥, 심음 모두 정상
환자의 질문 또는 기타 특이사항		−

대표증례 – 5

상황지침

40세 남자 김민석 씨가 가슴이 아프다며 병원에 왔다.

[활력징후]	
• 혈압 : 155/110mmHg	• 맥박 : 72회/분
• 호흡 : 24회/분	• 체온 : 37.7℃

응시자는 이 환자에게
- 증상과 관련된 병력을 청취하고,
- 증상과 관련된 적절한 신체진찰을 시행한 후,
- 추정진단과 향후 진단계획 등에 대해 환자와 논의하시오.

해설

※ **감별진단** : 급성 심막염, 급성 심근염

※ **진단계획/치료계획** : 흉부 X-ray, 심전도, 심초음파 / 고용량 NSAID, Aspirin, Bed rest

- 급성 심막염의 통증 양상이 허혈성 심질환과 비교해서 어떻게 다른지, 어떨 때 악화/완화되는지 잘 정리해두시기 바랍니다.
- 급성 심막염은 chest PA, 심초음파, ECG로 진단하며 보존적 치료 및 고용량 NSAID로 치료합니다.
- 급성 심막염은 대부분 self-limiting하지만 드물게 약물치료에 잘 반응하지 않거나 자주 재발하는 경우 pericardiectomy를 시행할 수 있습니다.

시나리오

Sex/Age		M/40
Chief Complaint		가슴이 아파요
Present illness	Location	왼쪽 가슴
	Onset	어제 저녁
	Situation	어제 저녁 퇴근 준비하던 중
	Time	어제부터 계속
	Course	비슷함
	Experience	처음
	Character	짓누르고 조이는 듯함, 왼쪽 팔 방사통 NRS 6
	Factors	**기침할 때, 숨 크게 쉴 때 악화, 앞으로 숙일 때 완화**
	Associated symptoms	**발열**/오한(**+**/−), 체중변화(−), 두근거림/어지럼(−/−), 기침/가래/객혈/호흡곤란(−/−/−/−), A/N/V/D/C(−/−/−/−/−), 복통/소화불량/속쓰림(−/−/−)
Medical history	약물복용력	−
	과거력	DM/HTN/TB/간질환(−/+/−/−), 심폐질환(−) 건강검진 해본 적 없음
	외상/수술력	외상(−), 수술력(+; 맹장수술)
	사회력	술(+; social), 담배(+; 20PY), 자동차 딜러 운동 아예 안 함, 식사는 아침 거르지만 골고루 잘 먹음
	가족력	DM/HTN(−/−), 고지혈증(−), 흉부외상(−)
	여성력	−
Physical exam	Vital sign	155/110mmHg, 72회/분, 24회/분, 37.7℃
	Positive findings	목정맥 확장 정상, 경동맥청진 정상, 흉부 검사 정상, 심장 청진 정상, 복부 검진 정상, 오목부종(−), 곤봉지(−)
환자의 질문 또는 기타 특이사항		−

대표증례-6

상황지침

58세 남자 최철기 씨가 가슴이 아프다며 병원에 왔다.

[활력징후]

- 혈압 : 124/75mmHg
- 맥박 : 70회/분
- 호흡 : 20회/분
- 체온 : 36.5℃

응시자는 이 환자에게
- 증상과 관련된 병력을 청취하고,
- 증상과 관련된 적절한 신체진찰을 시행한 후,
- 추정진단과 향후 진단계획 등에 대해 환자와 논의하시오.

해설

※ **감별진단** : 급성 심근경색증, 불안정형 협심증

※ **진단계획/치료계획** : 심전도, 심근효소 검사, 관상동맥 조영술, 흉부 X-ray / 일차 심장동맥중재술, 혈전용해제

- STEMI에서 중요한 것은 빠르게 재관류 치료를 하는 것이기 때문에 다른 허혈성 심장질환과 STEMI를 구분하는 것이 중요합니다. ECG상 2개 이상의 연속된 lead에서 ST elevation이 관찰되거나 새롭게 발견된 LBBB가 있으면 STEMI로 진단할 수 있습니다.
- Reperfusion(PCI or fibrinolysis)에 앞서 응급실에서 aspirin, O_2, nitroglycerin, morphine, BB를 사용합니다.
- Fibrinolysis의 절대적 금기증은 (1) 뇌출혈의 과거력, (2) 지난 1년 이내 비출혈성 뇌졸중 또는 다른 뇌혈관 질환의 과거력, (3) 증상이 나타나는 동안 언제라도 SBP > 180mmHg, DBP > 110mmHg, (4) 대동맥박리가 의심되는 경우, (5) 내출혈이 있는 경우(월경은 예외)입니다.

시나리오

Sex/Age	M/58	
Chief Complaint	가슴이 아파요	
Present illness	Location	명치 조금 위
	Onset	1시간 전
	Situation	–
	Time	**1시간 내내 지속**
	Course	지금 조금 덜해짐
	Experience	2년 전에도 한 번 이런 통증이 있었지만 지금처럼 아프지는 않았음. 병원 갔었는데 금방 괜찮아져서 딱히 치료나 검사 하지 않았음
	Character	욱신욱신 누르는듯함, 목으로 뻗침 NRS 6~7
	Factors	1시간 전부터 시작되어 언제 더 아파지고 나아지는지는 모르겠음
	Associated symptoms	발열/오한(–/–), 체중변화(–), 두근거림/어지럼(–/–), 기침/가래/객혈/호흡곤란(–/–/–/–), A/N/V/D/C(–/–/–/–/–), 복통/소화불량/속쓰림(–/–/–)
Medical history	약물복용력	–
	과거력	DM/HTN/TB/간질환(–/–/–/–)
	외상/수술력	–
	사회력	술(+; 주 2~3회 한 번에 1~2병), 담배(+; 0.5p×25yr) 자동차 대리점 운영(요즘 매출이 줄어서 걱정)
	가족력	아버지가 10년 전 급사, 원인 모르지만 심장 때문이 아닐까 생각중
	여성력	–
Physical exam	Vital sign	124/75mmHg, 70회/분, 20회/분, 36.5℃
	Positive findings	목정맥 확장 정상, 경동맥청진 정상, 흉부 검사 정상, 심장 청진 정상, 복부 검진 정상, 오목부종(–), 곤봉지(–)
환자의 질문 또는 기타 특이사항		–

관련증례

1-1 43세 남자가 가슴이 아프다며 왔다. 1시간 전쯤부터 가슴 전반적으로 쥐어짜는 듯한 통증이 발생하였으며 몸을 움직이면 더 심해지는 양상이었다. 통증 강도는 매우 심했으며, VAS 8점 정도였다. 2주일 전쯤부터 오르막길을 걸을 때나, 계단 오를 때마다 5~10분 정도씩 가슴 통증이 있었으며 휴식을 취하면 괜찮아지는 양상이었다. 오늘 오전에 산책하다가 발생한 이후에는 통증이 좋아지지 않고 지속되고 있었다. 왼쪽 어깨로 뻗치는 통증이 나타났으며, 숨도 가빠졌다고 하였다. 두근거림, 자세에 따른 변화는 없었으며, 10년 전에 고혈압을 진단받아 고혈압약을 복용중이었다. 중소기업을 운영중이며, 주로 삼겹살과 같은 육류 음식을 즐기며, 술은 일주일에 소주 1병씩 3일 정도 마시며, 담배는 하루 1.5갑씩 20년 정도 피우고 있었다. 가족 중에 아버지가 심장마비로 돌아가셨다고 하였다.

활력징후는 혈압 150/95mmHg, 맥박 102회/분, 호흡수 27회/분, 체온 36.6℃이었다. 흉부검진 상에서 심장음에서 수축기 잡음, 호흡은 얕고 빠른 호흡을 보이고 있었다. 결막에서 빈혈이나 기관 편위를 보이지는 않았으며, 경정맥 상승이 보이고 있었다.

1-2 36세 여자가 가슴이 아프다며 왔다. 어제 저녁에 가슴 가운데 부분이 화끈거리는 양상으로 아팠으며 자려고 누웠을 때 발생하였다고 하였다. 6개월 전부터 비슷한 양상의 통증이 발생하기 시작하였으며 어제 저녁에 가슴이 아파 잠을 거의 못잤다고 하였다. 과식을 하거나 식후 바로 누우면 통증이 악화된다고 하였으며, 운동하거나 숨을 크게 들이마쉴 때 악화되지는 않는다고 하였다. 속쓰림과 신물 올라옴, 소화불량이 있다고 하였으며, 3개월 전부터 잦은 기침도 동반되었다고 하였다. 심한 스트레스나 체중변화, 열은 없다고 하였으며, 호흡곤란이나 두근거림은 없다고 하였다. 앓고 있는 질환은 없으나 소화 안될 때마다 소화제를 먹었고, 이외에 다른 약물을 먹은 적은 없다고 하였다. 위내시경은 받아본 적 없다고 하였다. 사무직 회사원으로 일주일에 맥주 한 병 정도 마시며, 흡연은 하지 않는다고 하였다. 커피는 하루 3~4잔 정도 마시며, 밤에 야식을 즐겨하고, 가족 중 어머니와 아버지가 고혈압을 가지고 있다고 하였다.

활력징후는 혈압 130/90mmHg, 맥박 82회/분, 호흡수 20회/분, 체온 36.8℃이었다. BMI 22 정도였고, 결막에서 빈혈이나 기관 편위, 경정맥 상승은 보이지 않았다. 흉부검진 상에서 호흡음과 심장음에서 특이사항은 발견되지 않았다.

1-3 61세 여자가 가슴이 아프다며 응급실로 왔다. 30분 전에 갑자기 칼로 찢겨지는 듯한 느낌의 가슴 통증이 발생하였으며, 평생 처음 느껴보는 정도의 심한 통증이라고 하였다. 통증으로 인해 걷지도 못할 정도였으며, 통증은 등으로까지 방사된다고 하였다. 현재 호흡하기도 힘들 정도이며, 심장 박동도 빨라진 것 같다고 하였다. 10년 전에 고혈압을 진단받아 고혈압약을 복용 중이며 1년 전부터 혈압이 잘 조절되지 않아 약제를 추가 처방 받아서 복용하고 있다고 하였다. 당뇨, 고지혈증은 없다고 하였으며 혈압약 외의 다른 약제는 먹고 있지 않다고 하였다. 전업 주부로 술과 담배는 하지 않는다고 하였다. 가족 중에 아버지와 어머니가 고혈압을 앓았었다고 하였다.

활력징후는 혈압 170/110mmHg, 맥박 132회/분, 호흡수 29회/분, 체온 36.9℃이었다. 흉부검진 상에서 심장음에서 수축기 잡음, 호흡은 얕고 빠른 호흡을 보이고 있었다. 결막에서 빈혈이나 기관 편위를 보이지는 않았으며, 경정맥 상승이 보이고 있었다. 복부 진찰에서 배꼽 부위에서 잡음이 들리고 있었다.

Answer | 1-1. 급성심근경색 1-2. 위식도역류병 1-3. 대동맥박리

Check-list

	병력청취 채점항목	예	아니오
1	흉통의 부위, 중등도, 발생시기, 지속시간에 대해 물어보았다.	☐	☐
2	흉통의 악화인자(운동, 자세, 호흡, 식사, 찬바람 등)와 완화인자(휴식, nitrate, 자세변화 등)에 대하여 물어보았다.	☐	☐
3	흉통과 함께 발생하는 동반증상(방사통, 호흡곤란, 구역, 구토, 식은땀, 어지러움, 열, 오한, 감기 등)에 대하여 물어보았다.	☐	☐
4	위험요인(당뇨, 고혈압, 고지혈증)과 과거력 및 과거 증상 유무에 대하여 물어보았다.	☐	☐
5	가족력(허혈성 심장병, 뇌졸중, 당뇨병 등)과 식사습관 및 식사시 통증 발생에 대하여 물어보았다.	☐	☐
6	호흡기 및 외상 관련 증상에 대하여 물어보았다.	☐	☐
7	기능성 질환(불안, 우울증, 신체화장애 등)에 대하여 물어보았다.	☐	☐
8	개인 사회력(흡연과 음주)에 대해 물어보았다.	☐	☐

	신체진찰 채점항목	제대로 함	제대로 못함	하지 않음
1	응급상황을 알기 위해 혈압과 맥박, 호흡 정도를 확인하였는가?	☐	☐	☐
2	흉부에서 촉진을 통해 압통을 확인하고 호흡음과 심장음을 4군데 이상 확인하였는가?	☐	☐	☐
3	복부를 시진, 촉진, 청진하였는가?	☐	☐	☐
4	안면부 진찰을 통해 결막, 기관편위 이상 여부를 확인하였는가?	☐	☐	☐
5	경정맥 확장, 경동맥 대칭성을 확인하였는가?	☐	☐	☐
6	하지를 촉진하여 부종 여부를 확인하였는가?	☐	☐	☐

	환자교육 채점항목	예	아니오
1	가슴 통증의 원인에 대하여 설명하였는가?	☐	☐
2	필요한 진단 방법과 치료방법을 설명하고 동의를 구하였는가?	☐	☐
3	응급조치의 필요성과 입원 가능성에 대하여 설명하였는가?	☐	☐
4	질환에 따른 통증이 악화될 수 있는 위험요인과 예방법을 설명하였는가?	☐	☐

	환자의사관계 채점항목	아주우수	우수	보통	미흡
1	효율적으로 잘 물어보았다. – 효율적 질문 : 개방형 질문 사용, 확인, 중간 요약 – 피할 질문 : 유도 질문, 복수 질문	☐	☐	☐	☐
2	나의 말을 잘 들어주었다. – 대꾸하기, 경청 자세, 눈 맞춤 & 말 가로채지 않기	☐	☐	☐	☐
3	나의 입장을 이해하려고 노력하였다. – 공감 표현, 나의 입장 파악	☐	☐	☐	☐
4	환자가 이해하기 쉽게 설명하였다. – 간단명료함, 이해도 점검, 질문 기회 & 쉬운 용어	☐	☐	☐	☐
5	나와 좋은 유대 관계를 형성하려고 했다. – 자기소개, 일상 대화, 존중, 자신감 & 신뢰감	☐	☐	☐	☐

M·E·M·O

2 두근거림

대표증례－1

상황지침

33세 남자 주양 씨가 가슴이 두근거린다며 병원에 왔다.

[활력징후]

- 혈압 : 120/80mmHg
- 맥박 : 130회/분
- 호흡 : 20회/분
- 체온 : 36.5℃

응시자는 이 환자에게

- 증상과 관련된 병력을 청취하고,
- 증상과 관련된 적절한 신체진찰을 시행한 후,
- 추정진단과 향후 진단계획 등에 대해 환자와 논의하시오.

해설

※ **감별진단** : 빈맥성 부정맥, 스트레스·카페인 과섭취로 인한 생리적 두근거림

※ **진단계획** : 심전도, 24시간 홀터 심전도

- 다른 이유보다는 cardiac origin이 가장 의심되는 빈맥입니다. PSVT 외에도 여러 빈맥성 부정맥의 가능성이 있습니다.
- 그 외에도 과도한 커피 섭취나 스트레스에 의한 생리적 두근거림도 배제할 수 없습니다.

시나리오

Sex/Age	M/33	
Chief Complaint	가슴이 두근거려요	
Present illness	Location	–
	Onset	어제 저녁, Remote onset 3달 전
	Situation	–
	Time	어제부터 진료하기 전까지 지속, 지금은 괜찮음
	Course	3달 전부터 10번 정도 두근거림, 갈수록 더 자주, 더 오래 지속됨
	Experience	3달 전이 처음
	Character	서서히 시작해서 서서히 끝남, 자기도 모르게 두근거림이 시작됨 쿵하고 내려앉는 느낌(−)
	Factors	커피 마시면 더 두근거리는 것 같음, 스트레스 받을 때 두근거림이 심한 것 같아 연관성 있다고 생각함
	Associated symptoms	발열/오한/발한/피로/체중감소(−/−/−/−/−), **어지럼/호흡곤란**/흉통/실신(**+; 두근거릴 때 움직이면/+; 가끔씩 숨이 찬 느낌**/−/−), 더위불내성/두통/공복감(−/−/−), 불안/수면장애/죽을 것 같은 공포감/예기불안(−/−/−/−), **두근거릴 때 가슴 답답함(+)**
Medical history	약물복용력	비타민제
	과거력	DM/HTN/TB/간질환(−/−/+; 군대에서 폐결핵 걸려 6개월 치료 후 완치/−), 갑상샘 관련 질환(−), 심혈관질병(−), 자가면역질환(−) 작년 겨울 직장에서 건강검진 시행했을 때 문제 없다고 들음
	외상/수술력	외상(−), 수술력(−)
	사회력	직장인, 승진이랑 야근 때문에 스트레스 있음 **커피(+; 하루 2잔)**
	가족력	가족 중 자가면역 질환이나 갑상샘 관련 질환 없음(−)
	여성력	–
Physical exam	Vital sign	120/80mmHg, 130회/분, 20회/분, 36.5℃
	Positive findings	결막, 목부위 진찰 정상, 갑상샘 촉진 정상, 심음 정상, 복부 진찰 정상, Pitting edema(−), 흉부청진 정상(앞·뒤)
환자의 질문 또는 기타 특이사항		–

대표증례 – 2

상황지침

31세 여자 최민주 씨가 가슴이 두근거린다고 병원에 왔다.

[활력징후]

- 혈압 : 150/80mmHg
- 맥박 : 113회/분
- 호흡 : 18회/분
- 체온 : 36.9℃

응시자는 이 환자에게

- 증상과 관련된 병력을 청취하고,
- 증상과 관련된 적절한 신체진찰을 시행한 후,
- 추정진단과 향후 진단계획 등에 대해 환자와 논의하시오.

해설

※ **감별진단** : 갑상샘과다증, 임신, PSVT

※ **진단계획** : 갑상샘 기능검사, 소변 b-hCG, 심전도

- 두근거림의 경우 정신적 원인(공황장애, 불안장애, 스트레스 등)에 의해서도 나타날 수 있는 증상이므로 불안, 죽을 것 같은 기분 등 정신과적 증상에 대한 평가도 필요합니다.
- 두근거림이 실제 빈맥에 의한 것인지 판단하기 위해서는 맥박을 재본 적이 있는지 물어봐야 합니다.
- 가임기 여성의 경우에는 월경력과 함께 항상 임신 가능성을, 나이든 여성의 경우에는 안면홍조, 두통, 식은땀 등의 폐경 관련증상에 대해 질문하여야 합니다.
- PSVT와 같은 부정맥의 경우 심전도 측정 시 항상 이상소견이 나올 수 있는 게 아니므로 24시간 심전도 측정의 필요성을 설명하고, 증상이 나타났을 때 즉시 병원을 방문하라고 교육을 해주시는 것이 좋습니다.
- 심장의 구조적 이상에 의한 두근거림의 경우 급성심장사와 같은 심각한 질병을 초래할 수 있으므로 심전도 검사를 기본으로 해야 하며 가족력과 부정맥이나 과거 심장질환을 앓은 적이 있는지 질문하는 것 또한 중요합니다.

시나리오

<table>
<tr><td>Sex/Age</td><td colspan="4">F/31</td></tr>
<tr><td>Chief Complaint</td><td colspan="4">가슴이 두근거려요</td></tr>
<tr><td rowspan="9">Present illness</td><td>Location</td><td colspan="3">–</td></tr>
<tr><td>Onset</td><td colspan="3">6개월 전</td></tr>
<tr><td>Situation</td><td colspan="3">특정한 유발 상황이나 전조증상 없음</td></tr>
<tr><td>Time</td><td colspan="3">하루 수차례씩</td></tr>
<tr><td>Course</td><td colspan="3">일정함, 하루 종일 비슷</td></tr>
<tr><td>Experience</td><td colspan="3">처음</td></tr>
<tr><td>Character</td><td colspan="3">두근거림이 하루 수차례 나타남, 서서히 나타났다가 서서히 사라짐, 심장이 덜컹하는 느낌(–), 두근거림이 신경 쓰여 일상생활 힘듦</td></tr>
<tr><td>Factors</td><td colspan="3">운동과 관계없음, 커피와도 관계없음, 두근거림 후에 요의(–), 스트레스(–), 찬물 세수, 목 누르기에도 나아짐(–)</td></tr>
<tr><td>Associated symptoms</td><td colspan="3">발열/오한/발한/피로/체중감소(–/–/–/–/+; 6개월간 5kg), 어지럼/호흡곤란/흉통/실신(–/+/–/–), 더위불내성/두통/공복감/얼굴 화끈거림(+/–/–/–), 불안/수면장애/죽을 것 같은 공포감/예기불안(–/–/–/–)</td></tr>
<tr><td rowspan="5">Medical history</td><td>약물복용력</td><td colspan="3">고혈압약(–), 이뇨제(–), 교감신경 항진제(–)</td></tr>
<tr><td>과거력</td><td colspan="3">DM/HTN/TB/간질환(–/–/–/–), 부정맥(–), 심장질환(–), 갑상샘 질환(–), 건강검진 1년 전 시행, 이상소견 없었음</td></tr>
<tr><td>외상/수술력</td><td colspan="3">수술(–), 외상력(–)</td></tr>
<tr><td>사회력</td><td colspan="3">직장인, 술(소주 1병/1주), 담배(–)
평소에 숨참, 운동을 잘 못함</td></tr>
<tr><td>가족력</td><td colspan="3">어머니가 갑상샘 기능 저하, 심혈관 질병(–)</td></tr>
<tr><td rowspan="5">Menstrual history (여성만 해당)</td><td>산과력</td><td colspan="3">0-0-0-0</td></tr>
<tr><td>월경규칙성</td><td>3개월 전부터 월경 안함</td><td>월경 주기</td><td>원래는 규칙적</td></tr>
<tr><td>월경량</td><td colspan="3">–</td></tr>
<tr><td>월경통</td><td colspan="3">–</td></tr>
<tr><td>LMP</td><td colspan="3">3개월 전</td></tr>
<tr><td rowspan="2">Physical exam</td><td>Vital sign</td><td colspan="3">150/80mmHg, 113회/분, 18회/분, 36.9℃</td></tr>
<tr><td>Positive findings</td><td colspan="3">결막 정상, 목부위 진찰 정상, 심장음 정상, 복부 진찰 정상, 안저 검사 정상, 갑상샘 촉진 정상, Pitting edema(–), 흉부청진 정상(앞·뒤)</td></tr>
<tr><td colspan="2">환자의 질문 또는 기타 특이사항</td><td colspan="3">–</td></tr>
</table>

대표증례-3

상황지침

43세 남자 김국종 씨가 가슴이 두근거린다고 병원에 왔다.

[활력징후]

• 혈압 : 120/80mmHg	• 맥박 : 70회/분
• 호흡 : 18회/분	• 체온 : 36.9℃

응시자는 이 환자에게
- 증상과 관련된 병력을 청취하고,
- 증상과 관련된 적절한 신체진찰을 시행한 후,
- 추정진단과 향후 진단계획 등에 대해 환자와 논의하시오.

해설

※ **감별진단** : 발작성심실상성빈맥(PSVT), 스트레스·카페인으로 인한 생리적 두근거림
※ **진단계획/치료계획** : 심전도, 24시간 홀터 검사 / 아데노신, 안심시키기

• 발작성 심실상성 빈맥의 경우, 갑자기 심장이 굉장히 빨리 뛰다가 갑자기 정상으로 돌아오며, 지속 시간이 몇 초에서 몇 십 분까지 다양합니다. 이런 증상은 발작성 심방세동이나 심실성 빈맥도 가능하나, 빈도 상으로 발작성 심실상성 빈맥이 가장 가능성이 높습니다.
• 발작 당시 심전도를 찍는 것이 가장 좋은 진단 방법이지만, 불가능한 경우 24시간 홀터 검사가 유용합니다.
• 발작성 심실상성 빈맥은 아무 이유 없이 시작되곤 하지만, 대개 피곤하거나 커피를 많이 마신 경우, 혹은 심리적 스트레스가 심한 경우 자주 발생합니다. 스트레스를 관리하고 커피를 줄이도록 교육합니다. 증상이 심하지 않다면 경과 관찰할 수 있으나, 빈도가 잦거나 발작 당시 다른 증상들이 심하다면 약물 치료나 부전도로를 제거하는 전극도자 절제술을 시행할 수 있습니다.
• 두근거림 증상에 대해 죽는 병이 아닌지 걱정하고 있으므로 환자를 안심시키도록 합니다.

시나리오

Sex/Age	M/43	
Chief Complaint	가슴이 두근거려요	
Present illness	Location	–
	Onset	3개월 전
	Situation	특정한 유발 상황이나 전조증상 없음
	Time	평소 시작하면 20~30분 지속, 오늘은 1시간 넘게 지속됨
	Course	심해지는 것 같음
	Experience	처음
	Character	**갑자기 나타났다가** 서서히 사라짐, 심장이 덜컹하는 느낌(–), 실제로 맥박을 측정해보지는 않았음
	Factors	자세에 따른 변화 없으며, 오전보다 밤에 더 자주 두근거림
	Associated symptoms	발열/오한/발한/피로/체중감소(–/–/–/–/–), 어지럼/호흡곤란/흉통/실신(–/–/–/–), 더위불내성/두통/공복감(–/–/–), 불안/수면장애/죽을 것 같은 공포감/예기불안(–/–/–/–)
Medical history	약물복용력	고혈압약(–), 이뇨제(–), 교감신경 항진제(–)
	과거력	DM/HTN/TB/간질환(–/–/–/–), 심장질환(–), 갑상샘 질환(–) 건강검진에서 부정맥 있다고 들었으나 치료받지 않음
	외상/수술력	수술(–), 외상력(–)
	사회력	회사원, 술(맥주 1병/1주), 담배(–), **최근 회사 일로 스트레스를 받음, 커피 하루 4~5잔 마심**
	가족력	할아버지가 심장이 안 좋으셨다고 들음, 아버지 고혈압(+)
	여성력	–
Physical exam	Vital sign	120/80mmHg, 70회/분, 18회/분, 36.9℃
	Positive findings	특이사항 없음
환자의 질문 또는 기타 특이사항	"죽는 병은 아닌가요?"	

대표증례 – 4

상황지침

27세 남자 박종현 씨가 가슴이 두근거린다며 병원에 왔다.

[활력징후]

- 혈압 : 120/85mmHg
- 맥박 : 102회/분
- 호흡 : 21회/분
- 체온 : 36.7℃

응시자는 이 환자에게

- 증상과 관련된 병력을 청취하고,
- 증상과 관련된 적절한 신체진찰을 시행한 후,
- 추정진단과 향후 진단계획 등에 대해 환자와 논의하시오.

해설

※ **감별진단** : 스트레스·카페인 과섭취로 인한 생리적 두근거림, 갑상샘과다증, 신체증상장애

※ **진단계획** : 심전도, 갑상샘 기능 검사, 일반 혈액 검사, 24시간 홀터 심전도

- 국시원에서 제작된 실기 안내 동영상을 보시면 중간에 이러한 문구가 있습니다. "응시자는 표준화환자의 활력 징후를 직접 확인할 수는 있지만, 반드시 시험 문제에서 제시된 활력 징후 정보를 기준으로 해야 합니다." 따라서 SP를 직접 진찰했을 때 맥박이 빠르지 않더라도 상황지침에서 제시된 활력징후를 기준으로 진료하고 평가해야 합니다.
- 활력징후를 보면 맥박수가 약간 높긴 하나 심각한 질환을 고려해야 할 정도는 아닙니다. 이런 경우 일상생활에서의 스트레스나 카페인/니코틴 섭취 등으로 인한 생리적 두근거림이 아닌지 먼저 감별해야 합니다.
- 해당 증례 환자의 경우 조금만 이야기를 나눠 봐도 예민하다는 생각이 들었습니다. 동반 증상에서 더위 불내성, 불안, 짜증, 체중감소 등을 물어보아 갑상샘 관련 질환을 감별해 내는 것이 중요한 평가 포인트입니다.
- 이 환자의 경우 스트레스 상황이 많기 때문에 그러한 상황을 이해해주면 PPI 점수에서 좋은 점수를 받을 수 있습니다.

시나리오

Sex/Age		M/27
Chief Complaint		두근거려요
Present illness	Location	–
	Onset	3개월 전
	Situation	**시험공부를 하느라 스트레스 받으면서 시작됨**, 서서히 시작
	Time	한 번 두근거릴 때 15분, 심할 때는 3~4시간
	Course	하루에 3~4번씩 발생함, 발생빈도 수가 증가하지는 않음
	Experience	**고3 수능 준비할 때도 이랬다고 함**
	Character	빠르고 규칙적인 두근거림, 덜컹하면서 시작 안함, 하루 종일은 아님 두근거릴 때는 불안해서 집중을 못함
	Factors	자세에 따른 변화 없음, 운동과 관계 없음
	Associated symptoms	발열/오한/발한/피로/**체중감소**(–/–/–/–/**+; 2kg/1yr**), 어지럼/호흡곤란/흉통/실신(–/–/–/–), **더위불내성**/두통/공복감(**+; 예전부터 그랬음**/–/–), **불안**/수면장애/죽을 것 같은 공포감/예기불안(**+; 두근거릴 때**/–/–/–)
Medical history	약물복용력	고혈압(–), 이뇨제(–), 교감신경 항진제(–)
	과거력	DM/HTN/TB/간질환(–/–/–/–), 갑상샘 관련 질환(–), 심혈관질병(–), 자가면역질환(–) 건강검진 해본 적 없음
	외상/수술력	외상(–), 수술력(–)
	사회력	**대학생(취업준비 중이라 스트레스 많이 받음)**, 술(맥주 1~2병/주), 흡연(–), **커피(하루 4~5잔)**, 고기 좋아하고 계란 좋아함
	가족력	가족 중 자가면역 질환이나 갑상샘 관련 질환 없음(–)
	여성력	–
Physical exam	Vital sign	120/85mmHg, 102회/분, 21회/분, 36.7℃
	Positive findings	결막, 목부위 진찰 정상, 갑상샘 촉진 정상, 심음 정상, 복부 진찰 정상, Pitting edema(–), 흉부청진 정상(앞·뒤)
환자의 질문 또는 기타 특이사항		–

대표증례 - 5

상황지침

38세 남자 도진광 씨가 가슴이 두근거린다며 병원에 왔다.

[활력징후]

- 혈압 : 120/80mmHg
- 맥박 : 135회/분
- 호흡 : 20회/분
- 체온 : 36.5℃

응시자는 이 환자에게

- 증상과 관련된 병력을 청취하고,
- 증상과 관련된 적절한 신체진찰을 시행한 후,
- 추정진단과 향후 진단계획 등에 대해 환자와 논의하시오.

해설

※ **감별진단** : 발작성심실상성빈맥(PSVT), 스트레스·카페인 과섭취로 인한 생리적 두근거림

※ **진단계획** : 심전도, 24시간 홀터 검사

- 두근거림의 양상을 보았을 때 PSVT가 가장 의심되지만 스트레스·카페인 과섭취로 인한 생리적 두근거림을 감별해주는 것을 잊지 말아주세요.
- SP분이 open question에서는 대답해주시지 않고 계속 되물으셨습니다. 인내심을 갖고 끝까지 잘 물어보는게 필요했습니다.

시나리오

Sex/Age		M/38
Chief Complaint		가슴이 두근거려요
Present illness	Location	–
	Onset	1달 전, Remote onset 1년 전
	Situation	–
	Time	1분~20분
	Course	점점 심해짐, 최근 주기 짧아짐, 오늘도 3번 있었음
	Experience	1년 전이 처음
	Character	**갑자기 시작되고 갑자기 종료,** 쿵하고 내려앉는 느낌(–)
	Factors	–
	Associated symptoms	발열/오한/발한/피로/체중감소(–/–/–/–/–), 어지럼/**호흡곤란**/흉통/실신(–/**+ ; 두근거릴 때**/–/–), 더위불내성/두통/공복감(–/–/–), 불안/수면장애/죽을 것 같은 공포감/예기불안(–/–/–/–)
Medical history	약물복용력	–
	과거력	DM/HTN/TB/간질환(–/–/–/–), 갑상샘 관련 질환(–), 심혈관질병(–), 자가면역질환(–)
	외상/수술력	외상(–), 수술력(–)
	사회력	**커피(+ ; 4~5잔)** **직장인, 회사 감사기간이라 스트레스**
	가족력	–
	여성력	–
Physical exam	Vital sign	120/80mmHg, 135회/분, 20회/분, 36.5℃
	Positive findings	결막, 목부위 진찰 정상, 갑상샘 촉진 정상, 심음 정상, 복부 진찰 정상, pitting edema(–), 흉부청진 정상(앞·뒤)
환자의 질문 또는 기타 특이사항		Open question에는 대답하지 않고 폐쇄형 질문에만 대답함

대표증례 – 6

상황지침

52세 여자 김진영 씨가 가슴이 두근거린다며 병원에 왔다.

[활력징후]

- 혈압 : 120/80mmHg
- 맥박 : 85회/분
- 호흡 : 20회/분
- 체온 : 36.5℃

응시자는 이 환자에게
- 증상과 관련된 병력을 청취하고,
- 증상과 관련된 적절한 신체진찰을 시행한 후,
- 추정진단과 향후 진단계획 등에 대해 환자와 논의하시오.

해설

※ **감별진단** : 갑상샘과다증, 카페인 과섭취로 인한 생리적 두근거림
※ **진단계획** : 갑상샘 기능검사, 심전도, 24시간 홀터 심전도

- 해당 환자의 경우 더위불내성과 체중감소를 호소하고 있으므로 두근거림의 원인으로 우선적으로 갑상샘과다증을 고려해볼 수 있습니다. 이에 대한 검사로는 TFT를 진행하게 되며, 환자 분께는 갑상샘 기능을 평가하기 위한 간단한 혈액검사를 시행할 것이라고 설명 드리면 됩니다.
- 하지만 그 외에도 카페인 섭취에 의한 생리적 두근거림, cardiac origin의 부정맥 등도 고려해볼 수 있으며, 특히 부정맥을 감별하기 위해 심전도 검사, 필요 시에는 24시간 홀터 심전도 검사를 시행해 볼 수 있습니다.

시나리오

Sex/Age	F/52			
Chief Complaint	가슴이 두근거려요			
Present illness	Location	−		
	Onset	2년 전		
	Situation	−		
	Time	짧을 때도 있지만 길게는 12시간까지도 지속		
	Course	2년 동안 8번 정도 발생(3~4개월마다 한 번씩) 점점 심해짐, 점점 지속 시간 길어짐		
	Experience	2년 전이 처음		
	Character	규칙적이지는 않은 것 같음, 갑자기 느껴지다가 서서히 사라짐 가만히 있을 때에도 갑자기 발생 두근거릴 때는 1분에 150회 정도로 뜀		
	Factors	운동, 식사와는 관련 없음 술 마시면 가끔 심해짐		
	Associated symptoms	발열/오한/**발한**/피로/**체중감소**(−/−/**+**/−/**+**; **5kg/2yr**), 어지럼/호흡곤란/흉통/실신(−/−/−/−), **더위불내성**/두통/공복감(**+**/−/−), 불안/수면장애/죽을 것 같은 공포감/예기불안(−/−/−/−)		
Medical history	약물복용력	−		
	과거력	DM/HTN/TB/간질환(−/−/−/−), 갑상샘 관련 질환(−), 심혈관질병(−), 자가면역질환(−)		
	외상/수술력	외상(−), 수술력(−)		
	사회력	술(+; social), 담배(−), 커피(+; 1~2잔) 교감선생님		
	가족력	−		
Menstrual history (여성만 해당)	산과력	0-0-0-0		
	월경규칙성	규칙적	월경 주기	30일
	월경량	조금씩 줄어드는 중		
	월경통	−		
	LMP	2주 전		
Physical exam	Vital sign	120/80mmHg, 85회/분, 20회/분, 36.5℃		
	Positive findings	결막, 목부위 진찰 정상, 갑상샘 촉진 정상, 심음 정상, 복부 진찰 정상, Pitting edema(−), 흉부청진 정상(앞·뒤)		
환자의 질문 또는 기타 특이사항		친절하심		

관련증례

2-1 37세 여자가 가슴이 두근거린다며 응급실로 왔다. 병원에 오기 30분 전쯤부터 가슴이 두근거리는 증상이 지속되었다. 1년 전, 3개월 전에도 가슴이 두근거리는 증상이 있었다고 하였으며 모두 5분 이내에 자연적으로 괜찮아졌으나 오늘은 30분 넘게 두근거림이 지속된다고 하였다. 두근거림은 갑자기 시작되었다가 갑자기 멈췄다고 하였으며, 두근거림의 양상은 규칙적이고 빠른 박동이었다. 오늘 두근거림이 길어지면서 약간 숨이 찬 느낌이 들었다고 하였다. 어지러움, 열, 체중감소, 쿵 내려앉는 느낌, 가슴 통증, 두통, 더위, 설사/변비, 홍조, 발한, 불안감 모두 없었다고 하였다. 월경은 28일로 규칙적이었고, 현재 임신 가능성은 없다고 하였다. 과거에 심장관련 질환이나 갑상샘과 관련된 문제는 없었고, 가족 중에서도 이러한 문제를 가진 사람은 없다고 하였다. 복용 중인 약이나 크게 다친 적은 없다고 하였다. 현재 회사원으로 커피는 하루 4~5잔 마시며, 커피 마실 때와 두근거림은 별로 상관없다고 하였다. 술은 한 달에 한두 번 맥주 1~2병 정도 마신다고 하였으며, 담배는 피지 않는다고 하였다.

> 활력징후는 혈압 120/78mmHg, 맥박 162회/분, 호흡수 22회/분, 체온 36.6℃이었다. 맥박은 규칙적이고 빠른 맥박이었으며, 흉부검진 상에서 이상 심음이나 이상 호흡음은 들리지 않았다. 결막에서 빈혈 소견은 없었고, 갑상샘 종대도 발견되지 않았다. 복부에서 특별히 만져지는 종괴도 없었다.

2-2 46세 남자가 가슴이 두근거린다며 왔다. 어제 갑자기 두근거림이 발생하였고 맥박이 불규칙적이고 빠르게 뛰는 양상이라고 하였다. 6개월 전부터 음주 후에 두근거리는 증상들이 나타났으며 하루 정도가 지나면 저절로 소실되었다고 한다. 두근거림이 나타날 때 가슴 통증, 어지러움 등 다른 증상은 없었다고 하였으며 앓고 있는 질병이나 복용중인 약물은 없다고 한다. 가족 중에서 비슷한 증상을 지니거나 질병을 지닌 사람은 없으며, 일주일에 평균 소주 1병, 흡연은 하지 않는다고 하였다.

> 활력징후는 혈압 120/80mmHg, 맥박 150회/분, 호흡수 22회/분, 체온 36.8℃이었다. 흉부검진 상에서 불규칙한 맥박이 분당 150회 정도로 청진되었으며 이상 심음이나 이상 호흡음은 들리지는 않았다.

Answer | 2-1. 발작성심실상성빈맥(PSVT)　2-2. 심방세동(심방잔떨림)

Check-list

	병력청취 채점항목	예	아니오
1	두근거림의 발생시간, 빈도, 불편함에 대해서 물어보았다.	☐	☐
2	두근거림이 유발되는 상황과 양상(갑자기, 불규칙적 등), 직접 맥박을 측정해 보았는지에 대하여 물어보았다.	☐	☐
3	두근거림과 함께 발생하는 동반증상(호흡곤란, 가슴 통증, 실신, 두통, 안면홍조, 더위 등)에 대하여 물어보았다.	☐	☐
4	커피, 음주, 흡연과 두근거림의 변화에 대하여 물어보았는가?	☐	☐
5	위험요인(심장기형, 내분비질환, 고혈압 등)의 과거력 및 가족력에 대하여 물어보았다.	☐	☐
6	기능성 질환(불안, 우울증, 신체화장애 등)에 대하여 물어보았다.	☐	☐
7	(여성의 경우) 월경력, 폐경여부와 임신여부에 대하여 물어보았다.	☐	☐

	신체진찰 채점항목	제대로 함	제대로 못함	하지 않음
1	요골동맥을 통해 직접 맥박을 촉진해 보았는가?	☐	☐	☐
2	흉부에서 호흡음과 심장음을 4군데 이상 확인하였는가?	☐	☐	☐
3	갑상샘의 종대, 촉진, 청진을 수행하였는가?	☐	☐	☐
4	경정맥 확장, 하지의 오목부종을 확인하였는가?	☐	☐	☐
5	복부 촉진을 통해 종괴 여부를 확인하였는가?	☐	☐	☐

	환자교육 채점항목	예	아니오
1	두근거림의 원인에 대하여 설명하였는가?	☐	☐
2	필요한 진단 방법과 치료방법을 설명하고 동의를 구하였는가?	☐	☐
3	증상 재발 시 취해야 할 조치를 설명하였는가?	☐	☐
4	술, 담배, 카페인 섭취를 줄이도록 권유하였는가?	☐	☐

	환자의사관계 채점항목	아주우수	우수	보통	미흡
1	효율적으로 잘 물어보았다. - 효율적 질문 : 개방형 질문 사용, 확인, 중간 요약 - 피할 질문 : 유도 질문, 복수 질문	☐	☐	☐	☐
2	나의 말을 잘 들어주었다. - 대꾸하기, 경청 자세, 눈 맞춤 & 말 가로채지 않기	☐	☐	☐	☐
3	나의 입장을 이해하려고 노력하였다. - 공감 표현, 나의 입장 파악	☐	☐	☐	☐
4	환자가 이해하기 쉽게 설명하였다. - 간단명료함, 이해도 점검, 질문 기회 & 쉬운 용어	☐	☐	☐	☐
5	나와 좋은 유대 관계를 형성하려고 했다. - 자기소개, 일상 대화, 존중, 자신감 & 신뢰감	☐	☐	☐	☐

3 고혈압

대표증례-1

상황지침

47세 남자 김형일 씨가 혈압이 높다며 병원에 왔다.

[활력징후]

- 혈압 : 172/108mmHg
- 맥박 : 77회/분
- 호흡 : 19회/분
- 체온 : 36.5℃

응시자는 이 환자에게
- 증상과 관련된 병력을 청취하고,
- 증상과 관련된 적절한 신체진찰을 시행한 후,
- 추정진단과 향후 진단계획 등에 대해 환자와 논의하시오.

해설

※ **감별진단** : 일차성 알도스테론증

※ **진단계획** : 혈중 레닌 농도, 혈중 알도스테론 농도, 복부 CT

- 갑자기 발견된 매우 높은 혈압의 경우 기질적 원인을 우선적으로 고려해보아야 합니다. 고혈압으로 오는 가장 대표적인 질병인 일차성 알도스테론증, 크롬세포친화종, 신혈관성 고혈압을 감별하기 위해 문진을 하면 됩니다. 이 증례는 고혈압+팔다리 근력약화/감각이상+저칼륨혈증으로 전형적인 일차성 고알도스테론증입니다.
- 부신 종양에 의한 경우 수술이 가장 좋은 치료법이고, 종양이 아닌 부신 증식증인 경우는 수술보다는 spironolactone 등 약물이 선호됩니다.

시나리오

<table>
<tr><td>Sex/Age</td><td colspan="2">M/47</td></tr>
<tr><td>Chief Complaint</td><td colspan="2">혈압이 높아요</td></tr>
<tr><td rowspan="9">Present illness</td><td>Location</td><td>–</td></tr>
<tr><td>Onset</td><td>2주 전</td></tr>
<tr><td>Situation</td><td>건강검진에서 발견
혈압측정 30분 전 커피, 담배 안함, 5분 동안 의자에 앉아 안정을 취함</td></tr>
<tr><td>Time</td><td>–</td></tr>
<tr><td>Course</td><td>–</td></tr>
<tr><td>Experience</td><td>처음</td></tr>
<tr><td>Character</td><td>2주 전 건강검진 당시 혈압 185/113, 전해질 중 칼륨의 농도가 비정상이라 들었음</td></tr>
<tr><td>Factors</td><td>–</td></tr>
<tr><td>Associated symptoms</td><td>체중변화(+; 2kg 감소/1달), 부종/단백뇨/소변량 변화(–/–/–), 두근거림/더위불내성(–/–), 근력약화/피로/다뇨(+; 팔다리/+/–), 팔다리가 저린 느낌, 중심성 비만/동그래진 얼굴/자색선조/멍이 잘 듦(–/–/–/–), 두통/발한(–/–), 시력 감퇴/호흡곤란(–/–), 코골이(–)</td></tr>
<tr><td rowspan="6">Medical history</td><td>약물복용력</td><td>–</td></tr>
<tr><td>과거력</td><td>HTN/DM/TB/간질환(–/–/–/–)</td></tr>
<tr><td>외상/수술력</td><td>외상(–), 수술력(–)</td></tr>
<tr><td>사회력</td><td>술(소주 1병/달), 담배(–), 커피(–)
식습관(짠 음식 좋아함), 운동 안 함, 회사원, 스트레스 보통</td></tr>
<tr><td>가족력</td><td>–</td></tr>
<tr><td>여성력</td><td>–</td></tr>
<tr><td rowspan="2">Physical exam</td><td>Vital sign</td><td>172/108mmHg, 77회/분, 19회/분, 36.5℃</td></tr>
<tr><td>Positive findings</td><td>흉부 청진 정상, 심음 청진 정상, 갑상샘 정상, 하지부종(–), 경동맥 잡음(–), 안저 검사(–), 복부 촉진·청진 정상</td></tr>
<tr><td colspan="2">환자의 질문 또는 기타 특이사항</td><td>–</td></tr>
</table>

대표증례 – 2

상황지침

48세 남자 박성복 씨가 혈압이 높다며 병원에 왔다.

[활력징후]

- 혈압 : 양쪽 팔 170/100mmHg
- 맥박 : 82회/분
- 호흡 : 19회/분
- 체온 : 36.8℃

응시자는 이 환자에게
- 증상과 관련된 병력을 청취하고,
- 증상과 관련된 적절한 신체진찰을 시행한 후,
- 추정진단과 향후 진단계획 등에 대해 환자와 논의하시오.

해설

※ **감별진단** : 일차성 고혈압, 갑상샘기능항진증

※ **진단계획** : 소변검사, 지질검사, 혈당검사, 갑상샘 기능 검사

- 고혈압으로 내원한 환자는 먼저 혈압 측정 전에 10분 이상 충분한 휴식과 안정을 취했는지, 30분 이내에 흡연, 커피, 음주를 하지 않았는지 확인하여야 합니다.
- 첫 1회 측정한 혈압으로 바로 고혈압을 진단하는 것이 아니라 일주일 이상 간격을 두고 2회 이상 반복 측정한 결과가 고혈압 진단기준을 충족했는지 알아봐야 합니다.
- 백의고혈압과 같이 병원에서 혈압을 쟀을 때만 높게 나오고, 집에서 측정했을 때는 정상인 경우도 있을 수 있으므로, 경우에 따라 24시간 활동혈압 측정이 필요할 수도 있습니다.
- 고혈압으로 인해 이차적으로 뇌혈관, 심장, 콩팥, 눈 등에 합병증을 동반할 수 있으므로 이를 감별하기 위한 질문을 해야 합니다. 이와 함께 당뇨, 고지혈증, 복부비만 등의 대사증후군 역시 고려하여 질문해야 합니다.

시나리오

Sex/Age		M/48
Chief Complaint		혈압이 높아요
Present illness	Location	–
	Onset	1주일 전
	Situation	1주일 전 친구 병문안 갔다가 발견, 당시 양팔 혈압 모두 170/100mmHg, 안정 취하고 쟀으며, 측정 전 흡연/커피/술 등 하지 않음
	Time	–
	Course	큰 변화 없이 지속적으로 높음
	Experience	2년 전엔 정상(혈압 135/85 정도), 2개월 전 회사 건강검진에서 160/90 mmHg 나옴, 당시엔 회사일이 바빠서 병원 진료 안 받아봤음
	Character	–
	Factors	–
	Associated symptoms	체중변화(–), 부종/단백뇨/소변량 변화(–/–/–), 두근거림/**더위불내성**(–/**+; 어릴 때부터**), 근력약화/피로/다뇨(–/–/–), 중심성 비만/동그래진 얼굴/자색선조/멍이 잘 듦(–/–/–/–), 두통/발한(–/–), 시력 감퇴/**호흡곤란**(–/**+; 계단 올라갈 때 숨 참**), 코골이(–)
Medical history	약물복용력	–
	과거력	HTN/DM/TB/간질환(+/–/–/–), 뇌혈관/심장 질환, 내분비 질환 진단받은 적 없음 2달 전 건강검진에서 혈압 높은 것 외에 다른 이상소견 들은 것 없음
	외상/수술력	–
	사회력	술(1~2병/일주일에 2~3번), 담배(20갑·년), 커피(하루 4~5잔) **식습관(불규칙하고, 짜게 먹고 기름진 음식 좋아함), 운동(한 달에 한번 정도 골프 라운딩)**, 은행원, 업무 상 스트레스가 심함
	가족력	어머니, 형 : 고혈압(약 먹는 중), 작은아버지 : 뇌졸중
	여성력	–
Physical exam	Vital sign	(양쪽 다) 170/100mmHg, 82회/분, 19회/분, 36.8℃ 키 172cm, 체중 68kg, BMI 22
	Positive findings	심음 정상, 호흡음 정상, 갑상샘 촉진, bruit 정상, 하지부종(–), 경동맥 잡음(–), 안저 검사(–), 복부 청·촉진 정상
환자의 질문 또는 기타 특이사항		상황지침에서(양쪽 팔) 혈압 170/100mmHg으로 나옴

대표증례-3

상황지침

32세 남자 한원석 씨가 혈압이 높다며 병원에 왔다.

[활력징후]

- 혈압 : 오른쪽 팔 170/110mmHg
- 맥박 : 87회/분
- 호흡 : 18회/분
- 체온 : 36.5℃
- 키 : 170cm
- 체중 : 70kg
- BMI : 24.2kg/cm^2

응시자는 이 환자에게

- 증상과 관련된 병력을 청취하고,
- 증상과 관련된 적절한 신체진찰을 시행한 후,
- 추정진단과 향후 진단계획 등에 대해 환자와 논의하시오.

해설

※ **감별진단** : 크롬세포친화종, 갑상샘과다증

※ **진단계획** : 24시간 소변 메타네프린, 복부 CT, 갑상샘 기능 검사

- 이차성 고혈압을 먼저 의심해봐야 하는 경우는 갑자기 발생한 심한 고혈압, 35세 미만 또는 55세 이후에 발생한 고혈압, 양측성 상복부 종괴 촉진, BUN/Cr의 상승, 젊은 시절에 발병하는 고혈압의 가족력이 있는 경우, 고혈압 약제를 3가지 이상 복용 중임에도 불구하고 고혈압이 지속되는 경우 의심해볼 수 있습니다.
- 전체 고혈압 환자 중에 5~20% 밖에 되지 않는 이차성 고혈압 환자를 먼저 감별해야 하는 이유는 평생 약물 복용이 필요한 본태성 고혈압에 비하여 이차성 고혈압은 수술로서 치료가 가능하기 때문입니다. 이차성 고혈압을 유발하는 원인이 다양하므로 여러 가지 검사가 필요합니다.

시나리오

Sex/Age		M/32
Chief Complaint		혈압이 높아요
Present illness	Location	–
	Onset	6개월 전
	Situation	측정 전 30분 이내에 흡연, 커피, 운동 하지 않았음 왼쪽 혈압은 기억 안남, 하지 혈압은 측정해본 적 없음, 집에서 혈압 재본 적 없음
	Time	–
	Course	–
	Experience	6개월 전에 처음 진단 받음
	Character	–
	Factors	–
	Associated symptoms	체중변화(–), 부종/단백뇨/소변량 변화(–/–/–), **두근거림**/더위불내성(+/–), 근력약화/피로/다뇨(–/–/–), 중심성 비만/동그래진 얼굴/자색선조/멍이 잘 듦(–/–/–/–), **두통**/발한(+; 4개월 전부터 때때로 타이레놀 먹으며 조절/–), 시력 감퇴/호흡곤란(–/–), 코골이(–)
Medical history	약물복용력	6개월 전부터 고혈압약 복용, 2개월 지나서 약 추가해서 현재 3가지 약제 복용 중이지만 혈압 계속 높음 건강검진에서 고혈압 외에 없었음
	과거력	HTN/DM/TB/간질환(+/–/–/–), 심장관련 질환, 뇌혈관 질환, 내분비 질환 진단받은 적 없음
	외상/수술력	외상(–), 수술력(–)
	사회력	공무원, 술(맥주 1~2병/일주일), 담배(3년 전 금연, 이전 10갑·년), 커피(하루 1잔), 식습관(육류를 좋아함), 운동 안 함
	가족력	고혈압(–), 당뇨(–), 뇌혈관질환(–)
	여성력	–
Physical exam	Vital sign	170/110mmHg, 87회/분, 18회/분, 36.5℃ 키 170cm, 체중 70kg, BMI 24.2kg/cm^2
	Positive findings	흉부 청진 정상, 심음 청진 정상, 갑상샘 정상, 하지부종(–), 경동맥 잡음(–), 안저 검사(–), 복부 촉진·청진 정상
환자의 질문 또는 기타 특이사항		키/체중, BMI 주어짐

대표증례-4

상황지침

45세 남자 손정일 씨가 혈압이 높다며 병원에 왔다.

[활력징후]

- 혈압 : 오른쪽 팔 160/110mmHg
- 맥박 : 97회/분
- 호흡 : 20회/분
- 체온 : 36.5℃
- 키 : 170cm
- 체중 : 70kg
- BMI : 24.2kg/cm^2

응시자는 이 환자에게
- 증상과 관련된 병력을 청취하고,
- 증상과 관련된 적절한 신체진찰을 시행한 후,
- 추정진단과 향후 진단계획 등에 대해 환자와 논의하시오.

해설

※ **감별진단** : 만성 신부전, 신동맥 협착

※ **진단계획** : 혈중 BUN / Cr, 소변검사, 이중 초음파 검사

- 환자의 평소 식습관과 운동을 안 한다는 점에만 너무 집착하여 이차성 고혈압을 배제하는 실수를 범하면 안 됩니다.

시나리오

Sex/Age	M/45	
Chief Complaint	혈압이 높아요	
Present illness	Location	−
	Onset	5년 전
	Situation	혈압측정 30분 전 커피, 담배 안함, 5분 동안 의자에 앉아 안정을 취함
	Time	−
	Course	고혈압 약제 먹어도 혈압 감소 안 됨(1달 전 병원에서 측정한 값도 전혀 조절이 안 됨)
	Experience	5년 전 처음 진단받음
	Character	−
	Factors	
	Associated symptoms	**체중변화(+; 5년간 2kg 증가)**, **부종/단백뇨**/소변량 변화(**+/+**/−), **야뇨(+)**, 두근거림/더위불내성(−/−), 근력약화/피로/다뇨(−/−/−), 중심성 비만/동그래진 얼굴/자색선조/멍이 잘 듦(−/−/−/−), **두통**/발한(**+; 뒷목이 당길 정도**/−), 시력 감퇴/호흡곤란(−/−), 코골이(−)
Medical history	약물복용력	고혈압약 먹지만 조절되지 않음
	과거력	HTN/DM/TB/간질환(+/−/−/−), 심장관련 질환, 뇌혈관 질환, 내분비 질환 진단받은 적 없음 건강검진에서 고혈압 외에 이상 없었음
	외상/수술력	외상(−), 수술력(−)
	사회력	회사원, 술(소주 1~2병/일주일 1회), 담배(−), 커피(−) 식습관(육류, 기름진 음식, 짠 음식 좋아함), 운동 안 함
	가족력	고혈압(+, 어머니, 아버지), 당뇨(−), 뇌혈관질환(−), 어머니 만성 신부전으로 투석
	여성력	−
Physical exam	Vital sign	160/110mmHg, 97회/분, 20회/분, 36.5℃ 키 170cm, 체중 70kg, BMI 24.2kg/cm^2
	Positive findings	흉부 청진 정상, 심음 청진 정상, 갑상샘 정상, 하지부종(−), 경동맥 잡음(−), 안저 검사(−), 복부 촉진·청진 정상
환자의 질문 또는 기타 특이사항		키/체중, BMI 주어짐

대표증례-5

상황지침

27세 여자 김지영 씨가 혈압이 높다며 병원에 왔다.

[활력징후]	
• 혈압 : 160/110mmHg	• 맥박 : 80회/분
• 호흡 : 20회/분	• 체온 : 36.5℃

응시자는 이 환자에게
- 증상과 관련된 병력을 청취하고,
- 증상과 관련된 적절한 신체진찰을 시행한 후,
- 추정진단과 향후 진단계획 등에 대해 환자와 논의하시오.

해설

※ **감별진단** : 일차성 고혈압, 임신성 고혈압

- 비록 이번 증례의 경우 일차성 고혈압일 가능성이 높지만, 가임기의 여성 환자가 고혈압으로 내원하면 임신성 고혈압을 꼭 생각해볼 수 있어야 합니다.
- 대개 상황지침에 활력징후와 함께 키, 체중이 나와 있고 BMI까지 모두 제시되어 있는 경우가 많습니다. 제시되어있지 않은 경우 키와 체중을 물어보고 BMI를 계산할 수 있어야겠죠?
  cf) 'BMI = 체중(kg) ÷ 키의 제곱(m^2)'
- 고혈압 환자의 경우에 생활 습관을 개선하는 것이 필수적입니다. 그 방법으로는 표준체중 유지, 규칙적인 운동, 규칙적이고 영양 균형이 잡힌 식사, 염분 섭취 줄이기, 흡연 중지, 음주 절제, 카페인 섭취 제한, 스트레스 관리 등이 있습니다.
- 고혈압 치료의 목표는 수축기 혈압 140mmHg, 확장기 혈압 90mmHg 미만을 유지하고 혈압 상승에 의한 합병증이 발생하지 않도록 예방하며, 이미 합병증이 발생한 경우 혈압 조절을 통해 질환의 진행을 억제하고 재발을 방지하는 것입니다. 이를 위해서는 집에서 또는 병원에서 정기적인 혈압 측정 및 관찰이 필수적인만큼 환자와 라뽀를 잘 형성해두는 것이 중요합니다. 고혈압뿐 아니라 당뇨, 고지혈증, 비만과 같은 만성 성인병도 모두 정기적이고 꾸준한 관리가 필수입니다.

시나리오

Sex/Age	F/27			
Chief Complaint	혈압이 높아요			
Present illness	Location	–		
	Onset	1년 전		
	Situation	병원에서 혈압이 높다고 들었음(1년 전 산전진찰 당시) 집에서 혈압을 측정해보면 혈압이 계속 높음 측정 전 지침 잘 지킴, 양팔 혈압 같음		
	Time	–		
	Course	–		
	Experience	1년 전이 처음, 지금까지 지속 (4개월 전 출산 후에도 3주 간격으로 병원가서 측정함)		
	Character	–		
	Factors	–		
	Associated symptoms	**체중변화(+; 1년간 1kg 증가)**, 부종/단백뇨/소변량 변화(–/–/–), 두근거림/더위불내성(–/–), 근력약화/피로/다뇨(–/–/–), 중심성 비만/동그래진 얼굴/자색선조/멍이 잘 듦(–/–/–/–), 두통/발한(–/–), 시력 감퇴/호흡곤란(–/–), 코골이(–)		
Medical history	약물복용력	–		
	과거력	HTN/DM/TB/간질환(+/–/–/–), 심장관련 질환, 뇌혈관 질환, 내분비 질환 진단받은 적 없음 건강검진에서 고혈압 외에 이상 없었음		
	외상/수술력	외상(–), 수술력(–)		
	사회력	회사원, 술(–), 담배(–), 커피(–) 식습관(육류, 기름진 음식, 짠 음식 좋아함), 운동 조금씩 하면서 임신 전의 상태로 돌아가고자 함		
	가족력	–		
Menstrual history (여성만 해당)	산과력	산전진찰 당시 고혈압으로 인한 문제 없었음, 전자간증 증상 없음		
	월경규칙성	규칙	월경 주기	28일
	월경량	보통		
	월경통	보통		
	LMP	출산 후 4개월 째		
Physical exam	Vital sign	160/110mmHg, 80회/분, 20회/분, 36.5℃		
	Positive findings	흉부 청진 정상, 심음 청진 정상, 갑상샘 정상, 하지부종(–), 경동맥 잡음(–), 안저 검사(–), 복부 촉진·청진 정상		
환자의 질문 또는 기타 특이사항		–		

대표증례 - 6

상황지침

66세 여자 김상순 씨가 혈압이 높다며 병원에 왔다.

[활력징후]

- 혈압 : 160/110mmHg
- 맥박 : 75회/분
- 호흡 : 20회/분
- 체온 : 36.5℃

응시자는 이 환자에게

- 증상과 관련된 병력을 청취하고,
- 증상과 관련된 적절한 신체진찰을 시행한 후,
- 추정진단과 향후 진단계획 등에 대해 환자와 논의하시오.

해설

※ **감별진단** : 일차성 고혈압, 크롬세포친화종

※ **진단계획** : 소변검사, 지질검사, 혈당검사, 24시간 소변 메타네프린 검사

- 이미 5년 전 고혈압을 진단 받은 환자로 약물 치료를 진행 중에 있으며, 3달 전부터 혈압 조절이 잘 되지 않아 내원한 환자의 케이스입니다. 이런 경우 환자가 기존에 갖고 있던 일차성 고혈압의 악화로 인해 현재 사용 중인 약제로는 고혈압이 더 이상 조절되지 않아 발생한 상황일 수도 있지만, 다른 원인에 의해 고혈압이 발생한 것은 아닌지도 감별이 필요합니다.
- 환자의 나이가 많은 편이기는 하지만, 두통과 함께 두근거리는 증상을 호소하고 있으므로 다른 원인으로는 크롬세포친화종을 고려해 볼 수 있을 것 같습니다.
- 고혈압 환자는 신체진찰 시에 안저 검사하는 것을 잊지 마세요.

시나리오

Sex/Age	F/66	
Chief Complaint	혈압이 높아요	
Present illness	Location	–
	Onset	5년 전 시작, 3개월 전 악화
	Situation	5년 전 병원에서 오른팔에서 쟀고 운동, 커피, 흡연 다 하지 않고 안정 취한 후에 측정했음
	Time	–
	Course	–
	Experience	5년 전 건강검진에서 고혈압 처음 진단 받았고 이후 약 복용 시작 2년 전 조절 안 되어서 증량 후 다시 조절 잘 되다가 3달 전부터 조절되지 않음
	Character	–
	Factors	–
	Associated symptoms	**체중변화(+ ; 2개월간 5kg 증가)**, 부종/단백뇨/소변량 변화(–/–/–), **두근거림**/더위불내성(**+**/–), 근력약화/피로/다뇨(–/–/–), 중심성 비만/동그래진 얼굴/자색선조/멍이 잘 듦(–/–/–/–), **두통**/발한(**+**/–), 시력 감퇴/호흡곤란(–/–), 코골이(–)
Medical history	약물복용력	진통제(편두통), 고혈압약(노바스크)
	과거력	HTN/DM/TB/간질환(+/–/–/–), 고지혈증(+), 편두통(+)
	외상/수술력	외상(–), 수술력(–)
	사회력	술/담배(–/–), 커피(+ ; 하루 1~2잔), 주부 근래에 시부모님 모시게 되면서 스트레스 많았고 운동 못 했음 전에는 저염식으로 먹었는데 3개월 정도 전부터는 짜고 맵게 먹음
	가족력	아버지 고혈압
	여성력	10년 전 폐경함
Physical exam	Vital sign	160/110mmHg, 75회/분, 20회/분, 36.5℃
	Positive findings	흉부 청진 정상, 심음 청진 정상, 갑상샘 정상, 하지부종(–), 경동맥 잡음(–), 안저 검사(–), 복부 촉진·청진 정상
환자의 질문 또는 기타 특이사항		말이 많고 느림

관련증례

3-1 26세 남자가 3일 전 학교 보건소에서 혈압을 쟀는데 150/90mmHg로 나왔다며 병원에 왔다. 혈압 측정 30분 전에 담배, 커피를 마시진 않았으며, 특별히 운동을 하거나 전날 술을 마시지는 않았다. 혈압 측정 당일 오전에 학교 시험이 있어 시험을 치르고 나서 보건소에 가서 혈압을 측정하였다고 한다. 현재 대학생으로 평상시 건강에 문제가 있다고 느끼지는 않는다고 하였으며 시력이 떨어지거나 두통, 식은땀, 소변량이 늘거나 거품이 보이지는 않는다고 하였다. 가족 중에 아버지가 고혈압이 있다고 하였다. 평소에 술은 일주일에 2번씩 소주 1병 정도 마신다고 하였으며, 담배는 0.5갑씩 4년간 피웠다고 하였다. 하루에 커피 2잔 정도를 마시며 최근 기침, 가래, 콧물이 생겨 감기약을 일주일간 먹었다고 하였다.

활력징후는 혈압 130/75mmHg, 맥박 68회/분, 호흡수 18회/분, 체온 36.6℃이었다. 키는 175cm에 체중 69kg, 허리둘레는 80cm이었고, 심장음과 목동맥 진찰 소견 정상, 갑상샘 정상, 복부 검진상 이상소견은 발견되지 않았다.

3-2 27세 남자가 직장에 들어가기 전 시행한 건강검진에서 혈압이 높다는 소견을 듣고 왔다. 1개월 전부터 피로감을 쉽게 느끼고 가끔씩 팔다리가 저리고 힘이 잘 들어가지 않을 때가 있었다고 한다. 최근에 소변량이 많아지고 새벽에 자다가 소변이 마려워 자주 깬다고 하였다. 가슴 통증이나 시력 저하, 체중 변화는 없다고 하였으며, 앓고 있는 질환과 복용중인 약물은 없다. 가족 중에 고혈압, 당뇨병, 뇌졸중을 앓은 사람은 없다고 하였다. 최근까지 취업 준비를 하였으며 술은 일주일에 맥주 한병, 담배는 안핀다고 하였고, 커피는 하루 3잔 정도 마신다고 하였다.

활력징후는 혈압 150/100mmHg, 맥박 80회/분, 호흡수 20회/분, 체온 36.7℃이었다. 키 170cm, 체중 60kg, 허리둘레 72cm였고, 심장음과 목동맥 진찰 소견 정상이었다. 안저 검사 소견상 정상, 복부 검진에서도 이상소견은 발견되지 않았다.

Answer | 3-1. 약에 의한 일시적 혈압상승 3-2. 일차성 알도스테론증에 의한 이차성 고혈압

Check-list

	병력청취 채점항목	예	아니오
1	고혈압 측정시기, 측정 전 조건(안정, 금연, 커피 안마심, 금주 등)에 대하여 물어보았다.	☐	☐
2	과거에 고혈압을 진단받은 적 있는지에 대하여 물어보았다.	☐	☐
3	이차성 고혈압을 감별하기 위한 질문(두통, 식은땀, 기립성 현기증, 피로감, 체중변화, 소변 변화, 외모 변화, 더위 불내성 등)을 2가지 이상 물어보았다.	☐	☐
4	고혈압의 위험인자(비만, 당뇨, 고지혈증, 평소 식습관, 운동, 담배 등)에 대하여 3가지 이상 물어보았다.	☐	☐
5	고혈압의 합병증(두통, 시력약화, 흉통, 발기부전, 호흡곤란, 거품뇨, 두근거림 등)에 대하여 2가지 이상 물어보았다.	☐	☐
6	가족 중 고혈압, 당뇨, 뇌혈관 질환을 가진 사람에 대하여 물어보았다.	☐	☐
7	복용중인 약물(스테로이드, 코감기약 등)에 대하여 물어보았다.	☐	☐

	신체진찰 채점항목	제대로 함	제대로 못함	하지 않음
1	좌우, 팔다리의 혈압차이와 맥박을 확인하였는가?	☐	☐	☐
2	안저 검사를 시행하였는가?	☐	☐	☐
3	경부의 갑상샘, 목동맥 촉진과 청진을 수행하였는가?	☐	☐	☐
4	흉부 진찰에서 촉진과 청진을 수행하였는가?	☐	☐	☐
5	복부 진찰에서 시진, 촉진, 청진을 수행하였는가?	☐	☐	☐

	환자교육 채점항목	예	아니오
1	고혈압의 원인에 대하여 설명하였는가?	☐	☐
2	이차성 고혈압을 배제하기 위한 필요한 진단 방법과 치료방법을 설명하고 동의를 구하였는가?	☐	☐
3	장기적인 고혈압의 위험성과 합병증을 설명하였는가?	☐	☐
4	위험요인을 줄이기 위한 생활환경 개선방법을 교육하였는가?	☐	☐

	환자의사관계 채점항목	아주우수	우수	보통	미흡
1	효율적으로 잘 물어보았다. - 효율적 질문 : 개방형 질문 사용, 확인, 중간 요약 - 피할 질문 : 유도 질문, 복수 질문	☐	☐	☐	☐
2	나의 말을 잘 들어주었다. - 대꾸하기, 경청 자세, 눈 맞춤 & 말 가로채지 않기	☐	☐	☐	☐
3	나의 입장을 이해하려고 노력하였다. - 공감 표현, 나의 입장 파악	☐	☐	☐	☐
4	환자가 이해하기 쉽게 설명하였다. - 간단명료함, 이해도 점검, 질문 기회 & 쉬운 용어	☐	☐	☐	☐
5	나와 좋은 유대 관계를 형성하려고 했다. - 자기소개, 일상 대화, 존중, 자신감 & 신뢰감	☐	☐	☐	☐

4 이상지질혈증

대표증례 - 1

상황지침

55세 남자 김영광 씨가 건강검진에서 콜레스테롤이 높다는 이야기를 듣고 외래에 왔다.

[활력징후]

• 혈압 : 123/87mmHg	• 맥박 : 72회/분
• 호흡 : 16회/분	• 체온 : 36.8℃

응시자는 이 환자에게
- 증상과 관련된 병력을 청취하고,
- 증상과 관련된 적절한 신체진찰을 시행한 후,
- 추정진단과 향후 진단계획 등에 대해 환자와 논의하시오.

해설

※ **감별진단** : 대사증후군, 생활습관에 의한 이상지질혈증
※ **치료계획** : 체중 감량, 생활습관 교정, statin

- 최근의 문제 경향들은 특별한 기질적 원인이 있지 않은 상태에서 지질이 증가하는 경우로 주어지는 경우가 많습니다. 따라서 교육이나 치료에 중점을 두고 설명하는 것을 원하는 문제들이 많이 나옵니다.
- 중성지방이 500 이하이기 때문에 statin으로 먼저 치료를 시작하고 필요하면 fibrate를 추가할 수 있다고 설명하는 것이 좋습니다. 또한, 이러한 일차성 고지혈증은 생활습관에 대한 교육이 필수적으로 필요합니다.
- 금주와 금연에 대해서도 설명해주면 좋습니다.

시나리오

Sex/Age	M/55	
Chief Complaint	중성지방이 높아요	
Present illness	Location	–
	Onset	1달 전
	Situation	건강검진, 검사 전에 공복 지킴
	Time	–
	Course	–
	Experience	2년 전에도 들은 적이 있음
	Character	검진표 있음 **허리둘레 90cm, TG 400, r-GGT 100, LDL 93, Cholesterol 250**
	Factors	–
	Associated symptoms	건 황색종(–), 체중변화(–), 단백뇨/부종/피로(–/–/–), 추위불내성(–), 중심성 비만/동그래진 얼굴/자색선조/멍이 잘 듦(–/–/–/–), 다음/다뇨/다갈(–/–/–), 흉통/호흡곤란/두근거림(–/–/–)
Medical history	약물복용력	고지혈증약(–), 이뇨제(–), 피임약(–), 호르몬제(–), 스테로이드(–), 고혈압약(+)
	과거력	HTN/DM/TB/간질환(**+; 3YA**/–/–/–), 갑상샘저하증(–), 신질환(–), 심혈관 질환(–) 2년 전 건강검진에서 고지혈증 전단계
	외상/수술력	외상(–), 수술력(–)
	사회력	회사원, 술(한 번에 1~2병, 2~3일/주), 담배(–) 식사(불규칙, 기름진 고기 좋아함, 야채 싫어함, 밀가루 고기, 튀김 좋아함), 운동(안 함)
	가족력	**아버지 심근경색(63세 사망)**
	여성력	–
Physical exam	Vital sign	123/87mmHg, 72회/분, 16회/분, 36.8℃
	Positive findings	BMI 계산시 28.1, 눈주위 황색종(–), 안저 검사(–), 갑상샘(–), 경동맥청진(–), 심혈관계 진찰(–), Tendon xanthoma(–), 폐음청진 정상, 복부검진 정상
환자의 질문 또는 기타 특이사항		–

대표증례 – 2

상황지침

55세 여자 임옥자 씨가 건강검진에서 콜레스테롤이 높다는 이야기를 듣고 외래에 왔다.

[활력징후]

- 혈압 : 145/95mmHg
- 맥박 : 72회/분
- 호흡 : 16회/분
- 체온 : 36.8℃

응시자는 이 환자에게

- 증상과 관련된 병력을 청취하고,
- 증상과 관련된 적절한 신체진찰을 시행한 후,
- 추정진단과 향후 진단계획 등에 대해 환자와 논의하시오.

해설

※ **감별진단** : 대사증후군, 생활습관에 의한 이상지질혈증

※ **치료계획** : 체중 감량, 금연 / 금주, 규칙적인 운동, 식이조절

- 교육할 때 제시되어 있는 건강검진표를 십분 활용하도록 합시다(BMI도 표시되어 있으므로 괜히 계산하는 수고하지 맙시다). 환자가 이해하기 쉽게 몸에 나쁜 기름은 많고 좋은 기름이 적다고 설명하고, 식이조절과 운동이 필요하고 말씀드리면 좋을 것 같습니다.
- 건강에 대해 자신 있어하는 환자였기 때문에 앞으로 건강관리 잘 안 하시면 고혈압, 당뇨 등의 위험이 있다고 경고하고, 약 드시면 불편하실 테니까 지금부터 운동 열심히 해서 건강관리 해나가자고 격려해 드리면 좋겠습니다.

시나리오

Sex/Age	F/55	
Chief Complaint	지방이 높아요	
Present illness	Location	–
	Onset	1주 전
	Situation	건강검진, 검사 전에 공복 지킴
	Time	–
	Course	–
	Experience	이전 검사에서 정상
	Character	검진표 있음, **LDL 156, TG 220, HDL 30 정도**
	Factors	–
	Associated symptoms	건 황색종(–), 체중변화(–), 단백뇨/부종/피로(–/–/–), 추위불내성(–), 중심성 비만/동그래진 얼굴/자색선조/멍이 잘 듦(–/–/–/–), 다음/다뇨/다갈(–/–/–), 흉통/호흡곤란/두근거림(–/–/–), 화끈거림/수면장애/발한(–/–/–)
Medical history	약물복용력	고지혈증약(–), 이뇨제(–), 피임약(–), 호르몬제(–), 스테로이드(–), 고혈압약(–)
	과거력	**HTN**/DM/TB/간질환(**+; 이번 건강검진에서 발견**/–/–/–), 갑상샘저하증(–), 신질환(–), 심혈관 질환(–) 5년 전 건강검진에서 정상
	외상/수술력	외상(–), 수술력(–)
	사회력	주부(요식업), 술(–), 담배(–) **식사(불규칙, 기름진 고기 좋아함, 야채 싫어함), 운동(주1회, 등산 1시간)**
	가족력	오빠 협심증
	여성력	2년 전 폐경, 호르몬 치료 받지 않음
Physical exam	Vital sign	145/95mmHg, 72회/분, 16회/분, 36.8℃
	Positive findings	BMI 계산시 25.4, 눈주위 황색종(–), 안저 검사(–), 갑상샘(–), 경동맥청진(–), 심혈관계 진찰(–), Tendon xanthoma(–), 폐음청진 정상, 복부검진 정상
환자의 질문 또는 기타 특이사항		건강에 대해 자부심 있는 아주머니, 진료실에 들어가면 SP의 검진표가 놓아져있음. 환자의 기본정보(체중, 허리둘레 등)부터 혈중 지질수치 표로 정리되어 있음

대표증례 – 3

상황지침

22세 남자 차학연 씨가 건강검진에서 콜레스테롤이 높다는 이야기를 듣고 외래에 왔다.

[활력징후]

• 혈압 : 140/85mmHg	• 맥박 : 73회/분
• 호흡 : 20회/분	• 체온 : 36.2℃

응시자는 이 환자에게

- 증상과 관련된 병력을 청취하고,
- 증상과 관련된 적절한 신체진찰을 시행한 후,
- 추정진단과 향후 진단계획 등에 대해 환자와 논의하시오.

해설

※ **감별진단** : 가족성 고콜레스테롤혈증, 안정형 협심증

※ **치료계획** : 식이조절, 규칙적인 운동, 정기검진, 금연 및 금주

- 젊은 나이의 고지혈증 환자에서는 일차성 이상지질혈증의 가능성을 의심해볼 수 있습니다. 젊은 환자가 흉통을 호소하면서 관상동맥질환의 가족력을 갖고 등장한다면 가족성 고콜레스테롤혈증을 가장 먼저 의심해봅시다.
- 가족성 고콜레스테롤혈증에서도 가장 중요한 것은 환자 교육입니다. Statin(+Ezetimib) 약물 복용의 필요성에 대해 설명하고, 생활습관 교정의 중요성을 반드시 강조합시다.

시나리오

<table>
<tr><td>Sex/Age</td><td colspan="2">M/22</td></tr>
<tr><td>Chief Complaint</td><td colspan="2">콜레스테롤이 높아요</td></tr>
<tr><td rowspan="9">Present illness</td><td>Location</td><td>–</td></tr>
<tr><td>Onset</td><td>2주 전</td></tr>
<tr><td>Situation</td><td>건강검진, 검사 전에 공복 지킴
(2주 전 입사를 위한 직원 건강검진에서 발견)</td></tr>
<tr><td>Time</td><td>–</td></tr>
<tr><td>Course</td><td>–</td></tr>
<tr><td>Experience</td><td>처음</td></tr>
<tr><td>Character</td><td>총콜레스테롤 470g/dL</td></tr>
<tr><td>Factors</td><td>–</td></tr>
<tr><td>Associated symptoms</td><td>건 황색종(–), 체중변화(–), 단백뇨/부종/피로(–/–/–), 추위불내성(–), 중심성 비만/동그래진 얼굴/자색선조/멍이 잘 듦(–/–/–/–), 다음/다뇨/다갈(–/–/–), 흉통/호흡곤란/두근거림(+; 운동 시 뻐근한 통증/–/–)</td></tr>
<tr><td rowspan="6">Medical history</td><td>약물복용력</td><td>고지혈증약(–), 이뇨제(–), 호르몬제(–), 스테로이드(–)</td></tr>
<tr><td>과거력</td><td>HTN/DM/TB/간질환(–/–/–/–), 갑상샘저하증(–), 신질환(–), 심혈관질환(–)</td></tr>
<tr><td>외상/수술력</td><td>외상(–), 수술력(–)</td></tr>
<tr><td>사회력</td><td>최근 입사함, 음주(한 달에 2번, 소주 or 맥주1병), 흡연(–)
식사는 분식을 좋아하긴 하지만 적당히 균형 잡힘, 복부비만 없음, 운동은 하지 않음</td></tr>
<tr><td>가족력</td><td>아버지, 삼촌 고지혈증, 형도 고지혈증으로 약 먹음</td></tr>
<tr><td>여성력</td><td>–</td></tr>
<tr><td rowspan="2">Physical exam</td><td>Vital sign</td><td>140/85mmHg, 73회/분, 20회/분, 36.2℃</td></tr>
<tr><td>Positive findings</td><td>BMI 계산시 22.2, 눈주위 황색종(–), 안저 검사(–), 갑상샘(–), 경동맥청진(–), 심혈관계 진찰(–), Tendon xanthoma(–), 폐음청진 정상, 복부검진 정상</td></tr>
<tr><td colspan="2">환자의 질문 또는 기타 특이사항</td><td>"앞으로 관리는 어떻게 하고 약은 어떻게 먹어야 하는 건가요?"</td></tr>
</table>

대표증례 – 4

상황지침

38세 남자 김다빈 씨가 건강검진에서 중성지방이 높다는 이야기를 듣고 외래에 왔다.

[활력징후]	
• 혈압 : 130/80mmHg	• 맥박 : 70회/분
• 호흡 : 20회/분	• 체온 : 36.5℃

응시자는 이 환자에게
- 증상과 관련된 병력을 청취하고,
- 증상과 관련된 적절한 신체진찰을 시행한 후,
- 추정진단과 향후 진단계획 등에 대해 환자와 논의하시오.

해설

※ **감별진단** : 생활습관에 의한 이상지질혈증, 대사증후군
※ **치료계획** : 생활습관 교정, statin

- 고콜레스테롤혈증 파트에서 출제할 수 있는 증례는 대개 비슷하므로 치료와 교육을 중점적으로 공부하는 것이 좋습니다. 환자의 키/체중, TG, Total chol, LDL, HDL, 허리둘레 등의 수치를 꼼꼼히 보시고 교정할 인자를 하나씩 설명해주는 것도 PPI와 교육에서 좋은 점수를 받을 수 있는 방법입니다. 간수치도 적혀있다고 하니 지방간이 있다면 이에 대한 언급도 하는 것이 좋습니다.
- 자기관리와 생활습관 교정에 충실하다면 이로 인한 합병증이나 대사증후군은 충분히 예방할 수 있음을 강조하여 안심시키는 것이 좋습니다.
- TG가 500 이상이라면 바로 TG를 낮추는 약제를 쓰지만, 그렇지 않다면 동반된 LDL 이상의 교정이 우선입니다. 그 다음에도 TG가 200 이상으로 높다면 TG를 낮추는 약을 쓸 수 있습니다.

시나리오

<table>
<tr><td>Sex/Age</td><td colspan="2">M/38</td></tr>
<tr><td>Chief Complaint</td><td colspan="2">중성지방이 높아요</td></tr>
<tr><td rowspan="9">Present illness</td><td>Location</td><td>–</td></tr>
<tr><td>Onset</td><td>1주일 전</td></tr>
<tr><td>Situation</td><td>건강검진, 검사 전에 공복 지킴</td></tr>
<tr><td>Time</td><td>–</td></tr>
<tr><td>Course</td><td>–</td></tr>
<tr><td>Experience</td><td>2년 전 건강검진에서도 중성지방 높았으나 치료받지 않았음
당시 검사에서는 TG가 2~300 정도였음</td></tr>
<tr><td>Character</td><td>허리둘레 91cm, 총콜레스테롤 210, LDL 96, HDL 30, TG 430
간기능검사에서 GGT만 상승</td></tr>
<tr><td>Factors</td><td>–</td></tr>
<tr><td>Associated symptoms</td><td>건 황색종(–), 체중변화(+; 3달동안 2kg 증가), 단백뇨/부종/피로(–/–/–), 추위불내성(–), 중심성 비만/동그래진 얼굴/자색선조/멍이 잘 듦(–/–/–/–), 다음/다뇨/다갈(–/–/–), 흉통/호흡곤란/두근거림(–/–/–)</td></tr>
<tr><td rowspan="6">Medical history</td><td>약물복용력</td><td>항고혈압제(+), 고지혈증약(–), 이뇨제(–), 호르몬제(–), 스테로이드(–)</td></tr>
<tr><td>과거력</td><td>HTN/DM/TB/간질환(+/–/–/–), 갑상샘저하증(–), 신질환(–), 심혈관질환(–)</td></tr>
<tr><td>외상/수술력</td><td>외상(–), 수술력(–)</td></tr>
<tr><td>사회력</td><td>프리랜서, 술(+; 1~2병, 2~3회/주), 담배(+; 0.5ppd×5yr)
식습관 불규칙적이고 야식/과식 종종 있음, 고기 등 기름진 음식과 튀김, 빵, 달달한 음식 좋아함, 채소는 가리지는 않지만 손이 가지는 않음, 운동 거의 안 함</td></tr>
<tr><td>가족력</td><td>–</td></tr>
<tr><td>여성력</td><td>–</td></tr>
<tr><td rowspan="2">Physical exam</td><td>Vital sign</td><td>130/80mmHg, 70회/분, 20회/분, 36.5℃</td></tr>
<tr><td>Positive findings</td><td>BMI 29.0, 눈주위 황색종(–), 안저 검사(–), 갑상샘(–), 경동맥청진(–), 심혈관계 진찰(–), Tendon xanthoma(–), 폐음청진 정상, 복부검진 정상</td></tr>
<tr><td colspan="2">환자의 질문 또는 기타 특이사항</td><td>–</td></tr>
</table>

대표증례－5

상황지침

34세 남자 홍빈수 씨가 건강검진에서 중성지방이 높다는 이야기를 듣고 외래에 왔다.

[활력징후]

• 혈압 : 135/82mmHg	• 맥박 : 70회/분
• 호흡 : 20회/분	• 체온 : 36.5℃

응시자는 이 환자에게
- 증상과 관련된 병력을 청취하고,
- 증상과 관련된 적절한 신체진찰을 시행한 후,
- 추정진단과 향후 진단계획 등에 대해 환자와 논의하시오.

해설

※ **감별진단** : 대사증후군, 생활습관에 의한 이상지질혈증
※ **진단계획/치료계획** : 6개월 후 지질검사, 간기능 검사, 공복혈당 / 생활습관 교정, statin

- 고지방식이 다이어트를 하고 있는 환자 케이스가 출제되었습니다. 체중 감량 효과는 있을지언정 장기적으로 건강에 좋지 않다는 점을 환자에게 잘 설명할 수 있어야 하겠습니다.
- 다른 이상지질혈증 증례와 마찬가지로 사회력(술/담배/식습관/운동)에서 잘못된 부분을 교정하는데 시간을 할애해주세요.

시나리오

Sex/Age		M/34
Chief Complaint		지방이 높아요
Present illness	Location	–
	Onset	1개월 전
	Situation	건강검진, 검사 전에 공복 지킴
	Time	–
	Course	–
	Experience	1년 전 건강검진에서 고중성지방혈증 진단
	Character	허리둘레 36inch, 키 160cm, 체중 70kg 총 콜레스테롤 250, LDL 130, HDL 30, TG 200
	Factors	–
	Associated symptoms	건 황색종(–), **체중변화(+; 최근에 10kg가 쪄서, 2달간 저탄고지 다이어트 후 7~8kg 감소)**, 단백뇨/부종/피로(–/–/–), 추위불내성(–), 중심성 비만/동그래진 얼굴/자색선조/멍이 잘 듦(–/–/–/–), 다음/다뇨/다갈(–/–/–), 흉통/호흡곤란/두근거림(–/–/–)
Medical history	약물복용력	항고혈압제(+; thiazide, 3YA), 고지혈증약(+; 오메가3, 1YA), 호르몬제(–), 스테로이드(–)
	과거력	**HTN**/DM/TB/**간질환(+; 3YA, 잘 조절됨**/–/–/**+; B형 간염 보균자, 지방간)**, 갑상샘저하증(–), 신질환(–), 심혈관질환(–) 정기적으로 건강검진 받음
	외상/수술력	외상(–), 수술력(–)
	사회력	회사원, 술(+; 소주 1병, 2회/주), 담배(+; 0.5~1ppd×15yr) **2달 전부터 저탄고지 다이어트 시작하여 탄수화물 거의 안 먹고 고기와 버터, 기름 등 같이 먹음** 운동은 2달 전부터 주 3~5회
	가족력	아버지 고혈압, 어머니 고혈압
	여성력	–
Physical exam	Vital sign	135/82mmHg, 70회/분, 20회/분, 36.5℃
	Positive findings	BMI 계산해보면 25.7, 눈주위 황색종(–), 안저 검사(–), 갑상샘(–), 경동맥 청진(–), 심혈관계 진찰(–), Tendon xanthoma(–), 폐음청진 정상, 복부검진 정상
환자의 질문 또는 기타 특이사항		–

관련증례

4-1 35세 남자가 최근 직장에서 시행한 검사 결과 콜레스테롤이 높다고 하여 병원에 왔다. 영업직 사원으로 회식과 접대가 잦다. 술은 소주 2~3병씩 주 2~3회 마시며 담배는 20갑·년이다. 최근 2년간 체중이 5kg 늘었다.

> 활력징후는 혈압 135/85mmHg, 맥박 70회/분, 호흡수 18회/분, 체온 36.5℃이었다. 체질량지수 23kg/m^2, 허리둘레 90cm이었다. 갑상샘은 만져지지 않았고, 흉부 및 복부 진찰에서 특별한 이상은 없었으며 부종도 없었다.

4-2 53세 여자가 유방암 검사를 위해 내원하였다가 시행한 혈액 검사에서 중성지방이 높다고 들었다. 1년 전 폐경이 된 후부터 가끔씩 얼굴이 달아오르며 땀이 나고, 우울증 증상도 생겨서 여성호르몬제를 복용하기 시작했다. 체중도 5kg 증가하였다.

> 활력징후는 혈압 140/90mmHg, 맥박 80회/분, 호흡수 16회/분, 체온 36.9℃, 체질량지수 27kg/m^2이었다. 흉부 및 복부 진찰에서 특별한 이상은 없었고 부종은 관찰되지 않았다.

Answer | 4-1. 생활습관과 관련된 고콜레스테롤혈증 4-2. 여성호르몬제 복용 및 체중증가에 의한 고중성지방혈증

Check-list

	병력청취 채점항목	예	아니오
1	검사가 정확히 측정된 것인지 확인하였다.	☐	☐
2	평소 식사나 운동 여부 등 생활습관을 확인하였다.	☐	☐
3	과거 및 현병력에 대하여 물어보았다.	☐	☐
4	동반증상이 있는지 물어보았다(호흡곤란/가슴 통증, 체중증가, 추위 불내성/부종/피로 등).	☐	☐
5	복용중인 약물이 있는지 물어보았다(스테로이드, 호르몬제 등).	☐	☐
6	가족 중 심뇌혈관질환의 병력이 있는지 물어보았다.	☐	☐
7	음주/흡연력에 대하여 물어보았다.	☐	☐

	신체진찰 채점항목	제대로 함	제대로 못함	하지 않음
1	키/체중, 허리둘레를 측정하고 BMI를 계산하였다.	☐	☐	☐
2	눈 주변, 손목, 발목 등에서 황색종이 있는지 관찰하였다.	☐	☐	☐
3	경동맥 잡음과 심음을 청진하였다.	☐	☐	☐
4	갑상샘 진찰을 시행하였다.	☐	☐	☐
5	복부 진찰을 시행하였다.	☐	☐	☐
6	양쪽 다리 오목부종을 확인하였다.	☐	☐	☐

	환자교육 채점항목	예	아니오
1	현재 환자의 상태와 심뇌혈관질환의 위험도를 설명하였다.	☐	☐
2	이상지질혈증의 조절목표를 제시하였다.	☐	☐
3	치료계획을 비약물치료와 약물치료로 나누어 설명하였다.	☐	☐
4	생활습관 교정의 중요성을 설명하였다.	☐	☐

	환자의사관계 채점항목	아주우수	우수	보통	미흡
1	효율적으로 잘 물어보았다. – 효율적 질문 : 개방형 질문 사용, 확인, 중간 요약 – 피할 질문 : 유도 질문, 복수 질문	☐	☐	☐	☐
2	나의 말을 잘 들어주었다. – 대꾸하기, 경청 자세, 눈 맞춤 & 말 가로채지 않기	☐	☐	☐	☐
3	나의 입장을 이해하려고 노력하였다. – 공감 표현, 나의 입장 파악	☐	☐	☐	☐
4	환자가 이해하기 쉽게 설명하였다. – 긴단명료함, 이해도 점검, 질문 기회 & 쉬운 용어	☐	☐	☐	☐
5	나와 좋은 유대 관계를 형성하려고 했다. – 자기소개, 일상 대화, 존중, 자신감 & 신뢰감	☐	☐	☐	☐

CHAPTER 02

호흡기

5 콧물·코막힘

대표증례-1

상황지침

30세 여자 김미려 씨가 콧물이 나온다고 병원에 왔다.

[활력징후]	
• 혈압 : 116/70mmHg	• 맥박 : 78회/분
• 호흡 : 17회/분	• 체온 : 36.5℃

응시자는 이 환자에게
- 증상과 관련된 병력을 청취하고,
- 증상과 관련된 적절한 신체진찰을 시행한 후,
- 추정진단과 향후 진단계획 등에 대해 환자와 논의하시오.

해설

※ **감별진단** : 혈관운동성 비염(Vasomotor rhinitis)

※ **진단계획/치료계획** : 부비동 X선 촬영(단순 부비동 방사선 촬영, Sinus X-ray), 비내시경 검사(Nasal endoscopy) / 악화인자 회피

- 혈관 운동성 비염의 경우 병의 증상이 알레르기성 비염과 비슷하기 때문에 반드시 감별해 주어야 합니다. 그래서 아토피, 천식, 결막염 등의 과거력 및 관련 질환이 있는지 하나하나씩 물어봐야 합니다.
- 가족력을 물어볼 때도 가족 중에 아토피, 알레르기 비염, 천식을 앓는 사람이 있는지 하나씩 짚어가며 물어보세요.
- 혈관운동성 비염은 악화인자가 분명하기 때문에 factor에서 자극적인 음식에 의하여 악화되는지 여부를 필히 확인하셔야 됩니다.
- 비경을 사용하기 전에 특별히 소독해야 할 필요는 없습니다. 휴지로 한번 닦고 사용하는 것만으로 충분합니다. 비경은 포 위에 올려져 있으니 잊지 마시고 비경 사용하여 콧구멍을 벌린 후 펜라이트로 빛을 비추어야 점수에 들어갑니다.

시나리오

Sex/Age	F/30	
Chief Complaint	콧물이 나와요	
Present illness	Location	양쪽
	Onset	8개월 전, 서서히
	Situation	–
	Time	8개월간 / 지속적
	Course	8개월 전부터 맑게 나오다가 1달 전부터 끈적
	Experience	처음
	Character	투명한 색, 끈적끈적, 양은 다양, 냄새(–), 피(–) 일상생활 지장(+, 양이 많을때는 불편하다)
	Factors	계절성(–), 특정한 공간(–), **뜨거운 음식(+)**, **매운 음식(+)**, **찬공기(+)**
	Associated symptoms	기침(–), **재채기(+)**, **코막힘(+)**, 냄새 못 맡음(–), 코가려움(–), 두통(–), 안면통(–), 어지러움(–), 호흡곤란(–), 흉통(–), 발열(–), 오한(–), 복통(–), 소변/대변 이상(–), 콧물이 목뒤로 넘어감(–), 체중변화(–)
Medical history	약물복용력	없음
	과거력	DM/TBc/HTN/간질환(–/–/–/–) 건강검진 시행한 적 없음
	외상/수술력	과거에 머리 외상(–)
	사회력	대학생, 술(한달에 1~2번 맥주1병), 담배(–)
	가족력	아토피(–), 천식 등 호흡기 질환(–), 암(–)
	여성력	0-0-0-0, 특이사항 없음
Physical exam	Vital sign	116/70mmHg, 78회/분, 17회/분, 36.5℃
	Positive findings	결막(–), 공막(–), 부비동 촉진/압통(–/–), 구강 검사(–), 비경 검사(–), Allergic shiner(–), Nasal crease(–), 피부발진/아토피(–/–), 흉부 진찰(–), 경부 림프절(–)
환자의 질문 또는 기타 특이사항		

대표증례 – 2

상황지침

23세 남자 김민수 씨가 콧물이 나온다고 병원에 왔다.

[활력징후]	
• 혈압 : 124/70mmHg	• 맥박 : 82회/분
• 호흡 : 19회/분	• 체온 : 36.7℃

응시자는 이 환자에게
- 증상과 관련된 병력을 청취하고,
- 증상과 관련된 적절한 신체진찰을 시행한 후,
- 추정진단과 향후 진단계획 등에 대해 환자와 논의하시오.

해설

※ **감별진단** : 알레르기 비염(Allergic rhinitis), 혈관운동성 비염(Vasomotor rhinitis)

※ **진단계획/치료계획** : 부비동 X선 촬영, 알레르기항원검사 / 항히스타민제, 악화인자 회피

- 콧물의 양을 평가하기 위해서 하루에 티슈를 얼마나 쓰는지 물어봐도 됩니다. 실제로 질문하니 "20번 정도"라고 답하는 것으로 보아 답이 준비된 것으로 보입니다.
- 환자의 불편함이 일상생활에 얼마나 영향을 미치는지 물어보고 함께 공감해주는 것이 좋습니다.
- PND 소견은 목 뒤로 콧물이 넘어가는 느낌이 있는지 물어보면 됩니다.
- 과거력을 물어볼 때, 뭉뚱그려 알레르기 질환을 앓은 적이 있냐고 물어보면 대답을 안 해줄 가능성이 높습니다. 정확한 질환명을 콕콕 짚어서 물어봐야 합니다.
  cf) 아토피, 아토피성 피부염, 천식 등
- 찬바람을 쐴 때는 괜찮지만, 공기가 안 좋고 사람 많은 곳이나 먼지가 많은 곳에 가면 악화되는 증례가 나오기도 합니다. 알레르기의 원인이 꽃가루 등 계절성이 아니고 다양하다는 것을 알아두세요. 알레르기성 비염의 경우 증례처럼 해마다 반복되며, 증상이 몇 주 지속되다가 시간이 지나면 소실되는 것이 특징입니다.

시나리오

Sex/Age	M/23	
Chief Complaint	콧물이 나와요	
Present illness	Location	양쪽
	Onset	2주 전
	Situation	-
	Time	2주동안 지속적
	Course	점점 심해짐
	Experience	4년 전부터 간간히 있었는데, 2주 전부터 심해짐
	Character	투명한 색, 물 같은 양상, 양은 다양, 냄새(-), 피(-) 일상생활 지장(+, 양이 많을때는 불편하다. 하루에 20번씩 풀 때도 있다.)
	Factors	계절성(-), 특정한 공간(-), 뜨거운 음식(-), 매운 음식(-), **찬공기(+, 아침이나 찬공기 쐬면 심해짐)**
	Associated symptoms	기침(-), **재채기(+)**, **코막힘(+)**, 냄새 못 맡음(-), 코가려움(-), 두통(-), 안면통(-), 어지러움(-), 호흡곤란(-), 흉통(-), 발열(-), 오한(-), 복통(-), 소변/대변 이상(-), **콧물이 목뒤로 넘어감(+, 가끔)**, 체중변화(-)
Medical history	약물복용력	없음
	과거력	DM/TBc/HTN/간질환(-/-/-/-) 어릴 때 아토피 피부염 건강검진은 2년 전, 이상 없었음
	외상/수술력	과거에 머리 외상(-)
	사회력	대학생, 술(1주일에 소주 2병), 담배(4갑·년)
	가족력	동생(알레르기 비염), 천식 등 호흡기 질환(-), 암(-)
	여성력	-
Physical exam	Vital sign	124/70mmHg, 82회/분, 19회/분, 36.7℃
	Positive findings	결막(-), 공막(-), 부비동 촉진/압통(-/-), 구강 검사(-), 비경 검사(-), Allergic shiner(-), Nasal crease(-), 피부발진/아토피(-/-), 흉부 진찰(-), 경부 림프절(-)
환자의 질문 또는 기타 특이사항		비경이 2개 준비되어 있음

대표증례-3

상황지침

42세 여자 이미숙 씨가 콧물이 나온다고 병원에 왔다.

[활력징후]

- 혈압 : 120/84mmHg
- 맥박 : 81회/분
- 호흡 : 20회/분
- 체온 : 36.5℃

응시자는 이 환자에게

- 증상과 관련된 병력을 청취하고,
- 증상과 관련된 적절한 신체진찰을 시행한 후,
- 추정진단과 향후 진단계획 등에 대해 환자와 논의하시오.

해설

※ **감별진단** : 급성부비동염

※ **진단계획/치료계획** : 부비동 X선 촬영, 비내시경 검사 / 항생제

- 노란색 성상의 끈적한 콧물이 나올 경우 감염성 질환을 먼저 떠올립시다.
- 감염성 질환이 의심될 때에는 우선 열이 있는지 확인하고, 기침, 통증, 가래 여부 등을 통해 폐렴과 같은 하기도 감염을 감별해야 합니다. 그리고 신체진찰 시 반드시 미간과 광대뼈 부위를 눌러보아 부비동염 여부를 확인해야 합니다.
- 부비동염은 알레르기성 비염의 합병증으로 생길 수도 있으니 알레르기성 비염을 감별하는 것 또한 중요합니다. 알레르기성 비염의 대표적인 특징 3가지(콧물, 코막힘, 재채기)를 꼭 물어봅시다. 부비동염과 감별하려면 압통 여부도 확인해야겠죠?
- 환자가 콧물 이외에 두통이나 목안 통증 등을 호소할 경우에 그에 대한 아픔에 공감해주고 진통제를 쓰겠다고 말해주면 환자와 좋은 관계를 쉽게 쌓을 수 있습니다.
- 흡연력·음주력 질문은 복용약물이나 병력처럼 체크리스트에 빠지지 않는 항목입니다. 기본적으로 무조건 물어보는 것이 좋습니다.

시나리오

Sex/Age	F/42	
Chief Complaint	콧물이 나와요	
Present illness	Location	양쪽
	Onset	2일 전
	Situation	일주일 전 감기 앓은 이후로 계속 나옴
	Time	하루 종일 많이 나옴
	Course	일주일 전 감기는 다 낫고, 현재 콧물만 지속
	Experience	처음
	Character	맑은색 → 하루 전부터 노란색, 피(+, 1~2번 섞여나옴, 코를 많이 풀어서 그런 것 같다고 함)
	Factors	계절성(−), 특정한 공간(−), 뜨거운 음식(−), 매운 음식(−), 찬공기(−)
	Associated symptoms	**기침(+, 가끔)**, 재채기(−), 간지럼(−), **코막힘(+)**, **후각저하(+)**, **두통(+)**, **코가 목 뒤로 넘어감(+)**, 열(−), 두통(−), 가래(−), 체중변화(−)
Medical history	약물복용력	없음
	과거력	DM/TBc/HTN/간질환(−/−/−/−) 아토피피부염/알레르기 비염/천식/기타 알레르기(−/−/−/−) 환절기에 감기에 잘 걸림 건강검진 받아본 적 없음
	외상/수술력	과거에 머리 외상(−)
	사회력	특이사항 없음
	가족력	아토피(−), 알레르기 비염(−), 천식(−)
	여성력	2-0-0-2, 특이사항 없음
Physical exam	Vital sign	120/84mmHg, 81회/분, 20회/분, 36.5℃
	Positive findings	부비동 압통(+), 비경 검사(−), 경부 림프절(−), 흉부 진찰(−)
환자의 질문 또는 기타 특이사항		

대표증례 - 4

상황지침

32세 남자 김정원 씨가 콧물이 나온다고 병원에 왔다.

[활력징후]	
• 혈압 : 120/70mmHg	• 맥박 : 82회/분
• 호흡 : 19회/분	• 체온 : 36.7℃

응시자는 이 환자에게
- 증상과 관련된 병력을 청취하고,
- 증상과 관련된 적절한 신체진찰을 시행한 후,
- 추정진단과 향후 진단계획 등에 대해 환자와 논의하시오.

해설

※ **감별진단** : 알레르기 비염(Allergic rhinitis), 혈관운동성 비염(Vasomotor rhinitis)

※ **진단계획/치료계획** : 부비동 X선 촬영, 알레르기항원검사 / 항히스타민제, 악화인자 회피

- 환자의 불편함이 일상생활에 얼마나 영향을 미치는지 물어보고 함께 공감해주는 것이 좋습니다.
- 과거력을 물어볼 때, 뭉뚱그려 알레르기 질환을 앓은 적이 있냐고 물어보면 대답을 안 해줄 가능성이 높습니다. 정확한 질환명을 콕콕 짚어서 물어봐야 합니다.
  cf) 아토피, 아토피성 피부염, 천식 등
- 찬바람을 쐴 때는 괜찮지만, 공기가 안 좋고 사람 많은 곳이나 먼지가 많은 곳에 가면 악화되는 증례가 나오기도 합니다. 알레르기의 원인이 꽃가루 등 계절성이 아니고 다양하다는 것을 알아두세요. 알레르기성 비염의 경우 증례처럼 해마다 반복되며, 증상이 몇 주 지속되다가 시간이 지나면 소실되는 것이 특징입니다.
- 혈관운동성 비염은 악화인자가 분명하기 때문에 factor에서 자극적인 음식에 의하여 악화되는지 여부를 필히 확인하셔야 됩니다.

시나리오

Sex/Age	M/32	
Chief Complaint	콧물이 나와요	
Present illness	Location	양쪽
	Onset	10일 전
	Situation	2주 전 감기증상 있었고, 약 먹고 감기는 나았음
	Time	지속적
	Course	점점 심해짐
	Experience	고등학교 때부터 환절기만 되면 그래요
	Character	투명한 색, 하얀색 콧물. 물 같은 양상, 양은 다양, 냄새(−), 피(−) 일상생활 지장(+, 하루 종일 닦아야 할 정도의 양, 하루 10번 코 풂음)
	Factors	**계절성(+, 환절기)**, 특정한 공간(−), **뜨거운 음식(+)**, **매운 음식(+)**, **찬공기(+, 아침이나 찬공기 쐬면 심해짐)**
	Associated symptoms	기침(−), **재채기(+)**, **코막힘(+)**, 냄새 못 맡음(−), 코가려움(−), **두통(+)**, 안면통(−), 어지러움(−), 호흡곤란(−), 흉통(−), 발열(−), 오한(−), 복통(−), 소변/대변 이상(−), **콧물이 목뒤로 넘어감(+)**, 체중변화(−)
Medical history	약물복용력	없음
	과거력	DM/TBc/HTN/간질환(−/−/−/−) 복숭아 알레르기 있음 건강검진(−)
	외상/수술력	과거에 머리 외상(−)
	사회력	심리상담사, 술(맥주 한 잔/1주), 담배(5PY, 6년 전 끊음) 집안 환경 깨끗함 3년 전부터 애완견 기르기 시작(이때 더 심해진 것 같지는 않음)
	가족력	아버지, 여동생(알레르기 비염), 천식 등 호흡기 질환(−), 암(−)
	여성력	−
Physical exam	Vital sign	120/70mmHg, 82회/분, 19회/분, 36.7℃
	Positive findings	결막(−), 공막(−), 부비동 촉진/압통(−/−), 구강 검사(−), 비경 검사(−), Allergic shiner(−), Nasal crease(−), 피부발진/아토피(−/−), 흉부 진찰(−), 경부 림프절(−)
환자의 질문 또는 기타 특이사항		

대표증례 – 5

상황지침

42세 남자 이기우 씨가 콧물이 나온다고 병원에 왔다.

[활력징후]

• 혈압 : 120/84mmHg	• 맥박 : 81회/분
• 호흡 : 20회/분	• 체온 : 36.5℃

응시자는 이 환자에게

– 증상과 관련된 병력을 청취하고,

– 증상과 관련된 적절한 신체진찰을 시행한 후,

– 추정진단과 향후 진단계획 등에 대해 환자와 논의하시오.

해설

※ **감별진단** : 급성부비동염

※ **진단계획/치료계획** : 부비동 X선 촬영, 비내시경 검사 / 항생제

- 노란색 성상의 끈적한 콧물이 나올 경우 감염성 질환을 먼저 떠올립시다.
- 감염성 질환이 우선 의심될 때에는 우선 열이 있는지 확인하고, 기침, 통증, 가래 여부 등을 통해 폐렴과 같은 하기도 감염을 감별해야 합니다. 그리고 신체진찰 시 반드시 미간과 광대뼈 부위를 눌러보아 부비동염 여부를 확인해야 합니다.
- 부비동염은 알레르기성 비염의 합병증으로 생길 수도 있으니 알레르기성 비염을 감별하는 것 또한 중요합니다. 알레르기성 비염의 대표적인 특징 3가지(콧물, 코막힘, 재채기)를 꼭 물어봅시다. 부비동염과 감별하려면 압통 여부도 확인해야겠죠?
- 환자가 콧물 이외에 두통이나 목안 통증 등을 호소할 경우에 그에 대한 아픔에 공감해주고 진통제를 쓰겠다고 말해주면 환자와 좋은 관계를 쉽게 쌓을 수 있습니다.
- 흡연력·음주력 질문은 복용약물이나 병력처럼 체크리스트에 빠지지 않는 항목입니다. 기본적으로 무조건 물어보는 것이 좋습니다.

시나리오

Sex/Age	M/42	
Chief Complaint	콧물이 많이 나와요	
Present illness	Location	양쪽
	Onset	3주 전
	Situation	3주 전 감기 앓은 이후로 계속 나옴
	Time	하루 종일 많이 나옴
	Course	1주 전 악화
	Experience	처음
	Character	맑은색 → 1주일 전부터 노란색, 피(+, 가끔 섞여나옴) 양은 1시간에 휴지 5~6장 일상생활 불편(+)
	Factors	계절성(−), 특정한 공간(−), 뜨거운 음식(−), 매운 음식(−), 찬공기(−)
	Associated symptoms	**기침(+, 마른기침)**, 재채기(−), 간지럼(−), **코막힘(+)**, **후각저하(+)**, **두통(+)**, **코가 목 뒤로 넘어감(+)**, 열(−), 두통(−), 가래(−), 체중변화(−)
Medical history	약물복용력	없음
	과거력	DM/TBc/HTN/간질환(−/−/−/−) 아토피피부염/알레르기 비염/천식/기타 알레르기(−/−/−/−) 건강검진(+, 2YA 이상 없음)
	외상/수술력	과거에 머리 외상(−)
	사회력	회사원, 술(social), 담배(+, 20PY)
	가족력	아토피(−), 알레르기 비염(−), 천식(−)
	여성력	−
Physical exam	Vital sign	120/84mmHg, 81회/분, 20회/분, 36.5℃
	Positive findings	부비동 압통(+), 비경 검사(−), 경부 림프절(−), 흉부 진찰(−)
환자의 질문 또는 기타 특이사항		

관련증례

5-1 35세 남자가 콧물을 주소로 왔다. 콧물은 양측성으로 3일 전부터 발생하였으며, 맑은 색에서 노란색으로 변화하였다. 피는 섞이지 않았으며 4일 전부터 감기 증상이 있었다. 콧물의 양은 많았으며 기온, 날씨와 무관하였다. 동반 증상으로는 기침과 재채기가 있었으며 코막힘, 열, 두통, 가래, 가려움증은 없었다. 처음보다 콧물양은 증가하였으며 이렇게 심한 적은 처음이라고 하였다.

> 활력징후는 혈압 110/80mmHg, 맥박 86회/분, 호흡수 19회/분, 체온 37.3℃이었다. 광대뼈 부위를 촉진하였을 때 압통은 없었으나, 목주위에 약간의 통증이 동반된 림프절이 만져졌다. 비경 검사에서 코안 점막이 빨갛게 보였고, 노란색의 콧물이 관찰되었다. 구강검사에서 코뒤흐름은 관찰되지 않았고 호흡음은 모두 정상이었다.

5-2 19세 남자가 콧물로 왔다. 가을이 되면서 맑은 콧물이 양쪽 코에서 발생하였으며, 과거에도 여러 번 가을이 되었을 때 콧물이 났던 적이 있다고 하였다. 주로 오전에 집을 나섰을 때 갑작스런 재채기, 맑은 콧물, 코막힘이 생긴다고 하였으며 추석에 시골에 있는 할머니 댁에 갔을 때 더욱 심해진다고 하였다. 증상이 생길 때는 가려움증과 눈물, 눈이 빨개지는 증상도 같이 나타난다고 하였다. 가족 중에는 어머니가 천식으로 치료받은 적이 있었고, 동생이 아토피 피부염으로 치료받은 적이 있다고 하였다.

> 활력징후는 혈압 120/80mmHg, 맥박 88회/분, 호흡수 20회/분, 체온 36.5℃이었다. 미간 또는 광대뼈 부위를 촉진하였을 때 압통은 없었고, 목주위에 림프절이 만져지지는 않았다. 비경 검사에서 코안 점막이 창백하고 부어 있는 것을 확인할 수 있었으며, 입안 검사에서 코뒤흐름이 있음을 확인하였다. 흉부 진찰에서 호흡음은 정상이었다.

5-3 43세 남자가 콧물이 심하다며 왔다. 최근 6개월 간 누런색의 끈적한 콧물이 계속되었다고 한다. 목 뒤로 콧물이 넘어가는 느낌이 있으며 코막힘이 심하다고 하였다. 1달 전부터는 냄새를 잘 맡지 못한다고 했으며, 때때로 심한 두통이 생긴다고 하였다. 발열과 눈주위 통증은 없으며 눈물, 가려움증, 재채기는 없다고 하였다.

활력징후는 130/85mmHg, 맥박 80회/분, 호흡수 18회/분, 체온 37.0℃이었다. 미간과 광대뼈 부위를 촉진하였을 때 압통은 없었고, 목주위 림프절은 만져지지 않았다. 입안 진찰에서 코뒤로 누런색의 콧물이 넘어가며 조약돌 모양이 관찰되었다. 비경 검사에서 코안 점막은 정상적이었으나 많은 양의 누런 콧물이 관찰되었다. 호흡음은 모두 정상이었다.

Answer | 5-1. 급성 상기도감염 5-2. 알레르기성 비염 5-3. 만성 부비동염

Check-list

	병력청취 채점항목	예	아니오
1	언제부터 증상이 시작되었는지 물어보았다.	☐	☐
2	콧물의 성상(색, 점도, 혈액 동반 여부)과 양상(빈도, 패턴, 심한 정도)에 대해서 물어보았다.	☐	☐
3	콧물이 목뒤로 넘어가는지, 한쪽 또는 양쪽에서 흐르는지, 음식 먹을 때 흐르는지 물어보았다.	☐	☐
4	호흡기 관련 동반 증상(기침, 재채기, 코막힘, 코가려움 등)에 대해서 물어보았다.	☐	☐
5	전신 증상(감기, 발열, 근육통) 중 한 가지 이상 물어보았다.	☐	☐
6	완화/악화 인자에 대해서 물어보았다.	☐	☐
7	환절기나 특정 계절과 관련이 있는지 물어보았다.	☐	☐
8	아토피, 알레르기성 비염에 대한 과거력과 가족력에 대해서 물어보았다.	☐	☐
9	복용 중인 약물 또는 과거 치료력에 대해서 물어보았다.	☐	☐
10	머리 부위의 외상 또는 수술 여부를 물어보았다.	☐	☐
11	생활환경(직업)이나 애완동물 등 특이 사항에 대해 물어보았다.	☐	☐

	신체진찰 채점항목	제대로 함	제대로 못함	하지 않음
1	안면부 진찰을 통해 부비동 압통 여부를 확인하였다.	☐	☐	☐
2	비경 검사를 통해 콧물의 성상과 비점막 상태를 확인하였다.	☐	☐	☐
3	구강 검사를 통해 인후부 상태와 코뒤흐름을 확인하였다.	☐	☐	☐
4	경부 림프절 촉진을 시행하였다.	☐	☐	☐
5	호흡음을 청진하였다.	☐	☐	☐

	환자교육 채점항목	예	아니오
1	콧물의 원인 질환에 대해 설명하였다.	☐	☐
2	필요한 검사와 약물 치료 및 대증 요법에 대해 설명하였다.	☐	☐
3	개인위생, 회피요법의 중요성 등 일상생활에서 조심해야 할 상황에 대해 교육하였다.	☐	☐

	환자의사관계 채점항목	아주우수	우수	보통	미흡
1	효율적으로 잘 물어보았다. – 효율적 질문 : 개방형 질문 사용, 확인, 중간 요약 – 피할 질문 : 유도 질문, 복수 질문	☐	☐	☐	☐
2	나의 말을 잘 들어주었다. – 대꾸하기, 경청 자세, 눈 맞춤 & 말 가로채지 않기	☐	☐	☐	☐
3	나의 입장을 이해하려고 노력하였다. – 공감 표현, 나의 입장 파악	☐	☐	☐	☐
4	환자가 이해하기 쉽게 설명하였다. – 간단명료함, 이해도 점검, 질문 기회 & 쉬운 용어	☐	☐	☐	☐
5	나와 좋은 유대 관계를 형성하려고 했다. – 자기소개, 일상 대화, 존중, 자신감 & 신뢰감	☐	☐	☐	☐

M·E·M·O

6 기 침

대표증례 - 1

상황지침

37세 남자 최현우 씨가 기침이 나온다고 병원에 왔다.

[활력징후]

- 혈압 : 120/80mmHg
- 맥박 : 74회/분
- 호흡 : 20회/분
- 체온 : 37.1℃

응시자는 이 환자에게

- 증상과 관련된 병력을 청취하고,
- 증상과 관련된 적절한 신체진찰을 시행한 후,
- 추정진단과 향후 진단계획 등에 대해 환자와 논의하시오.

해설

※ **감별진단** : 폐결핵

※ **진단계획/치료계획** : 흉부 X선 촬영, 가래 항산균 도말 검사 / 결핵약

- 기침을 유발할 수 있는 다양한 원인 중에 누런 가래를 동반하는 것으로 보아, 감염성 질환을 미리 떠올려야 합니다.
- 3개월 이상 되었으므로, 만성 기침으로 생각하여야 하며, 만성 기침 중에 빈도가 높은 것 중심으로 생각하다보면 쉽게 답을 찾을 수 있습니다. 특히, 발열, 체중감소, 야간발한이 모두 동반되었으므로 폐결핵을 어렵지 않게 의심할 수 있습니다. 격리가 필요한 질환임을 교육하고, 결핵은 오랜 기간 약을 복용해야하므로 이를 미리 알려주도록 합니다.

시나리오

Sex/Age	M/37	
Chief Complaint	기침이 나요	
Present illness	Location	–
	Onset	2달 전
	Situation	–
	Time	한 번 시작하면 4~5번씩 몰아서 함
	Course	3주 전부터 악화
	Experience	처음
	Character	[양상] 가래 동반(누런색), 가래 양은 휴지에 묻을 정도, 피가 나오지는 않음 [정도] 일상생활에 지장(+)
	Factors	찬바람/운동/일중변동/자세/식사 후에 따른 변화 없음
	Associated symptoms	감기(–), 인후통/콧물/코막힘(–/–/–), **기침/가래**/객혈(**+/+**/–), 흉통/**호흡곤란**/심계항진(–/**+**/–), **발열/오한(+/+)**, **체중감소(+)**, 신물/속쓰림(–/–), 신물역류/속쓰림(–/–), 쌕쌕거림(–), 피로(–), **야간발한(+)**
Medical history	약물복용력	고혈압약(Amlodipine = CCB)
	과거력	DM/TBc/HTN/간질환(–/–/+/–) 건강검진(+, 1YA 정상)
	외상/수술력	외상(–), 수술력(–)
	사회력	택시드라이버 – 차 안이나 집이나 모두 아주 깨끗함 술(social), 담배(+, 기침 생기고부터 끊음, 25PY)
	가족력	10년 전 아버지 결핵(현재는 완치)
	여성력	–
Physical exam	Vital sign	120/80mmHg, 74회/분, 20회/분, 37.1℃
	Positive findings	결막·공막(–), 얼굴 압통(–), 구강(–), 경부 림프절(–), 흉부 진찰 정상
환자의 질문 또는 기타 특이사항		

대표증례-2

상황지침

40세 여자 박유선 씨가 기침이 나서 병원에 왔다.

[활력징후]

- 혈압 : 120/78mmHg
- 맥박 : 76회/분
- 호흡 : 18회/분
- 체온 : 36.7℃

응시자는 이 환자에게
- 증상과 관련된 병력을 청취하고,
- 증상과 관련된 적절한 신체진찰을 시행한 후,
- 추정진단과 향후 진단계획 등에 대해 환자와 논의하시오.

해설

※ **감별진단** : 감염 후 기침(Post-infectious cough)

※ **진단계획/치료계획** : 흉부 X선 촬영, 부비동 X선 촬영 / 휴식과 수분섭취

- 기침문항에서 병력청취시 가장 먼저 물어봐야할 것은 지속 기간입니다. 얼마나 지속되었는지에 따라 감별할 질환이 달라지기 때문입니다. 자세 변화에 따른 기침의 양상 변화도 물어봅시다.
- 흡연력이 매우 중요하며, 오래 되었다면 반드시 폐암과 만성 폐쇄성 기도질환을 감별해야 합니다.
- 급성기침(3주 미만)의 흔한 원인에는 상기도 감염, 폐렴, 심장기능상실이 있습니다. 아급성기침(3~8주)의 흔한 원인에는 감염 후 기침(Post-infectious cough)이 있습니다. 만성 기침(8주 이상)의 흔한 원인에는 상기도기침 증후군(post-nasal drip/upper airway cough syndrome), 기관지천식, 만성폐쇄성폐질환, 결핵, 위식도역류질환(GERD)이 있습니다.
- 만성 기침의 경우, 호흡곤란이나 쌕쌕거림이 있는지 확인하여 천식으로 인한 기침이 아닌지 감별하는 것이 중요합니다.
- 흉부 진찰시 심장보다는 호흡기계 위주로 꼼꼼히 진찰합시다.
- 가래가 없는 마른기침을 호소하기도 합니다. 이처럼 감염 후 기침은 가래가 없이 마른기침이 나올 수도 있으며, 가래가 있어도 목에 걸린 채로 나오지 않는다고 호소할 수도 있습니다. 환자가 '감기는 다 나은 것 같은데 기침만 심하다'라고 하는 것이 특징입니다.

시나리오

Sex/Age	F/40	
Chief Complaint	기침이 나요	
Present illness	Location	–
	Onset	1달 전
	Situation	기침이 시작되기 2주 전 감기 진단받고 약 먹어서 감기는 나았는데 기침은 지속됨
	Time	하루에 여러 번, 한 번 할 때 3~4번씩 함
	Course	처음과 비슷하게 지속
	Experience	이렇게 심한 적은 처음
	Character	[양상] 노란색 가래 동반한 기침 [정도] 일상생활에 지장(+)
	Factors	**눕거나 말하면 심해짐**, 찬바람/운동과의 관계(−/−), **아침·저녁으로 심해짐**, 식사 후(−)
	Associated symptoms	**가래가 목 뒤로 넘어가는 느낌(+)**, 콧물(−), 인후통(−), **코막힘(+)**, **후각저하(+)**, 열(−), 호흡곤란(−), 가슴 통증(−), 신물/속쓰림(−/−), 쌕쌕거림(−), 피로(−), 체중변화(−), 밤에 식은땀(−)
Medical history	약물복용력	감기약 외 없음
	과거력	DM/TBc/HTN/간질환(−/−/−/−), 과거 비염(+), 아토피 피부염(−), 천식(−), 어릴 때 백일해(−), 결핵(−), 예방접종(−), 건강검진(−)
	외상/수술력	외상(−), 수술력(−)
	사회력	주부, 술(맥주 1병/주), 담배(−)
	가족력	관련질환(−), 아토피 피부염(−), 알레르기성 비염(−), 폐암(−)
	여성력	2-0-0-2, 월경 주기 규칙적
Physical exam	Vital sign	120/78mmHg, 76회/분, 18회/분, 36.7℃
	Positive findings	결막,공막(−), 부비동 압통(+), 구강 검사(−), 비경 검사(−), 경부 림프절(−), 흉부 진찰(−)
환자의 질문 또는 기타 특이사항		

대표증례-3

상황지침

28세 남자 김유찬 씨가 기침이 나서 병원에 왔다.

[활력징후]

• 혈압 : 120/80mmHg • 맥박 : 82회/분
• 호흡 : 19회/분 • 체온 : 36.5℃

응시자는 이 환자에게
- 증상과 관련된 병력을 청취하고,
- 증상과 관련된 적절한 신체진찰을 시행한 후,
- 추정진단과 향후 진단계획 등에 대해 환자와 논의하시오.

해설

※ **감별진단** : 역류성 식도염
※ **진단계획/치료계획** : 24시간 식도산도검사 / PPI, 제산제, 생활습관 교정

• 기침은 과거 직업과 현재 직업도 중요하기 때문에 직업에 대한 병력 청취시 현재 직업, 과거 직업 두개 다 물어봐야 합니다.
• 흔히들 기침하면 호흡기계만 생각하기 쉬운데, 위식도역류질환(GERD)에 의한 기침도 꼭 물어보고 그에 해당하는 병력 청취를 하고 신체진찰에서도 복부 진찰을 시행해야 합니다.
• 약제에 의해 유발되는 기침을 감별하기 위해 고혈압약과 같은 약물 복용여부를 반드시 물어봐야 합니다. 그리고 고혈압약을 드신다면 혹시 성분은 정확히 아시는지 여부도 물어봐야 합니다. 정확히 모르신다고 한다면 교육할 때 '다음에 오실 때 약도 가져와 보세요'라고 말을 덧붙이는 게 좋을 듯 합니다.
• 교육시 위식도역류질환(GERD)을 진단하기 위하여 상부 위장관 내시경, 24시간 pH검사가 필요함을 알려주시고, 치료는 PPI로 한다고 하면서, 금연, 식사 후 바로 눕지 않기 등의 교육을 추가적으로 하셔야 됩니다.

시나리오

Sex/Age	M/28	
Chief Complaint	기침이 나요	
Present illness	Location	–
	Onset	4달 전
	Situation	–
	Time	하루 종일
	Course	점점 심해짐
	Experience	대학 입학 준비 때, 취업 준비 때
	Character	[양상] 마른 기침 [정도] 일상생활에 지장(–)
	Factors	찬바람/운동과의 관계(–/–), 계절(–), 애완동물(–), **식사 후(+, 심해짐)**
	Associated symptoms	가래(–), 가래가 목 뒤로 넘어가는 느낌(–), 콧물(–), 인후통(–), 코막힘(–), 후각저하(–), 열(–), 호흡곤란(–), 가슴 통증(–), **신물/속쓰림(+/+, epigastric 부분)**, 밤에 식은땀(–), 쌕쌕거림(–), 피로(–), 체중변화(–)
Medical history	약물복용력	5년 전부터 고혈압약 복용, 성분 모름
	과거력	DM/TBc/HTN/간질환(–/–/+/–), 5년 전 진단, 과거 비염(–), 아토피 피부염(–), 천식(–), 어릴 때 백일해(–), 결핵(–), 예방접종(–), 건강검진(–)
	외상/수술력	외상(–), 수술력(–)
	사회력	회사원, 술(맥주 1병/주), 담배(5년 전 금연, 금연 전 하루 한 갑씩)
	가족력	아버지 고혈압(+), 아토피 피부염(–), 알레르기성 비염(–)
	여성력	–
Physical exam	Vital sign	120/80mmHg, 82회/분, 19회/분, 36.5℃
	Positive findings	부비동 압통(–), 비경 검사(–), 경부 림프절(–), 흉부 진찰(–), 복부 진찰(–)
환자의 질문 또는 기타 특이사항		

대표증례-4

상황지침

67세 남자 박진만 씨가 기침이 나온다고 병원에 왔다.

[활력징후]	
• 혈압 : 120/78mmHg	• 맥박 : 84회/분
• 호흡 : 21회/분	• 체온 : 36.8℃

응시자는 이 환자에게

- 증상과 관련된 병력을 청취하고,
- 증상과 관련된 적절한 신체진찰을 시행한 후,
- 추정진단과 향후 진단계획 등에 대해 환자와 논의하시오.

해설

※ **감별진단** : 폐암, 만성폐쇄성폐질환

※ **진단계획** : 흉부 X선 촬영, 폐기능검사

- 만성 기침을 유발할 수 있는 다양한 원인 중에 장기간 흡연과 연관된 질환인 폐암과 COPD의 가능성을 설명할 수 있어야 합니다.
- 항상 한글로 풀어서 말하는 연습을 하세요. COPD와 같은 영어 약어의 사용은 SP가 이해할 수 없기 때문에 PPI에서 감점될 수 있습니다.
- 체중감소가 동반된 경우에 신생물을 의심할 수 있어야 합니다.
- 장기간 흡연자의 경우 폐암의 위험성뿐 아니라 폐기능과 심장기능에도 악영향을 줄 수 있음을 설명하고 반드시 금연을 권유해야 하고, 금연만으로도 증상 호전이 가능하다는 것을 설명해야 합니다. 참고로 장기흡연으로 인한 COPD 환자의 경우 독감 및 폐렴 예방접종이 효과적입니다.
- 암과 같은 심각한 병을 걱정하는 환자에게 먼저 정확한 진단이 필요함을 설명하고, '암일 가능성이 높구나'라는 생각을 심어주어 지레 겁먹지 않도록 안심시킵시다.
- 흉부 진찰이 중요한 주제에서는 최소 6군데 이상에서 호흡음을 타진, 청진할 수 있도록 합니다.
- 진료 중에 SP가 기침을 할 때 휴지를 꺼내서 건네준다면 좋은 관계를 쌓을 수 있겠죠?

시나리오

Sex/Age	M/67	
Chief Complaint	기침이 나요	
Present illness	Location	–
	Onset	6달 전
	Situation	–
	Time	매일
	Course	점점 심해짐
	Experience	이렇게 오래 기침하는 것은 처음
	Character	[양상] 가래 동반(흰색 → 회색), 가래 양은 소주잔 반잔 정도, 한 달 전부터 피 보인 적 2~3번, 양은 가래에 살짝 묻어나오는 정도 [정도] 일상생활에 지장(+, 자다가 깬 적도 몇 번 있음)
	Factors	찬바람/운동/일중변동/자세/식사 후에 따른 변화 없음
	Associated symptoms	감기(–), 인후통/콧물/코막힘(–/–/–), **기침/가래/객혈(+/+/+)**, 흉통/**호흡곤란**/심계항진(–/**+**/–), 이전엔 4층 이상 계단 올라가도 괜찮았었으나 요새는 2층만 올라가도 힘듦, 평지 걷는 것은 괜찮음, 발열/오한(–/–), **체중감소(+, 2~3kg/3개월)**, 신물/속쓰림(–/–), 신물역류/속쓰림(–/–), 쌕쌕거림(–), 피로(–), 발열(–)
Medical history	약물복용력	(–)
	과거력	DM/TBc/HTN/간질환(–/–/–/–) 건강검진(–)
	외상/수술력	외상(–), 수술력(–)
	사회력	명예퇴직한 교사, 술(약간), 담배(42갑·년)
	가족력	아버지 COPD, 어머니 폐렴으로 돌아가심, 그 외 천식/알레르기성비염/아토피(–/–/–)
	여성력	특이사항 없음
Physical exam	Vital sign	120/78mmHg, 84회/분, 21회/분, 36.8℃
	Positive findings	결막·공막(–), 얼굴 압통(–), 구강(–), 경부 림프절(–), 흉부 진찰 정상
환자의 질문 또는 기타 특이사항		암과 같은 심각한 병일까 봐 걱정

대표증례-5

상황지침

27세 여자 최이나 씨가 기침이 나온다고 병원에 왔다.

[활력징후]

• 혈압 : 120/80mmHg	• 맥박 : 74회/분
• 호흡 : 23회/분	• 체온 : 36.5℃

응시자는 이 환자에게
- 증상과 관련된 병력을 청취하고,
- 증상과 관련된 적절한 신체진찰을 시행한 후,
- 추정진단과 향후 진단계획 등에 대해 환자와 논의하시오.

해설

※ **감별진단** : 만성기관지염, 폐결핵

※ **진단계획** : 흉부 X선 촬영

- 기침을 유발할 수 있는 다양한 원인 중에 누런 가래를 동반하는 것으로 보아, 감염성 질환을 미리 떠올려야 합니다.
- 3개월 이상 되었으므로, 만성 기침으로 생각하여야 하며, 만성 기침 중에 빈도가 높은 것 중심으로 생각하다보면 쉽게 답을 찾을 수 있습니다.
- 가래 중에 피가 조금 나왔다고 하지만, 너무 피가 나온 것에 초점을 맞추다보면, 기침이 주제임을 망각할 수 있기 때문에, 조심해야 합니다.
- 어머니께서 1개월 전에 폐결핵이 걸렸다는 가족력으로 보아, 폐결핵이 생겼을 수도 있음을 이야기 해주는 것이 좋으며, 폐결핵이 걸렸을 때 생길 수 있는 체중감소, 야간발한과 같은 것이 생기면 바로 병원에 오라고 격려하는 것이 좋습니다.
- 실제 시험에서는 모의환자가 자신의 증상에 대해서 애매모호하게 답하거나 자신의 증상을 정확히 파악하고 있지 않아서 시간관리가 필요하였습니다. 이런 경우에는 정말 중요한 질문을 중심으로 빠르게 진단에 도달하는 연습이 필요합니다.

시나리오

Sex/Age	F/27	
Chief Complaint	기침이 나요	
Present illness	Location	–
	Onset	3달 전
	Situation	–
	Time	하루에도 몇 번씩
	Course	계속 비슷함
	Experience	이렇게 오래 기침하는 것은 처음
	Character	[양상] 가래 동반(누런색), 가래 양은 손톱 정도, 피 보인 적 2~3번, 양은 아주 소량 [정도] 일상생활에 지장(+, 말하다가 기침 때문에 말을 멈춤)
	Factors	찬바람/운동/일중변동/자세/식사 후에 따른 변화 없음
	Associated symptoms	감기(–), 인후통/콧물/코막힘(–/–/–), **기침/가래/객혈(+/+/+)**, 흉통/**호흡곤란**/심계항진(–/**+**/–), 발열/오한(–/–), 체중감소(–), 신물/속쓰림(–/–), 신물역류/속쓰림(–/–), 쌕쌕거림(–), 피로(–), 발열(–)
Medical history	약물복용력	(–)
	과거력	DM/TBc/HTN/간질환(–/–/–/–) 건강검진(–)
	외상/수술력	외상(–), 수술력(–)
	사회력	휴학 후 집에서 쉬는 중 술(–), 담배(+, 5PY)
	가족력	어머니가 1개월 전 폐결핵
	여성력	–
Physical exam	Vital sign	120/80mmHg, 74회/분, 23회/분, 36.5℃
	Positive findings	결막·공막(–), 얼굴 압통(–), 구강(–), 경부 림프절(–), 흉부 진찰 정상
환자의 질문 또는 기타 특이사항		

관련증례

6-1 25세 남자가 기침이 나온다며 왔다. 기침은 5개월 전부터 발생하였으며 가래는 동반되지 않는 마른기침이었다. 한 번 기침할 때 5번 정도 연속해서 기침이 나왔으며 자다가 기침 때문에 잠이 깰 때도 있다고 하였다. 아침에 찬바람을 쐬면 기침이 유발되기도 하였으며, 기침 후에 가끔씩 쌕쌕거리는 숨소리가 들린 적도 있다고 하였다. 낮보다는 밤에 기침이 더 심해지는 것 같았다. 발열, 오한, 콧물, 호흡곤란, 가슴 통증, 속쓰림은 없었으며 3개월 간 기침의 정도는 변화하지 않았다고 하였다. 고등학생 때부터 환절기마다 감기에 자주 걸렸으며, 그때마다 기침이 심하였다고 하였다. 어린 시절 아토피 피부염을 앓은 적이 있었고, 그 외의 다른 질병은 앓은 적이 없다고 하였다. 3개월 전 감기 걸렸을 때 감기약 복용 외에는 약물을 먹은 적이 없으며 남동생이 아토피 피부염과 알레르기 비염을 앓고 있다고 하였다. 현재 대학생으로 술은 한주에 소주 2병 정도 마시며, 담배는 2갑·년의 흡연력이 있지만 올해 금연하였다.

> 활력징후는 혈압 120/78mmHg, 맥박 69회/분, 호흡수 20회/분, 체온 36.7℃이었다. 광대뼈 부위를 촉진하였을 때 압통은 없었고, 입안 진찰 시에도 이상소견은 보이지 않았다. 흉부 진찰에서 호흡음은 모두 정상이었다.

6-2 33세 남자가 기침이 나온다며 왔다. 기침은 3개월 전부터 발생하였으며 노란색의 끈끈한 가래가 동반되었다. 주로 저녁에 자려고 눕거나 아침에 일어났을 무렵에 기침이 심해졌고 가래양도 증가하였다. 콧물은 심하지 않았으나 코막힘이 심했고, 평소에 코뒤로 콧물이 넘어가는 느낌 때문에 자주 킁킁거린다고 하였다. 중학교 때부터 환절기에 감기를 자주 앓았으며 기침이 오래 지속된다고 하였다. 2주 전부터는 냄새 맡는데 지장이 있었으며 두통도 때때로 생긴다고 하였다. 사무직 회사원으로 음주는 가끔 하며, 흡연은 하지 않는다고 하였다.

> 활력징후는 혈압 130/80mmHg, 맥박 72회/분, 호흡수 20회/분, 체온 36.5℃이었다. 양쪽 광대뼈 부위를 촉진하였을 때 통증을 호소하였으며, 입안 진찰에서 점막이 발적되어 있었으며 인두부위의 뒤쪽벽에서 조약돌 모양이 관찰되었다. 흉부 진찰에서 호흡음은 모두 정상이었다.

6-3 48세 여자가 기침이 나온다며 왔다. 기침은 2개월 전부터 발생하였으며 가래는 없이 기침만 나온다고 하였다. 기침이 나올 때 목이 간지러운 느낌이 들어 어쩔 수 없이 기침을 하게 된다고 하였으며, 최근 감기에 걸린 적은 없다고 하였다. 발열, 오한, 호흡곤란은 없었으며, 운동을 할 때 기침이 심해지지도 않는다고 하였다. 가정주부로 한 달에 한번 등산을 한다고 하였고, 술은 거의 마시지 않으며, 담배는 피지 않는다고 하였다. 3개월 전에 고혈압을 진단받아 고혈압약을 매일 복용중이라고 하였다.

활력징후는 혈압 145/90mmHg, 맥박 75회/분, 호흡수 20회/분, 체온 36.8℃이었다. 양쪽 광대뼈 부위를 촉진하였을 때 통증은 없었으며, 입안 진찰도 모두 정상이었다. 흉부 진찰에서 호흡음은 모두 정상이었다.

6-4 70세 남자가 기침이 나온다며 왔다. 기침은 1년 전부터 발생하였으며 어두운 노란색의 끈끈한 가래가 동반된다고 하였다. 2주 전에 감기에 걸린 적이 있으며 그때부터 기침과 가래가 심해졌다고 하였다. 3개월 전부터 계단을 오를 때 숨이 심하게 찬다고 하였으며, 가끔씩 숨을 내쉴 때 휘파람 부는 것 같은 소리가 난다고도 하였다. 열이나 오한은 없었으며, 체중이 줄지도 않았다고 하였다. 정년퇴직한 회사원으로 술은 일주일에 소주 1병, 담배는 50년간 하루 1갑씩 흡연하였다고 하였다.

활력징후는 혈압 140/80mmHg, 맥박 78회/분, 호흡수 23회/분, 체온 37.1℃이었다. 결막이 창백해보였으며, 양쪽 광대뼈 부위를 촉진하였을 때 통증은 호소하지 않았다. 입안 진찰은 정상이었으나 흉부 진찰에서 술통형 가슴이 보였고, 호흡음이 전반적으로 감소되어 있는 양상이었다.

Answer | 6-1. 기관지천식 6-2. 상기도 기침증후군 또는 만성 부비동염 6-3. 약물에 의한 기침 6-4. 만성 폐쇄성폐질환

Check-list

	병력청취 채점항목	예	아니오
1	기침의 지속기간을 물어보았는가?	☐	☐
2	기침과 함께 나타나는 증상(가래, 객혈, 열, 호흡곤란, 쌕쌕거림, 흉통) 중 2가지 이상 물어보았는가?	☐	☐
3	과거에 감기에 걸리면 1달 이상 기침이 지속되었는지 물어보았는가?	☐	☐
4	기침이 악화/완화되는 요인에 대해서 물어보았는가?	☐	☐
5	콧물이 뒤로 넘어감, 신물, 속쓰림 여부를 물어보았는가?	☐	☐
6	이전에 앓거나 진단받은 질환에 대해서 물어보았는가?	☐	☐
7	복용하는 약물에 대해서 물어보았는가?	☐	☐
8	흡연력, 직업력, 유해물질 노출 등에 대해서 물어보았는가?	☐	☐

	신체진찰 채점항목	제대로 함	제대로 못함	하지 않음
1	안면부 진찰을 통해 부비동 압통 여부를 확인하였는가?	☐	☐	☐
2	비경 검사 및 경부 림프절 촉진하였는가?	☐	☐	☐
3	구강 검사를 통해 인후부 상태와 코 뒤흐름을 확인하였는가?	☐	☐	☐
4	흉부를 촉진, 타진하여 이상소견을 확인하였는가?	☐	☐	☐
5	흉부를 6군데 이상 청진하였는가?	☐	☐	☐

	환자교육 채점항목	예	아니오
1	기침의 원인에 대하여 설명하였는가?	☐	☐
2	확진을 위해 필요한 검사를 설명하고 동의를 구하였는가?	☐	☐
3	치료 방법을 설명하고 일상생활의 유의점을 설명하였는가?	☐	☐
4	흡연의 위험성을 설명하고 금연을 권유하였는가?	☐	☐
5	독감과 폐렴 예방접종에 대하여 설명하였는가?	☐	☐

	환자의사관계 채점항목	아주우수	우수	보통	미흡
1	효율적으로 잘 물어보았다. - 효율적 질문 : 개방형 질문 사용, 확인, 중간 요약 - 피할 질문 : 유도 질문, 복수 질문	☐	☐	☐	☐
2	나의 말을 잘 들어주었다. - 대꾸하기, 경청 자세, 눈 맞춤 & 말 가로채지 않기	☐	☐	☐	☐
3	나의 입장을 이해하려고 노력하였다. - 공감 표현, 나의 입장 파악	☐	☐	☐	☐
4	환자가 이해하기 쉽게 설명하였다. - 간단명료함, 이해도 점검, 질문 기회 & 쉬운 용어	☐	☐	☐	☐
5	나와 좋은 유대 관계를 형성하려고 했다. - 자기소개, 일상 대화, 존중, 자신감 & 신뢰감	☐	☐	☐	☐

M·E·M·O

7 객 혈

대표증례 – 1

상황지침

56세 남자 이민상 씨가 목에서 피가 나왔다고 병원에 왔다.

[활력징후]

• 혈압 : 115/80mmHg	• 맥박 : 78회/분
• 호흡 : 20회/분	• 체온 : 37.0℃

응시자는 이 환자에게
- 증상과 관련된 병력을 청취하고,
- 증상과 관련된 적절한 신체진찰을 시행한 후,
- 추정진단과 향후 진단계획 등에 대해 환자와 논의하시오.

해설

※ **감별진단** : 폐농양, 급성폐렴

※ **진단계획/치료계획** : 흉부 X-ray, 객담배양검사 / 경험적 항생제

- 객혈의 경우 토혈이나 입에 고인 피가 나오는 것은 아닌지 먼저 감별하고, 거품이나 가래의 동반여부를 반드시 확인해야 합니다.
- 가래가 함께 나오는 경우 감염을 생각할 수 있으며, 검붉은 색의 객혈과 지독한 냄새(보통 '시궁창 냄새'라고 표현됨)가 나는 경우, 단순 폐렴보다는 폐농양을 우선 의심할 수 있습니다. 이때 지독한 냄새는 혐기성 세균에 의한 감염을 시사합니다.
- 폐농양의 경우 구강 내 감염으로도 생길 수 있어, 치아와 입 안 청결에 신경 쓰도록 교육하며, 면역이 저하되어 있지는 않은지 확인해야 합니다. 또한 만성 알코올 중독인지, 흡연을 하는지 반드시 확인하여 금주, 금연을 교육시켜야 합니다.

시나리오

Sex/Age		M/56
Chief Complaint		목에서 피가 나와요
Present illness	Location	–
	Onset	10일 전
	Situation	기침과 함께 목에서 나옴
	Time	가래 뱉을 때마다 나옴
	Course	어제부터 심해짐
	Experience	처음
	Character	처음엔 선홍색이었다가 오늘 오전에 검붉은 색으로 변함, 가래(+), 거품(+), 음식물(–), 지독한 냄새(+) 처음에는 휴지에 묻어나오는 정도 → 지금은 한 숟가락 정도
	Factors	자세/기침/운동에 따른 변화(–/–/–), 민물게장/날 것(–/–)
	Associated symptoms	**기침(+; 4주 전부터 시작)**, **가래(+)**, 콧물(–), 호흡곤란(–), **열(+)**, 오한(–), **체중감소(+, 1달간 2kg)**, 흉통(–), 밤에 식은땀(–), 어지러움(–), 두근거림(–), 출혈 경향(–), 혈변(–)
Medical history	약물복용력	아스피린(–), 플라빅스(–), 진통소염제(–)
	과거력	DM/TBc/HTN/간질환(–/–/–/–) 건강검진(+, 2YA 정상, 가슴엑스레이 찍은 적 없음)
	외상/수술력	외상(–), 수술력(–)
	사회력	건설 노동, 술(4~5회/주, 2~3병/회), 담배(35PY)
	가족력	특이사항 없음
	여성력	–
Physical exam	Vital sign	115/80mmHg, 78회/분, 20회/분, 37.0℃
	Positive findings	결막,공막(–), 비경 검사(–), 구강 검사(–), 경부 림프절 촉진(–), 심장청진(–), 흉부 진찰(–), 곤봉지(–), 피부 출혈반(–)
환자의 질문 또는 기타 특이사항		

대표증례-2

상황지침

40세 남자 최정 씨가 목에서 피가 나왔다고 병원에 왔다.

[활력징후]

- 혈압 : 120/78mmHg
- 맥박 : 74회/분
- 호흡 : 23회/분
- 체온 : 36.5℃

응시자는 이 환자에게

- 증상과 관련된 병력을 청취하고,
- 증상과 관련된 적절한 신체진찰을 시행한 후,
- 추정진단과 향후 진단계획 등에 대해 환자와 논의하시오.

해설

※ **감별진단** : 폐결핵(Reactivated pulmonary tuberculosis), 기관지확장증

※ **진단계획** : 흉부 X선 촬영, 객담검사, 흉부 HRCT

- 객혈을 하는 환자가 오는 경우에는 항상 vital sign과 함께 general condition을 잘 살펴보아야 합니다. 환자의 상태가 좋지 못하다는 표현을 하거나, vital sign 상 좋지 않거나, 객혈의 양이 많을 때에는 응급상황이라고 판단하고 그에 맞는 조치를 취하도록 교육해야 할 것입니다.
- 이 환자는 객혈을 한지 얼마 되지 않은데다가, 객혈의 양도 많지 않기에 정확한 진단을 내리고자 자세하게 묻는 것이 중요하였습니다. 특히, 결핵을 앓은 과거력의 경우에는 SP에게 꼭 집어서 물어 보지 않으면 답해주지 않았습니다.
- 결핵을 10년 전에 앓았으며 6개월 만에 완치되었다는 것에 좀더 초점을 맞추고 봐야합니다. 결핵과 같은 만성질환이 6개월 만에 완치가 되었다는 것은, 기본적인 치료인 2개월 HERZ와 4개월간 HE(R) 만으로 치료에 성공했다는 것을 의미하므로 한 번쯤 의심해볼 필요가 있습니다. 따라서 결핵에 관한 검사인 sputum culture와 함께 AFB smear를 한다면 좀더 정확한 원인을 파악하는데, 도움이 될 것입니다. Tuberculin skin test는 결핵에 걸린 과거력을 의미하기 때문에 도움이 되는 검사는 아니라는 점도 생각하기 바랍니다.
- 흡연기간이 10년이 된다는 점을 통해서, 만성기관지염이나 기관지확장증을 의심할 수도 있습니다. 기관지확장증의 경우에는 좀더 만성적인 질환이지만, HRCT를 통해 감별해 보는 것도 좋습니다.

시나리오

Sex/Age	M/40	
Chief Complaint	목에서 피가 나와요	
Present illness	Location	−
	Onset	2일 전, 갑자기
	Situation	가래를 뱉을 때 피가 나옴
	Time	가래 뱉을 때마다 나옴
	Course	계속 비슷함
	Experience	처음
	Character	선홍색, 거품(+), 목 이물감(+), 휴지에 묻어나는 정도로 나옴
	Factors	−
	Associated symptoms	**기침(+, 2일 전부터 시작)**, **가래(+, 피가 섞여 나옴)**, 콧물(−), 호흡곤란(−), 열(−), 오한(−), 체중감소(−), 흉통(−), 밤에 식은땀(−), 어지러움(−), 두근거림(−), **출혈 경향(+, 평소에 양치를 강하게 하면 잇몸에서 피가 나고는 했음)**, 혈변(−), 피로(−), **감기(+, 1주일 전 목감기 걸린 적 있음)**
Medical history	약물복용력	(−)
	과거력	DM/TBc/HTN/간질환(−/+, 10년 전 걸렸으며 6개월 치료 받고 다 나음/−/−) 건강검진(−)
	외상/수술력	외상(−), 수술력(−)
	사회력	회사원, 술(−), 담배(+, 10PY)
	가족력	특이사항 없음
	여성력	−
Physical exam	Vital sign	120/78mmHg, 74회/분, 23회/분, 36.5℃
	Positive findings	결막·공막(−), 얼굴 압통(−), 구강(−), 경부 림프절(−), 흉부 진찰 정상
환자의 질문 또는 기타 특이사항		

대표증례-3

상황지침

59세 남자 김용철 씨가 목에서 피가 나왔다고 병원에 왔다.

[활력징후]

- 혈압 : 134/76mmHg
- 맥박 : 88회/분
- 호흡 : 21회/분
- 체온 : 36.9℃

응시자는 이 환자에게
- 증상과 관련된 병력을 청취하고,
- 증상과 관련된 적절한 신체진찰을 시행한 후,
- 추정진단과 향후 진단계획 등에 대해 환자와 논의하시오.

해설

※ **감별진단** : 만성기관지염, 폐암, 기관지확장증

※ **진단계획** : 가슴 X선 촬영, 폐기능검사, 흉부 HRCT

- 출혈 질환 환자들은 많이 불안해하므로 '놀라셨겠어요.', '많이 걱정되셨죠?' 등 환자의 상태를 걱정하는 말을 건네며 안심시키면서 문진을 해야 합니다.
- 환자들이 출혈량을 과장하는 경우가 많으므로 소주잔(50ml), 종이컵(200ml), 밥그릇(300ml) 등의 비유를 통해 판단하는 것이 중요합니다.
- 객혈의 경우 상황지침에서 목에서 피가 나왔다는 것을 주소로 나옵니다. 객혈과 토혈에 대해 헷갈리지 않도록 주의해주세요. 그리고 음식물의 동반여부를 반드시 물어봐야 합니다.
- 흡연력을 꼭 물어봐야 합니다.
- 출혈 경향을 판단하기 위해서는 평소 피가 자주 나는지, 피가 잘 멎지 않는지, 멍이 자주 생기는지, 코피가 자주 나는지 물어볼 수 있습니다. 또한 대변의 색깔, 굵기, 성상 변화 등을 문진하고, 손가락 직장 검사를 시행하여 소화기계의 출혈은 아닌지 감별해야 합니다. 출혈경향, 응고장애를 유발할 수 있는 약물(아스피린, 와파린, 한약 등)을 복용하고 있는지도 반드시 물어봐야겠죠?

시나리오

Sex/Age		M/59
Chief Complaint		목에서 피가 나와요
Present illness	Location	–
	Onset	1년 전
	Situation	기침과 함께 목에서 나옴
	Time	1년 전부터 때때로
	Course	비슷함
	Experience	1년 전부터 3번 정도 객혈한 적이 있었음
	Character	선홍색, 거품(–), 가래에 묻어나오는 실 같은 양상, 음식물 동반(–) 가래에 실핏줄처럼 묻어나오는 정도(환자는 별로 심각하게 느끼지 않음)
	Factors	자세/기침/운동에 따른 변화(–/–/–), 민물게장/날 것(–/–)
	Associated symptoms	**기침(+, 1주일 전부터 감기로 심해짐), 가래(+, 하얀 가래가 이전부터 있다가 1주일 전 감기로 심해지면서 노란색으로 변함), 콧물(+, 감기 걸리면서 생겼다가 점차 좋아지는 중), 호흡곤란(+, 평상시에는 괜찮은데 등산을 하다가 정상쯤에 가면 숨이 참)**, 열(–), 오한(–), 체중감소(–), 흉통(–), 밤에 식은땀(–), 체중감소(–), 어지러움(–), 두근거림(–), 출혈 경향(–), 혈변(–), 피로(–)
Medical history	약물복용력	아스피린(–), 플라빅스(–), 진통소염제(–)
	과거력	DM/TBc/HTN/간질환(–/–/–/–) 건강검진(–)
	외상/수술력	외상(–), 수술력(–)
	사회력	디자이너, 술(1병/주), 담배(35갑·년), 석면, 유리, 진균 등 환경오염 물질 접촉가능성 없음, 운동으로 일주일에 한번 등산
	가족력	특이사항 없음
	여성력	–
Physical exam	Vital sign	134/76mmHg, 88회/분, 21회/분, 36.9℃
	Positive findings	결막(–), 공막(–), 비경 검사(–), 구강 검사(–), 경부 림프절 촉진(–), 심장청진(–), 흉부 진찰(–), 곤봉지(–), 피부 출혈반(–), 항문직장검사(–)
환자의 질문 또는 기타 특이사항		

대표증례-4

상황지침

35세 남자 백준현 씨가 목에서 피가 나왔다고 병원에 왔다.

[활력징후]	
• 혈압 : 115/80mmHg	• 맥박 : 78회/분
• 호흡 : 20회/분	• 체온 : 36.5℃

응시자는 이 환자에게
- 증상과 관련된 병력을 청취하고,
- 증상과 관련된 적절한 신체진찰을 시행한 후,
- 추정진단과 향후 진단계획 등에 대해 환자와 논의하시오.

해설

※ **감별진단** : 폐결핵

※ **진단계획/치료계획** : 흉부 X선 촬영, 객담 검사 / 결핵약

• 객혈의 경우 폐결핵을 반드시 감별해야 합니다. 그래서 체중변화의 여부와 피로감 여부 등을 여쭤보아야 합니다. 이 환자의 경우 둘 다 가지고 있으므로 폐결핵을 의심해 볼 수 있겠습니다.

• 기관지확장증의 경우 화농성 가래, 잦은 감기여부와 함께 어렸을 적 백일해에 걸린 적이 있는지, 어렸을 적 엑스레이 찍어보신 적 있는지를 물어보아야 합니다.

• 객혈은 반드시 코를 통해서 피가 넘어가는지를 확인하여 구강내 출혈에 의한 객혈인지 아닌지를 배제하여야 합니다. 그러기 위해서는 비경 검사를 신체진찰 때 반드시 해주어야 합니다.

시나리오

Sex/Age	M/35	
Chief Complaint	목에서 피가 나와요	
Present illness	Location	–
	Onset	2주일 전
	Situation	기침과 함께 목에서 나옴
	Time	하루에 1번
	Course	빈도가 늘어나고 점점 심해짐
	Experience	처음
	Character	선홍색, 거품(–), 가래에 묻어나오는 실 같은 양상, 음식물 동반(–) 가래에 실핏줄처럼 묻어 나오는 정도
	Factors	자세/기침/운동에 따른 변화(–/–/–), 민물게장/날 것(–/–)
	Associated symptoms	**기침(+, 3달 전부터 시작), 가래(+, 하얀 가래가 있다가 피가 섞여 나옴),** 콧물(–), 호흡곤란(–), 열(–), 오한(–), 흉통(–), **밤에 식은땀(+), 체중 감소(+, 1달간 5kg)**, 어지러움(–), 두근거림(–), 출혈 경향(–), 혈변(–), **피로(+)**
Medical history	약물복용력	아스피린(–), 플라빅스(–), 진통소염제(–)
	과거력	DM/TBc/HTN/간질환(–/–/–/–) 건강검진(+, 2YA 정상)
	외상/수술력	외상(–), 수술력(–)
	사회력	은행원, 술(1달에 맥주1병), 담배(–), 석면, 유리, 진균 등 환경오염 물질 접촉가능성 없음
	가족력	특이사항 없음
	여성력	–
Physical exam	Vital sign	115/80mmHg, 78회/분, 20회/분, 36.5℃
	Positive findings	결막,공막(–), 비경 검사(–), 구강 검사(–), 경부 림프절 촉진(–), 심장청진(–), 흉부 진찰(–), 곤봉지(–), 피부 출혈반(–)
환자의 질문 또는 기타 특이사항		"저 친구들이랑 이번에 여행 가기로 했는데 가도 되나요?"

대표증례－5

상황지침

55세 남자 박민식 씨가 목에서 피가 나온다며 병원에 왔다.
(현재 오후 3시)

[활력징후]

- 혈압 : 115/73mmHg
- 맥박 : 84회/분
- 호흡 : 21회/분
- 체온 : 37.2℃

응시자는 이 환자에게
- 증상과 관련된 병력을 청취하고,
- 증상과 관련된 적절한 신체진찰을 시행한 후,
- 추정진단과 향후 진단계획 등에 대해 환자와 논의하시오.

해설

※ **감별진단** : 폐흡충증

※ **진단계획/치료계획** : 흉부 X선 촬영, 폐흡충 특이항체 검사 / 프라지콴텔

- 우선 객혈량과 활력징후를 평가해서 응급상황인지 판단해야 합니다. 대량객혈의 경우 활력징후에서 혈압이 떨어지거나 맥박수가 증가할 수 있고, 어지러움이나 호흡곤란이 나타날 수 있습니다. 실혈에 의해 나타날 수 있는 증상을 꼭 물어보도록 합니다.
- 일반적으로 종이컵 한 컵(200ml/day) 이상의 객혈일 경우 대량객혈로 판단합니다.
- 객혈을 주소로 내원한 환자의 경우 먼저 토혈이나 구강 출혈이 아닌지부터 감별해야 합니다. 토혈 감별은 음식물과 함께 나오는지 등을 확인해야 하고, 구강 출혈을 감별하기 위해 평소에 이를 닦다가 입 안 혹은 잇몸에서 피가 자주 나는지 등을 질문할 수 있습니다.
- 본 케이스의 경우 날 것을 먹었다고 하면 잘 모른다고 대답을 하시니, '민물게장'을 평소 즐겨 먹는지 콕 집어서 물어봐야 했습니다.
- 약으로 인한 출혈 질환을 감별하기 위해 구체적으로 아스피린, 진통제 등을 복용중인지 직접 언급해서 물어보는 것이 좋습니다.
- 시험의 특성상 대량객혈이 의심되더라도 진료 순서는 다른 주제와 같이 병력청취 → 신체검진 → 환자교육 순서로 진행합니다. 다만 환자교육에서 응급조치와 입원의 필요성을 꼭 설명하는 것이 중요합니다.

시나리오

Sex/Age	M/55	
Chief Complaint	목에서 피가 나와요(현재 오후 3시)	
Present illness	Location	−
	Onset	1개월 전, 오전 11시(4시간 전)
	Situation	기침과 함께 목에서 나옴
	Time	1개월 전부터 때때로
	Course	한 달 전부터 가래에 소량의 피가 조금씩 묻어 나오다가 4시간 전 종이컵 한잔 정도의 피가 나와 병원에 옴
	Experience	처음
	Character	기침과 함께 종이컵 한 잔 정도의 양이 왈칵 나옴, 거품(−), 선홍색, 음식물 동반(−) 처음에는 살짝 묻어나오는 정도 → 4시간 전에는 종이컵 한 잔
	Factors	2개월 전 쯤 친구들과 놀러가서 **민물게장** 먹은 적 있음 → 날 것 먹은 적 있냐고 하면 잘 모른다고 함 자세/기침/감기/운동(−/−/−/−)
	Associated symptoms	**기침(+, 객혈과 함께 1달 전부터 시작), 가래(+, 처음엔 맑았으나 지금은 누런색으로 변화)**, 열(−), 오한(−), 체중감소(−), 흉통(−), 밤에 식은땀(−), 체중감소(−), 어지러움(−), 출혈경향(−), 피로(−)
Medical history	약물복용력	아스피린(−), 플라빅스(−), 진통소염제(−)
	과거력	DM/TBc/HTN/간질환(−/−/−/−) 건강검진(+, 1YA 정상, 가슴 X-ray도 촬영)
	외상/수술력	외상(−), 수술력(−)
	사회력	술(가끔), 담배(30갑·년), 석면, 규소 노출과 관련된 직업(−)
	가족력	특이사항 없음
	여성력	−
Physical exam	Vital sign	115/73mHg, 84회/분, 21회/분, 37.2℃
	Positive findings	결막/공막(−), 비경 검사(−), 구강 검사(−), 경부 림프절 촉진(−), 심장청진(−), 흉부 진찰(−), 곤봉지(−), Pitting edema(−), 피부 출혈반(−)
환자의 질문 또는 기타 특이사항		건강에 대한 자부심 있는 SP

대표증례-6

상황지침

45세 남자 남정은 씨가 목에서 피가 나왔다고 병원에 왔다.

[활력징후]	
• 혈압 : 115/80mmHg	• 맥박 : 78회/분
• 호흡 : 20회/분	• 체온 : 37.0℃

응시자는 이 환자에게
- 증상과 관련된 병력을 청취하고,
- 증상과 관련된 적절한 신체진찰을 시행한 후,
- 추정진단과 향후 진단계획 등에 대해 환자와 논의하시오.

해설

※ **감별진단** : 기관지확장증, 폐결핵, 폐암

※ **진단계획** : 흉부 X선 촬영, 흉부 CT, 객담 검사

- 객혈의 경우 폐결핵을 반드시 감별해야 합니다. 그래서 체중변화의 여부와 피로감 여부 등을 여쭤보아야 합니다. 이 환자의 경우 둘 다 가지고 있으므로 폐결핵을 의심해 볼 수 있겠습니다. 또한 나이와 흡연력을 고려하였을 때 폐암의 가능성도 배제할 수 없습니다.
- 기관지확장증의 경우 오랜 흡연이나 유해물질 노출에 의해 기관지가 손상되어 발생할 수 있습니다. 화농성 가래, 잦은 감기여부와 함께 어렸을 적 백일해에 걸린 적이 있는지, 어렸을 적 엑스레이 찍어보신 적 있는지를 물어보아야 합니다.
- 객혈은 반드시 코를 통해서 피가 넘어가는지를 확인하여 구강내 출혈에 의한 객혈인지 아닌지를 배제하여야 합니다. 그러기 위해서는 비경 검사를 신체진찰 때 반드시 해주어야 합니다.

시나리오

Sex/Age	M/45	
Chief Complaint	목에서 피가 나와요	
Present illness	Location	–
	Onset	1주일 전
	Situation	가래 뱉으면서 나옴
	Time	하루에 3~4번 나오다가 어제부터는 4~5번
	Course	빈도가 늘어나고 점점 심해짐
	Experience	처음
	Character	선홍색, 거품(–), 음식물 동반(–), 시궁창 같은 냄새 가래에 섞여 나온 것 합치면 소주 한 잔 정도 될 것 같음
	Factors	자세/기침/운동에 따른 변화(–/–/–), 민물게장/날 것(–/–)
	Associated symptoms	기침(–), **가래(+, 누런 가래)**, 콧물(–), 호흡곤란(–), **열(+)**, **오한(+)**, 흉통(–), 밤에 식은땀(–), **체중감소(+, 1달간 3kg)**, 어지러움(–), 두근거림(–), 출혈 경향(–), 혈변(–), **피로(+)**
Medical history	약물복용력	아스피린(–), 플라빅스(–), 진통소염제(–)
	과거력	DM/TBc/HTN/간질환(–/–/–/–) 건강검진(–)
	외상/수술력	외상(–), 수술력(–)
	사회력	용접일. 직장에 먼지 많고 가면 기침 심하게 함 술(하루 3병, 주 3~4회), 담배(30PY)
	가족력	특이사항 없음
	여성력	–
Physical exam	Vital sign	115/80mmHg, 78회/분, 20회/분, 37.0℃
	Positive findings	결막,공막(–), 비경 검사(–), 구강 검사(–), 경부 림프절 촉진(–), 심장청진(–), 흉부 진찰(–), 곤봉지(–), 피부 출혈반(–)
환자의 질문 또는 기타 특이사항		무심해 보이는 편이나 대답은 잘해주십니다.

관련증례

7-1 67세 남자가 가래와 함께 피가 나온다며 왔다. 어제 밤부터 가래에 실타래 같은 피가 묻어서 나왔다고 한다. 가래는 누런색을 띠었으며 가래를 뱉을 때마다 피가 계속 묻어나온다고 하였다. 10대 시절부터 기침과 가래가 잦았고 환절기마다 감기에 자주 걸린다고 하였다. 20년 전부터 때때로 가래에 피가 묻어나와 치료를 받았고, 이번에 다시 피가 나온 것은 3개월 만이라고 하였다. 은퇴한 회사원으로 술은 거의 마시지 않았고, 담배는 피지 않는다고 하였다.

활력징후는 혈압 130/85mmHg, 맥박 75회/분 호흡수 20회/분, 체온 36.5℃이었다. 비강과 입안 진찰시에 출혈 흔적은 보이지 않았다. 흉부 진찰에서 심장소리는 정상적이었으나 호흡음 청진시에 양쪽 폐 아랫부분에서 흡기 시에 수포음이 청진되었다.

7-2 73세 남자가 목에서 피가 나온다며 왔다. 5일 전부터 기침을 할 때 목에서 피가 왈칵 넘어왔다고 하였으며 피는 선홍색에 손가락 한 마디보다 적었고 거품이 섞여있었다. 가래는 하얀색 가래가 종종 섞여서 나올 때도 있었으며 3개월 전부터 기침이 늘었다고 하였다. 최근 숨쉬기가 힘들다고 느꼈으며 2개월 간 5kg의 체중감소가 있었다. 공장근로자로 35년간 일한 후에 현재는 집에서 쉬고 있으며, 술은 일주일에 소주 2병, 담배는 하루 2갑 × 40년간 피웠다고 하였다.

활력징후는 혈압 130/90mmHg, 맥박 85회/분, 호흡수 23회/분, 체온 36.8℃이었다. 코안과 입안에 출혈 흔적이 보이지 않았으며 흉부 진찰에서 심장음은 정상적이었으나 오른쪽 상부 폐(등쪽) 부위에서 호기시에 쌕쌕거림이 들렸다. 림프절 촉진시에 왼쪽 쇄골 위 림프절이 만져졌다.

7-3 46세 남자가 가래에 피가 섞여 나온다며 왔다. 하루 전부터 가래에 피가 섞여 나왔으며 피는 선홍색이었고, 가래에 실처럼 묻어나왔다고 한다. 가래는 3주 전부터 있었으며 누런색에 끈적끈적한 양상이라고 한다. 3일 전부터 가래 색이 점차 짙어졌으며 심한 악취가 나고 발열과 함께 오한이 동반되었다. 평소 앓고 있는 질환은 없었으며 이전에 결핵 등의 질환을 앓은 적도 없다고 하였다. 직업은 일용 노동직으로 평소 일주일에 3차례 이상 술을 마시며 술을 마시고 다음날 아침에 전날 기억을 못하는 경우가 자주 있었다. 담배는 20년간 하루 1갑씩 흡연하였다고 하였다.

> 활력징후는 혈압 130/80mmHg, 맥박 86회/분, 호흡수 22회/분, 체온 38.3℃이었다. 신체 진찰에서 다른 이상소견은 발견되지 않았다.

Answer | 7-1. 기관지확장증 7-2. 폐암 7-3. 폐농양

Check-list

	병력청취 채점항목		예	아니오
1	객혈이 언제, 어떤 상황에서 발생했는지 물어보았는가?		☐	☐
2	객혈의 양상(색, 양)과 거품, 음식물이 섞여있는지 물어보았는가?		☐	☐
3	동반증상(가래, 호흡곤란, 발열, 체중감소, 식은땀 등)을 물어보았는가?		☐	☐
4	잦은 출혈, 멍 등 출혈경향에 대하여 물어보았는가?		☐	☐
5	객혈의 과거력, 이전에 앓거나 진단받은 질환(결핵, 백일해 등)에 대해서 물어보았는가?		☐	☐
6	복용하는 약물에 대해서 물어보았는가?		☐	☐
7	흡연력, 직업력, 유해물질 노출 등에 대해서 물어보았는가?		☐	☐
	신체진찰 채점항목	**제대로 함**	**제대로 못함**	**하지 않음**
1	안면부, 구강 검사를 통해 출혈 흔적을 확인하였는가?	☐	☐	☐
2	흉부를 시진, 촉진하고 호흡운동을 3초 이상 관찰하였는가?	☐	☐	☐
3	흉부를 4군데 이상 청진하였는가?	☐	☐	☐
4	심음을 확인하였는가?	☐	☐	☐
5	목과 빗장위 림프절을 촉진하였는가?	☐	☐	☐
	환자교육 채점항목		**예**	**아니오**
1	객혈의 원인에 대하여 설명하였는가?		☐	☐
2	대량 객혈의 위험성과 응급상황이 발생시에 신속히 병원으로 오라고 설명하였는가?		☐	☐
3	필요한 진단 방법과 치료방법을 설명하고 동의를 구하였는가?		☐	☐
4	흡연의 위험성을 설명하고 금연을 권유하였는가?		☐	☐

	환자의사관계 채점항목	아주우수	우수	보통	미흡
1	효율적으로 잘 물어보았다. - 효율적 질문 : 개방형 질문 사용, 확인, 중간 요약 - 피할 질문 : 유도 질문, 복수 질문	☐	☐	☐	☐
2	나의 말을 잘 들어주었다. - 대꾸하기, 경청 자세, 눈 맞춤 & 말 가로채지 않기	☐	☐	☐	☐
3	나의 입장을 이해하려고 노력하였다. - 공감 표현, 나의 입장 파악	☐	☐	☐	☐
4	환자가 이해하기 쉽게 설명하였다. - 간단명료함, 이해도 점검, 질문 기회 & 쉬운 용어	☐	☐	☐	☐
5	나와 좋은 유대 관계를 형성하려고 했다. - 자기소개, 일상 대화, 존중, 자신감 & 신뢰감	☐	☐	☐	☐

M·E·M·O

8 호흡곤란

대표증례-1

상황지침

18세 남자 김정수 씨가 숨이 차서 병원에 왔다.

[활력징후]	
• 혈압 : 123/75mmHg	• 맥박 : 70회/분
• 호흡 : 21회/분	• 체온 : 36.6℃

응시자는 이 환자에게
- 증상과 관련된 병력을 청취하고,
- 증상과 관련된 적절한 신체진찰을 시행한 후,
- 추정진단과 향후 진단계획 등에 대해 환자와 논의하시오.

해설

※ **감별진단** : 일차성 기흉
※ **진단계획/치료계획** : 가슴 X선 촬영 / 산소 투여, 흉관 삽관

• 흉통과 호흡곤란을 대표적인 증상으로 하는 전형적인 자발성 기흉 증례입니다. 키가 크고 마른 젊은 남성에서 잘 생기며, 해부학적으로는 폐첨부의 흉막하에 있는 작은 공기주머니에 의해 발생합니다. 대부분 특별한 폐의 기저질환이 없으며, 자발성 기흉 환자의 대부분은 흡연자라고 알려져 있습니다.
• 이외에도 교통사고, 수술이나 시술에 의한 의인성, COPD나 폐기종 등에 의한 이차성 기흉도 가능하므로, 꼼꼼한 병력청취를 해야 합니다.
• 우선 산소를 투여하면서 기다릴 수 있으나, 대부분은 흉관 삽입을 하게 됩니다. 기흉이 오래 가거나 재발성인 경우, 혹은 합병증이 있는 경우 등에서는 흉막 유착술 등을 시행할 수 있습니다.

시나리오

Sex/Age	M/18	
Chief Complaint	숨이 차요	
Present illness	Location	–
	Onset	3시간 전
	Situation	길을 걷고 있었는데, 왼쪽 위 가슴 통증을 동반한 호흡곤란이 몇 시간 전 갑자기 시작됨
	Time	3시간 동안 지속적
	Course	처음보다는 조금 나아지는 느낌
	Experience	처음
	Character	[정도] 평지를 걸으면 괜찮은데, 계단을 오르면 숨이 참
	Factors	**운동할 때 심해짐(+)**, 자세에 따른 변화(–), 식사에 따른 변화(–), 찬공기에 따른 변화(–), 좌상흉부, 호흡시 악화, 찌르는 느낌
	Associated symptoms	기침/가래/콧물(–/–/–), 두근거림/**가슴 통증/호흡곤란**(–/**+, NRS 2~3, 뻗치지는 않음/+**), 발열(–), 체중감소(–), 더위 불내성(–), 다리부종(–), 죽을 것 같은 불안감(–), 쌕쌕거림(–), 최근 감기증상(–), 더위 불내성(–)
Medical history	약물복용력	종합비타민
	과거력	DM/TBc/HTN/간질환(–/–/–/–), 호흡기질환(–) 건강검진(–)
	외상/수술력	외상(–), 수술력(–)
	사회력	학생, 음주(–), 흡연(1PY)
	가족력	특이사항 없음
	여성력	–
Physical exam	Vital sign	123/75mmHg, 70회/분, 21회/분, 36.6℃
	Positive findings	179cm, 57kg, 흉부 타진 과공명음, 호흡음 감소
환자의 질문 또는 기타 특이사항		

대표증례－2

상황지침

47세 남자 최충헌 씨가 숨이 차서 병원에 왔다.

[활력징후]

- 혈압 : 120/80mmHg
- 맥박 : 84회/분
- 호흡 : 35회/분
- 체온 : 36.3℃

응시자는 이 환자에게

- 증상과 관련된 병력을 청취하고,
- 증상과 관련된 적절한 신체진찰을 시행한 후,
- 추정진단과 향후 진단계획 등에 대해 환자와 논의하시오.

해설

※ **감별진단** : 진폐증

※ **진단계획/치료계획** : 가슴 X선 촬영, 가슴 CT / 원인물질 회피, 산소요법

- 호흡곤란은 먼저 환자의 증상이 급성인지 판단하고 중등도에 따라 응급조치가 필요한 상황인지 알아봐야 합니다. 문장을 제대로 말하는 것이 곤란한 정도이면 응급상황일 가능성이 높다고 생각하시면 됩니다.
- 3개월 전부터 지속된 호흡곤란인 것으로 보아, 만성적으로 호흡곤란이 있었던 것이라고 생각할 수 있습니다. 따라서 급성으로 호흡곤란을 일으킬 수 있는 요인들은 배제하고 History taking을 한다면 좀더 빠르게 접근할 수 있습니다.
- 환자가 5년 전에 탄광에서 일했으며, 기침이나 가래를 호소하지 않는 것으로 보아 진폐증을 진단명 중에 하나로 넣을 수 있습니다. 이번 SP의 경우에는 개방형 질문에는 잘 대답하지 않았기 때문에, 정확히 어떤 곳에서 어떤 일을 하였는지 물어봐야 진폐증을 진단에 넣을 수 있었습니다.
- 호흡곤란이 있는 환자에게서는 obstructive pattern인지, restrictive pattern인지 확인하기 위해 pulmonary function test는 필수임을 꼭 알아두도록 하세요.

시나리오

Sex/Age	M/47	
Chief Complaint	숨이 차요	
Present illness	Location	–
	Onset	3달 전부터 서서히
	Situation	–
	Time	지속적
	Course	비슷함
	Experience	처음
	Character	[정도] 화장실 가는 것도 힘들 정도 평지 걸을 때는 괜찮고 계단 오르거나 언덕길 오르면 숨참 무거운 짐을 들 때도 숨이 많이 참
	Factors	**운동시 호흡곤란**, **가만히 휴식 시 호전**, 자세 계절, 시간, 찬바람, 장소는 무관
	Associated symptoms	기침/가래/콧물(−/−/−), 두근거림/가슴 통증/**호흡곤란**(−/−/**+**), 발열(−), 체중감소(−), 더위 불내성(−), 다리부종(−), 죽을 것 같은 불안감(−), 다리통증(−), 쌕쌕거림(−), **감기는 1년에 2~3번씩 걸린 적이 있음**
Medical history	약물복용력	종합비타민
	과거력	DM/TBc/HTN/간질환(−/+, 30년 전 진단받고 완치/−/−), 호흡기질환(−) 건강검진(+, 5YA CXR 상에서 오른쪽 위에 하얗게 된 것이 있다고 들음)
	외상/수술력	외상(−), 수술력(−)
	사회력	5년 전에 탄광에서 일했었음, 음주(−), 흡연(+, 35갑·년)
	가족력	특이사항 없음
	여성력	–
Physical exam	Vital sign	120/80mmHg, 84회/분, 35회/분, 36.3℃
	Positive findings	결막정상, 폐음, 심음 정상, 청색증/곤봉지(−/−), 양쪽 발등 동맥/맥박 정상, 압통(−), Homans' sign(−), 심장청진(−), 하지부종 정상
환자의 질문 또는 기타 특이사항		

대표증례-3

상황지침

43세 여자 박미혜 씨가 숨이 찬다고 병원에 왔다.

[활력징후]

- 혈압 : 124/80mmHg
- 맥박 : 88회/분
- 호흡 : 20회/분
- 체온 : 36.9℃

응시자는 이 환자에게

- 증상과 관련된 병력을 청취하고,
- 증상과 관련된 적절한 신체진찰을 시행한 후,
- 추정진단과 향후 진단계획 등에 대해 환자와 논의하시오.

해설

※ **감별진단** : 기관지확장증

※ **진단계획/치료계획** : 가슴 X선 촬영, CT / 대증치료, 장기적 관리

- 호흡곤란이 생기는 상황에 대한 병력 청취를 통해서 생리적 원인, 호흡기계 원인, 심혈관계 원인인지 대략적인 감별이 가능합니다.
- 만성 호흡곤란의 경우 한 가지 이상의 원인에 의하여 생길 수 있으므로 기저질환에 대한 자세한 병력청취가 필요합니다. 본 케이스의 SP의 경우, 구체적인 질문을 요구했다고 하네요. 예를 들어 "앓고 계신 질병이 있으세요?"라고 하면 "어떤 질병이요?"라는 식으로 되물었다고 합니다.
- 호흡곤란 환자에서 신체진찰은 흉부 진찰을 중점적으로 시행합니다. 여성 SP의 경우 흉부 진찰에서 심장음, 호흡음을 들을 때, 반드시 상의 노출에 대한 동의를 구하고 시행하여야 합니다.
- 천식, COPD 등으로 인해 생긴 만성 호흡곤란의 경우 장기적인 관리와 치료가 필요하다고 설명해야 합니다.

시나리오

Sex/Age	F/43	
Chief Complaint	숨이 차요	
Present illness	Location	–
	Onset	2주 전
	Situation	2주 전에 감기 걸린 적이 있는데, 그 이후로 호흡이 가빠짐 (감기걸린 적 있는지 직접적으로 물어야 대답해줌)
	Time	2주 전에 시작해서 종종 발생함
	Course	비슷함
	Experience	10대 시절부터 기관지가 안 좋다는 얘기 들음. 과거에도 감기 걸리면 숨이 좀 차곤 했음
	Character	[정도] 일상생활에 큰 문제는 없음. 지금은 잠깐 괜찮아짐
	Factors	**운동하거나 움직이면 더 악화됨**, 눕거나 자세변화에 따라서는 상관없음, **저녁에 좀 더 심해짐**
	Associated symptoms	**기침(+)**, **쌕쌕거림(+)**, 발열(–), 콧물(–), 가래(–), 두통(–), 어지러움(–), 객혈(–), 가슴 통증(–), 체중감소(–), 하지부종(–), 근력약화(–), 체중변화(–), 추위/더위 불내성(–/–), 공포감·죽을 것 같은 느낌(–)
Medical history	약물복용력	(–)
	과거력	DM/TBc/HTN/간질환(–/–/–/–) 평소 기관지가 안좋다는 얘기 들음 건강검진(+, 5YA 정상)
	외상/수술력	외상(–), 수술력(–)
	사회력	주부, 음주(–), 흡연(–)
	가족력	특이사항 없음 어머니도 기관지가 안좋다고 들었다고 함
	여성력	–
Physical exam	Vital sign	124/80mmHg, 88회/분, 20회/분, 36.9℃
	Positive findings	결막 정상, 흉부검진상 심장음, 경정맥 확장(–), 호흡음 정상, 하지부종(–), 청색증/곤봉지(–/–)
환자의 질문 또는 기타 특이사항		기관지가 안 좋다는 말을 여러 번 반복하심

대표증례 - 4

상황지침

57세 여자 이숙현 씨가 숨이 차서 병원에 왔다.
(현재 오전 9시)

[활력징후]

• 혈압 : 115/73mmHg	• 맥박 : 84회/분
• 호흡 : 65회/분	• 체온 : 37.3℃

응시자는 이 환자에게
- 증상과 관련된 병력을 청취하고,
- 증상과 관련된 적절한 신체진찰을 시행한 후,
- 추정진단과 향후 진단계획 등에 대해 환자와 논의하시오.

해설

※ **감별진단** : 폐혈전색전증(Pulmonary embolism)
※ **진단계획/치료계획** : 흉부 CT, 혈청 D-dimer / 혈전용해제

• 호흡곤란은 먼저 환자의 증상이 급성인지 판단하고 중등도에 따라 응급조치가 필요한 상황인지 알아봐야 합니다. 문장을 제대로 말하는 것이 곤란한 정도이면 응급상황일 가능성이 높다고 생각하시면 됩니다.
• 환자가 침대에 누워서 급성 호흡곤란을 호소하는 경우 활력징후를 먼저 확인하고 심장음과 호흡음을 청진하여 환자를 안심시킨 후에 병력청취에 들어가는 것이 좋을 수도 있습니다.
• 환자가 다리 다친 것에 대해서 아픔과 불편함을 공감해주면 환자의사관계에서 점수를 챙기실 수 있습니다.
• 여성의 경우 월경력과 피임약, 또는 여성호르몬제의 복용 여부를 확인해야 합니다.
• 폐혈전색전증을 감별하기 위해서는 SP분에게 특별히 오랫동안 침대에 누워있었냐고 물어봐야 합니다. 그 부분을 꼭 집어서 물어보지 않는 이상 대답해 주시지 않습니다. 그리고 폐혈전색전증은 DVT와 연관이 있기 때문에 종아리에 통증이 있는지를 반드시 확인해야 합니다.
• 본 케이스에서 SP에게 Homan sign test 시행 시 양성 소견을 보였다고 합니다. 하지만 이 검사는 민감도와 특이도가 상대적으로 낮아 양성 소견만으로 DVT를 확진할 수 없기 때문에 D-dimer나 하지 초음파 등 다른 검사를 수행해야 하고, 이에 대한 동의를 구하시면 됩니다.

시나리오

Sex/Age		F/57
Chief Complaint		숨이 차요
Present illness	Location	–
	Onset	새벽 5시(현재 9시)
	Situation	자고 있던 중에 갑자기 발생
	Time	지속적
	Course	비슷함
	Experience	처음
	Character	[양상] 얕은 호흡을 가쁘게 쉬게 됨, 들이쉴 때/내쉴 때 둘 다 [정도] 일상생활에 큰 문제는 없음, 지금은 잠깐 괜찮아짐
	Factors	가만히 있어도 숨이 참, **누우면 더 숨참**, 최근 감기(–), 스트레스(–)
	Associated symptoms	기침/가래/콧물(–/–/–), 두근거림/가슴 통증/**호흡곤란**(–/–/**+**), 발열(–), 체중감소(–), 더위 불내성(–), **다리부종(+, 왼쪽)**, 죽을 것 같은 불안감(–), **다리통증(+, 왼쪽)**, 쌕쌕거림(–)
Medical history	약물복용력	(–)
	과거력	DM/TBc/HTN/간질환(–/–/+, 10년 전/–) 관절염(+, 5년 전) 건강검진(+, 2YA 정상)
	외상/수술력	외상(–), 수술력(–), 1주 전에 넘어지면서 왼쪽 발목을 삐어서 계속 누워서 지냈음
	사회력	주부, 음주(–), 흡연(–)
	가족력	호흡기 질환/알레르기 질환 가족력 없음, 아버지 고혈압(+), 심혈관계 질환(+)
	여성력	3-0-0-3, 2년 전 폐경
Physical exam	Vital sign	115/73mmHg, 84회/분, 65회/분, 37.3℃
	Positive findings	결막정상, 폐음, 심음 정상, 청색증/곤봉지(–/–), 양쪽 발등 동맥/맥박 정상, 왼쪽 발목 멍든 분장, 압통(+), Homans' sign(+), 심장청진(–), 하지부종 정상
환자의 질문 또는 기타 특이사항		환자가 45도로 세운 침대에 누워있고 매우 숨차함, 왼쪽 발목에 멍든 분장

대표증례 – 5

상황지침

62세 남자 박해찬 씨가 숨이 차서 병원에 왔다.

[활력징후]

- 혈압 : 120/77mmHg
- 맥박 : 74회/분
- 호흡 : 17회/분
- 체온 : 37.1℃

응시자는 이 환자에게

– 증상과 관련된 병력을 청취하고,

– 증상과 관련된 적절한 신체진찰을 시행한 후,

– 추정진단과 향후 진단계획 등에 대해 환자와 논의하시오.

해설

※ **감별진단** : 만성폐쇄성폐질환(COPD)

※ **진단계획/치료계획** : 폐기능검사, 가슴 X선 촬영 / 산소요법, 기관지확장제

- 전형적인 만성 폐쇄성폐질환 case입니다. 환자분은 담배 갑·년이 60갑·년에 이를 정도로 heavy smoker이므로 반드시 금연을 시켜야 합니다.
- 또한 발열, 오한, 최근 감기증상이 있다면 만성 폐쇄성폐질환이 급성 악화된 것이므로 이것 또한 병력청취를 통하여 감별하여야 합니다.

시나리오

Sex/Age	M/62	
Chief Complaint	숨이 차요	
Present illness	Location	–
	Onset	5개월 전, 서서히
	Situation	–
	Time	지속적
	Course	5개월 전에 비해 심해짐
	Experience	처음
	Character	[정도] 가만히 쉬고 있을 때는 괜찮음 움직이거나 말을 할 때 숨이 참, 일상생활에 지장(+, 평소에 즐겨하던 등산도 못함, 계단으로 한 층을 오르기가 힘듦)
	Factors	**운동할 때 심해짐**, 자세에 따른 변화(–), 과민반응(–), 찬공기에 따른 변화(–)
	Associated symptoms	**기침/가래**/콧물(**+/+**/–), 두근거림/가슴 통증/**호흡곤란**(–/–/**+**), 발열(–), 체중감소(–), 더위 불내성(–), 다리부종(–), 죽을 것 같은 불안감(–), 다리통증(–), 쌕쌕거림(–), **최근 감기증상(+, 1주일 전)**
Medical history	약물복용력	(–)
	과거력	DM/TBc/HTN/간질환(–/–/+, 5년 전 진단/–) 건강검진(+, 5YA 고혈압 외 정상)
	외상/수술력	외상(–), 수술력(–)
	사회력	농부, 음주(1주일에 4번 소주 2병씩), 흡연(1.5갑씩 40년 총 60갑·년)
	가족력	특이사항 없음
	여성력	–
Physical exam	Vital sign	120/77mmHg, 74회/분, 17회/분, 37.1℃
	Positive findings	결막(–), 경정맥 확장(–), 경부 림프절 정상, 흉부검진(–), 곤봉지/청색증(–/–), 심장청진 정상, 하지부종 정상
환자의 질문 또는 기타 특이사항		

대표증례-6

상황지침

52세 여자 박혜진 씨가 숨이 차서 병원에 왔다.

[활력징후]

• 혈압 : 120/77mmHg	• 맥박 : 74회/분
• 호흡 : 21회/분	• 체온 : 36.5℃

응시자는 이 환자에게
- 증상과 관련된 병력을 청취하고,
- 증상과 관련된 적절한 신체진찰을 시행한 후,
- 추정진단과 향후 진단계획 등에 대해 환자와 논의하시오.

해설

※ **감별진단** : 만성폐쇄성폐질환(COPD)

※ **진단계획/치료계획** : 폐기능검사, 가슴 X선 촬영, 흉부 CT / 기관지확장제

- 흡연력이 24갑·년으로 긴 환자입니다. 만성적인 경과로 호흡곤란이 서서히 진행하고 있어 COPD가 의심되며, 금연 교육이 필요합니다.
- 또한 발열, 오한, 최근 감기증상이 있다면 만성 폐쇄성폐질환이 급성 악화된 것이므로 이것 또한 병력청취를 통하여 감별하여야 합니다.

시나리오

<table>
<tr><td>Sex/Age</td><td colspan="2">F/52</td></tr>
<tr><td>Chief Complaint</td><td colspan="2">숨이 차요</td></tr>
<tr><td rowspan="9">Present illness</td><td>Location</td><td>–</td></tr>
<tr><td>Onset</td><td>2~3개월 전</td></tr>
<tr><td>Situation</td><td>–</td></tr>
<tr><td>Time</td><td>지속적</td></tr>
<tr><td>Course</td><td>점점 심해짐</td></tr>
<tr><td>Experience</td><td>2년 전부터 증상 있었으나 당시는 계단 오를 때만 숨이 참</td></tr>
<tr><td>Character</td><td>[정도] 2~3개월 전부터는 평지 걸을 때도 숨이 참
짐 들고서는 10분도 걷기가 힘들다</td></tr>
<tr><td>Factors</td><td>운동할 때 심해짐, 자세에 따른 변화(–), 과민반응(–), 찬공기에 따른 변화(–)</td></tr>
<tr><td>Associated symptoms</td><td>기침/가래/콧물(+/+, 누런 가래/–), 두근거림/가슴 통증/호흡곤란(–/–/+), 발열(–), 체중감소(–), 더위 불내성(–), 다리부종(–), 죽을 것 같은 불안감(–), 다리통증(–), 쌕쌕거림(–), 최근 감기증상(–)</td></tr>
<tr><td rowspan="6">Medical history</td><td>약물복용력</td><td>(–)</td></tr>
<tr><td>과거력</td><td>DM/TBc/HTN/간질환(–/–/–/–)
건강검진(–)</td></tr>
<tr><td>외상/수술력</td><td>외상(–), 수술력(–)</td></tr>
<tr><td>사회력</td><td>택배일, 음주(social), 흡연(+, 24PY)</td></tr>
<tr><td>가족력</td><td>아버지 간질환, 어머니 뇌졸중</td></tr>
<tr><td>여성력</td><td>–</td></tr>
<tr><td rowspan="2">Physical exam</td><td>Vital sign</td><td>120/77mmHg, 74회/분, 21회/분, 36.5℃</td></tr>
<tr><td>Positive findings</td><td>결막(–), 경정맥 확장(–), 경부 림프절 정상, 흉부검진(–), 곤봉지/청색증(–/–), 심장청진 정상, 하지부종 정상</td></tr>
<tr><td colspan="2">환자의 질문 또는 기타 특이사항</td><td>일을 계속 못할까봐 걱정이 돼요</td></tr>
</table>

관련증례

8-1 37세 여자가 숨이 가쁘다며 왔다. 1년 전부터 등산할 때 숨이 가빠지는 증상이 있었으며, 2주 전부터는 무거운 물건을 들고 옮길 때나 계단을 조금 오를 때 쉽게 숨이 찬다고 하였다. 휴식시에는 숨이 찬 것이 호전되며 이러한 증상은 위와 같이 몸을 움직이거나 힘을 쓰는 상황에만 나타난다고 하였다. 2주 전부터 열이 있다고 하였고, 오한은 없었으나 기침, 노란색 가래가 있었다고 하였다. 숨이 찰 때 가슴이 아프지는 않은데, 기침할 때마다 오른쪽 가슴 위쪽에 콕콕 찌르는 듯한 통증이 있다고 하였다. 객혈, 체중감소, 두근거림, 불안, 자세에 따른 변화는 없다고 하였다. 월경은 규칙적이며, 임신 가능성은 없다고 하였다. 비타민제를 복용 중이며, 최근 다른 약물은 먹은 적이 없다고 하였다. 다치거나 수술 받은 적은 없으며, 직업은 전업주부로 술은 일주일에 맥주 1병, 흡연은 하지 않는다고 하였다. 현재 앓고 있는 병이나 과거에 호흡기 질환을 앓은 적은 없다고 하였으며, 아버지가 폐암으로 돌아가셨다.

> 활력징후는 혈압 130/84mmHg, 맥박 84회/분, 호흡수 22회/분, 체온 37.8℃이었다. 흉부 검진 상에서 심장음은 정상, 호흡음은 모두 정상이었으며, 하지의 부종이나 갑상샘 비대는 관찰되지 않았다.

8-2 68세 남자가 1시간 전에 발생한 갑작스런 가슴 통증과 숨이 가빠지는 것을 호소하며 왔다. 증상은 저녁 식사를 하고 집에 가던 길에 갑자기 발생하였으며 가슴은 쥐어짜는 것처럼 아프고 거품이 많은 분홍색 가래와 함께 숨이 찬 것이 점점 심해진다고 하였다. 1년 전부터 오르막길을 오르거나 계단을 오를 때 가슴이 답답하고 숨이 차는 증상이 있었다고 하였으며 휴식하면 호전되는 일이 반복되었다고 하였다. 발열, 오한은 없었고 최근에 감기에 걸린 적도 없다고 하였다. 객혈, 체중감소, 불안감, 근력 약화는 모두 부인하였다. 과거 과일가게를 운영하였으나 현재는 직업이 없으며, 10년 전에 고혈압과 당뇨병을 진단받아 약물을 복용 중이었으며, 술은 일주일에 소주 1병, 담배는 하루 1갑씩 약 45년간 피웠다고 하였다.

> 활력징후는 혈압 165/110mmHg, 맥박 135회/분, 호흡수 28회/분, 체온 37.0℃이었다. 결막에서 빈혈 소견은 없었으며, 심장음에서 수축기 잡음이 들렸으며, 호흡음에서 양쪽 폐 아래 등쪽 부위에서 흡기 시에 거품소리가 들렸다.

8-3 26세 여자가 수업 시간 도중 심장이 두근거리며 숨이 가빠진다며 119 구급차를 타고 병원에 왔다. 올해 처음 발령받은 초등학교 선생님으로 첫 수업시간에 증상이 나타났으며, 어지러움과 손발에 힘이 없고 찌릿찌릿한 증상도 같이 나타났다고 하였다. 1년 전에 학교에서 다른 사람들 앞에서 졸업논문을 발표할 때, 긴장되고 심장이 두근거리면서 숨이 가쁜 증상이 있어서 응급실에 갔었다고 하였다. 당시 검사상에서 이상소견은 없다고 들었으며, 시간이 지나자 모든 증상이 호전되었으며 문제없이 생활에 복귀할 수 있었다. 팔다리에 힘이 빠지지는 않는다고 하였으며 가슴 통증이나 기침, 가래, 발열은 없다고 하였다. 어린 시절부터 많은 사람들 앞에서 발표할 때마다 불안하고 긴장되어 피하게 된다고 하였다. 평소 주말마다 테니스를 즐기며, 술은 거의 마시지 않고 담배도 하지 않는다고 하였다.

> 활력징후는 혈압 120/80mmHg, 맥박 77회/분, 호흡수 21회/분, 체온 36.8℃이었다. 신체진찰에서 다른 이상소견은 발견되지 않았다.

Answer | 8-1. 폐렴 8-2. 급성심근경색증으로 인한 급성폐부종 8-3. 과다호흡증후군

Check-list

	병력청취 채점항목		예	아니오
1	호흡곤란이 언제, 어떤 상황에서 시작되었는지 물어보았는가?		☐	☐
2	호흡곤란의 중등도를 파악하고 악화요인(자세, 시간, 운동, 스트레스 등)에 대하여 질문하였는가?		☐	☐
3	호흡기와 심혈관 원인을 감별하기 위한 질문을 하였는가?		☐	☐
4	동반증상(기침, 가래, 발열, 가슴 통증, 두근거림, 체중감소, 쌕쌕거림, 하지부종, 불안감 등)을 물어보았는가?		☐	☐
5	정신적 문제(공황장애, 불안장애 등)를 감별하기 위한 질문을 하였는가?		☐	☐
6	이전에 앓거나 진단받은 질환(호흡기계 질병, 심혈관계 질병 등)과 가족력에 대하여 물어보았는가?		☐	☐
7	흡연력, 직업력, 복용하는 약물에 대해서 물어보았는가?		☐	☐
	신체진찰 채점항목	**제대로 함**	**제대로 못함**	**하지 않음**
1	응급상황을 알기 위해 호흡곤란의 정도와 맥박을 확인하였는가?	☐	☐	☐
2	심장음을 4군데 이상 청진하여 부정맥, 잡음을 확인하였는가?	☐	☐	☐
3	안면부 진찰을 통해 결막, 갑상샘, 기관편위 여부를 확인하였는가?	☐	☐	☐
4	흉부 진찰을 적절히 수행하였는가?	☐	☐	☐
5	팔다리 진찰을 통해 청색증, 부종, 곤봉지를 확인하였는가?	☐	☐	☐
	환자교육 채점항목		**예**	**아니오**
1	호흡곤란의 원인과 응급질환의 가능성과 필요조치에 관해 설명하였는가?		☐	☐
2	필요한 진단 방법과 치료방법을 설명하고 동의를 구하였는가?		☐	☐
3	만성 호흡곤란일 경우 장기적인 관리와 치료, 예방접종에 관해 설명하였는가?		☐	☐
4	흡연의 위험성을 설명하고 금연을 권유하였는가?		☐	☐

	환자의사관계 채점항목	아주우수	우수	보통	미흡
1	효율적으로 잘 물어보았다. - 효율적 질문 : 개방형 질문 사용, 확인, 중간 요약 - 피할 질문 : 유도 질문, 복수 질문	☐	☐	☐	☐
2	나의 말을 잘 들어주었다. - 대꾸하기, 경청 자세, 눈 맞춤 & 말 가로채지 않기	☐	☐	☐	☐
3	나의 입장을 이해하려고 노력하였다. - 공감 표현, 나의 입장 파악	☐	☐	☐	☐
4	환자가 이해하기 쉽게 설명하였다. - 간단명료함, 이해도 점검, 질문 기회 & 쉬운 용어	☐	☐	☐	☐
5	나와 좋은 유대 관계를 형성하려고 했다. - 자기소개, 일상 대화, 존중, 자신감 & 신뢰감	☐	☐	☐	☐

03

CHAPTER

소화기

9-1 상복부 복통

대표증례 – 1

상황지침

60세 남자 김세중 씨가 배가 아파 응급실에 내원하였다.
(현재 시각 오전 5시)

[활력징후]

• 혈압 : 115/85mmHg	• 맥박 : 77회/분
• 호흡 : 18회/분	• 체온 : 36.9℃

응시자는 이 환자에게
– 증상과 관련된 병력을 청취하고,
– 증상과 관련된 적절한 신체진찰을 시행한 후,
– 추정진단과 향후 진단계획 등에 대해 환자와 논의하시오.

해설

※ **감별진단** : 장간맥동맥 혈전증, 급성 위장염
※ **진단계획** : 복부 X-ray, CT angiography, 대변배양검사

- 쥐어짜는 듯한 복통이 갑자기 나타난 경우, 장간막동맥 혈전, 색전증을 생각할 수 있습니다. 이 증례는 복통이 시작되어 구토, 설사가 나타난 후 쥐어짜는 듯한 극심한 복통이 지속적으로 나타난 경우이며, 과거력 상 심방세동, 협심증으로 와파린과 아스피린을 복용하였으나 3일간 복용하지 못하여 장간막동맥에 혈전이 생겨 막힌 것으로 볼 수 있습니다.
- 신체검진에서 압통, 반발통을 확실히 구분하여 검사하는 것이 좋습니다. 반발통이 있으면 응급 수술이 필요하다고 교육합니다.

시나리오

Sex/Age	M/60	
Chief Complaint	배가 아파요	
Present illness	Location	배꼽 주위로 전체적
	Onset	6시간 전 배가 살살 아프기 시작, 새벽 3시에 아파서 깸
	Situation	–
	Time	지속
	Course	심해짐
	Experience	처음
	Character	쥐어짜는 느낌, NRS 9점, 박동성(–), 자세에 따른 변화(–)
	Factors	특별한 음식 먹은 적 없음, 저녁에는 집에서 평소처럼 식사함
	Associated symptoms	두근거림/어지럼/호흡곤란(–/–/–/–), 발열/오한/**피로**/체중변화(–/–/**+**/–), **A/N/V/D**/C(**+/+/+/+**/–); **자다가 일어나서 구토를 했으며, 아침에 설사 같은 무른 변을 봄**, H/M/H(–/–/–), 소화불량/속쓰림/복부팽만/황달(–/–/–/–)
Medical history	약물복용력	아스피린, 심방세동으로 와파린 복용(**출장 때 약을 챙겨가지 못하여 3일간 복용하지 못함**)
	과거력	HTN/DM/TB/간질환(+/–/–/–), 심방세동, 협심증 2년 전 건강검진에서 이상 없었음
	외상/수술력	수술(–), 외상력(–)
	사회력	회사원, 술(소주 1병/주), 흡연(30PY)
	가족력	–
	여성력	–
Physical exam	Vital sign	115/85mmHg, 77회/분, 18회/분, 36.9℃
	Positive findings	흉부 청진 정상, 심음 청진 정상, 갑상샘 정상, 하지부종(–), 경동맥 잡음(–), 안저 검사(–), 복부 T/RT(+/–), CVAT(–), Murphy(–), DRE 상 무른 변과 약간의 혈액
환자의 질문 또는 기타 특이사항	–	

대표증례-2

상황지침

46세 여자 신지은 씨가 배가 아프다며 응급실로 왔다.
(현재 응급실 오전 10시)

[활력징후]	
• 혈압 : 130/80mmHg	• 맥박 : 89회/분
• 호흡 : 19회/분	• 체온 : 36.8℃

응시자는 이 환자에게
- 증상과 관련된 병력을 청취하고,
- 증상과 관련된 적절한 신체진찰을 시행한 후,
- 추정진단과 향후 진단계획 등에 대해 환자와 논의하시오.

해설

※ **감별진단** : 급성 담낭염, 급성 담관염, 쓸개돌

※ **진단계획/치료계획** : 복부 초음파, 간기능 검사, 일반 혈액 검사 / 복강경 담낭절제술, 진통제

- 복통 주제에서는 주로 응급실 세팅으로 현재 시간이 주어지고 SP가 침대에 눕거나 앉아서 통증을 심하게 호소하고 있는 경우가 많습니다. 문진 과정에서도 SP는 계속 복부 통증을 심하게 호소하므로 이에 대해 공감해주고 진통제를 처방해주겠다고 하여 환자의 통증을 완화해주겠다는 의지를 보이시면 좋을 것 같습니다.
- 복통의 경우 상황지침에서 "배가 아프다"라고 나올 수도 있으므로 상황지침만에서 윗배 통증과 아랫배 통증을 미리 알 수 없습니다. 두 가지 경우 모두 생각을 해두시면 좋을 것 같습니다. 참고로 복통 상황지침에서 "배가 아프다며 내원하였다."+응급실 현재 시간 10시 이런 식으로 나온 문제는 윗배 통증이었고, "배가 아프다며 내원하였다."라고만 나와 있고 응급실이나 현재시간 언급이 없는 문제는 아랫배 통증이었습니다.

시나리오

Sex/Age		F/46
Chief Complaint		배가 아파요
Present illness	Location	명치부터 오른쪽 윗배쪽 통증, 오른쪽 팔과 등으로 방사됨
	Onset	4시간 전(현재 오전 10시)
	Situation	–
	Time	4시간 전에 시작해서 30분 정도 아프다가 조금 나아지더니 다시 심해져서 지금까지 계속 아픔
	Course	계속 아픔
	Experience	1~2년 전에도 비슷한 복통 2회 경험했으나 저절로 호전되어서 병원에 가지는 않음, 이번에는 오래가고 더 아파서 병원 옴
	Character	쥐어짜는 듯한 통증, NRS 7점
	Factors	**어제 저녁 삼겹살 과식함**, 술은 소주 1병 마심, 자세에 따른 변화(–), 스트레스(–)
	Associated symptoms	두근거림/어지럼/호흡곤란(–/–/–/–), **발열/오한**/피로/체중변화(**+/+**/–/–), A/**N/V**/D/C(–/**+/+**; **6시부터 2회**/–/–), H/M/H(–/–/–), 소화불량/속쓰림/복부팽만/황달(–/–/–/–)
Medical history	약물복용력	소염진통제(–)
	과거력	HTN/DM/TB/간질환(–/–/–/–), 2년 전 위염 진단(+, 지금은 호전됨) 2년 전 건강검진 내시경 상 만성 위염 진단 받음
	외상/수술력	복부 외상(–), 수술(–)
	사회력	술(한 달에 2번 남편과 와인 3~4잔), 담배(–)
	가족력	소화기질환(–)
	여성력	산과력 2-0-0-2 월경 규칙적, 주기 한 달 정도, 월경량 정상, 월경통 없음 LMP 3일 전, 피임 안 하고 있음, 자궁 내 장치(–)
Physical exam	Vital sign	130/80mmHg, 89회/분, 19회/분, 36.8℃
	Positive findings	급성 병력, 공막 정상, **우상복부 DT**/RT(**+**/–), 타진만 해도 아파함, Pelvic exam 정상/DRE 정상, CVAT(–), **Murphy(+, 누르기만 해도 아파해서 애매함)**, 흉부청진 정상
환자의 질문 또는 기타 특이사항		진료실 침대에서 배를 계속 부여잡고 아파하고 있음

03 CHAPTER

대표증례-3

상황지침

64세 남자 신승현 씨가 배가 아프다며 응급실로 왔다.

[활력징후]

• 혈압 : 120/70mmHg	• 맥박 : 69회/분
• 호흡 : 20회/분	• 체온 : 36.3℃

응시자는 이 환자에게
- 증상과 관련된 병력을 청취하고,
- 증상과 관련된 적절한 신체진찰을 시행한 후,
- 추정진단과 향후 진단계획 등에 대해 환자와 논의하시오.

해설

※ **감별진단** : 만성 췌장염

※ **진단계획/치료계획** : 복부 X-ray, 복부 CT, 췌장효소 검사 / 금식, 진통제, 금주, 금연, 췌장효소 치료

- 지방식과 술을 마시면 심한 복통이 생기는 것을 주소로 내원한 환자입니다. 통증의 양상은 췌장염의 통증에 합당하며, 췌장 기능이 떨어져있음을 시사하는 지방변 소견까지 동반하고 있기 때문에 만성 췌장염이 가장 의심됩니다. 많은 만성 췌장염 환자들이 급성 췌장염과 유사한 급성 악화를 겪습니다.
- 복통은 통증의 양상, 통증이 처음에 생긴 부위, 통증의 위치에 따라 진단이 달라지기 때문에 병력 청취를 할 때 자세히 하는 것이 중요합니다. 이 증례를 통해 췌장염의 통증 양상에 대해서 공부해 보세요.

시나리오

<table>
<tr><td>Sex/Age</td><td colspan="2">M/64</td></tr>
<tr><td>Chief Complaint</td><td colspan="2">배가 아파요</td></tr>
<tr><td rowspan="9">Present illness</td><td>Location</td><td>명치 부위 → 등으로 방사됨</td></tr>
<tr><td>Onset</td><td>2주 전</td></tr>
<tr><td>Situation</td><td>–</td></tr>
<tr><td>Time</td><td>–</td></tr>
<tr><td>Course</td><td>2주 전에 비하여 심해짐, 일정 간격을 두고 통증이 심해짐</td></tr>
<tr><td>Experience</td><td>2년 전에 아팠었는데 참고 병원 안감</td></tr>
<tr><td>Character</td><td>쥐어짜는 듯한 통증
VAS 8점, 안 아플 때 3점</td></tr>
<tr><td>Factors</td><td>술이나 기름진 음식을 먹은 후 심해짐, 자세에 따른 통증변화(+, 등 굽히면 통증이 완화)</td></tr>
<tr><td>Associated symptoms</td><td>두근거림/어지럼/호흡곤란(–/–/–/–), 발열/오한/피로/체중변화(–/–/–/+; 2주 동안 2kg 감소), A/N/V/D/C(+; 식사 후 복통이 심해져서 식사를 안하게 됨/–/–/–/–), H/M/H(–/–/–), 소화불량/속쓰림/복부팽만/황달(–/–/–/–), 지방변(+)</td></tr>
<tr><td rowspan="6">Medical history</td><td>약물복용력</td><td>소염진통제(+, 먹어도 소용없음)</td></tr>
<tr><td>과거력</td><td>HTN/DM/TB/간질환(–/–/–/–), 소화기질환(–)
건강검진 받아본적 없음</td></tr>
<tr><td>외상/수술력</td><td>복부 외상(–), 수술(–)</td></tr>
<tr><td>사회력</td><td>사무직, 술(+, 2병/주 3회), 담배(10갑·년), 식습관(기름진 음식 좋아함)</td></tr>
<tr><td>가족력</td><td>소화기질환(–)</td></tr>
<tr><td>여성력</td><td>–</td></tr>
<tr><td rowspan="2">Physical exam</td><td>Vital sign</td><td>120/70mmHg, 69회/분, 20회/분, 36.3℃</td></tr>
<tr><td>Positive findings</td><td>급성 병력, 공막 정상, 명치부 DT/RT(+/–), 우상복부 DT/RT(+/–), DRE 정상, CVAT(–), Murphy(–), 흉부청진 정상</td></tr>
<tr><td colspan="2">환자의 질문 또는 기타 특이사항</td><td>–</td></tr>
</table>

03 CHAPTER

대표증례 – 4

상황지침

35세 남자 박상현 씨가 배가 아프다며 응급실에 왔다.
(현재 오전 5시)

[활력징후]	
• 혈압 : 130/90mmHg	• 맥박 : 88회/분
• 호흡 : 19회/분	• 체온 : 37.6℃

응시자는 이 환자에게
- 증상과 관련된 병력을 청취하고,
- 증상과 관련된 적절한 신체진찰을 시행한 후,
- 추정진단과 향후 진단계획 등에 대해 환자와 논의하시오.

해설

※ **감별진단** : 위궤양천공, 복막염, 급성 췌장염

※ **진단계획/치료계획** : 흉부 X-ray, 복부 X-ray, 일반 혈액 검사, 복부 CT / 응급 개복수술, 진통제

• 윗배 통증은 acute MI, aortic dissection 등의 방사통을 시사하는 소견일 수 있으므로 응급질환의 가능성을 항상 염두하고 우선적으로 감별합니다.

• 신체진찰 시 SP가 복부를 촉진하려고 하면 배에 힘을 '빡'하고 주면서 통증을 호소합니다. 위궤양 천공으로 인해 복벽이 널빤지처럼 단단해지는 것을 표현하려고 하는 것 같습니다. 복벽의 체성 통증을 의미하는 Tenderness(압통)와 복막의 염증을 시사하는 소견인 Rebound tenderness(반발 압통)를 제대로 구분하여 진찰하도록 합시다.

• 기립한 상태에서의 가슴 X선 촬영을 통해서 횡격막 아래의 free air 소견이 있는지 확인하는 것이 위궤양천공을 진단하기 위한 가장 쉽고 빠른 방법입니다.

• 소화기계 증상에서는 복부 진찰이 가장 중요하겠죠. 진찰하기 전에 반드시 아픈 부위를 물어보고, 가장 나중에 진찰해야 합니다. 복부진찰을 꼭 수행해야 하는 문항에서 늑골척추각압통(CVAT)과 항문직장진찰(DRE)을 절대 잊지 마세요!!

시나리오

Sex/Age	M/35	
Chief Complaint	배가 아파요	
Present illness	Location	명치 부위 → 복벽 전체
	Onset	3시간 전
	Situation	–
	Time	–
	Course	3시간 내내 아픔
	Experience	가끔 소화불량(+), 이 정도로 아픈 적은 처음
	Character	칼로 베는 듯한 통증 NRS 8점, 아파서 죽을 것 같음
	Factors	전날 밤에 회식하고 술 마심 악화 : 손으로 건드리면 더 아픔, 지방식이나 과식 후 악화 없음 완화 : 몸을 앞으로 숙이면 좀 나음
	Associated symptoms	두근거림/어지럼/호흡곤란(–/–/–/–), **발열**/오한/피로/체중변화(**+**/–/–/–), **식은땀(+)**, A/**N**/**V**/D/C(–/**+**/**+**; **2회**/–/–), H/M/H(–/–/–), 소화불량/속쓰림/복부팽만/황달(–/–/–/–)
Medical history	약물복용력	가끔 속쓰릴 때 갤포스 먹음, 2주 전 발목 다쳤을 때 **진통제** 사먹음
	과거력	HTN/DM/TB/간질환(–/–/–/–), 앓고 있는 질환(–), 소화기 질환(–), 심혈관 질환(–) 건강검진 해본 적 없음
	외상/수술력	2주 전 발목 다침, 복부 외상(–), 수술(–)
	사회력	회사원, 술(소주 1병×1~2번/일주일), 담배(10갑·년)
	가족력	어머니가 만성 소화불량 있다고 들은 적 있음
	여성력	–
Physical exam	Vital sign	130/90mmHg, 88회/분, 19회/분, 37.6℃
	Positive findings	심음/호흡음 정상, 공막 정상, 간/비대(–/–), 복부 촉진시 단단, **DT/RT(+/+)**, DRE 정상, CVAT(–), 구강건조(–), 피부긴장도 정상
환자의 질문 또는 기타 특이사항		진료실 침대에 몸 구부리고 누워계십니다, 통증으로 인해 많이 힘들어 하시고 통증부터 해결해달라고 하십니다

대표증례-5

상황지침

70세 여자 박명자 씨가 배가 아프다며 응급실에 왔다.

[활력징후]

- 혈압 : 120/80mmHg
- 맥박 : 70회/분
- 호흡 : 20회/분
- 체온 : 36.5℃

응시자는 이 환자에게

- 증상과 관련된 병력을 청취하고,
- 증상과 관련된 적절한 신체진찰을 시행한 후,
- 추정진단과 향후 진단계획 등에 대해 환자와 논의하시오.

해설

※ **감별진단** : 췌장암, 담관암

※ **진단계획/치료계획** : 복부 초음파, 복부 CT / 수술, 항암치료

- 황달의 원인 중 간의 문제보다는 폐쇄성이 의심되는데, 고령의 여성이 체중감소, 황달, 복통을 호소하고 있는 점을 고려해보면 담석보다는 종양에 의해 담도가 폐쇄되었을 가능성이 가장 높습니다. 팽대부 주위암을 떠올려봅시다.
- 암이 가장 의심되는 상황에서 환자에게 어떻게 전달하면 좋을지에 대한 연습이 필요합니다.

시나리오

Sex/Age	F/70	
Chief Complaint	배가 아파요	
Present illness	Location	명치쪽, 등으로 뻗음
	Onset	2개월 전
	Situation	–
	Time	하루종일
	Course	서서히 심해짐
	Experience	처음
	Character	우리하게 아파요
	Factors	**식후 악화**, 자세/시간과 관련 없음
	Associated symptoms	두근거림/어지럼/호흡곤란(–/–/–/–), 발열/오한/피로/**체중변화**(–/–/–/**+**; **2개월 동안 3~4kg 감소**), A/N/V/D/C(**+**/–/–/–/–), H/M/H(–/–/–), 소화불량/속쓰림/복부팽만/**황달**(–/–/–/**+**; **눈이 노래졌다고 들음**), **가려움(+)**, 소변색 진해짐(–), 회색변/지방변(–/–)
Medical history	약물복용력	–
	과거력	HTN/DM/TB/간질환(–/–/–/–), 앓고 있는 질환(–), 소화기 질환(–), 심혈관 질환(–)
	외상/수술력	복부 외상(–), 수술(–)
	사회력	회사 다니다가 현재는 은퇴한 상태 술은 지금은 모임 있으면 맥주 반 캔, 회사 다닐 때는 매주 회식에서 소주 반병
	가족력	–
	여성력	폐경함, 갱년기 증상 없음
Physical exam	Vital sign	120/80mmHg, 70회/분, 20회/분, 36.5℃
	Positive findings	심음/호흡음 정상, 공막 정상, 간/비대(–/–), 복부 진찰 정상, Murphy(–), DRE 정상, CVAT(–), 구강건조(–), 피부긴장도 정상
환자의 질문 또는 기타 특이사항		–

대표증례-6

상황지침

55세 남자 박영남 씨가 배가 아프다며 응급실에 왔다.

[활력징후]

• 혈압 : 140/90mmHg	• 맥박 : 85회/분
• 호흡 : 22회/분	• 체온 : 37.9℃

응시자는 이 환자에게
- 증상과 관련된 병력을 청취하고,
- 증상과 관련된 적절한 신체진찰을 시행한 후,
- 추정진단과 향후 진단계획 등에 대해 환자와 논의하시오.

해설

※ **감별진단** : 급성 췌장염, 만성 췌장염, 위궤양 천공

※ **진단계획/치료계획** : 복부 CT, 췌장효소 검사 / 금식, 수액 공급, 진통제

- 췌장염에 합당한 통증의 양상을 호소하고 있는 환자입니다. 거기에다가 발열 그리고 복부 rebound tenderness까지 있는 것을 보아 복막자극까지 진행된 것으로 보입니다. 급성 췌장염에 합병증까지 생긴 상황이 가장 의심됩니다.
- 환자가 지금 호소하고 있는 복통의 원인을 해결해주되, 현재 생활습관이 많이 망가진 상태이기 때문에 절주 교육 및 규칙적으로 식사할 것을 교육합시다. 알코올은 급성 췌장염의 흔한 원인 중 하나이기 때문에 절주/금주는 치료에서 반드시 필요합니다.

시나리오

Sex/Age	M/55	
Chief Complaint	배가 아파요	
Present illness	Location	명치부 통증, 등으로 방사통
	Onset	1일 전
	Situation	−
	Time	하루 종일 통증
	Course	어제부터 비슷함
	Experience	이전에도 슬 많이 마시면 통증 있었음, 1년 사이 3~4번 경험
	Character	욱씬 거리고 칼로 휘젓는 느낌 NRS 8점
	Factors	**누우면 더 편함, 숙이면 나아짐** (환자가 옆으로 누워있는데) 지금처럼 있는게 가장 덜 아프다고함
	Associated symptoms	두근거림/어지럼/호흡곤란(−/−/−/−), **소변색 진해짐(+)**, **발열**/오한/피로/체중변화(**+**/−/−/−), **A/N/V**/D/C(**+/+/+**/−/−), H/M/H(−/−/−), 소화불량/속쓰림/복부팽만/황달(−/−/−/−)
Medical history	약물복용력	−
	과거력	병원을 잘 안 가봐서 모름 건강검진 한 번도 받은 적 없음
	외상/수술력	복부 외상(−), 수술(−)
	사회력	일용직 노동자 술은 일이 없으면 매번 소주 2~3병씩, 어제도 2~3병 마심, 안주랑 밥은 잘 안 먹음 담배(30PY, 10년 전 금연)
	가족력	−
	여성력	−
Physical exam	Vital sign	140/90mmHg, 85회/분, 22회/분, 37.9℃
	Positive findings	심음/호흡음 정상, 공막 정상, 간/비대(−/−), **Epigastric T/RT(+/+)**, DRE 정상, CVAT(−), 구강건조(−), 피부긴장도 정상
환자의 질문 또는 기타 특이사항		옆으로 누워서 진료 받음

관련증례

9-1-1 54세 남자가 갑자기 배가 아프다고 응급실로 왔다. 어제 저녁에 회사 직원들과 회식을 한 후에 급격하게 통증이 시작되었다고 한다. 처음에는 명치부위가 아프다가 지금은 오른쪽 윗배가 심하게 아프다고 하였다. 등이 아프지는 않았으며 숨을 크게 쉬거나 기침을 하면 통증이 심해졌고, 몸을 숙이고 있으면 통증이 조금 나아지는 것 같았으나 몸을 펴서 누우려고 하면 통증이 다시 심해지는 것 같다고 하였다. 통증 강도는 10점 만점에 7점 정도라고 하였으며 구토나 설사는 없었다. 가슴 통증이나 호흡곤란은 없었고, 소변색 변화나 관련한 문제는 없다고 하였다. 건강검진을 받아본 적은 없다고 하였다. 가족 중에 아버지가 위암으로 2년 전에 수술을 받았다고 하였으며, 평소에 술은 일주일에 맥주 1병 정도 마시고, 담배는 0.5갑씩 30년간 피웠다고 하였다.

활력징후는 혈압 126/80mmHg, 맥박 80회/분, 호흡수 18회/분, 체온 37.6℃이었다. 공막은 정상소견, 심장음과 호흡음은 정상이었다. 복부 진찰에서 기침시에 통증을 호소하였으며, 장음은 오른쪽 윗배에서 들리지 않았다. 간과 비장 크기는 정상이었고, 오른쪽 갈비뼈 아래를 눌렀을 때 통증 호소와 함께 근육이 강직되는 소견을 보였다. 직장수지 검사는 정상, 갈비척추각 압통도 보이지 않았다.

Answer | 9-1-1. 담낭염(쓸개염)

Check-list

	병력청취 채점항목	예	아니오
1	복통의 위치, 시작시간, 방사통에 대하여 물어보았다.	☐	☐
2	복통의 양상과 강도, 변화되는 부위, 양상에 대하여 물어보았다.	☐	☐
3	복통 발생 전에 음식, 음주, 상황에 대하여 물어보았다.	☐	☐
4	복통의 악화인자(자세, 식사, 음주, 스트레스 등)와 완화인자에 대하여 물어보았다.	☐	☐
5	복통과 함께 동반증상(A/N/V/D/C, 소화불량, 소변문제, 황달 등)에 대하여 물어보았다.	☐	☐
6	이전 수술병력, 앓고 있는 질환, 먹고 있는 약물에 대해 물어보았다.	☐	☐
7	가족 중 소화기질환, 흡연력, 음주력에 대해 물어보았다.	☐	☐

	신체진찰 채점항목	제대로 함	제대로 못함	하지 않음
1	결막, 공막 진찰과 피부긴장도를 확인하였는가?	☐	☐	☐
2	심장음과 호흡음을 청진을 시행하였는가?	☐	☐	☐
3	복부 진찰 시 올바른 자세를 잡고 환자의 오른쪽에서 시진을 수행하였는가?	☐	☐	☐
4	복부 진찰 시에 통증 부위를 묻고 해당 부위를 가장 나중에 청진, 타진, 촉진하였는가?	☐	☐	☐
5	간·비장 종대, Murphy징후를 확인하였는가?	☐	☐	☐
6	DRE, CVAT, 골반 진찰(여성)의 필요성을 설명하고 진찰을 수행하였는가?	☐	☐	☐

	환자교육 채점항목	예	아니오
1	복통을 일으키는 원인에 대해 2가지 이상 설명하였는가?	☐	☐
2	의심되는 진단과 필요한 검사 방법에 대해 설명하였는가?	☐	☐
3	향후 치료 계획과 입원·수술의 필요성에 대하여 설명하였는가?	☐	☐
4	수술의 가능성이 배제되기 전까지 금식을 권유하였는가?	☐	☐

	환자의사관계 채점항목	아주우수	우수	보통	미흡
1	효율적으로 잘 물어보았다. - 효율적 질문 : 개방형 질문 사용, 확인, 중간 요약 - 피할 질문 : 유도 질문, 복수 질문	☐	☐	☐	☐
2	나의 말을 잘 들어주었다. - 대꾸하기, 경청 자세, 눈 맞춤 & 말 가로채지 않기	☐	☐	☐	☐
3	나의 입장을 이해하려고 노력하였다. - 공감 표현, 나의 입장 파악	☐	☐	☐	☐
4	환자가 이해하기 쉽게 설명하였다. - 간단명료함, 이해도 점검, 질문 기회 & 쉬운 용어	☐	☐	☐	☐
5	나와 좋은 유대 관계를 형성하려고 했다. - 자기소개, 일상 대화, 존중, 자신감 & 신뢰감	☐	☐	☐	☐

9-2 하복부 복통

대표증례 – 1

상황지침

45세 여자 김희정 씨가 배가 아프다며 병원에 왔다.

[활력징후]

- 혈압 : 120/82mmHg
- 맥박 : 82회/분
- 호흡 : 19회/분
- 체온 : 37.8℃

응시자는 이 환자에게
- 증상과 관련된 병력을 청취하고,
- 증상과 관련된 적절한 신체진찰을 시행한 후,
- 추정진단과 향후 진단계획 등에 대해 환자와 논의하시오.

해설

※ **감별진단** : 골반 염증 질환, 자궁경부염, 급성 방광염
※ **진단계획/치료계획** : 골반 초음파, 일반 혈액 검사, ESR, CRP / 항생제, 자궁 내 장치 제거

- 아랫배 통증을 가진 여성의 경우에 충수돌기염, 막창자염, 염증성장질환 이외에 골반염, 난소 꼬임, 자궁외 임신을 반드시 감별해야 합니다. 최근 CPX 문제의 추세가 주제를 다양화하고 기존의 정형화된 패턴을 탈피하여 나오는 경우가 많은데, 그 중 대표적인 주제가 복통입니다. 염증성 장질환, 임산부의 복통, 골반염, 자궁외임신 등의 다른 주제와 연관된 문제가 복통으로 나올 수 있음을 생각하면서 공부를 합시다.
- 상황지침에서 혈압이 낮거나 맥박이 빠른 등 쇼크 증세를 보일 경우, 문진에 들어가기 전에 응급조치가 필요한 상황인지 확인하는 것이 필요합니다.
- 급성 복통을 호소하는 환자에게는 수술의 가능성이 배제될 때까지 금식을 권유하는 것이 필요합니다. 수술을 하기 위해서는 최소 6시간의 금식기간이 필요하며, 수술을 필요성을 설명할 때에는 환자가 불안해하지 않도록 환자의 심리를 고려하여 설명하는 것이 필요합니다.

시나리오

Sex/Age	F/45	
Chief Complaint	배가 아파요	
Present illness	Location	아랫배(배꼽 아래)
	Onset	3주 전
	Situation	−
	Time	하루 종일 아픔
	Course	3주 전부터 점점 심해짐
	Experience	2년 전부터 1년에 3~4번씩 복통 있어 동네 병원 내원했을 때, 방광염 진단 받아서 항생제 복용한 적 있음
	Character	전반적으로 다 아픔, 지속적으로 쑤시듯이 아픔 NRS 7점
	Factors	자세, 식사 여부와 관계없이 계속 아픔, 3주 전 상한 음식(−), 여행력(−), 감염력(−), 벌레 물린 적(−), 복부수술(−), 외상(−), 질세척(+, 질 세정제로), 위험한 성관계(−)
	Associated symptoms	두근거림/어지럼/호흡곤란(−/−/−), **발열**/오한/피로/체중변화(**+**/−/−/−), **A/N**/V/D/C(**+/+**/−/−/−), H/M/H(−/−/−), 소화불량/속쓰림/복부팽만/황달(−/−/−/−), **빈뇨**/요절박/배뇨통/잔뇨감/혈뇨(**+**/−/−/−/−), **소변색 진해짐(+)**, **질분비물(+ ; 1개월 전부터 누렇고 냄새 심함)**, 질출혈(−)
Medical history	약물복용력	−, 작년 방광염 때 항생제 1주간 복용
	과거력	HTN/DM/TB/간질환(−/−/−/−), 작년에 방광염 진단받은 적 있음, 소화기질환(−), 심혈관질환(−) 2년 전 건강검진에서 이상 없음
	외상/수술력	외상(−), 수술력(−)
	사회력	주부, 술(1주일에 맥주 한 병), 흡연(−), 남편의 비뇨기 증상(−)
	가족력	소화기질환(−), 산부인과질환(−)
	여성력	산과력 2-0-0-2 월경 규칙적이었음, 2년 전부터 IUD 사용 중
Physical exam	Vital sign	120/82mmHg, 82회/분, 19회/분, 37.8℃
	Positive findings	결막 정상, 복부 시진(기침 시 통증), **아랫배 DT/RT(+/+)**, DRE 정상, CVAT(−), **골반 진찰(+, 화농성 질 분비물이 있고 경부 촉진 시 통증, 자궁 내 장치 일부가 보임)**
환자의 질문 또는 기타 특이사항	SP가 통증호소 심하게 함	

대표증례－2

상황지침

35세 남자 문연수 씨가 배가 아프다며 응급실에 왔다.

[활력징후]

• 혈압 : 120/90mmHg	• 맥박 : 89회/분
• 호흡 : 20회/분	• 체온 : 38.3℃

응시자는 이 환자에게
- 증상과 관련된 병력을 청취하고,
- 증상과 관련된 적절한 신체진찰을 시행한 후,
- 추정진단과 향후 진단계획 등에 대해 환자와 논의하시오.

해설

※ **감별진단** : 급성 충수돌기염

※ **진단계획/치료계획** : 복부 초음파, 일반 혈액 검사, 복부 CT, 충수돌기절제술, 항생제

- 특별한 병력이 없던 젊은 사람에서 오른쪽 아랫배 통증을 호소한다면 먼저 급성 충수돌기염을 생각해야 합니다. 특히 배꼽부위의 통증에서 오른쪽 아랫배로 옮겨가는 경우에는 임상증상과 복부 압통을 통해서 급성 충수돌기염을 진단내릴 수 있습니다. 급성 충수돌기염의 경우 복통 양상과 더불어 식욕부진이 동반될 가능성이 매우 높습니다.
- 급성 충수돌기염의 경우, 초기의 단순한 급성 충수돌기염의 경우에는 수술적 절제를 합니다. 여기서 수술적 절제는 위장관 천공으로 인한 응급 수술적 절제가 아닌 다음날 정규 시간에 충분히 준비가 된 상태에서 환자를 수술하는 elective surgery입니다. 만약 급성 충수돌기염이 진행되어 천공이 되고 복막염 증상이 나타나며, 패혈증 증세가 나타난다면 먼저 내과적 치료로 환자 상태가 안정화된 이후에 수술을 해야 합니다. 경우에 따라 농양이 의심된다면 배액＋항생제 치료를 한 이후, 6~8주 정도의 시간이 흐른 후에 수술을 하게 됩니다. 바로 수술을 하는 것이 아님을 유념해두도록 합니다.

시나리오

Sex/Age	M/35	
Chief Complaint	배가 아파요	
Present illness	Location	**하복부 전체, 등쪽도 아픔, 특히 우하복부** **처음엔 명치 부위와 배꼽 주변이 아팠다가 오른쪽 아랫배로 옮겨감**
	Onset	2일 전
	Situation	–
	Time	지속적으로 아픔
	Course	2일 내내 아픔, 어제부터 통증 더 심해짐
	Experience	처음
	Character	욱씬욱씬 아픔 NRS 7~8점
	Factors	자세, 식사와 관계없음, 스트레스(–)
	Associated symptoms	두근거림/어지럼/호흡곤란(–/–/–), **발열**/오한/피로/체중변화(**+**/–/–/–), **A/N/V**/D/C(**+/+/+; 2회**/–/–), H/M/H(–/–/–), 소화불량/속쓰림/복부팽만/황달(–/–/–/–), 빈뇨/요절박/배뇨통/잔뇨감/혈뇨(–/–/–/–/–)
Medical history	약물복용력	없음(–), 소염진통제(–)
	과거력	HTN/DM/TB/간질환(–/–/–/–), 평소 소화불량이 있었음 건강검진 받아본 적 없음
	외상/수술력	외상(–), 수술력(–)
	사회력	초등학교 교사, 술(소주 한 달에 1~2병), 담배(–)
	가족력	–
	여성력	–
Physical exam	Vital sign	120/90mmHg, 89회/분, 20회/분, 38.3℃
	Positive findings	호흡음 정상, 공막 정상, 간/비장 정상, **복부 DT**/RT(**+, 오른쪽 아래**/–), Murphy(–), **Psoas(+)**, **Obturator(+)**, DRE 정상, CVAT(–), 구강건조(–), 피부 긴장도 정상
환자의 질문 또는 기타 특이사항		"큰 병은 아닐까요?"

대표증례 - 3

상황지침

50세 여자 강지수 씨가 배가 아프다며 응급실에 왔다.

[활력징후]

- 혈압 : 120/80mmHg
- 맥박 : 70회/분
- 호흡 : 20회/분
- 체온 : 37.7℃

응시자는 이 환자에게

- 증상과 관련된 병력을 청취하고,
- 증상과 관련된 적절한 신체진찰을 시행한 후,
- 추정진단과 향후 진단계획 등에 대해 환자와 논의하시오.

해설

※ **감별진단** : 급성 충수돌기염, 급성 게실염

※ **진단계획** : 복부 초음파, 일반 혈액 검사, 복부 CT, 대장내시경

- 우하복부 통증을 주소로 내원한 환자에서는 급성 충수돌기염과 급성 게실염을 감별해야 하므로 두 질환을 항상 함께 생각해두시면 좋습니다.

시나리오

Sex/Age	F/50	
Chief Complaint	배가 아파요	
Present illness	Location	오른쪽 아랫배, 처음부터 여기가 아팠음 방사통(−)
	Onset	2~3일 전
	Situation	−
	Time	처음에는 아팠다가 안 아팠다가 했는데 이제는 하루 종일
	Course	계속 아픔
	Experience	−
	Character	쪼이는 듯한 통증, 명치 통증 없었음 NRS 6~7점
	Factors	가만히 있으면 낫고 움직이면 아프다, 식사와 관련(−)
	Associated symptoms	두근거림/어지럼/호흡곤란(−/−/−), **발열/오한**/피로/체중변화(+/+/−/−), **A/N**/V/D/**C**(**+/+**/−/−/**+**; **3일간 변 보지 못했다**), H/M/H(−/−/−), 소화불량/속쓰림/복부팽만/황달(−/−/−/−), 빈뇨/요절박/배뇨통/잔뇨감/혈뇨(−/−/−/−/−), 질분비물/질출혈(−/−)
Medical history	약물복용력	없음(−), 소염진통제(−)
	과거력	HTN/DM/TB/간질환(−/−/−/−) 5년 전 건강검진에서 대장 용종 떼어냄
	외상/수술력	외상(−), 수술력(+; 대장 용종 절제술)
	사회력	공무원, 스트레스(−) 술/담배(−/−), 식사 및 운동 규칙적
	가족력	−
	여성력	산과력 2-0-0-2 LMP 2주 전, 마지막 성관계 10일 전
Physical exam	Vital sign	120/80mmHg, 70회/분, 20회/분, 37.7℃
	Positive findings	호흡음 정상, 공막 정상, 간/비장 정상, **복부 DT/RT(+, 오른쪽 아래/+)**, Murphy(−), **Psoas(+)**, **Obturator(+)**, DRE 정상, CVAT(−), 구강건조(−), 피부 긴장도 정상
환자의 질문 또는 기타 특이사항	앉아있으며 매우 아파함	

관련증례

9-2-1 24세 여자가 갑자기 배가 아프다고 응급실로 왔다. 통증은 오늘 새벽부터 갑자기 시작되었고, VAS 9점으로 이전에 이렇게 아픈 적은 없다고 하였다. 몸을 움직이거나 기침을 할 때 통증이 더욱 심해졌다고 하였다. 통증은 새벽부터 지금까지 계속되었고 등으로도 뻗쳐나간다고 하였다. 식욕부진, 구역, 구토, 설사, 변비는 모두 없었고, 최근에 잘못된 음식을 먹은 적도 없다고 하였다. 소변 관련해서 불편함은 없었다. 이전에 앓고 있는 질환은 없었으며 먹고 있는 약도 없다고 하였다. 직업은 대학생으로 술은 한 달에 맥주 1병 정도 마시며, 담배는 하지 않는다고 하였다. 평소 월경이 규칙적이었고, 월경량과 월경통은 심하지 않았다. 마지막 월경일은 2달 전으로 평소 남자친구와 성관계를 일주일에 2번 정도 가진다고 하였다.

활력징후는 혈압 95/65mmHg, 맥박 112회/분, 호흡수 25회/분, 체온 36.6℃이었다. 급성병색을 보이고 있었고, 결막은 창백하였다. 복부 진찰에서 배는 약간 팽만되어 있었고, 장음은 배꼽부위에서 들리지 않았다. 아랫배에 압통과 반발 압통이 존재하였으며, 복벽이 경직되는 모습을 보였다. 갈비척추각 압통 검사는 정상이였으며, 손가락직장 검사상에서 전체적인 압통을 호소하였다. 골반 진찰에서 질출혈이 보였고, 자궁경부를 움직일 때 통증을 호소하였다.

9-2-2 34세 남자가 갑자기 배가 아프다고 응급실로 왔다. 통증은 오른쪽 아랫배에서 4시간 전부터 갑자기 시작되었고, 이렇게 경험은 처음이라고 하였다. 통증은 쥐어짜는 듯한 양상과 함께 오른쪽 옆구리로 뻗치기도 하였고, 심해졌다 괜찮아졌다를 반복하고 있었다. 통증은 VAS 3~7점 정도로 강도가 변화하는 양상이었고, 자세, 움직임과는 관계가 없다고 하였다. 통증이 심할 때는 구역질과 구토가 같이 동반되었다. 최근에 이상한 음식을 먹거나 혈변이나 설사를 한 적은 없으며, 소변볼 때 통증은 없었으나 색깔이 붉게 나왔다고 한다. 직업은 회사원으로 술은 한주에 소주 2병 정도 마시며, 담배는 하지 않는다고 하였다. 가족 중에는 최근에 배가 아픈 사람은 없다고 하였다.

활력징후는 혈압 130/90mmHg, 맥박 82회/분, 호흡수 23회/분, 체온 36.5℃이었다. 결막은 정상이었고, 복부 진찰에서 배는 팽만되지 않았으며, 장음은 오른쪽 아래에서 증가되어 있었다. 아랫배에 압통과 반발 압통은 없었고, 복벽은 경직되지 않았다. 손가락직장 검사는 정상이었으며, 오른쪽 갈비척추각을 타진할 때 심한 압통을 호소하였다.

9-2-3 34세 여자가 배가 아프다고 병원에 왔다. 통증은 일주일 전부터 시작되었으며, 통증 강도는 10점 만점에 6점 정도였고 이런 경험은 처음이라고 하였다. 통증이 아랫배가 전반적으로 아팠으며 어디로 뻗치지는 않았다. 통증은 묵직하게 지속되었고, 걸음을 걷거나 기침할 때 통증이 심해졌다. 명치부위에서 등쪽으로 뻗치는 양상이었고 상체를 구부리거나 무릎을 굽히면 조금 괜찮아졌고, 바로 누우면 통증이 더 심해졌다. 일주일 전부터 미열이 있었고, 질분비물이 더 많아졌다고 한다. 구역, 구토, 설사, 소변색 변화는 없었다. 평소 월경은 규칙적이었고, 최종월경일은 3일 전이었다. 직업은 공무원으로 술은 한 주에 맥주 2병 정도 마시며, 담배는 하지 않는다고 하였다.

활력징후는 혈압 120/82mmHg, 맥박 85회/분, 호흡수 18회/분, 체온 37.4℃이었다. 공막, 결막은 정상소견, 호흡음과 심장음은 정상이었다. 복부 진찰에서 복부가 약간 팽만되어 있었고, 아랫배에서 장음이 증가되어 있었다. 아랫배 전체적으로 압통이 있었고, 반발 압통은 없었으나 촉진시에 복부 근육이 경직되었다. 갈비척추각 압통 검사는 정상이었으나 손가락 직장 검사에서 압통이 있었고, 골반 진찰에서 자궁경부를 움직였을 때 통증이 있었다.

Answer | 9-2-1. 자궁외임신 파열 9-2-2. 오른쪽 요관돌 9-2-3. 염증성골반질환

Check-list

	병력청취 채점항목	예	아니오
1	복통의 위치, 시작시간, 방사통에 대하여 물어보았다.	☐	☐
2	복통의 양상과 강도, 변화되는 부위, 양상에 대하여 물어보았다.	☐	☐
3	복통 발생 전에 음식, 음주, 상황에 대하여 물어보았다.	☐	☐
4	복통의 악화인자(자세, 식사, 음주, 스트레스 등)와 완화인자에 대하여 물어보았다.	☐	☐
5	복통과 함께 동반증상(A/N/V/D/C, 소화불량, 소변문제, 황달 등)에 대하여 물어보았다.	☐	☐
6	이전 수술병력, 앓고 있는 질환, 먹고 있는 약물에 대해 물어보았다.	☐	☐
7	가족 중 소화기질환, 흡연력, 음주력에 대해 물어보았다.	☐	☐

	신체진찰 채점항목	제대로 함	제대로 못함	하지 않음
1	결막, 공막 진찰과 피부긴장도를 확인하였는가?	☐	☐	☐
2	심장음과 호흡음을 청진을 시행하였는가?	☐	☐	☐
3	복부 진찰 시 올바른 자세를 잡고 환자의 오른쪽에서 시진을 수행하였는가?	☐	☐	☐
4	복부 진찰 시에 통증 부위를 묻고 해당 부위를 가장 나중에 청진, 타진, 촉진하였는가?	☐	☐	☐
5	간·비장 종대, Psoas, Obturator 징후를 확인하였는가?	☐	☐	☐
6	DRE, CVAT, 골반 진찰(여성)의 필요성을 설명하고 진찰을 수행하였는가?	☐	☐	☐

	환자교육 채점항목	예	아니오
1	복통을 일으키는 원인에 대해 2가지 이상 설명하였는가?	☐	☐
2	의심되는 진단과 필요한 검사 방법에 대해 설명하였는가?	☐	☐
3	향후 치료 계획과 입원·수술의 필요성에 대하여 설명하였는가?	☐	☐

	환자의사관계 채점항목	아주우수	우수	보통	미흡
1	효율적으로 잘 물어보았다. – 효율적 질문 : 개방형 질문 사용, 확인, 중간 요약 – 피할 질문 : 유도 질문, 복수 질문	☐	☐	☐	☐
2	나의 말을 잘 들어주었다. – 대꾸하기, 경청 자세, 눈 맞춤 & 말 가로채지 않기	☐	☐	☐	☐
3	나의 입장을 이해하려고 노력하였다. – 공감 표현, 나의 입장 파악	☐	☐	☐	☐
4	환자가 이해하기 쉽게 설명하였다. – 간단명료함, 이해도 점검, 질문 기회 & 쉬운 용어	☐	☐	☐	☐
5	나와 좋은 유대 관계를 형성하려고 했다. – 자기소개, 일상 대화, 존중, 자신감 & 신뢰감	☐	☐	☐	☐

M·E·M·O

10 소화불량

대표증례-1

상황지침

52세 여자 노민희 씨가 배가 불편하다며 왔다.

[활력징후]

• 혈압 : 120/80mmHg	• 맥박 : 82회/분
• 호흡 : 17회/분	• 체온 : 36.6℃

응시자는 이 환자에게
- 증상과 관련된 병력을 청취하고,
- 증상과 관련된 적절한 신체진찰을 시행한 후,
- 추정진단과 향후 진단계획 등에 대해 환자와 논의하시오.

해설

※ **감별진단** : 소화성 궤양, 위염, 위암

※ **진단계획/치료계획** : 위내시경, 신속 요소분해효소 검사, 일반 혈액 검사 / 양성자펌프억제제, Aspirin 중단, H. pylori 제균 치료

• 아스피린은 NSAID의 일종으로서 약물에 의해 소화성 궤양이 유발되었을 가능성에 대해 의심해보아야 합니다.

• 소화불량을 가진 40대 이상의 환자이므로 악성 종양도 배제해서는 안 됩니다(Red flag sign 질문하기!).

시나리오

Sex/Age	F/52	
Chief Complaint	배가 불편해요	
Present illness	Location	명치 부위
	Onset	3주 전
	Situation	–
	Time	한 번씩 심해지면 4~5시간 더부룩
	Course	점점 심해짐
	Experience	처음
	Character	명치부위가 조금씩 쓰림, 더부룩할 때도 있음, 가스가 차는 느낌
	Factors	**악화요인(식사 후)**, 자세와는 관련 없음, 배변 후 완화(–)
	Associated symptoms	발열/오한/피로/체중변화(–/–/–/–), **A**/N/V/D/C(**+**/–/–/–/–), H/M/H(–/–/–), 복통/복부팽만/황달(–/–/–), 명치 작열감/쓴물 역류(–/–)
Medical history	약물복용력	고혈압약(+, 5년 전, 성분 모름), **아스피린**, 고지혈증약
	과거력	HTN/DM/TB/간질환(+, 5년 전 진단/–/–/–), 고지혈증 건강검진 받아본 적 없음
	외상/수술력	외상(–), 수술력(–)
	사회력	요식업, 술(1주일에 1~2번, 맥주 3병 미만), 담배(–), 커피(–) 식사는 고기, 채소 골고루, 식사 불규칙
	가족력	어머니 고혈압
	여성력	산과력 2-1-0-3 3년 전 폐경
Physical exam	Vital sign	120/80mmHg, 82회/분, 17회/분, 36.6℃
	Positive findings	결막/공막 정상, 구강 진찰 정상, 피부긴장도 정상, 목/겨드랑이 림프절 정상, **복부 압통(+, epigastric 불편감)**, 반발 압통(–), 간·비장종대(–), 복벽강직(–), DRE(–)
환자의 질문 또는 기타 특이사항	"심각한 병인가요?"	

대표증례－2

상황지침

43세 여자 채수민 씨가 배가 더부룩하다며 왔다.

[활력징후]

- 혈압 : 112/76mmHg
- 맥박 : 70회/분
- 호흡 : 18회/분
- 체온 : 36.8℃

응시자는 이 환자에게
- 증상과 관련된 병력을 청취하고,
- 증상과 관련된 적절한 신체진찰을 시행한 후,
- 추정진단과 향후 진단계획 등에 대해 환자와 논의하시오.

해설

※ **감별진단** : 기능성 소화불량증, 소화성 궤양

※ **진단계획/치료계획** : 위내시경, 신속 요소분해효소 검사 / 양성자펌프억제제, 운동촉진제

- 소화불량은 매우 다양한 원인과 증상을 함께 나타낼 수 있으므로 문진 시작 시에 개방형 질문을 적절히 사용하여 환자가 자신이 느끼는 증상을 자세히 설명할 수 있도록 유도하는 것이 필요합니다.
- 소화불량을 일으키는 대부분의 질환은 기능성 또는 양성 질환으로 경과가 양호함을 설명하여 환자를 안심시키는 것이 중요합니다.
- 소화불량은 위장관, 간, 췌장 등 소화기 질환뿐 아니라 전신질환과 다양한 약물로 인해서 유발될 수 있으므로 이를 고려하여 체계적인 신체진찰을 할 수 있어야 합니다.
- 소화불량의 경우에 위내시경을 통해 병변을 확인하기 전에는 확실한 진단을 하기 어려우므로 이에 대한 필요성을 설명하고, 진단에 따른 치료가 필요함을 환자에게 설명할 수 있어야 합니다.
- 최근 경향은 젊은 여성에서 식후 더부룩하고 답답한 느낌의 소화불량이 몇 달 이어지며, 병력 상 스트레스가 많고 커피를 많이 마시며, 불규칙한 식습관이 주어집니다.

시나리오

<table>
<tr><td>Sex/Age</td><td colspan="2">F/43</td></tr>
<tr><td>Chief Complaint</td><td colspan="2">속이 불편해요</td></tr>
<tr><td rowspan="10">Present illness</td><td>Location</td><td>명치부위가 불편</td></tr>
<tr><td>Onset</td><td>2개월 전</td></tr>
<tr><td>Situation</td><td>식후 1~2시간 동안 불편함</td></tr>
<tr><td>Time</td><td>–</td></tr>
<tr><td>Course</td><td>속쓰림 빈도와 기간 증가</td></tr>
<tr><td>Experience</td><td>예전에도 종종 그래서 소화제 먹음</td></tr>
<tr><td>Character</td><td>식후에 소화가 잘 안됨</td></tr>
<tr><td>Factors</td><td>악화(맵고 짠 음식(김치), 기름진 음식 먹으면 심해짐), 자세와 연관 없음, 배변 후에도 호전되진 않음</td></tr>
<tr><td>Associated symptoms</td><td>발열/오한/피로/체중변화(–/–/–/–), A/N/V/D/C(–/–/–/–/–), H/M/H(–/–/–), 복통/복부팽만/황달(–/–/–), 명치 작열감/쓴물 역류(–/–)</td></tr>
<tr><td>약물복용력</td><td>소화제(최근에 먹어도 소용없음), 철분제(–)</td></tr>
<tr><td rowspan="5">Medical history</td><td>과거력</td><td>HTN/DM/TB/간질환(–/–/–/–), 10년 전쯤부터 종종 속이 쓰렸음
5년 전에 건강검진에서 위내시경 정상</td></tr>
<tr><td>외상/수술력</td><td>외상(–), 수술(–)</td></tr>
<tr><td>사회력</td><td>전업주부, 아이들 키우느라 스트레스 심함, 술(–), 담배(–), 한 달에 한번 2시간 정도 등산, 커피(–)
가정식으로 세끼 규칙적으로 먹음</td></tr>
<tr><td>가족력</td><td>소화기 질환(–)</td></tr>
<tr><td>여성력</td><td>산과력 3-0-0-3
월경 규칙적(주기 28일), 월경량 보통, 월경통 보통
LMP 1주 전, 임신 가능성 없음</td></tr>
<tr><td rowspan="2">Physical exam</td><td>Vital sign</td><td>112/76mmHg, 70회/분, 18회/분, 36.8℃</td></tr>
<tr><td>Positive findings</td><td>결막/공막 정상, 구강 진찰 정상, 피부긴장도 정상, 목/겨드랑이 림프절 촉진 정상, 복부 압통(–), 반발 압통(–), 복벽강직(–), 간·비장종대(–), Murphy(–), DRE(–)</td></tr>
<tr><td colspan="2">환자의 질문 또는 기타 특이사항</td><td>–</td></tr>
</table>

대표증례-3

상황지침

62세 여자 오미영 씨가 배가 불편하다며 왔다.

[활력징후]

- 혈압 : 120/80mmHg
- 맥박 : 92회/분
- 호흡 : 20회/분
- 체온 : 36.6℃

응시자는 이 환자에게

- 증상과 관련된 병력을 청취하고,
- 증상과 관련된 적절한 신체진찰을 시행한 후,
- 추정진단과 향후 진단계획 등에 대해 환자와 논의하시오.

해설

※ **감별진단** : 당뇨병성 위 운동장애, 약물에 의한 소화불량, 위암

※ **진단계획** : 위내시경, 혈당 검사, 일반 혈액 검사

- 1년 전부터 가지고 있었던 소화불량이라는 점에서 만성 소화불량의 가장 흔한 원인인 만성 위염을 생각할 수 있습니다. 하지만, 만성 위염에 해당하는 증상들은 잘 나타나고 있지 않고 있습니다.
- 만성 위염 다음으로 생각할 수 있는 요인은 최근에 당뇨약을 바꾸었다는 것과 당뇨와 고지혈증을 함께 앓고 있다는 것입니다. 처음 당뇨 진단을 받았을 당시의 혈당이나 상태에 대해서 알고 있다면 더 진단이 쉬울 수도 있겠지만, 당뇨에 의해서 생기는 위운동장애와 당뇨약을 바꿈으로서 생기는 약제의 의한 소화불량을 진단명으로 생각할 수 있을 것입니다.
- 소화불량을 가진 40대 이상의 환자이므로 악성 종양도 배제해서는 안 됩니다. 1년 전부터 시작해서 체중감소가 있었으며, 소화불량도 있었던 것으로 보아, 위암이 있을 수도 있으므로 위내시경은 필수적으로 시행해야 합니다. 또한, 몇몇 학생들의 경우에는 예상 진단명에 1순위로 위암을 넣기도 하였습니다.

시나리오

Sex/Age	F/62	
Chief Complaint	배가 불편해요	
Present illness	Location	상복부 불편감
	Onset	1년 전부터 서서히 시작
	Situation	식사 후에 나타나고 식사 후 1시간 지나면 저절로 호전
	Time	식후 10분~1시간
	Course	점점 심해짐
	Experience	처음
	Character	밥 먹으면 막혀서 안 내려가고 뭔가 걸린 것 같은 느낌, 속쓰림(－)
	Factors	기름진 음식 먹으면 더 그렇다, 자세와는 관련 없음, 배변 후 완화(－)
	Associated symptoms	발열/오한/피로/**체중변화**(－/－/－/**＋**; **1년간 3kg 감소**), A/N/V/D/C(－/－/－/－/－), H/M/H(－/－/－), 복통/복부팽만/황달(－/－/－), 명치 작열감/쓴물 역류(－/－)
Medical history	약물복용력	혈당약, 고지혈증약
	과거력	HTN/**DM**/TB/간질환(－/**＋**; **최근에 약 바꿈**/－/－), 건강검진상 고지혈증(med중)
	외상/수술력	외상(－), 수술력(－)
	사회력	주부, 술(－), 담배(－), 커피(－)
	가족력	－
	여성력	폐경
Physical exam	Vital sign	120/80mmHg, 92회/분, 20회/분, 36.6℃
	Positive findings	결막/공막 정상, 구강 진찰 정상, 피부긴장도 정상, 목/겨드랑이 림프절 정상, **복부 압통(＋, epigastric 불편감)**, 반발 압통(－), 간·비장종대(－), 복벽강직(－), DRE(－)
환자의 질문 또는 기타 특이사항		－

대표증례－4

상황지침

48세 남자 박진욱 씨가 배가 불편하다며 왔다.

[활력징후]	
• 혈압 : 130/85mmHg	• 맥박 : 72회/분
• 호흡 : 18회/분	• 체온 : 36.7℃

응시자는 이 환자에게
- 증상과 관련된 병력을 청취하고,
- 증상과 관련된 적절한 신체진찰을 시행한 후,
- 추정진단과 향후 진단계획 등에 대해 환자와 논의하시오.

해설

※ **감별진단** : 위암, 위궤양

※ **진단계획/치료계획** : 위내시경, 신속 요소분해효소 검사, 일반 혈액 검사 / 위절제술, 진통제 중단, 양성자펌프억제제

- 관절염으로 인해 먹는 진통제(NSAIDs)는 대부분 위염과 같은 속쓰림을 유발할 수 있으므로 이에 대한 병력청취와 우선적으로 진통제를 중단하는 것이 필요합니다.
- 소화불량을 가진 40대 이상의 환자에서 체중감소, 흑색변 등의 위암이 의심될 수 있는 경고 증상을 반드시 숙지하여 경고 증상에 해당하는 사람에게서 내시경 검사를 포함한 검사를 설명할 수 있어야 합니다.
- 국내의 국가암검진 프로그램은 현재 40세 이상에서 2년마다 위내시경을 실시할 것을 추천하고 있으므로 이를 설명할 수 있어야 합니다.

시나리오

Sex/Age	M/48	
Chief Complaint	배가 불편해요	
Present illness	Location	명치 부위
	Onset	4개월 전
	Situation	–
	Time	한 번씩 심해지면 1~2시간 더부룩
	Course	더 심해지고 오래감
	Experience	처음
	Character	명치 부위가 조금씩 쓰림, 더부룩할 때도 있음
	Factors	악화요인(식사 후, 스트레스 받을 때), 자세와는 관련 없음
	Associated symptoms	발열/오한/피로/**체중변화**(–/–/–/**+**; **3개월 간 2kg 감소**), **A**/N/V/D/C(**+**/–/–/–/–), H/**M**/H(–/**+**/–), 복통/복부팽만/황달(–/–/–), 명치 작열감/쓴물 역류(–/–)
Medical history	약물복용력	**관절염으로 1년째 진통제, 속쓰릴 때 소화제 복용** 4년 전 건강검진에서 정상
	과거력	HTN/DM/TB/간질환(–/–/–/–), 관절염(+, 1년 전)
	외상/수술력	외상(–), 수술력(–)
	사회력	1년 전부터 회사 임원 → 일 스트레스 많아짐, 술(1주일에 1~2번, 소주 1병 미만), 담배(–), 운동(골프 하루 1시간×주 2회) 가정식 위주의 식사
	가족력	아버지가 조기위암으로 수술 받고 완치판정
	여성력	–
Physical exam	Vital sign	130/85mmHg, 72회/분, 18회/분, 36.7℃
	Positive findings	결막/공막 정상, 구강 진찰 정상, 피부긴장도 정상, 목/겨드랑이 림프절 정상, **복부 압통(+, 불편감)**, 반발 압통(–), 간·비장종대(–), 복벽강직(–), **DRE(+, 흑색변)**
환자의 질문 또는 기타 특이사항		–

03 CHAPTER

대표증례-5

상황지침

34세 여자 박지수 씨가 속이 불편하다며 왔다.

[활력징후]	
• 혈압 : 120/80mmHg	• 맥박 : 70회/분
• 호흡 : 20회/분	• 체온 : 36.5℃

응시자는 이 환자에게
- 증상과 관련된 병력을 청취하고,
- 증상과 관련된 적절한 신체진찰을 시행한 후,
- 추정진단과 향후 진단계획 등에 대해 환자와 논의하시오.

해설

※ **감별진단** : 만성 위염, 기능성 소화불량증, 위궤양

※ **진단계획** : 위내시경, 신속 요소분해효소 검사

- 역류성식도염에 의해서도 소화불량이 발생할 수 있기 때문에 신물이 넘어오거나, 명치 부위의 heartburn은 없는지도 물어보셔야 합니다.
- 건강검진 특히 위내시경에 대한 언급을 따로 하셔야 SP분들께서 대답해 주십니다.

시나리오

Sex/Age	F/34	
Chief Complaint	속이 불편해요	
Present illness	Location	명치 부근
	Onset	10일 전
	Situation	–
	Time	하루 종일
	Course	비슷함
	Experience	처음
	Character	아픈 것은 아니고 속이 얹힌 듯이 불편함
	Factors	식사 후 불편함 악화
	Associated symptoms	발열/오한/피로/**체중변화**(–/–/–/**+ ; 2주간 1kg 감소**), A/N/V/D/C(**+**/–/–/–/–), H/M/H(–/–/–), 복통/복부팽만/황달(–/–/–), 명치 작열감/쓴물 역류(–/–)
Medical history	약물복용력	3주 전 감기약 복용(약 종류는 모름)
	과거력	HTN/DM/TB/간질환(–/–/–/–) 1년 전 건강검진에서 시행한 위내시경 상 이상없음
	외상/수술력	외상(–), 수술력(–)
	사회력	가정 주부, 아들이 게임을 많이 해서 스트레스 받음 술/담배(–/–), 커피(+ ; 마시는 양은 모르겠음)
	가족력	친언니 위암
	여성력	산과력 1-0-0-1 월경 규칙적
Physical exam	Vital sign	120/80mmHg, 70회/분, 20회/분, 36.5℃
	Positive findings	결막/공막 정상, 구강 진찰 정상, 피부긴장도 정상, 목/겨드랑이 림프절 정상, **복부 압통(+, 명치부)**, 반발 압통(–), 간·비장종대(–), 복벽강직(–), DRE(–)
환자의 질문 또는 기타 특이사항		–

관련증례

10-1 46세 남자가 속쓰림으로 내원하였다. 주로 복부의 위쪽이 쓰렸으며, 약 1년 전부터 시작되었다고 한다. 가끔씩 신물이 넘어오면서 가슴이 타는 듯한 느낌도 생긴다고 하였다. 속쓰림은 식후에 누우면 특히 더 심해지는 양상이었으며, 기름진 음식을 먹을 때 더 심해지는 것 같다고 하였다. 음식 삼키는데 문제는 없었으며 어지럽거나 피곤하진 않다고 하였다. 검은색 변을 본 적 없다고 하였으며 체중 변화는 없었다. 황달이나 발열은 없었다. 현재 회사원으로 일주일에 1번씩 소주 1병 정도 마신다고 하였으며, 담배는 하루에 한 갑씩 25년간 피웠다.

활력징후는 혈압 130/80mmHg, 맥박 82회/분, 호흡수 18회/분, 체온 36.8℃이었다. 결막과 공막은 정상이었고, 입안 관찰은 정상이었다. 목, 쇄골위, 겨드랑 림프절 촉진은 정상이었다. 복부 진찰에서 복부팽만은 없었고, 장음도 정상적이었다. 명치부위에서 압통이 관찰되었으나 반발 압통과 복벽 경직은 없었다. 손가락직장 검사에서 이상소견은 보이지 않았다.

Answer | 10-1. 위식도역류질환

Check-list

	병력청취 채점항목	예	아니오
1	소화불량의 발생시기와 위치에 대해서 물어보았다.	☐	☐
2	소화불량이 심해지는 경우와 완화되는 경우를 물어보았다.	☐	☐
3	소화불량의 동반증상(구역, 구토, 설사, 어지러움, 피곤함, 복통, 대변색, 소변색 변화 등)에 대해 3가지 이상 물어보았다.	☐	☐
4	평소 식습관에 대해서 물어보았다.	☐	☐
5	소화불량의 경고 증상에 대해서 물어보았다.	☐	☐
6	먹고 있는 약물(NSAIDs, 항생제, 스테로이드 등)에 대해 물어보았다.	☐	☐
7	기저질환 및 이전 복부 수술병력, 가족력에 대해서 물어보았다.	☐	☐

	신체진찰 채점항목	제대로 함	제대로 못함	하지 않음
1	결막(빈혈), 공막(황달) 진찰을 수행하였는가?	☐	☐	☐
2	구강 진찰을 통해 위산 역류 여부를 확인하였는가?	☐	☐	☐
3	목, 쇄골위, 겨드랑 림프절 촉진을 수행하였는가?	☐	☐	☐
4	복부 진찰 시 올바른 자세를 잡고 환자의 오른쪽에서 시진을 수행하였는가?	☐	☐	☐
5	복부 진찰 시 환자의 복부 팽만 여부와 복부 둘레를 확인하였는가?	☐	☐	☐
6	복부 진찰 시 시진, 청진, 얕은 촉진, 깊은 촉진을 올바르게 시행하였는가?	☐	☐	☐

	환자교육 채점항목	예	아니오
1	소화불량을 일으키는 원인에 대해 3가지 이상 설명하였는가?	☐	☐
2	경고증상을 설명하여 기질적 원인이 소화불량을 일으킬 수 있음을 설명하였는가?	☐	☐
3	의심되는 진단과 필요한 검사 방법에 대해 설명하였는가?	☐	☐
4	생활습관 변화를 통한 소화불량의 완화에 대해 설명하였는가?	☐	☐

	환자의사관계 채점항목	아주우수	우수	보통	미흡
1	효율적으로 잘 물어보았다. - 효율적 질문 : 개방형 질문 사용, 확인, 중간 요약 - 피할 질문 : 유도 질문, 복수 질문	☐	☐	☐	☐
2	나의 말을 잘 들어주었다. - 대꾸하기, 경청 자세, 눈 맞춤 & 말 가로채지 않기	☐	☐	☐	☐
3	나의 입장을 이해하려고 노력하였다. - 공감 표현, 나의 입장 파악	☐	☐	☐	☐
4	환자가 이해하기 쉽게 설명하였다. - 간단명료함, 이해도 점검, 질문 기회 & 쉬운 용어	☐	☐	☐	☐
5	나와 좋은 유대 관계를 형성하려고 했다. - 자기소개, 일상 대화, 존중, 자신감 & 신뢰감	☐	☐	☐	☐

11 구 토

대표증례 – 1

상황지침

28세 여자 박수미 씨가 토했다며 응급실에 왔다.
(현재 오후 1시)

[활력징후]

• 혈압 : 102/70mmHg	• 맥박 : 70회/분
• 호흡 : 18회/분	• 체온 : 36.8℃

응시자는 이 환자에게
- 증상과 관련된 병력을 청취하고,
- 증상과 관련된 적절한 신체진찰을 시행한 후,
- 추정진단과 향후 진단계획 등에 대해 환자와 논의하시오.

해설

※ **감별진단** : 급성 위장관염 · 식중독, 장폐색증

※ **진단계획/치료계획** : 일반 혈액 검사, 전해질, 대변배양검사 / 수액 공급, 전해질 교정

• 개방형 질문을 하는데 있어서 처음에는 SP가 시나리오 교육을 받을 때 대답을 잘 안 해주도록 교육받기 때문에 얘기를 잘 안 해줍니다. 하지만 병력청취를 빨리 끝내고 간단히 요약해주고 불편하신 점이 있냐고 물어보면 목이 마르다고 대답해주는 경우가 있었습니다.

• 식중독은 최근에도 자주 출제되고 있으니, 잘 알아두세요. 처음 구토 시에는 음식물이 많이 나오나, 그 다음부터는 노랗고 음식이 조금씩 섞여 나옵니다. 전날 무엇을 먹었는지, 식후 몇 시간이 지나 증상이 나타났는지가 중요합니다. 대표적으로 김밥이나 샌드위치를 먹은 후 1~6시간 내에 구토가 나타나는 경우 황색포도상구균 독소나 바실러스 세레우스 독소에 의한 식중독을 의심할 수 있습니다.

시나리오

Sex/Age	F/28	
Chief Complaint	토했어요(현재 오후 1시)	
Present illness	Location	–
	Onset	2시간 전
	Situation	–
	Time	4번 토함
	Course	2시간 동안 구역감, 복통과 구토 지속
	Experience	처음
	Character	속이 메슥메슥 거리다가 구토, 처음에는 음식물 → 노란 액체 → 물 마신 것도 토함, 양이 많지는 않음, 담즙포함(–), 혈액(–)
	Factors	구토 후에는 복통이 조금 완화, 어제 저녁 편의점에서 산 샌드위치를 오전 9시경에 먹음(남편도 같이 먹었으나 남편은 괜찮음)
	Associated symptoms	발열/오한/체중변화(–/–/–), **목마름**/두근거림/어지럼/호흡곤란/**소변량 감소**(**+**/–/–/–/**+**), **A/N/V/D**/C(**+/+/+/+**/–), H/M/H(–/–/–), **복통**/소화불량/속쓰림/복부팽만/황달(**+; 배가 전반적으로 메슥메슥 거리 듯이 아픔**/–/–/–/–), 두통/발작/의식 저하(–/–/–), 고의적으로 토함/체형에 대한 인식(–/–)
Medical history	약물복용력	진통소염제(–), 항생제(–), 스테로이드(–)
	과거력	HTN/DM/TB/간질환(–/–/–/–), 소화기 관련 질환(–) 건강검진 해본 적 없음
	외상/수술력	복부 외상(–), 복부 수술(–)
	사회력	주부, 술(일주일에 맥주 1~2병), 담배(안함)
	가족력	소화기 질환(–)
Menstrual history (여성만 해당)	산과력	0-0-0-0
	월경규칙성	규칙적 / 월경 주기: 한 달
	월경량	보통
	월경통	없음
	LMP	1주일 전, 피임(–), 호르몬(–), 임신 가능성(–)
Physical exam	Vital sign	102/70mHg, 70회/분, 18회/분, 36.8℃
	Positive findings	결막/공막 성상, 동공크기/반사 정상, **입마름(+)**, **복부 압통(+, 전반적)**, 반발 압통(–), 간·비장종대(–), Murphy(–), DRE(–), 경부강직(–), Psoas/Obturator(–/–), **피부긴장도(+, 저하)**
환자의 질문 또는 기타 특이사항		입이 말라 보이는 분장

대표증례-2

상황지침

37세 남자 원지석 씨가 배가 아프다며 응급실에 왔다.
(현재 오전 5시)

[활력징후]

• 혈압 : 110/80mmHg	• 맥박 : 82회/분
• 호흡 : 19회/분	• 체온 : 36.9℃

응시자는 이 환자에게
- 증상과 관련된 병력을 청취하고,
- 증상과 관련된 적절한 신체진찰을 시행한 후,
- 추정진단과 향후 진단계획 등에 대해 환자와 논의하시오.

해설

※ **감별진단** : 소화성 궤양, 장폐색증, 급성 위장관염

※ **진단계획** : 위내시경, 복부 X-ray, 일반 혈액 검사, 전해질 / 양성자펌프억제제, 수액 공급

- 구토 성상이 황녹색의 담즙이 섞여 나오면 소장 이하 부위가 막힌 것이므로 위폐색은 배제할 수 있습니다.
- 구토/설사/다뇨(객혈/혈변 포함)와 같은 경우는 탈수를 확인해야 합니다. 먼저 문진에서 목마름, 소변량 감소, 어지러움, 두근거림을 물어보고, 신체진찰 상에서 입안 관찰 시 혀의 탈수 유무, 피부긴장도를 확인하도록 합니다.

시나리오

Sex/Age	M/37	
Chief Complaint	토했어요	
Present illness	Location	−
	Onset	2일 전(응급실 현재 오전 5시)
	Situation	2일 전 가족들과 김치찌개 먹고 3시간 후에 구토 시작
	Time	첫날은 세 번, 이후에 토한 것까지 총 9번 정도
	Course	이틀 전부터 미식거리더니 계속 구토를 함
	Experience	처음
	Character	속이 메슥메슥 거리다가 토함, 처음에는 음식물 → 노란 액체 → 물 마신 것도 토함, 양은 대야의 절반 정도라고 생각
	Factors	자세변화에 따라 통증 강도 차이 없음
	Associated symptoms	발열/오한/체중변화(−/−/−), 목마름/두근거림/**어지럼**/호흡곤란/**소변량 감소**(−/−/**+**/−/**+**; **12시간 넘게 소변 못 봄**), **A/N/V**/D/C(**+/+/+**/−/−), H/M/H(−/−/−), 복통/소화불량/속쓰림/복부팽만/황달(−/−/−/−/−), 두통/발작/의식 저하(−/−/−), 고의적으로 토함/체형에 대한 인식(−/−)
Medical history	약물복용력	복부불편감 증상 있을 때만 약국에서 소화제 사먹음
	과거력	HTN/DM/TB/간질환(−/−/−/−), 3년 전 십이지장궤양 진단, 평소 식사 후 불편감이 있었음 3년 전 건강검진에서 십이지장궤양 진단, 그 외 이상 없음
	외상/수술력	복부 수술(−), 복부 외상력(−)
	사회력	편의점 운영, 술(일주일 소주 한 병), 담배(15갑·년)
	가족력	어머니(위암)
	여성력	−
Physical exam	Vital sign	110/80mmHg, 82회/분, 19회/분, 36.9℃
	Positive findings	결막/공막 정상, 동공크기/반사 정상, 피부긴장도 정상, **복부 압통(+, 전반적으로 불편감)**, 반발 압통(−), 복벽강직(−), 간·비장종대(−), Murphy(−), DRE(−), 경부강직(−)
환자의 질문 또는 기타 특이사항		−

대표증례-3

상황지침

42세 여자 박영신 씨가 토를 한다며 응급실에 왔다.

[활력징후]

- 혈압 : 100/60mmHg
- 맥박 : 80회/분
- 호흡 : 19회/분
- 체온 : 37.6℃

응시자는 이 환자에게

- 증상과 관련된 병력을 청취하고,
- 증상과 관련된 적절한 신체진찰을 시행한 후,
- 추정진단과 향후 진단계획 등에 대해 환자와 논의하시오.

해설

※ **감별진단** : 장폐색증, 급성 위장관염

※ **진단계획/치료계획** : 복부 X-ray, 일반 혈액 검사, 전해질 / 금식, 비위관 삽입, 수액 공급

- 이전 복부 수술력이 있고 구토, 변 못 봄, 쥐어짜는 복통을 호소하는 환자이기 때문에 수술 합병증으로 발생한 ileus가 가장 의심됩니다. Ileus에서 어떤 보존적 치료를 하는지 알아둡시다.
- 소변량 감소와 목마름을 호소하고 있기 때문에 수액 정주는 꼭 필요한 처치입니다.

시나리오

Sex/Age	F/42	
Chief Complaint	토를 해요	
Present illness	Location	–
	Onset	1일 전
	Situation	어제 저녁 먹고 조금 있다가 시작됨
	Time	5~6번
	Course	점점 심해짐
	Experience	처음
	Character	음식물 토한 후부터 녹색즙이 섞여 나오는 구토를 함 거품이나 냄새는 없음
	Factors	여행력(–), 날것(–), 어제 저녁 음식은 한식 된장찌개
	Associated symptoms	발열/오한/체중변화(–/–/–; 안 재봐서 모름), **목마름**/두근거림/어지럼/호흡곤란/**소변량 감소**(**+**/–/–/–/**+**), A/**N**/**V**/D/**C**(–/**+**/**+**/–/**+**; **최근 2일 간 변을 못 봤음**), H/M/H(–/–/–), **복통**/소화불량/**속쓰림**/복부팽만/황달(**+**; **쥐어짜듯이, 2DA, NRS 6**/–/**+**/–/–), 두통/발작/의식 저하(–/–/–), 고의적으로 토함/체형에 대한 인식(–/–)
Medical history	약물복용력	고혈압약, 당뇨약
	과거력	HTN/DM/TB/간질환(+; 5YA/+; 5YA/–/–) 1년 전 건강검진에서 시행한 위내시경에서 이상 없었음
	외상/수술력	복부 수술(+; 1년 반 전에 맹장수술, 당시 복막염), 복부 외상력(–)
	사회력	술(+; 맥주 1~2캔, 1회/주), 담배(–), 가정주부
	가족력	–
	여성력	산과력 1-0-0-1 월경 규칙적, 월경량 보통, 월경통 보통
Physical exam	Vital sign	100/60mmHg, 80회/분, 19회/분, 37.6℃
	Positive findings	결막/공막 정상, 동공크기/반사 정상, 피부긴장도 정상, **복부 압통(+, 전반적, 특히 RLQ)**, 반발 압통(–), 복벽강직(–), 간·비장종대(–), Murphy(–), DRE(–), 경부강직(–)
환자의 질문 또는 기타 특이사항		수술력에서 합병증 물어보지 않아도 바로 말씀해주심

대표증례 – 4

상황지침

22세 여자 김영지 씨가 토를 한다며 응급실에 왔다.

[활력징후]

• 혈압 : 120/80mmHg	• 맥박 : 70회/분
• 호흡 : 19회/분	• 체온 : 36.5℃

응시자는 이 환자에게

– 증상과 관련된 병력을 청취하고,

– 증상과 관련된 적절한 신체진찰을 시행한 후,

– 추정진단과 향후 진단계획 등에 대해 환자와 논의하시오.

해설

※ **감별진단** : 위염, 위궤양, 위암

※ **진단계획** : 위내시경, 신속 요소분해효소 검사

• 구토의 원인중 하나인 뇌압상승에 의한 구토인 경우는 메슥거리는 느낌 없이 왈칵하고 분출성 구토를 하는 것이 특징입니다. 또한 두통, 시야 장애, 발음 어눌해짐 등의 신경학적 증상이 동반될 것이고, 시험 특성상 반드시 그러한 증상을 보일 것입니다. 그리고 목이 뻣뻣하고 굽히는 경우 통증이 생긴다고 하겠죠? 신체진찰 상에서 누운 상태로 진행해야 하기 때문에 보통 복부 진찰 전 또는 후에 습관적으로 확인하는 연습을 하셔야 합니다. 그래야 실제 시험장에서 까먹지 않고 경부강직 검사를 할 수 있겠죠? 복부 진찰 전(또는 후)에는 경부강직! 잊지 마세요(관련증례 11-2를 참고하세요).

시나리오

Sex/Age	F/22	
Chief Complaint	토를 해요	
Present illness	Location	–
	Onset	1달 전
	Situation	식사 30분~1시간 후에 구토
	Time	–
	Course	처음에는 주 1~2회, 얼마전부터 주 4~5회, 오늘 처음으로 하루에 2번 토해서 병원 내원
	Experience	처음
	Character	분출성(–), 음식물 색깔, 담즙(–), 토혈(–)
	Factors	회/가금류/뷔페(–/–/–)
	Associated symptoms	발열/오한/**체중변화**(–/–/**+**; **1달 간 1kg 감소**), 목마름/두근거림/어지럼/호흡곤란/소변량 감소(–/–/–/–/–), **A/N/V**/D/C(**+/+/+**/–/–), H/M/H(–/–/–), 복통/소화불량/속쓰림/복부팽만/황달(–/–/–/–/–), 두통/발작/의식 저하(–/–/–), 고의적으로 토함/체형에 대한 인식(–/–)
Medical history	약물복용력	–
	과거력	HTN/DM/TB/간질환(–/–/–/–) 1년 전 건강검진에서 시행한 위내시경에서 만성위염 진단, 이후 약 먹고 치료 받음
	외상/수술력	복부 수술(–), 복부 외상력(–)
	사회력	회사원, 퇴직 압력 때문에 스트레스 심함 술/담배(–/–), 커피(+; 하루 4~5잔) 식사는 아침 샌드위치, 점심과 저녁은 한식, 맵고 짜고 자극적인 것 안 좋아함
	가족력	–
	여성력	월경 규칙적, 월경량 보통, 월경통 보통
Physical exam	Vital sign	120/80mmHg, 70회/분, 19회/분, 36.5℃
	Positive findings	결막/공막 정상, 동공크기/반사 정상, 피부긴장도 정상, 복부 압통(–), 반발압통(–), 복벽강직(–), 간·비장종대(–), Murphy(–), DRE(–), 경부강직(–)
환자의 질문 또는 기타 특이사항		–

대표증례 – 5

상황지침

38세 남자 김영대 씨가 토를 한다며 응급실에 왔다.
(현재 시간 새벽 6시)

[활력징후]

- 혈압 : 115/70mmHg
- 맥박 : 70회/분
- 호흡 : 19회/분
- 체온 : 36.5℃

응시자는 이 환자에게
- 증상과 관련된 병력을 청취하고,
- 증상과 관련된 적절한 신체진찰을 시행한 후,
- 추정진단과 향후 진단계획 등에 대해 환자와 논의하시오.

해설

※ **감별진단** : 급성 위장관염 / 식중독, 장폐색증

※ **진단계획** : 일반 혈액 검사, 전해질, 대변배양검사 / 수액 공급, 전해질 교정

- 환자가 많이 아파하면서 누워있었고, "누운 상태로 면담할까요?"하고 물으면 감사하다고 하셨습니다. 면담과 신체진찰 진행할 때 환자의 고통에 공감하는 태도를 보이는 것이 필요할 것으로 생각됩니다.

시나리오

Sex/Age	M/38	
Chief Complaint	토를 해요	
Present illness	Location	–
	Onset	3시간 전(현재 시간 새벽 6시)
	Situation	–
	Time	10번 토함
	Course	비슷함
	Experience	처음
	Character	양은 잘 모르겠음 처음 한두번은 음식이 많이 섞여 나왔고 그 다음부터는 노란색 액체가 조금씩 섞임. 담즙(–), 분출성(–)
	Factors	어제 저녁 구내식당에서 회사 후배와 순두부찌개 야근 마치고 밤에 혼자 컵라면과 김밥 먹음 여행력(–), 동물접촉(–)
	Associated symptoms	발열/오한/체중변화(–/–/–), 목마름/두근거림/어지럼/호흡곤란/소변량 감소(–/–/–/–/–), A/**N/V**/D/C(–/**+**/**+**/–/–), H/M/H(–/–/–), **복통**/소화불량/속쓰림/복부팽만/황달(**+**; **명치, NRS 2~3**/–/–/–/–), 두통/발작/의식 저하(–/–/–), 고의적으로 토함/체형에 대한 인식(–/–)
Medical history	약물복용력	–
	과거력	HTN/DM/TB/간질환(–/–/–/–) 1년 전 건강검진에서 시행한 위내시경/대장내시경에서 이상소견 없었음
	외상/수술력	복부 수술(+; 10년 전 맹장수술), 복부 외상력(–)
	사회력	총무과에서 근무중이며 스트레스 많음 술(+; social), 담배(–)
	가족력	어제 같이 식사한 회사 후배가 증상이 있는지는 경황이 없어서 못 물어봤음
	여성력	–
Physical exam	Vital sign	115/70mmHg, 70회/분, 19회/분, 36.5℃
	Positive findings	결막/공막 정상, 동공크기/반사 정상, 피부긴장도 정상, **복부 압통(+; epigastric)**, 반발 압통(–), 복벽강직(–), 간·비장종대(–), Murphy(–), DRE(–), 경부강직(–)
환자의 실문 또는 기타 특이사항		누워있지만 PE하자고 하면 일어나서 앉음

대표증례-6

상황지침

49세 여자 김영자 씨가 토를 한다며 응급실에 왔다.

[활력징후]

- 혈압 : 120/80mmHg
- 맥박 : 70회/분
- 호흡 : 20회/분
- 체온 : 36.5℃

응시자는 이 환자에게

- 증상과 관련된 병력을 청취하고,
- 증상과 관련된 적절한 신체진찰을 시행한 후,
- 추정진단과 향후 진단계획 등에 대해 환자와 논의하시오.

해설

※ **감별진단** : 소화성 궤양, 위염

※ **진단계획/치료계획** : 위내시경 / 약물 중단, 수액 공급

- 환자가 현재 구토 증세와 함께 명치 불편감을 호소하고 있으므로, 소화성 궤양과 위염을 의심해 볼 수 있습니다. 5일 전 진통소염제 복용력 역시 소화성 궤양을 의심해 볼 수 있게 하는 소견입니다.
- 신체검진 상 환자가 탈수 소견을 보이지는 않았지만, 문진에서 환자가 어지럼증과 소변량 감소 증상이 있다고 하였으므로 환자에게 수액 치료를 하는 것이 필요해 보이며, 이후에도 탈수 증상이 심할 경우 바로 병원에 내원할 것을 설명드리는 것이 필요합니다.

시나리오

<table>
<tr><td>Sex/Age</td><td colspan="2">F/49</td></tr>
<tr><td>Chief Complaint</td><td colspan="2">토를 해요</td></tr>
<tr><td rowspan="9">Present illness</td><td>Location</td><td>–</td></tr>
<tr><td>Onset</td><td>3일 전</td></tr>
<tr><td>Situation</td><td>음식을 먹는대로 토함</td></tr>
<tr><td>Time</td><td>횟수 셀 수 없이 많음</td></tr>
<tr><td>Course</td><td>점점 심해짐</td></tr>
<tr><td>Experience</td><td>처음</td></tr>
<tr><td>Character</td><td>음식물 → 나중에는 노란 물까지 토함</td></tr>
<tr><td>Factors</td><td>–</td></tr>
<tr><td>Associated symptoms</td><td>발열/오한/체중변화(–/–/+; 감소했는데 재보진 않음), 목마름/두근거림/어지럼/호흡곤란/소변량 감소(–/–/+/–/+), A/N/V/D/C(+/+/+/–/–), H/M/H(–/–/–), 복통/소화불량/속쓰림/복부팽만/황달(+; 명치 불편감/–/–/–/–), 두통/발작/의식 저하(–/–/–), 고의적으로 토함/체형에 대한 인식(–/–)</td></tr>
<tr><td rowspan="6">Medical history</td><td>약물복용력</td><td>고혈압약(노바스크), 5일 전 다래끼가 있어서 안과에서 진통소염제, 항생제 타 먹음</td></tr>
<tr><td>과거력</td><td>HTN/DM/TB/간질환(+/–/–/–)
6개월 전 건강검진에서 시행한 위내시경에서 이상 없음</td></tr>
<tr><td>외상/수술력</td><td>복부 수술(–), 복부 외상력(–)</td></tr>
<tr><td>사회력</td><td>술(–), 담배(–)
주부, 스트레스 많이 없음</td></tr>
<tr><td>가족력</td><td>–</td></tr>
<tr><td>여성력</td><td>월경 규칙적, 월경량과 월경통은 보통</td></tr>
<tr><td rowspan="2">Physical exam</td><td>Vital sign</td><td>120/80mmHg, 70회/분, 20회/분, 36.5℃</td></tr>
<tr><td>Positive findings</td><td>결막/공막 정상, 동공크기/반사 정상, 피부긴장도 정상, 복부 압통(–), 반발압통(–), 복벽강직(–), 간·비장종대(–), Murphy(–), DRE(–), 경부강직(–)</td></tr>
<tr><td colspan="2">환자의 질문 또는 기타 특이사항</td><td>비협조적</td></tr>
</table>

관련증례

11-1 46세 남자가 구토를 하여 내원하였다. 구토는 밤 12시쯤부터 속이 메슥메슥 거리다가 수차례 구토를 하기 시작하였다. 구토의 양상은 처음엔 먹었던 음식물이 나왔으나 점차 노란 위액이 나왔다. 어제 저녁에 이상한 음식을 먹지는 않았고, 같이 식사를 한 가족들 중에 같은 증상을 보이는 사람은 없다고 하였다. 두통과 변비, 설사는 없다고 하였으며 어제 밤부터 소변을 전혀 못봤다. 배 가운데 쪽이 묵직하게 아팠고, 통증은 구토와 함께 시작되었다. 현재 앓고 있는 질환은 없으나 5년 전에 충수돌기염으로 충수돌기절제술을 받았다고 한다. 직업은 치킨집을 운영하고 있으며, 술은 일주일에 3번, 한 번 마실 때 맥주 1병 정도를 마시며, 담배는 하지 않는다고 하였다.

활력징후는 혈압 126/84mmHg, 맥박 95회/분, 호흡수 16회/분, 체온 36.6℃이었다. 결막과 공막은 정상이었고, 동공 반사도 정상이었다. 경부 강직 소견은 없었다. 복부 진찰에서 복부 팽만이 보였고, 청진 시에 장운동음이 항진된 소견이었다. 타진 시 가운데 명치부위에서 공명음이 들렸고, 촉진시에 압통을 호소하였다. 반발 압통과 복벽 강직은 없었다. 직장수지검사에서 이상소견은 보이지 않았다.

11-2 55세 남자가 오심과 구토를 주소로 내원하였다. 어제 밤에 술에 취해 넘어지면서 아파트 계단에서 머리를 세게 부딪쳐 응급실에 와서 치료받았으나 당시 머리 컴퓨터단층촬영을 비롯한 검사에서 이상이 없어 퇴원하였다. 그러나 이후에 부딪힌 부위에 두통이 있었고, 분출성의 구토를 2~3차례 했다. 설사나 변비, 소변을 보는데 있어서 문제는 없다고 하였으며, 가슴 통증이나 다른 문제는 없다고 하였다. 현재 회사원으로 고혈압을 5년 전에 진단 받아 고혈압 약을 먹고 있으며, 술은 1주일에 소주 2병, 담배는 하지 않는다고 하였다.

활력징후는 혈압 150/90mmHg, 맥박 82회/분, 호흡수 18회/분, 체온 36.8℃이었다. 결막과 공막은 정상이었고, 동공 반사도 정상이었으나 경부강직 소견이 양성이었다. 팔다리 근력과 감각은 정상이었으며 뇌신경 검사는 정상이었다.

Answer | 11-1. 기계적 장폐색 11-2. 아급성 두개내출혈

Check-list

	병력청취 채점항목	예	아니오
1	구토의 발생시기와 양상 및 구토물 양에 대하여 물어보았다	☐	☐
2	구토의 지속시간과 토혈 여부에 대해 물어보았다.	☐	☐
3	구토가 식사와 관련 있는지 물어보았다(식사 전인지 식사 후인지).	☐	☐
4	구토의 동반증상(구역, 설사, 복통, 발열, 대변, 소변 변화 등)에 대해 물어보았다.	☐	☐
5	발열, 오한, 최근 먹은 음식에 대하여 물어보았다.	☐	☐
6	뇌압상승증상(두통, 시야 장애, 발음 문제 등)에 대해 물어보았다.	☐	☐
7	기저질환 및 이전 복부수술병력, 약물, 임신 가능성에 대해 물어보았다.	☐	☐

	신체진찰 채점항목	제대로 함	제대로 못함	하지 않음
1	결막, 공막 진찰과 동공반사를 확인하였는가?	☐	☐	☐
2	경부강직 검사를 실시하였는가?	☐	☐	☐
3	입안에서 혀, 입술 및 피부긴장도를 통해 탈수를 평가하였는가?	☐	☐	☐
4	복부 진찰 시 올바른 자세를 잡고 환자의 오른쪽에서 시진을 수행하였는가?	☐	☐	☐
5	복부 진찰 시에 통증 부위를 묻고 해당 부위를 가장 나중에 청진, 타진하였는가?	☐	☐	☐
6	복부 진찰 시에 얕은 촉진, 깊은 촉진을 올바르게 시행하였는가?	☐	☐	☐

	환자교육 채점항목	예	아니오
1	복통을 일으키는 원인에 대해 2가지 이상 설명하였는가?	☐	☐
2	뇌압상승으로 인해 구토가 유발될 수 있음을 설명하였는가?	☐	☐
3	의심되는 진단과 필요한 검사 방법에 대해 설명하였는가?	☐	☐
4	향후 치료 계획과 입원·수술의 필요성에 대하여 설명하였는가?	☐	☐

	환자의사관계 채점항목	아주우수	우수	보통	미흡
1	효율적으로 잘 물어보았다. – 효율적 질문 : 개방형 질문 사용, 확인, 중간 요약 – 피할 질문 : 유도 질문, 복수 질문	☐	☐	☐	☐
2	나의 말을 잘 들어주었다. – 대꾸하기, 경청 자세, 눈 맞춤 & 말 가로채지 않기	☐	☐	☐	☐
3	나의 입장을 이해하려고 노력하였다. – 공감 표현, 나의 입장 파악	☐	☐	☐	☐
4	환자가 이해하기 쉽게 설명하였다. – 간단명료함, 이해도 점검, 질문 기회 & 쉬운 용어	☐	☐	☐	☐
5	나와 좋은 유대 관계를 형성하려고 했다. – 자기소개, 일상 대화, 존중, 자신감 & 신뢰감	☐	☐	☐	☐

12-1 배변이상(설사)

대표증례-1

상황지침

47세 여자 김정숙 씨가 설사를 한다고 왔다.

[활력징후]

- 혈압 : 110/78mmHg
- 맥박 : 70회/분
- 호흡 : 18회/분
- 체온 : 37.0℃

응시자는 이 환자에게

- 증상과 관련된 병력을 청취하고,
- 증상과 관련된 적절한 신체진찰을 시행한 후,
- 추정진단과 향후 진단계획 등에 대해 환자와 논의하시오.

해설

※ **감별진단** : 급성 위장관염·식중독, 염증성 장질환

※ **진단계획/치료계획** : 일반 혈액 검사, 전해질, 대변배양검사, 대장내시경 / 수액 공급, 항생제

- 설사 환자의 경우 먼저 급성인지 만성인지 알아야 합니다. 급성 설사의 경우는 바이러스, 세균으로 인한 감염성 설사가 90%에 달하므로 먹은 식사, 주변 사람들의 증상 유무를 함께 물어보는 것이 중요합니다.
- 기능성 설사인지 기질성 설사인지 구별하는 것이 중요한데, 기질성 질환으로 인한 설사에서는 혈변, 점액성 변, 발열 등이 함께 나타나므로 이러한 증상을 초기에 물어봐야 합니다.
- 급성 설사의 경우 3일 이상 지속되고, 변이 흑색으로 변하거나 피가 나오거나, 열이 38.3도 이상, 심한 탈수 소견을 보일 때는 반드시 병원을 방문해야 함을 교육하는 것이 좋을 것 같습니다.
- 균에 의한 식중독이 의심될 경우 교육할 때 설사약을 드시는 것은 병의 진행상황을 악화시킬 수도 있음을 교육해드리는 것이 좋을 것 같습니다.

시나리오

Sex/Age	F/47	
Chief Complaint	설사를 해요	
Present illness	Location	–
	Onset	2일 전
	Situation	–
	Time	하루 5~10회
	Course	심해지는 것 같지는 않음
	Experience	처음
	Character	무른 변이었다가 현재는 수양성 설사, 혈변(+, 어제부터 혈변도 나옴), 흑색변(–), 점액변(–), 기름기(–)
	Factors	**잘못 먹은 음식 : 5일 전 회식에서 해산물 먹음** 스트레스(–), 여행력(–), 음주(–), 우유(–) 변 보면 복통 완화
	Associated symptoms	발열/오한/체중변화(–/–/–), **목마름**/두근거림/어지럼/호흡곤란/**소변량 감소**(**+**/–/–/–/**+**), A/N/V/**D**/C(–/–/–/**+**/–), H/M/**H**(–/–/**+**), **복통**/소화불량/속쓰림/복부팽만/황달(**+; 아랫배가 전반적으로, NRS 2점**/–/–/–/–), 스트레스/우울/불안(–/–/–), 더위불내성/두근거림(–/–)
Medical history	약물복용력	설사약(–), 항생제(–), 제산제(–)
	과거력	HTN/DM/TB/간질환(–/–/–/–), 대장 관련 질환(–), 갑상샘 질환(–) 대장내시경 받은 적 없음
	외상/수술력	외상(–), 수술력(–)
	사회력	회사원, 술(social), 담배(–), 커피(–), 여행 다녀온 적 없음
	가족력	소화기 질환(–) 회식 때 같이 먹은 사람들은 연락해보지 않음
	여성력	산과력 2-0-0-2 월경 규칙적(주기 28일), 월경량 보통, 월경통 없음, LMP 2주 전
Physical exam	Vital sign	110/78mmHg, 70회/분, 18회/분, 37.0℃
	Positive findings	결막, 공막 정상, **입술/혀(+, 마름)**, **피부긴장도(+, 감소)**, 갑상샘 정상, 장음 정상, **아랫배 압통(+, 불편한 정도)**, 반발통(–), **DRE(설사와 약간의 혈액이 묻어나옴)**, 골반 검사(–)
환자의 질문 또는 기타 특이사항	–	

03 CHAPTER

대표증례 - 2

상황지침

40세 여자 손주인 씨가 설사를 한다고 왔다.

[활력징후]

- 혈압 : 120/75mmHg
- 맥박 : 76회/분
- 호흡 : 18회/분
- 체온 : 36.2℃

응시자는 이 환자에게

- 증상과 관련된 병력을 청취하고,
- 증상과 관련된 적절한 신체진찰을 시행한 후,
- 추정진단과 향후 진단계획 등에 대해 환자와 논의하시오.

해설

※ **감별진단** : 위막성 대장염

※ **진단계획** : 대장내시경, 대변검사, 배변일기 작성(섭취한 음식과 증상 포함)

- 이 문제는 확실하게 pseudomembranous colitis를 염두해두고 낸 문제라는 느낌이 듭니다. 잘 살펴보면, 이미 병원에서 급식으로 죽을 먹는 중이기 때문에, 특별하게 식이 때문에 장염이나 설사가 생길 만한 요인은 있지 않습니다. 하지만, 2주 정도 급성 부비동염 때문에 항생제를 사용하고 있기 때문에 장 안의 세균층의 변화가 생겨서 pseudomembranous colitis가 생길 수 있습니다.
- Pseudomembranous colitis의 경우에도 똑같이 항생제 치료를 통해서 치료할 수 있습니다. Metronidazole oral or IV 제제를 통하여 치료하거나 vancomycin의 경우에 oral로 사용한다면 치료가 가능합니다. 치료에 대해서도 잘 알아둔다면, 환자와 이야기하기 편할 것입니다.

시나리오

Sex/Age		F/40
Chief Complaint		설사를 해요
Present illness	Location	-
	Onset	5일 전
	Situation	-
	Time	있었다 없었다 함
	Course	점점 심해지는 양상(더 자주 나타남)
	Experience	처음
	Character	수양성 설사, 피(-), 점액질(-), 기름 뜨는 것(-)
	Factors	배변 후에는 배 아픈 것이 완화됨 해외여행(-), 상한 음식(-)
	Associated symptoms	발열/오한/체중변화(-/-/-), 목마름/두근거림/어지럼/호흡곤란/소변량 감소(-/-/-/-/-), A/N/V/**D**/C(-/-/-/**+**/-), H/M/H(-/-/-), **복통**/소화불량/속쓰림/복부팽만/황달(**+ ; 설사하기 전에 사인처럼 배꼽주위와 아랫배가 아파옴**/-/-/-/-), 스트레스/우울/불안(-/-/-), 더위불내성/두근거림(-/-)
Medical history	약물복용력	설사 너무 심할 때 약국에서 지사제(+), **항생제(+, 2주 전부터 부비동염으로 항생제 복용 중임)**, 제산제(-)
	과거력	HTN/DM/TB/간질환(-/-/-/-), 방사선치료력(-), 대장 질환(-) 1년 전 위내시경에서 이상이 없다고 들음, 대장내시경은 안 함
	외상/수술력	외상(-), 수술력(-)
	사회력	은행원, 스트레스(-), 술(-), 담배(-) 식사습관(병원에서 죽만 먹음), 운동(주말에 1시간 산책)
	가족력	소화기 질환(-)
	여성력	산과력 0-0-0-0 월경 규칙적, 월경량 보통, 월경통 없음, LMP 1주 전
Physical exam	Vital sign	120/75mmHg, 76회/분, 18회/분, 36.2℃
	Positive findings	결막, 공막 정상, 입술/혀 정상, 피부긴장도 정상, 갑상샘 정상, 장음 정상, **아랫배 압통(+, 약간 불편)**, DRE(-), 골반 검사(-)
환자의 질문 또는 기타 특이사항		-

03 CHAPTER

대표증례-3

상황지침

28세 여자 이강심 씨가 설사를 한다고 왔다.

[활력징후]	
• 혈압 : 120/85mmHg	• 맥박 : 79회/분
• 호흡 : 17회/분	• 체온 : 36.5℃

응시자는 이 환자에게

- 증상과 관련된 병력을 청취하고,
- 증상과 관련된 적절한 신체진찰을 시행한 후,
- 추정진단과 향후 진단계획 등에 대해 환자와 논의하시오.

해설

※ **감별진단** : 젖당 불내성, 과민성 대장 증후군

※ **진단계획/치료계획** : 수소호흡 검사, 젖당 섭취 후 혈당 검사, 유제품 제한 식이, Lactose-free 우유 섭취

• 젖당 불내성 환자의 경우 과민성 대장 증후군과의 감별을 위해서 우유뿐 아니라 기름진 음식, 맵고 짠 음식, 스트레스가 심할 때의 증상 여부를 물어봐야 합니다. 실제로 과민성 대장 증후군 환자에서 젖당불내성 증상을 같이 보이는 경우가 많다고 합니다.

시나리오

Sex/Age	F/28	
Chief Complaint	설사를 해요	
Present illness	Location	–
	Onset	1개월 전
	Situation	–
	Time	설사가 있다 없다 함, 심할 때는 하루 3~4번
	Course	괜찮다가 설사 생겼다가 함
	Experience	처음
	Character	수양성 설사, 피(–), 점액질(–), 기름 둥둥(–)
	Factors	**우유 먹으면 설사 나타남, 평소 우유 먹지 않는데 1개월 전쯤에 엄마가 우유 먹으라고 해서 먹기 시작, 다른 음식(기름진 음식, 맵고 짠 음식)에는 그런 증상 없었음)**, 잘못 먹은 음식(–), 여행력(–) 변보면 복통은 완화됨
	Associated symptoms	발열/오한/체중변화(–/–/–), 목마름/두근거림/어지럼/호흡곤란/소변량 감소(–/–/–/–/–), A/N/V/**D**/C(–/–/–/**+**/–), H/M/H(–/–/–), **복통**/소화불량/속쓰림/복부팽만/황달(**+ ; 아랫배 전반, 심하진 않음**/–/–/–/–), 스트레스/우울/불안(–/–/–), 더위불내성/두근거림(–/–)
Medical history	약물복용력	설사약(–), 항생제(–), 제산제(–)
	과거력	HTN/DM/TB/간질환(–/–/–/–), 대장질환(–) 대장내시경 받은 적 없음
	외상/수술력	외상(–), 수술력(–)
	사회력	학원 강사, 술·담배(–), 커피(3~4잔) 스트레스(일 때문에 스트레스 받을 때 있지만 심하지는 않음), 음주(–)
	가족력	가족 중에 비슷한 증상 없음(–), 아픈 사람 없음
	여성력	산과력 0-0-0-0 월경 규칙적, 월경량 보통, 월경통 보통, LMP 2주 전
Physical exam	Vital sign	120/85mmHg, 79회/분, 17회/분, 36.5℃
	Positive findings	결막, 공막 정상, 입술/혀 정상, 피부긴장도 정상, 갑상샘 정상, 장음 정상, **아랫배 압통(+, 약간 불편)**, DRE(–), 골반 검사(–)
환자의 질문 또는 기타 특이사항		우유 먹을 때마다 증상 나타난다는 것을 구체적으로 물어봐야 알려줌. 이상한 음식, 특이한 음식 먹었냐고 물어보면 아니라고 함

03 CHAPTER

대표증례-4

상황지침

30세 여자 손연경 씨가 설사를 한다고 왔다.

[활력징후]

- 혈압 : 115/75mmHg
- 맥박 : 76회/분
- 호흡 : 18회/분
- 체온 : 36.7℃

응시자는 이 환자에게

- 증상과 관련된 병력을 청취하고,
- 증상과 관련된 적절한 신체진찰을 시행한 후,
- 추정진단과 향후 진단계획 등에 대해 환자와 논의하시오.

해설

※ **감별진단** : 과민성 대장 증후군

※ **진단계획** : 일반 혈액 검사, 대변 검사, 배변일기 작성

- 과민성 대장 증후군 환자들은 장기간의 증상으로 인해 힘들어하고 있으므로 이에 대한 충분한 공감을 해주는 것이 좋습니다. 식사와 생활의 스트레스 중에 어느 것이 과민성 장증후군의 증상을 악화시키는지 알기 위해서 2주 동안에 식사 시간 및 식사 종류, 그리고 증상이 나타났을 때 스트레스 정도를 함께 표시한 일기를 작성하도록 하여 좀 더 객관적인 평가를 할 수 있습니다. 이를 통해서 증상과 스트레스의 연관성을 알게 되면 이에 대한 효율적인 대처방식을 찾을 수 있으므로 이를 잘 설명해주는 것이 필요합니다.
- 카페인은 장을 자극해 용량에 비례하게 설사를 유발하고, 알코올은 장 통과시간을 빠르게 하여 설사를 유발하고 증상을 악화시킬 수 있기 때문에 과민성 대장 증후군 환자는 되도록 카페인과 알코올, 스트레스를 줄이는 것이 필요합니다.
- 과민성 대장 증후군 환자의 심리적 불안과 갈등을 제거하고 자신의 병을 이해할 수 있도록 환자를 차분하게 이해시켜주는 것이 PPI뿐 아니라 치료를 위해서도 중요합니다. 규칙적이고 균형 잡힌 식사의 중요성을 환자에게 설명드리도록 합니다.

시나리오

Sex/Age		F/30
Chief Complaint		설사를 해요
Present illness	Location	–
	Onset	1년 반 전
	Situation	–
	Time	있었다 없었다 함
	Course	점점 더 심해지는 듯(자주 나타남), 심할 때는 하루 3, 4번(2주 전)
	Experience	처음
	Character	수양성 설사, 피(–), 점액질(–), 기름 뜨는 것(–)
	Factors	**식사 후 설사 심해짐, 음식 안 먹으면 괜찮아짐, 일 하느라 스트레스 받을 때 심해짐, 술 먹은 다음날 설사** **배변 후에는 배 아픈 것이 완화됨** 상한 음식(–), 해외여행(–)
	Associated symptoms	발열/오한/체중변화(–/–/–), 목마름/두근거림/어지럼/호흡곤란/소변량 감소(–/–/–/–/–), A/N/V/**D**/C(–/–/–/**+**/–), H/M/H(–/–/–), **복통**/소화불량/속쓰림/복부팽만/황달(+; **설사하기 전에 사인처럼 배꼽주위와 아랫배가 아파옴**/–/–/–/–), **스트레스**/우울/불안(**+**/–/–), 더위불내성/두근거림(–/–)
Medical history	약물복용력	설사 너무 심할 때 약국에서 지사제(+), 항생제(–), 제산제(–)
	과거력	HTN/DM/TB/간질환(–/–/–/–), 방사선치료력(–), 대장 질환(–) 1년 전 위내시경에서 이상이 없다고 들음, 대장내시경은 안 함
	외상/수술력	외상(–), 수술력(–)
	사회력	은행원, 성격이 꼼꼼한 편이라서 일할 때 스트레스 많은 편 술(한 달에 회식 때 3~4잔), 담배(–) **기름진 음식, 고기, 튀김, 패스트푸드, 맵고 짠 음식 주로 먹음** 운동(주말에 1시간 산책)
	가족력	소화기 질환(–)
	여성력	산과력 0-0-0-0 월경 규칙적, 월경량 보통, 월경통 없음, LMP 1주 전
Physical exam	Vital sign	115/75mmHg, 76회/분, 18회/분, 36.7℃
	Positive findings	결막, 공막 정상, 입술/혀 정상, 피부긴장도 정상, 갑상샘 정상, 장음 정상, **아랫배 압통(+, 약간 불편)**, DRE(–), 골반 검사(–)
환자의 질문 또는 기타 특이사항		–

03 CHAPTER

대표증례-5

상황지침

31세 남자 담쟁이 씨가 설사를 한다고 왔다.

[활력징후]

• 혈압 : 120/80mmHg	• 맥박 : 86회/분
• 호흡 : 18회/분	• 체온 : 36.5℃

응시자는 이 환자에게
- 증상과 관련된 병력을 청취하고,
- 증상과 관련된 적절한 신체진찰을 시행한 후,
- 추정진단과 향후 진단계획 등에 대해 환자와 논의하시오.

해설

※ **감별진단** : 급성 위장관염·식중독, 염증성 장질환

※ **진단계획/치료계획** : 일반 혈액 검사, 전해질, 대변배양검사, 대장내시경 / 수액 공급, 항생제

- 설사와 같이 환자의 탈수가 유발될 수 있는 증례의 경우, 본격적인 면담을 시작하기에 앞서 환자에게 지금 많이 어지럽거나 숨이 차지는 않은지, 면담 중간에라도 많이 힘들면 말씀해 달라고 이야기 드리며 환자와 라뽀를 쌓는 것도 좋습니다.
- 해당 환자의 경우 면담과 신체검진 상에서 탈수 증상이 확인되므로, 치료로 수액을 공급해 주어야 하며, 이후에도 탈수 증상이 심하게 생길 경우 바로 병원에 내원할 것을 환자에게 안내드려야 합니다.
- 2일 전 가족과 회를 먹은 이후부터 증상이 발생하였으므로 급성 위장관염·식중독이 가장 의심되는 상황입니다. 이럴 경우 같이 회를 먹은 가족들이 비슷한 증상을 보이지는 않는지 잊지 말고 꼭 물어봐 주어야 합니다.
- 병력청취에서 양성 소견이 많은 환자인만큼, 시간 분배에 유의하는 것이 필요했던 증례였습니다.

시나리오

Sex/Age		M/31
Chief Complaint		설사를 해요
Present illness	Location	−
	Onset	2일 전
	Situation	−
	Time	하루에 10번
	Course	비슷함
	Experience	처음
	Character	황토색 물설사, 양이 많지는 않음, 피 묻지 않음
	Factors	**2일 전에 가족과 회를 먹음** 변 보면 복통 나아짐
	Associated symptoms	발열/오한/체중변화(−/−/−; 안 재봤지만 감소했을 것 같다), 목마름/두근거림/**어지럼**/호흡곤란/**소변량 감소**(−/−/**+**; **일어날 때**/−/**+**), **A/N/V/D**/C(**+/+/+**; **2일 전 2번, 어제 1번**/**+**/−), H/M/H(−/−/−), **복통**/소화불량/속쓰림/복부팽만/황달(**+**; **처음엔 오른쪽 아랫배, 지금은 전반이 아픔**/−/−/−/−), 스트레스/우울/불안(−/−/−), 더위불내성/두근거림(−/−)
Medical history	약물복용력	−
	과거력	HTN/DM/TB/간질환(−/−/−/−), 방사선치료력(−), 대장 질환(−)
	외상/수술력	외상(−), 수술력(−)
	사회력	대학원생, 요즘 논문 때문에 스트레스 많이 받음 술(+; social), 담배(−)
	가족력	소화기 질환(−) 회 같이 먹은 동생도 설사 몇 번 했는데 지금은 괜찮아졌고, 나머지 가족들은 괜찮았음
	여성력	−
Physical exam	Vital sign	120/80mmHg, 86회/분, 18회/분, 36.5℃
	Positive findings	결막, 공막 정상, **입술 창백**, 피부긴장도 정상, 갑상샘 정상, 장음 정상, **복부 전체 T/RT(+/+)**, **RLQ가 가장 아픔**, DRE(황토색 변이 묻어나옴)
환자의 질문 또는 기타 특이사항		대답은 잘해주시지만 많이 힘들어 보이심

대표증례-6

상황지침

58세 남자 최성배 씨가 설사를 한다고 왔다.

[활력징후]

• 혈압 : 115/75mmHg	• 맥박 : 98회/분
• 호흡 : 18회/분	• 체온 : 36.5℃

응시자는 이 환자에게

- 증상과 관련된 병력을 청취하고,
- 증상과 관련된 적절한 신체진찰을 시행한 후,
- 추정진단과 향후 진단계획 등에 대해 환자와 논의하시오.

해설

※ **감별진단** : 급성 위장관염 · 식중독, 허혈성 장질환, 대장암

※ **진단계획/치료계획** : 복부 X-ray, 대장내시경 / 금식, 수액 공급

• 설사에서는 비염증성과 염증성을 구별할 줄 알아야 합니다. 비염증성 설사의 경우, 발열이나 혈변이 없고, 염증성 설사의 경우 발열과 혈변이 있고 대변에서 백혈구가 검출되었다는 정보를 주는 경우가 대부분입니다.

시나리오

Sex/Age		M/58
Chief Complaint		설사를 해요
Present illness	Location	−
	Onset	2일 전
	Situation	−
	Time	하루 10번 이상
	Course	빈도나 양이 계속 비슷함
	Experience	처음
	Character	수양성 설사, 일반 변색, 1일 전부터 혈변(+), 점액변/지방변(−/−), 변의 양은 보통
	Factors	**5일 전 회 섭취**
	Associated symptoms	발열/오한/체중변화(−/−/−; 모르겠음), **목마름**/두근거림/어지럼/호흡곤란/**소변량 감소**(**+**/−/−/−/**+**), **A**/N/V/**D**/C(**+**/−/−/**+**/−), H/M/H(−/−/−), **복통**/소화불량/속쓰림/복부팽만/황달(**+**; **하복부, NRS 3점**/−/−/−/−), 스트레스/우울/불안(−/−/−), 더위불내성/두근거림(−/−)
Medical history	약물복용력	협심증과 고지혈증 약(약 종류는 모르지만 aspirin, plavix는 없음)
	과거력	HTN/DM/TB/간질환(−/−/−/−), 방사선치료력(−), 대장 질환(−), 10년 전 협심증과 고지혈증 진단 후 약물로 잘 조절
	외상/수술력	외상(−), 수술력(−)
	사회력	술(+; social), 담배(−)
	가족력	같이 회 먹은 사람들 소식은 모르겠음
	여성력	−
Physical exam	Vital sign	115/75mmHg, 98회/분, 18회/분, 36.5℃
	Positive findings	결막, 공막 정상, 입술/혀 정상, 피부긴장도 정상, 갑상샘 정상, 장음 정상, **하복부 전체 T/RT(+/+), DRE(혈변, 설사, 점액변)**
환자의 질문 또는 기타 특이사항		−

관련증례

12-1-1 43세 여자가 설사를 한다고 병원에 왔다. 3일 전부터 하루 5~6회의 물 같이 묽은 변을 주로 본다고 하였으며 양은 적지 않았다. 변에 피가 섞여있지는 않았고 끈적끈적한 성상은 아니었다. 일상생활에 지장이 있었으며 2일 전에 평소와 다른 음식을 먹지는 않았고, 최근 여행을 다녀온 적도 없었다. 최근 3일 전부터 설사가 갑자기 시작되어 설사량이 늘어나서 소변량이 줄었고, 체중도 2kg 정도 감소해 몸이 피곤하고 힘이 없었다. 아랫배에 통증이 동반되었다. 구역, 구토, 발열, 오한, 변비는 없다고 하였으며 이렇게 심하게 설사한 적은 처음이라고 하였다. 평소에 건강하였고, 10일 전에 급성신우신염으로 진단받아 어제까지 경구 항생제를 복용중이었다. 이전에 다치거나 수술 받은 적은 없었으며 건강검진을 받은 적은 없었다. 직업은 교사로 술은 가끔씩 맥주 1병 정도 하고, 흡연은 하지 않았다. 가족 중에 비슷한 증상을 보이는 사람은 없었다.

활력징후는 혈압 115/75mmHg, 맥박 76회/분, 호흡수 16회/분, 체온 36.5℃이었다. 결막은 창백하지 않았고, 복부 진찰에서 장음은 정상적이었으며 팽만은 없었다. 촉진시에 아랫배에서 전반적인 약간의 압통이 있었다. 복부에서 덩어리, 간비대 소견은 모두 없었다. 항문 진찰에서 덩어리는 만져지지 않았고, 손가락에서 묽은 변이 묻어나왔다.

12-1-2 35세 남자가 설사를 해서 왔다. 1달 전부터 하루 3~4회 정도의 설사를 하였으며 변은 묽은 편으로 변에서 피가 섞이거나 점액질 같이 미끈미끈하진 않았다. 변을 보고 난 이후에 기름이 둥둥 뜨지도 않았다. 복통이나 구역, 구토, 변비, 체중감소는 없었다. 1달 전에 헬리코박터균으로 인한 위궤양을 진단 받고 제산제를 포함한 제균치료를 받기 시작했다. 최근에 특별히 이상한 음식을 먹은 적은 없었으며 발열이나 오한, 피로 같은 증상은 없었다. 평소 건강했으며 직업은 회사원으로 술은 일주일에 2번씩 소주 1병 정도, 담배는 하루 1갑씩 10년간 피웠다.

활력징후는 혈압 120/85mmHg, 맥박 81회/분, 호흡수 16회/분, 체온 36.8℃이었다. 결막은 창백하지 않았고, 피부긴장도는 정상이었다. 복부 진찰에서 장음은 정상이었고, 복부에서 통증은 없었다. 복부에서 덩어리, 간비대 소견은 없었다. 직장손가락 검사는 정상이었다.

Answer | 12-1-1. 위막성 대장염 12-1-2. 약제에 의한 설사

Check-list

	병력청취 채점항목	예	아니오
1	언제부터 설사가 시작되었는지, 하루에 설사를 몇 번 하는지, 설사양은 얼마나 되는지에 대해서 물어보았다.	☐	☐
2	설사의 양상(수양성, 점액성, 기름이 뜨는지 등)에 대해 물어보았다.	☐	☐
3	완화/악화인자와 동반증상(복통, 구토, 발열 등)을 물어보았다.	☐	☐
4	기질성 질환을 의심할 수 있는 증상(혈변, 발열, 체중감소 등)에 대해 물어보았다.	☐	☐
5	식이습관과 음식 섭취, 음주와의 관련성에 대해서 물어보았다.	☐	☐
6	복용하는 약물(항생제, 제산제, 변비약 등)에 대해서 물어보았다.	☐	☐
7	가족력, 여행력, 음주 및 흡연력에 대해서 물어보았는가?	☐	☐

	신체진찰 채점항목	제대로 함	제대로 못함	하지 않음
1	결막, 공막, 피부을 시진하여 탈수 상태를 확인하였는가?	☐	☐	☐
2	갑상샘을 촉진하였는가?	☐	☐	☐
3	복부 진찰 시 환자의 오른쪽에서 올바른 자세를 잡고 시진을 수행하였는가?	☐	☐	☐
4	복부 진찰 시에 장음 청진 및 타진을 수행하였는가?	☐	☐	☐
5	복부 진찰 시에 촉진 및 간·비장 비대를 확인하였는가?	☐	☐	☐
6	손가락직장 검사를 시행하였는가?	☐	☐	☐

	환자교육 채점항목	예	아니오
1	설사의 원인에 대하여 설명하였는가?	☐	☐
2	필요한 진단 방법과 치료방법을 설명하고 동의를 구하였는가?	☐	☐
3	기질성 질환의 가능성을 설명하였는가?	☐	☐
4	기능성 질환의 경우 올바른 식습관과 생활 습관(커피, 음주 등)에 대해서 설명하였는가?	☐	☐

	환자의사관계 채점항목	아주우수	우수	보통	미흡
1	효율적으로 잘 물어보았다. - 효율적 질문 : 개방형 질문 사용, 확인, 중간 요약 - 피할 질문 : 유도 질문, 복수 질문	☐	☐	☐	☐
2	나의 말을 잘 들어주었다. - 대꾸하기, 경청 자세, 눈 맞춤 & 말 가로채지 않기	☐	☐	☐	☐
3	나의 입장을 이해하려고 노력하였다. - 공감 표현, 나의 입장 파악	☐	☐	☐	☐
4	환자가 이해하기 쉽게 설명하였다. - 간단명료함, 이해도 점검, 질문 기회 & 쉬운 용어	☐	☐	☐	☐
5	나와 좋은 유대 관계를 형성하려고 했다. - 자기소개, 일상 대화, 존중, 자신감 & 신뢰감	☐	☐	☐	☐

12-2 배변이상(변비)

대표증례-1

상황지침

24세 남자 조현준 씨가 변비가 있어서 왔다.

[활력징후]	
• 혈압 : 110/70mmHg	• 맥박 : 78회/분
• 호흡 : 19회/분	• 체온 : 36.3℃

응시자는 이 환자에게
- 증상과 관련된 병력을 청취하고,
- 증상과 관련된 적절한 신체진찰을 시행한 후,
- 추정진단과 향후 진단계획 등에 대해 환자와 논의하시오.

해설

※ **감별진단** : 과민성 대장 증후군, 기능성 변비(식생활 습관), 갑상샘기능저하증

※ **진단계획** : 배변일지 작성, 대장통과시간(Bowel transit time), 갑상샘 기능 검사

- 만성적으로 변비가 있던 분이 갑자기 심해진 변비를 주소로 내원하셨습니다. 변비에서는 기능성을 항상 의심하기 위하여 평소 식습관을 물어보는 것이 굉장히 중요합니다. 또한 복통의 여부를 봐서 복통이 있다면 이게 배변 후에 좋아지는지 물어봐야 하고, 설사와 번갈아 가면서 나타나는지를 물어봐야 합니다.
- 갑상샘기능저하증의 질문을 빼놓지 않아야 합니다.
- 이 CASE의 경우 변비가 심해져서 변비약을 사용하는 양이 늘었다고 했는데 이때는 교육시 변비약을 지나치게 사용하는 경우에는 배변에 관여하는 신경이 무뎌져서 오히려 변비가 악화될 수 있습니다 정도로 교육하시는 게 좋겠습니다.

시나리오

Sex/Age	M/24	
Chief Complaint	변비가 심해졌어요	
Present illness	Location	–
	Onset	6개월 전
	Situation	–
	Time	변비가 있다가 한 달에 한번 묽은변
	Course	원래 변비가 있는 편이었지만 병원에 올 정도는 아니었음. 6개월 전부터 심해짐
	Experience	처음
	Character	1주일에 1~2회, 한번 볼 때 양 감소, 힘주기(+), 딱딱함(+), 잔변감(+), 막히는 느낌(+), 손가락 사용(-)
	Factors	식사(소식이 습관이라 많이 먹지 않음), 운동(-), 스트레스(군대 후 복학 문제로 스트레스 많이 받음), 화장실에 30분 이상 있음 배변 후 하복부 불편감 완화
	Associated symptoms	발열/오한/체중변화(-/-/-), A/N/V/**D/C(-/-/-/+; 한 달에 한 번/+)**, **변굵기변화(+; 가늘어짐)**, H/M/H(-/-/-), 복통/소화불량/속쓰림/복부팽만(**+; 하복부 불편감, NRS 2점**/-/-/-), 황달(-), 복부 덩이/뒤무직(-/-), 항문 통증/항문 덩이/휴지에 피 묻어남(-/-/-), 스트레스/우울/불안(-/-/-), 추위불내성/피로(-/-)
Medical history	약물복용력	아편제제(-), 항고혈압제(-), 철분제(-), **변비약(+, 예전보다 자주 씀)**
	과거력	HTN/DM/TB/간질환(-/-/-/-), 항문관련질환(-), 소화기질환(-), 갑상샘질환(-) 건강검진 받아본 적 없음
	외상/수술력	수술력(-), 외상(-), 적주마취(-)
	사회력	대학생, 술(social), 담배(-)
	가족력	소화기계 질환 없음, 갑상샘 질환(-)
	여성력	–
Physical exam	Vital sign	110/70mmHg, 78회/분, 19회/분, 36.3℃
	Positive findings	결막 정상, 갑상샘 정상, **복부진찰(+, 하복부압통)**, DRE 정상, 하지 운동/감각 정상
환자의 질문 또는 기다 특이사항	–	

대표증례-2

상황지침

62세 여자 강혜자 씨가 변비가 있어서 왔다.

[활력징후]

• 혈압 : 120/88mmHg	• 맥박 : 65회/분
• 호흡 : 16회/분	• 체온 : 36.5℃

응시자는 이 환자에게

- 증상과 관련된 병력을 청취하고,
- 증상과 관련된 적절한 신체진찰을 시행한 후,
- 추정진단과 향후 진단계획 등에 대해 환자와 논의하시오.

해설

※ **감별진단** : 갑상샘기능저하증, 기능성 변비(식생활습관), 대장암

※ **진단계획** : 갑상샘 기능 검사, 대장통과시간, 대장내시경

- 변비 환자는 우선 변비 진단 기준에 충족하는지 알기 위해 증상이 지속된 기간, 하루 배변횟수 및 성상에 대한 문진을 우선적으로 합니다.
- 고령의 환자에서 처음 생긴 변비 및 변굵기 감소와 같은 증상이 점차적으로 심해지는 경우는 기질성 질환을 의심해봐야 합니다.
- 기능성 변비의 경우 섬유와 수분 섭취 부족 및 운동량 부족으로 인한 원인이 변비를 악화시킬 수 있으므로 이에 대한 문진 역시도 반드시 필요합니다.
- 수술력이나 외상력을 물어보는 것은 수술로 인한 소장 마비와 같은 변비증상이 생길 수 있는 상황을 감별하기 위한 것이기 때문에, 꼭 물어봐야 하는 부분입니다.

시나리오

Sex/Age	F/62	
Chief Complaint	변비가 있어요	
Present illness	Location	–
	Onset	1년 전
	Situation	–
	Time	계속해서 변비가 있음
	Course	처음에는 3일에 한 번씩 보다가 최근 들어 5일에 한번, 7일을 넘기는 경우도 있음, 현재 10일 동안 변 못 봄
	Experience	처음
	Character	한번 볼 때 양은 평소랑 비슷함, 힘주기(+), 딱딱함(+), 잔변감(–), 막히는 느낌(–), 손가락 사용(–), 화장실 사용시간(5분 이내)
	Factors	–
	Associated symptoms	발열/오한/**체중변화**(–/–/**+**; **6개월 간 5kg 증가**), A/N/V/D/**C**(–/–/–/–/**+**), 변굵기변화(–), H/M/H(–/–/–), **복통**/소화불량/속쓰림/복부팽만(**+**; **하복부 불편감**/–/–/–), 황달(–), 복부 덩이/뒤무직(–/–), 항문통증/항문 덩이/휴지에 피 묻어남(–/–/–), 스트레스/우울/불안(–/–/–), **추위불내성/피로/피부 푸석함(+/+/+)**
Medical history	약물복용력	변비약(3개월 전부터 2달간 복용하였으나 효과 없어서 1달 전에 끊음), 아편제(–), 항고혈압제(–), 철분제(–)
	과거력	–/–/–/–, 항문관련 질환(–), 소화기 질환(–) 건강검진 상 3년 전 대장내시경해서 폴립 2개 떼어냄, 나머진 정상
	외상/수술력	외상(–), 수술력(–)
	사회력	주부, 술(가끔시 약간 마심), 담배(–) 식사(하루 3끼 규칙적, 야채 조금 먹음, 짜고 기름진 음식 좋아하진 않음, 음식 먹는 양은 변화 없음), 운동(안함), 스트레스(–)
	가족력	소화기계 질환 없음
	여성력	10년 전 폐경
Physical exam	Vital sign	120/88mmHg, 65회/분, 16회/분, 36.5℃
	Positive findings	결막 정상, 갑상샘 정상, 복부 장음 정상, 촉진시 정상, DRE 정상, 하지 운동/감각 정상
환자의 질문 또는 기타 특이사항	"큰 병은 아니셨죠?"	

대표증례-3

상황지침

57세 남자 최근대 씨가 변비가 있다고 왔다.

[활력징후]

- 혈압 : 115/75mmHg
- 맥박 : 76회/분
- 호흡 : 18회/분
- 체온 : 36.7℃

응시자는 이 환자에게
- 증상과 관련된 병력을 청취하고,
- 증상과 관련된 적절한 신체진찰을 시행한 후,
- 추정진단과 향후 진단계획 등에 대해 환자와 논의하시오.

해설

※ **감별진단** : 대장암, 기능성 변비(식생활 습관), 과민성 대장 증후군

※ **진단계획** : 대장내시경, 대장통과시간, 복부 X-ray

- 기질성 질환이 강하게 의심되는 환자일지라도 고기와 술 위주의 식습관과 운동을 하지 않는 것과 같이 생활 습관 개선이 필요한 환자의 경우에 이에 대한 교육을 꼭 하는 것을 잊지 않아야 합니다.
- 기질적 병변을 의심해야 하는 경우에 대해서는 잘 알아두어야 합니다. 특히 50세 이상, 체중감소, 출혈, 빈혈 동반, 배변습관의 변화가 있을 때는 반드시 대장내시경을 포함한 검사를 진행해야 합니다.
- 설사 증상이 과민성 대장증후군일 때만 있는 것이 아님을 명심합시다.

시나리오

Sex/Age	M/57	
Chief Complaint	변비가 있어요	
Present illness	Location	–
	Onset	4개월 전
	Situation	–
	Time	하루 1번 → 1주일에 1번
	Course	4개월 간 점점 심해짐(대변 간격 : 1일 → 3일 → 7일)
	Experience	처음
	Character	변의 양 줄어듦, 변이 딱딱함, 힘 많이 줘야 함, 손가락 사용(–), 화장실 사용시간(20분) 답답해서 불편하고 힘듦
	Factors	–
	Associated symptoms	발열/오한/**체중변화**(–/–/**+** ; **6개월 간 3kg 감소**), A/N/V/D/**C**(–/–/–/–/**+**), **변굵기변화(+ ; 얇아짐)**, H/M/H(–/–/–), 복통/소화불량/속쓰림/복부팽만(–/–/–/–), 황달(–), 복부 덩이/**뒤무직**(**+**/–), 항문 통증/항문 덩이/휴지에 피 묻어남(–/–/–), 스트레스/우울/불안(–/–/–), 추위불내성/피로(–/–)
Medical history	약물복용력	변비약(–), 아편제제(–), 철분제제(–), 항고혈압제(–)
	과거력	HTN/DM/TB/간질환(–/–/–/–), 항문질환(–), 소화기계 질환(–) 2년 전 건강검진에서 정상(대장내시경은 해본 적 없음)
	외상/수술력	외상(–), 수술력(–)
	사회력	술(소주 1~2병/주), 담배(15갑·년) 평소 1주일에 1번 정도 회식 있으며, 주로 고기와 술 많이 마심, 야채보단 고기위주, 물은 하루 500ml 정도 마심, 변 잘 보려고 야채 많이 먹고 음식 섭취 조절하고 물 많이 먹어도 잘 안 됨, 음식 조금 먹어도 안 됨 운동 거의 안 함. 시청 공무원이라 프로젝트 내려오면 그때마다 스트레스 받음
	가족력	형이 8년 전 위암으로 수술 받고 현재 건강
	여성력	–
Physical exam	Vital sign	115/75mmHg, 76회/분, 18회/분, 36.7℃
	Positive findings	결막 정상, 갑상샘 정상, 복부 진찰시 정상, **DRE(갈색 변과 혈흔이 묻어 나옴)**, 하지 운동/감각 정상
환자의 질문 또는 기타 특이사항		"변비가 심해서 불편해요" 그 외 건강에 자부심 있으심

대표증례-4

상황지침

33세 여자 최지윤 씨가 변을 잘 못 본다고 왔다.

[활력징후]

- 혈압 : 120/80mmHg
- 맥박 : 76회/분
- 호흡 : 18회/분
- 체온 : 36.5℃

응시자는 이 환자에게
- 증상과 관련된 병력을 청취하고,
- 증상과 관련된 적절한 신체진찰을 시행한 후,
- 추정진단과 향후 진단계획 등에 대해 환자와 논의하시오.

해설

※ **감별진단** : 기능성 변비(식생활 습관), 치핵, 갑상샘기능저하증

※ **진단계획** : 갑상샘 기능 검사, 대장통과시간

- 변비를 일으킬 수 있는 흔한 약제로는 아편제제, 항고혈압제, 철분제제, 항콜린성제제가 있음을 알아야 합니다.
- 약에 대해 질문드릴 때 '변비약 드셨는지' 구체적으로 물어보지 않고 그냥 '드시는 약 있는지' 물어보면 알려주지 않으셨습니다.

시나리오

Sex/Age	F/33	
Chief Complaint	변을 잘 못 봐요	
Present illness	Location	-
	Onset	2~3개월 전
	Situation	-
	Time	2~3개월 전부터 1주일에 1~2회 악화되기 전에는 그래도 1주일에 3~4회 정도 보았음
	Course	-
	Experience	고등학교 때도 변비가 있었지만 지금처럼 심해진 것은 처음
	Character	힘 줘서 변 봄(+), 딱딱함(+), 잔변감(+), 손으로 파냄(-) 평소에 예민해서 주로 집에서만 변을 봄, 화장실 변기에 2~30분 정도 앉아 있음
	Factors	-
	Associated symptoms	발열/오한/체중변화(-/-/-), A/N/V/D/C(-/-/-/-/+), 변굵기변화(-), H/M/**H**(-/-/**+**; **가끔은 변기에서 확인할 수 있을 정도로 피가 났음**), **복통**/소화불량/속쓰림/복부팽만(**+**; **하복부 불편감**/-/-/-), 황달(-), 복부 덩이/뒤무직(-/-), **항문 통증**/항문 덩이/**휴지에 피 묻어남**(**+**; **변 볼 때 가끔**/-/**+**), 스트레스/우울/불안(-/-/-), 추위불내성/피로(-/-)
Medical history	약물복용력	변비약(+; 둘코락스 주 1회 복용, 효과가 예전만 못함), 아편제제(-), 철분제제(-), 항고혈압제(+; 약 이름 모름)
	과거력	HTN/DM/TB/간질환(+; 2MA/-/-/-), 항문질환(-), 소화기계 질환(-)
	외상/수술력	외상(-), 수술력(-)
	사회력	물, 채소 거의 먹지 않음, 아침 건너뛰고 점심은 조금 반찬만 집어먹는 정도, 저녁만 제대로 식사함, 채소보다는 고기 좋아함 주 1회 동네 산책 반찬가게 운영 중
	가족력	-
	여성력	월경 규칙적, 월경량 보통, 월경통 없음
Physical exam	Vital sign	120/80mmHg, 76회/분, 18회/분, 36.5℃
	Positive findings	결막 정상, 갑상샘 정상, 복부 진찰시 정상, DRE(-), 하지 운동/감각 정상
환자의 질문 또는 기타 특이사항		-

대표증례-5

상황지침

75세 여자 최순자 씨가 변비가 있다고 왔다.

[활력징후]	
• 혈압 : 120/80mmHg	• 맥박 : 76회/분
• 호흡 : 18회/분	• 체온 : 36.5℃

응시자는 이 환자에게
- 증상과 관련된 병력을 청취하고,
- 증상과 관련된 적절한 신체진찰을 시행한 후,
- 추정진단과 향후 진단계획 등에 대해 환자와 논의하시오.

해설

※ **감별진단** : 대장암, 기능성 변비(식생활 습관), 신경 이상에 의한 변비(당뇨)
※ **진단계획** : 대장내시경, 대장통과시간

• 교육에 시간을 할애해야 하기 때문에 시간 배분을 잘 하는 연습을 해주셔야 합니다. 대장암 가능성 설명하고, 식습관, 운동습관, 배변습관 교정하고 변비약 많이 쓰지 않도록 교육해주세요.
• 최근 문제 경향은 대변습관 문제, 식습관 문제, 스트레스, 변비약 사용 등의 기능성 변비를 시사하는 소견과 당뇨 등의 기저질환이 함께 동반되어 나타나는 증례가 출제될 수 있습니다. 진단명을 확실히 맞추는 것이 크게 중요한 시험은 아니지만 막상 접하면 혼란스러울 수 있습니다. 따라서 기질적 병변이 의심되는 소견을 잘 알아놓고, 그런 경우에는 반드시 대장내시경을 시행하되, 그와 더불어 생활습관 개선을 교육시키는 것이 중요합니다.

시나리오

Sex/Age	F/75	
Chief Complaint	변비가 있어요	
Present illness	Location	−
	Onset	5개월 전
	Situation	−
	Time	1주일에 1회
	Course	이전에는 주 5~6회 → 지금은 주 1회
	Experience	이전에도 변비가 있긴 했지만 이렇게 심해진 것은 처음
	Character	가늘고 딱딱한 변, 막힌 느낌이 있고 힘을 많이 줘야 나옴, 변의가 없어도 30분씩 화장실에 앉아있음
	Factors	−
	Associated symptoms	발열/오한/**체중변화**(−/−/**+**; **재진 않았지만 바지가 커질 정도로 감소**), A/N/V/D/C(−/−/−/−/+), **변굵기변화**(**+**; **가늘어짐**), H/M/H(−/−/−), **복통**/소화불량/속쓰림/복부팽만(+; **하복부의 무거운 느낌**/−/−/−), 황달(−), 복부 덩이/**뒤무직**(−/**+**), 항문 통증/항문 덩이/**휴지에 피 묻어남**(−/−/**+**), 스트레스/우울/불안(−/−/−), 추위불내성/피로(−/−)
Medical history	약물복용력	변비약(+; 약 이름은 모르겠지만 처음엔 효과 있었는데 없어짐), 아편제제(−), 철분제제(−), 항고혈압제(−)
	과거력	HTN/DM/TB/간질환(−/+; 잘 조절됨/−/−), 항문질환(−), 소화기계 질환(−) 5년 전 마지막으로 건강검진 받았고 위내시경/대장내시경에서 이상 없었음
	외상/수술력	외상(−), 수술력(−)
	사회력	죽과 육류 위주로 식사, 야채 안 좋아함, 물은 소변 보는 것이 귀찮아서 잘 안 마심 운동은 일주일에 한 번 산보 정도
	가족력	−
	여성력	20여년 전 폐경함
Physical exam	Vital sign	120/80mmHg, 76회/분, 18회/분, 36.5℃
	Positive findings	결막 정상, 갑상샘 정상, 복부 진찰시 정상, DRE(−), 하지 운동/감각 정상
환자의 질문 또는 기타 특이사항		"암이 아닐지 걱정돼요"

관련증례

12-2-1 33세 여자가 변비가 있다고 병원에 왔다. 4개월 전부터 1주일에 1~2번 정도 대변을 보았으며, 변색은 정상이나 변이 끊어져서 나오고 약간 딱딱해졌다. 변을 보기 위해 힘을 점점 세게 주게 되며, 변을 보고 싶은 욕구는 있으나 변이 잘 나오지 않았다. 변의 양은 크게 변하지 않았다. 변을 보고 나서도 시원한 느낌이 별로 들지 않았다. 식습관은 아침은 먹지 않으며 면류나 패스트푸드를 주로 점심에 한 끼 정도 먹으며 현재 체중 조절 중이었다. 야채는 싫어하고 물 마시는 양은 하루 한 컵 정도이다. 운동은 거의 하지 않으며, 5개월 전부터 회사 업무로 인해 야근 업무가 늘었고, 1개월 후의 결혼 준비 때문에 스트레스가 심한 상태였다. 구토, 항문 통증, 변 굵기변화, 체중변화, 열, 오한, 추위 불내성, 피부건조 증상은 모두 없었고, 당뇨를 포함해 앓고 있는 질환은 없었다. 월경은 규칙적이었으며, 이전 월경일은 1주 전으로 임신가능성은 없다고 하였다. 항고혈압제, 철분제, 아편제제를 포함한 어떤 약도 먹고 있는 상태가 아니며, 변비약도 먹어본 적 없었다. 가족 중에 변비 포함한 소화기 질환이나 내분비기계 질환을 가진 사람은 없었고, 건강검진을 받아본 적은 없었다. 회사원으로 술은 가끔씩 맥주 1병 정도 하며, 담배는 피지 않았다.

> 활력징후는 혈압 125/75mmHg, 맥박 72회/분, 호흡수 18회/분, 체온 36.5℃이었다. 결막은 창백하지 않았고, 복부 진찰에서 장음은 정상적이었으며 팽만은 없었다. 촉진시에 왼쪽 아랫배에서 약간의 압통이 있었다. 복부에서 덩어리, 간비대 소견은 모두 없었고, 항문 진찰은 정상이었다.

12-2-2 72세 남자가 변비로 인해 왔다. 5년 전 뇌졸중을 앓은 이후에 오른쪽 상반신과 하반신 마비 상태였다. 5년 간 간헐적으로 변비가 있었으나 최근 3개월 사이에 점점 심해지면서 배변할 때마다 손가락을 사용해서 파냈어야 했다. 변 굵기에 변화는 없으나 딱딱했고 관장을 해도 잘 나오지 않았다. 변을 볼 때 출혈이 있었다. 5년 전부터 고혈압약과 아스피린을 먹고 있는 중이었다.

> 활력징후는 혈압 140/85mmHg, 맥박 71회/분, 호흡수 16회/분, 체온 36.8℃이었다. 결막은 창백하지 않았고, 피부긴장도는 정상이었다. 항문 진찰에서 6시 방향에 열상이 있었으며, 변덩어리가 가득 차있었고, 변은 딱딱했다.

Answer | 12-2-1. 식습관으로 인한 기능성변비 12-2-2. 신경학적 이상에 의한 변비

Check-list

	병력청취 채점항목	예	아니오
1	언제부터 변비가 시작되었는지, 일주일 간 대변 횟수에 대해서 물어보았다.	☐	☐
2	대변의 양상(과도한 힘 주는지, 딱딱한지, 손가락 관장 필요한지, 불완전 배변감 등)에 대해서 물어보았다.	☐	☐
3	완화/악화인자와 동반증상(복통, 항문 통증, 구토, 발열 등)을 물어보았다.	☐	☐
4	기질성 질환을 의심할 수 있는 증상(50세 이상, 체중변화, 혈변, 발열, 추위 불내성, 신경학적 증상 등)에 대해 물어보았다.	☐	☐
5	식이습관과 수분 섭취, 운동량에 대해서 물어보았다.	☐	☐
6	복용하는 약물(아편제제, 철분제, 항고혈압제, 변비약 등)에 대해서 물어보았다.	☐	☐
7	과거력, 가족력, 음주 및 흡연력에 대해서 물어보았는가?	☐	☐

	신체진찰 채점항목	제대로 함	제대로 못함	하지 않음
1	결막, 공막, 피부 상태를 확인하였는가?	☐	☐	☐
2	갑상샘을 촉진하였는가?	☐	☐	☐
3	복부 진찰 시 환자의 오른쪽에서 올바른 자세를 잡고 시진을 수행하였는가?	☐	☐	☐
4	복부 진찰 시에 장음 청진 및 타진을 수행하였는가?	☐	☐	☐
5	복부 진찰 시에 촉진 및 간·비장 비대를 확인하였는가?	☐	☐	☐
6	직장 수지 검사를 시행하였는가?	☐	☐	☐

	환자교육 채점항목	예	아니오
1	변비의 원인에 대하여 설명하였는가?	☐	☐
2	필요한 진단 방법과 치료방법을 설명하고 동의를 구하였는가?	☐	☐
3	기질성 질환의 가능성을 설명하였는가?	☐	☐
4	생활 습관(식습관, 음주, 규칙적 운동 등)에 대해서 설명하였는가?	☐	☐

	환자의사관계 채점항목	아주우수	우수	보통	미흡
1	효율적으로 잘 물어보았다. - 효율적 질문 : 개방형 질문 사용, 확인, 중간 요약 - 피할 질문 : 유도 질문, 복수 질문	☐	☐	☐	☐
2	나의 말을 잘 들어주었다. - 대꾸하기, 경청 자세, 눈 맞춤 & 말 가로채지 않기	☐	☐	☐	☐
3	나의 입장을 이해하려고 노력하였다. - 공감 표현, 나의 입장 파악	☐	☐	☐	☐
4	환자가 이해하기 쉽게 설명하였다. - 간단명료함, 이해도 점검, 질문 기회 & 쉬운 용어	☐	☐	☐	☐
5	나와 좋은 유대 관계를 형성하려고 했다. - 자기소개, 일상 대화, 존중, 자신감 & 신뢰감	☐	☐	☐	☐

13 토 혈

대표증례-1

상황지침

39세 남자 김용재 씨가 토하다가 피가 나왔다고 응급실에 왔다.
(현재 오전 6시)

[활력징후]	
• 혈압 : 110/70mmHg	• 맥박 : 95회/분
• 호흡 : 20회/분	• 체온 : 36.9℃

응시자는 이 환자에게
- 증상과 관련된 병력을 청취하고,
- 증상과 관련된 적절한 신체진찰을 시행한 후,
- 추정진단과 향후 진단계획 등에 대해 환자와 논의하시오.

해설

※ **감별진단** : 말로리-바이스 증후군, 식도정맥류 출혈
※ **진단계획/치료계획** : 위내시경, 비위관 세척, 일반 혈액 검사/수액 공급, 안정

• 어제 저녁 과음 이후, 자다가 새벽에 토혈을 하는 것은 전형적인 말로리-바이스 증후군의 양상입니다.
• 토혈 주제에서 주로 나오는 문제는 문맥고혈압에 의한 식도정맥류와 외상에 의한 말로리-바이스 증후군이 주로 나오게 되므로 각 문제별 특징과 병력청취에서 질문해야 할 것들을 기억하면 좋습니다.

시나리오

Sex/Age		M/39
Chief Complaint		토하다 피가 나왔어요
Present illness	Location	–
	Onset	2시간 전(현재 오전 6시)
	Situation	자다가 속이 메슥거려 깼다가 토를 함
	Time	2시간 동안 메슥거리고 5번 토함
	Course	–
	Experience	처음
	Character	음식물 섞임, 4번째부터 피가 섞여 나옴, 색깔은 선홍색, 거품 없음, 피의 양은 손바닥 정도
	Factors	**어제 저녁 회식이 있어서 저녁 8시부터 삼겹살+소주 2병+맥주 마심**, 여행력(–)
	Associated symptoms	목마름/두근거림/어지럼/호흡곤란/소변량 감소(–/–/+/–/–), 발열/오한/체중변화(–/–/–), H/M/H(**+**/–/–), A/**N**/**V**/D/C(–/**+**/**+**/–/–), **복통/소화불량/속쓰림**/복부팽만(**+**; **토할 때 명치부 통증, NRS 1~2점 정도로 금방 사라짐**/**+**/**+**; **평소에 가끔씩**/–), 황달(–), 출혈경향(–)
Medical history	약물복용력	한 달에 한번 속쓰림으로 소화제 먹음, 아스피린(–), 항응고제(–)
	과거력	HTN/DM/TB/간질환(–/–/–/–), 소화기질환(–) 2년 전 회사 건강검진에서 이상 없음, 내시경은 안함
	외상/수술력	외상(–), 수술력(–)
	사회력	자동차 판매업, 술(일주일에 1번 소주 1~2병), 담배(7.5갑·년)
	가족력	소화기(간, 위, 십이지장), 관련 병력, 출혈 경향 있으신 분 없음
	여성력	–
Physical exam	Vital sign	110/70mmHg, 95회/분, 20회/분, 36.9℃
	Positive findings	결막/공막 정상, 구강 진찰 정상, 피부긴장도 정상, 피부 출혈반점(–), 거미혈관종(–), **복부 압통(+, 명치부위 불편감)**, 반발 압통(–), 복벽경직(–), 간·비장종대(–), DRE(–), Flapping tremor(–)
환자의 질문 또는 기타 특이사항		환자가 침대에 앉아 있음

대표증례-2

상황지침

67세 남자 최대철 씨가 피를 토했다고 응급실에 왔다.
(현재 오전 10시)

[활력징후]

- 혈압 : 130/100mmHg
- 맥박 : 92회/분
- 호흡 : 24회/분
- 체온 : 36.2℃

응시자는 이 환자에게
- 증상과 관련된 병력을 청취하고,
- 증상과 관련된 적절한 신체진찰을 시행한 후,
- 추정진단과 향후 진단계획 등에 대해 환자와 논의하시오.

해설

※ **감별진단** : 위암

※ **진단계획/치료계획** : 위내시경, 일반 혈액 검사, 위 조직검사 / 수액 공급, 수술, 항암 치료

- 종이컵 한 컵 분량의 다량의 토혈을 주소로 내원한 SP입니다. 토혈과 혈변은 다른 출혈성 질환과는 달리 대량 출혈을 일으키는 경우가 많기 때문에 먼저 빈혈 증상인 어지럽거나 숨차는 증상이 있는지 확인하여 응급 상황을 배제하여야 합니다.
- 위 CASE와 같이 악성 신생물이 저명한 경우에라도 말로리-바이스에 의한 출혈, 문맥성 고혈압에 의한 출혈을 배제해서는 안 됩니다.
- 모든 피와 관련된 주제에서는 환자가 먹고 있는 약제와 출혈 경향을 묻는 것을 잊지 마세요. 개방된 질문이 아니라 "아스피린 드세요?", "항응고제 드세요"와 같이 직접적으로 물어봐야 됩니다.
- 일단 직접적으로 위암이라 말한다면 SP분께서 놀라실테니 아직 추가적인 검사를 해야 하지만 위암이 의심됩니다라는 어투로 말씀 드리는 게 좋을 것 같습니다. 우선 응급상황이므로 바로 내시경 찍자는 말을 덧붙이면 좋을 것 같습니다.

시나리오

<table>
<tr><td colspan="2">Sex/Age</td><td>M/67</td></tr>
<tr><td colspan="2">Chief Complaint</td><td>피를 토했어요</td></tr>
<tr><td rowspan="9">Present illness</td><td>Location</td><td>–</td></tr>
<tr><td>Onset</td><td>1시간 전(현재 오전 10시)</td></tr>
<tr><td>Situation</td><td>1시간 전 외출 준비하다가 속이 메슥거려 토했는데 피가 나옴</td></tr>
<tr><td>Time</td><td>1시간 동안 메슥거리고 6번 토함</td></tr>
<tr><td>Course</td><td>–</td></tr>
<tr><td>Experience</td><td>처음</td></tr>
<tr><td>Character</td><td>2번째부터 피가 섞여 나옴, 피색은 검붉은색, 거품 없음, 피의 양은 종이컵 한 컵</td></tr>
<tr><td>Factors</td><td>식사와의 관련성(–), 외상(–), 전날 과음(–), 여행력(–)</td></tr>
<tr><td>Associated symptoms</td><td>목마름/두근거림/어지럼/호흡곤란/소변량 감소(–/–/+/–/–), 발열/오한/체중변화(–/–/+; 3달간 6kg 감소), H/M/H(+/+/–), A/N/V/D/C(+/+/+/–/–), 복통/소화불량/속쓰림/복부팽만(–/+/+/–), 황달(–), 출혈경향(–)</td></tr>
<tr><td rowspan="6">Medical history</td><td>약물복용력</td><td>속 쓰림 있을 때마다 소화제와 제산제, 아스피린(–), 항응고제(–)</td></tr>
<tr><td>과거력</td><td>HTN/DM/TB/간질환(–/–/–/–), 이전에 앓던 질환 없음
건강검진 받은 적 없음</td></tr>
<tr><td>외상/수술력</td><td>외상(–), 수술력(–)</td></tr>
<tr><td>사회력</td><td>정년퇴임, 술(일주일에 1번, 소주 1병), 담배(40갑·년)
7년 전에 정년 후 경제적인 문제로 줄곧 스트레스 받아옴</td></tr>
<tr><td>가족력</td><td>소화기(간, 위, 십이지장), 관련 병력, 출혈 경향 있으신 분 없음</td></tr>
<tr><td>여성력</td><td>–</td></tr>
<tr><td rowspan="2">Physical exam</td><td>Vital sign</td><td>130/100mmHg, 92회/분, 24회/분, 36.2℃</td></tr>
<tr><td>Positive findings</td><td>결막/공막 정상, 구강 진찰 정상, 피부긴장도 정상, 피부 출혈반점(–), 거미혈관종(–), 복부진찰 정상, 간·비장종대(–), DRE(+, 출혈이 약간 있고 검은색 대변이 묻어나옴), Flapping tremor(–)</td></tr>
<tr><td colspan="2">환자의 질문 또는 기타 특이사항</td><td>환자가 침대에 앉아 있음</td></tr>
</table>

대표증례-3

상황지침

53세 남자 이규진 씨가 피를 토했다며 응급실로 왔다.
(현재 오전 7시)

[활력징후]

- 혈압 : 105/65mmHg
- 맥박 : 106회/분
- 호흡 : 20회/분
- 체온 : 36.2℃

응시자는 이 환자에게
- 증상과 관련된 병력을 청취하고,
- 증상과 관련된 적절한 신체진찰을 시행한 후,
- 추정진단과 향후 진단계획 등에 대해 환자와 논의하시오.

해설

※ **감별진단** : 식도정맥류 출혈, 위정맥류 출혈
※ **진단계획/치료계획** : 위내시경, 간기능 검사, 일반 혈액 검사 / 수액 공급, 내시경적 지혈술

- 식도정맥류 출혈은 출혈양이 많아서 출혈로 인한 혈역학적 상태가 불안정해지기 쉽습니다. 이럴 경우는 먼저 수액 치료를 통해 먼저 상태를 안정화시키는 것이 필요합니다.
- 토혈을 유발하는 대표적인 질병인 간경화로 인한 식도정맥류 출혈의 경우는 기존 HBV 감염력 또는 장기간의 음주력 등이 특징적입니다. 간경변이 의심되는 환자에서는 복수, 자발성 세균성 복막염(SBP), 간성 뇌증, 식도정맥류 출혈 등의 합병증에 대한 병력청취와 신체진찰에서 체온, 간·비장 비대, 복수를 알기 위한 이동둔탁음, 퍼덕떨림(flapping tremor)을 추가로 확인해야 합니다.
- 간경변 환자에게는 국가암검진에서 제공하는 정기적인 간암 선별 검사에 대해 설명해주고 받을 수 있도록 권유해야 합니다.

시나리오

Sex/Age		M/53
Chief Complaint		피를 토했어요
Present illness	Location	–
	Onset	1시간 전(현재 오전 7시)
	Situation	–
	Time	1시간 사이에 2회 토함
	Course	–
	Experience	처음
	Character	피색(선홍색), 음식물은 거의 없고, 주로 피만 토함, 총 2회, 아침에 1회시 종이컵 1컵 정도, 차타고 병원으로 오는 길에 소주컵 1컵 정도, 기침 없었음, 토혈에 거품 여부 모름
	Factors	먹는 것은 문제없었음, 전날 술 안 마심, 최근 5년간 여행력 없음
	Associated symptoms	목마름/두근거림/어지럼/호흡곤란/소변량 감소(–/–/–/–/–), 발열/오한/체중변화(–/–/–), H/M/H(+/–/–), **A/N/V**/D/C(**+/+/+**/–/–), 복통/소화불량/속쓰림/복부팽만(–/–/–/–), 황달(–), 출혈경향(–)
Medical history	약물복용력	비타민 복용중, 아스피린/플라빅스/와파린 복용 안함
	과거력	HTN/DM/TB/**간질환**(–/–/–/**+**; **B형간염 보균자, 30YA)**, 5년 전 베트남 출장시 황달로 2~3주간 치료받음, 당시 과음 건강검진 정기적으로 받은 적 없음
	외상/수술력	외상(–), 수술력(–)
	사회력	건설회사 사무직(출장 많이 감), 스트레스(–) 술(5년 전 일주일 소주 3회 소주 1~2병씩 → 주 1회 소주 1병), 담배(20PY)
	가족력	어머니(간암으로 돌아가심), 형과 여동생(HBV 보균)
	여성력	–
Physical exam	Vital sign	105/65mmHg, 106회/분, 20회/분, 36.2℃
	Positive findings	결막/공막 정상, 구강 진찰 정상, 피부긴장도 정상, 피부 출혈반점(–), 거미혈관종(–), 간·비장종대(–), 복부 팽만(–), 압통(–), 반발 압통(–), 복벽경직(–), DRE(–), 이동둔탁음(–), Flapping tremor(–)
환자의 질문 또는 기타 특이사항		환자분 침대에 누워있고, 개방성 질문에 대답 전혀 안하심, 질환, 약물 물어보면 "어떤거요?"라고 대답하심

대표증례 – 4

상황지침

30세 여자 김태희 씨가 피를 토했다며 응급실로 왔다.

[활력징후]

• 혈압 : 120/80mmHg	• 맥박 : 96회/분
• 호흡 : 20회/분	• 체온 : 36.5℃

응시자는 이 환자에게
- 증상과 관련된 병력을 청취하고,
- 증상과 관련된 적절한 신체진찰을 시행한 후,
- 추정진단과 향후 진단계획 등에 대해 환자와 논의하시오.

해설

※ **감별진단** : 말로리–바이스 증후군, 식도정맥류 출혈
※ **진단계획/치료계획** : 위내시경, 비위관 세척, 일반 혈액 검사 / 수액 공급, 안정

- 말로리–바이스 증후군은 환자가 토혈을 하기 전에 반복된 구토를 했는지, 전날 저녁에 과음을 했는지 여부를 잘 물어봐야 합니다. 반복된 구토로 인한 외상으로 발생하는 말로리–바이스 증후군은 식도와 위가 만나는 부분의 식도 점막이 찢어져 발생하며 대부분은 보존적 치료로 회복이 됩니다. 하지만 드물게 식도 전층이 찢어져 발생하는 식도 천공이 생기는 '부르하베 증후군(Boerhaave's syndrome)'은 응급수술이 필요하므로 활력 징후를 확인함과 동시에 빠른 내시경 검사가 필요합니다.
- 보통 말로리–바이스 증후군이 출제되나, 최근 빈맥과 복부 압통, 반발통이 나타나 부르하베 증후군이 의심되는 증례도 출제되고 있습니다. 활력징후를 확실히 보세요! 반발통 검진을 제대로 시행하지 않을 경우 환자가 애매하게 대답하여 혼동될 수 있으니, 신체검진도 철저히 시행해야 합니다.

시나리오

Sex/Age	F/30	
Chief Complaint	피를 토했어요	
Present illness	Location	–
	Onset	오늘 아침
	Situation	자다가 메스꺼워서 일어난 뒤로 토하다가 피가 나옴
	Time	2회 토혈
	Course	–
	Experience	처음
	Character	음식물 섞임, 가래는 없었음 구토 4회, 3번째부터 피가 나옴, 처음엔 변기에 약간, 다음엔 구급차에서 토함
	Factors	전날 과음(소주 2병에 맥주 피쳐로 마심)
	Associated symptoms	목마름/두근거림/어지럼/호흡곤란/소변량 감소(–/–/–/–/–), 발열/오한/체중변화(–/–/–), **H**/M/H(**+**/–/–), A/**N**/**V**/D/C(–/**+**/**+**/–/–), 복통/소화불량/**속쓰림**/복부팽만(**+**; **명치부 통증**/–/**+**/–), 황달(–), 출혈경향(–)
Medical history	약물복용력	평소 속쓰림 있어 소화제 복용했으나 최근엔 복용하지 않음, 진통제 복용 안 함
	과거력	HTN/DM/TB/간질환(–/–/–/–) 건강검진 시행한 적 없음
	외상/수술력	외상(–), 수술력(–)
	사회력	가구 디자이너 술(+; 평소에는 소주 반병, 1달에 1번), 담배(–)
	가족력	–
	여성력	월경 규칙적, 월경량 보통, 월경통 보통, 임신 가능성 없음
Physical exam	Vital sign	120/80mmHg, 96회/분, 20회/분, 36.5℃
	Positive findings	결막/공막 정상, 구강 진찰 정상, 피부긴장도 정상, 피부 출혈반점(–), 거미혈관종(–), 간·비장종대(–), 복부 팽만(–), **압통(+; Epigastric)**, 반발 압통(–), 복벽경직(–), DRE(–), 이동둔탁음(–), Flapping tremor(–)
환자의 질문 또는 기타 특이사항	"언제까지 응급실에 있어야 하나요?"	

대표증례-5

상황지침

39세 남자 박지남 씨가 피를 토했다며 응급실로 왔다.
(현재 오전 7시)

[활력징후]

- 혈압 : 120/80mmHg
- 맥박 : 75회/분
- 호흡 : 18회/분
- 체온 : 36.6℃

응시자는 이 환자에게
- 증상과 관련된 병력을 청취하고,
- 증상과 관련된 적절한 신체진찰을 시행한 후,
- 추정진단과 향후 진단계획 등에 대해 환자와 논의하시오.

해설

※ **감별진단** : 소화성 궤양 출혈, 말로리-바이스 증후군

※ **진단계획** : 위내시경, 일반 혈액 검사

- 피로 인한 환자의 공포감을 안심시키고, 환자의 혈역학적 이상 상태를 판단하기 위한 병력청취와 신체진찰을 통해 상태가 어떤지 판단하는 것이 필요합니다.
- 피와 관련된 주제에서는 환자가 먹고 있는 약제와 출혈 경향을 묻는 것을 잊지 마세요.

시나리오

Sex/Age	M/39	
Chief Complaint	피를 토했어요	
Present illness	Location	–
	Onset	6시간 전(현재 오전 7시)
	Situation	–
	Time	오늘 새벽 1시, 4시
	Course	–
	Experience	처음
	Character	선홍색, 첫 번째는 소주 1잔, 두 번째는 맥주 1잔 양에 피떡도 나옴
	Factors	전날 술, 고기 먹는 회식
	Associated symptoms	목마름/**두근거림/어지럼**/호흡곤란/소변량 감소(–/**+**; **토할 때 있었음/+**; **토할 때 있었음**/–), 발열/오한/체중변화(–/–/–), **H**/M/H(**+**/–/–), A/N/V/D/C(–/+/+/–/–), 복통/소화불량/**속쓰림**/복부팽만(–/–/**+**; **식후 속쓰림**/–), 황달(–), 출혈경향(–)
Medical history	약물복용력	한달에 한두번 두통으로 두통약 복용(성분 모름), 가끔 소화 안 될 때 소화제 먹음, 2주 전 옻 올라서 피부과에서 약 처방 받음(약 모름)
	과거력	HTN/DM/TB/간질환(–/–/–/–) 5년 전 위내시경 정상, 2년 전 건강검진 정상
	외상/수술력	외상(–), 수술력(–)
	사회력	술(+; 소주 1~2병/주), 담배(+; 15PY), 짠 음식 좋아함
	가족력	–
	여성력	–
Physical exam	Vital sign	120/80mmHg, 75회/분, 18회/분, 36.6℃
	Positive findings	결막/공막 정상, 구강 진찰 정상, 피부긴장도 정상, 피부 출혈반점(–), 거미혈관종(–), 간·비장종대(–), 복부 팽만(–), **압통(+; Epigastric)**, 반발 압통(–), 복벽경직(–), DRE(–), 이동둔탁음(–), Flapping tremor(–)
환자의 질문 또는 기타 특이사항	–	

관련증례

13-1 45세 남자가 피를 통하여 응급실로 내원하였다. 1시간 전부터 피를 토했으며, 피의 색은 검붉은 색이라고 하였다. 피를 토할 때 종이컵 한 컵 정도 나왔다. 토혈은 음식물과 함께 나왔고, 거품은 없었다고 하였다. 어제 저녁에 음주는 하지 않았으며, 구토 후에 토혈이 나온 것이 아니고 속이 메슥거리다가 구토를 하면서 같이 피가 나왔다고 하였다. 최근 한 달 전부터 식전에 속쓰림이 있었으며 식후에는 조금 나아지는 양상이었다. 속쓰릴 때마다 약국에서 위장약을 사서 먹었다고 하였으며 위장약을 먹으면 속쓰림은 완화되었다. 변색깔이 까맣게 나오기도 한다고 하였다. 심장이 두근거리거나 어지럽지는 않았으며, 열이 있거나 체중감소는 없었다. 토혈을 한 것은 이번이 처음이었으며 이전에 앓고 있던 질환은 없었다고 하였으나 이전에도 속쓰림이 종종 있었다고 하였다. 아스피린, 와파린, 플라빅스는 먹어본 적이 없다고 하였으며, 가끔 위장약을 먹은 적이 있었다. 가족 중에 아버지가 위암으로 수술을 받았고, 그 외 간질환 등의 소화기계 문제가 있는 분은 없었다. 법률사무소에 다니고 있으며 최근 재판 문제로 스트레스가 심하다고 하였다. 술은 일주일에 한 번씩 소주 1병, 담배는 피지 않는다고 하였다.

활력징후는 혈압 118/78mmHg, 맥박 95회/분, 호흡수 18회/분, 체온 36.3℃이었다. 결막과 공막에서 이상소견은 없었으며, 입안에서 출혈 흔적이 보이지는 않았다. 복부 팽만이 보이지는 않았으며, 장운동음이 약간 증가되었으며 타진과 촉진시에 윗배에 압통이 있었다. 반발 압통과 복벽강직은 없었으며 간과 비장은 정상 크기였다. 직장수지 검사에서 검은색 변이 관찰되었다.

Answer | 13-1. 소화성궤양에 의한 출혈

Check-list

	병력청취 채점항목	예	아니오
1	토혈이 언제, 어떤 상황(과음 등)에서 발생했는지 물어보았는가?	☐	☐
2	토혈과 객혈을 감별하였는가?	☐	☐
3	토혈의 양상(색, 양)과 거품, 음식물이 섞여있는지 물어보았는가?	☐	☐
4	동반증상(어지러움이나 호흡곤란 ,구토, 두근거림, 호흡곤란, 발열, 체중감소, 식은땀 등)을 물어보았는가?	☐	☐
5	최근 대변 색깔 및 간질환의 합병증(복수, 황달, 복막염 등)에 대하여 물어보았는가?	☐	☐
6	간질환(간염 또는 간경화)을 포함한 소화기계 질환(소화성궤양)의 과거력 및 가족력에 대해서 물어보았는가?	☐	☐
7	복용하는 약물과 출혈경향에 대해서 물어보았는가?	☐	☐
8	음주 및 흡연력에 대해서 물어보았는가?	☐	☐

	신체진찰 채점항목	제대로 함	제대로 못함	하지 않음
1	혈압, 맥박을 확인하여 응급상황 여부를 확인하였는가?	☐	☐	☐
2	결막, 공막, 구강을 시진하여 상태를 확인하였는가?	☐	☐	☐
3	복부 진찰 시 오른쪽에서 올바른 자세를 잡고 시진을 수행하였는가?	☐	☐	☐
4	복부 진찰 시에 환자의 복부 팽만 여부와 복수를 확인하였는가?	☐	☐	☐
5	복부 진찰 시에 촉진을 통해 압통 여부와 간, 비장 비대를 확인하였는가?	☐	☐	☐
6	손가락직장 검사를 시행하였는가?	☐	☐	☐

	환자교육 채점항목	예	아니오
1	토혈의 원인에 대하여 설명하였는가?	☐	☐
2	대량 토혈의 위험성과 응급상황이 발생시에 신속히 병원으로 오라고 설명하였는가?	☐	☐
3	필요한 진단 방법과 치료방법을 설명하고 동의를 구하였는가?	☐	☐
4	간질환의 합병증과 금주, 정기검진의 중요성을 설명하였는가?	☐	☐

	환자의사관계 채점항목	아주우수	우수	보통	미흡
1	효율적으로 잘 물어보았다. – 효율적 질문 : 개방형 질문 사용, 확인, 중간 요약 – 피할 질문 : 유도 질문, 복수 질문	☐	☐	☐	☐
2	나의 말을 잘 들어주었다. – 대꾸하기, 경청 자세, 눈 맞춤 & 말 가로채지 않기	☐	☐	☐	☐
3	나의 입장을 이해하려고 노력하였다. – 공감 표현, 나의 입장 파악	☐	☐	☐	☐
4	환자가 이해하기 쉽게 설명하였다. – 간단명료함, 이해도 점검, 질문 기회 & 쉬운 용어	☐	☐	☐	☐
5	나와 좋은 유대 관계를 형성하려고 했다. – 자기소개, 일상 대화, 존중, 자신감 & 신뢰감	☐	☐	☐	☐

14 혈 변

대표증례 – 1

상황지침

44세 남자 김세준 씨가 변에서 피가 나온다며 왔다.
(현재 시각 오전 5시)

[활력징후]

• 혈압 : 135/85mmHg	• 맥박 : 77회/분
• 호흡 : 18회/분	• 체온 : 36.6℃

응시자는 이 환자에게

– 증상과 관련된 병력을 청취하고,
– 증상과 관련된 적절한 신체진찰을 시행한 후,
– 추정진단과 향후 진단계획 등에 대해 환자와 논의하시오.

해설

※ **감별진단** : 게실 출혈, 대장 용종, 대장암
※ **진단계획** : 대장내시경, 복부 X-ray, 복부 CT

• 동반된 증상이 없이 무통성 혈변이 갑자기 나타난 경우 게실 출혈을 의심할 수 있습니다. 이외에 대장 용종이나 대장암 등도 감별해야 합니다.

시나리오

Sex/Age	M/44	
Chief Complaint	변에서 피가 나와요	
Present illness	Location	–
	Onset	4시간 전
	Situation	–
	Time	1회
	Course	이후 화장실 간 적 없음
	Experience	처음
	Character	선홍색, 변기 전체를 빨갛게 물들일 만큼 나옴, 종이컵으로 받을 정도
	Factors	–
	Associated symptoms	목마름/두근거림/어지럼/호흡곤란/소변량 감소(–/–/–/–/–), 발열/오한/체중변화(–/–/–), A/N/V/D/C(–/–/–/–/–), 토혈(–), 변굵기 변화(–), 복통/소화불량/속쓰림/복부팽만(–/–/–/–), 황달(–), 복부 덩이/뒤무직(–/–), 항문 통증/항문 덩이/소양증(–/–/–), 출혈 경향(–)
Medical history	약물복용력	고혈압약, 아스피린
	과거력	HTN/DM/TB/간질환(+; 10YA/–/–/–), 협심증 5년 전 대장내시경 검사에서 대장에 이상소견이 있다고 했는데 무엇이었는지 기억이 나지 않음
	외상/수술력	–
	사회력	회사원, 술(소주 1병/주), 흡연(25PY), 고기 좋아함, 운동 잘 안 함
	가족력	–
	여성력	–
Physical exam	Vital sign	135/85mmHg, 77회/분, 18회/분, 36.6℃
	Positive findings	특이사항 없음, DRE 정상
환자의 질문 또는 기타 특이사항		"큰 병이 아닌지 무섭습니다"

대표증례-2

상황지침

23세 남자 안창영 씨가 변에서 피가 나왔다고 왔다.

[활력징후]
- 혈압 : 110/70mmHg
- 맥박 : 106회/분
- 호흡 : 20회/분
- 체온 : 36.8℃

응시자는 이 환자에게
- 증상과 관련된 병력을 청취하고,
- 증상과 관련된 적절한 신체진찰을 시행한 후,
- 추정진단과 향후 진단계획 등에 대해 환자와 논의하시오.

해설

※ **감별진단** : 크론병, 궤양성대장염

※ **진단계획/치료계획** : 대장내시경, 복부 X-ray, 조직검사 / 5-ASA, 스테로이드, Azathioprine

- 검은색변으로 나타나는 상부위장관출혈은 혈변 주제에서 나오는 경우는 없고 토혈주제에서 주로 나오는 소견이므로 혈변을 주소로 온 환자는 크게 대장의 문제와 항문의 문제로 나눌 수 있습니다.
- 대장 문제인 경우에는 혈변 양상이 대변에 피가 같이 섞여 나오는 양상이며, 설사, 변비 등의 대변 성상 자체의 문제가 대부분 같이 동반됩니다. 항문 문제인 경우에는 대변 성상 자체는 정상적인데 대변 끝이나 휴지에 피가 같이 묻어나오는 양상 등으로 표현됩니다. 하지만 항문질환을 시사하는 병력이 명확하다고 해도 악성신생물 등의 대장 자체의 가능성을 완전히 배제할 수 없으므로 이를 항상 고려하면서 문진을 해야 할 필요성이 있습니다.
- 항문연 상방에 누공이 존재하며, 누공에서 노란 액체가 흘러나오는 것은 항문샛길의 존재를 시사하는 소견입니다. 이러한 항문샛길은 염증성 장질환 중 특히 크론병에서 발견되는 소견입니다.

시나리오

Sex/Age	M/23	
Chief Complaint	변에서 피가 나왔어요	
Present illness	Location	−
	Onset	2개월 전
	Situation	−
	Time	−
	Course	2개월 전부터 지속, 2주 전부터 점점 악화
	Experience	처음
	Character	설사에 피 섞여 나옴, 선홍색, 피의 양은 잘 모름
	Factors	스트레스 받으면 악화(시험공부로 스트레스 받는데 2달 전에 시험 있었다고 함), 식사와 관계없음
	Associated symptoms	목마름/두근거림/**어지럼**/호흡곤란/소변량 감소(−/−/+; **앉았다 일어날 때 살짝**/−/−), 발열/오한/체중변화(−/−/−), A/N/V/**D**/C(−/−/−/+; **하루에 3~4번**/−), 토혈(−), 변굵기 변화(−), **복통**/소화불량/속쓰림/복부팽만(+; **전반적으로 다 아픈데 RLQ가 특히 더 아픔**/−/−/−), 황달(−), 복부 덩이/뒤무직(−/−), **항문 통증**/항문 덩이/소양증(+/−/−), **항문에서 고름이 나와서 속옷을 적심(+)**, 출혈 경향(−)
Medical history	약물복용력	아스피린, 플라빅스, 진통제 모두(−)
	과거력	HTN/DM/TB/간질환(−/−/−/−), 항문관련질환(−), 소화기질환(−) 건강검진 받아본 적 없음
	외상/수술력	외상(−), 수술력(−)
	사회력	대학생, 시험공부로 스트레스가 심했음 술(일주일 한번 맥주 1병), 담배(2갑·년) 식습관 불규칙적, 인스턴트 좋아함
	가족력	소화기질환(−)
Physical exam	Vital sign	110/70mmHg, 106회/분, 20회/분, 36.8℃
	Positive findings	**결막(+, 창백)**, 공막(−), 피부출혈소견(−), **복부 압통(+, 전반적으로 아픈데 RLQ가 가장 아픔)**, **DRE(+, 항문연 상방 9시 방향 누공 존재, 누공에서 노란 액체가 흘러나옴, 손가락에는 무른 변과 피가 함께 묻어나옴)**
환자의 질문 또는 기타 특이사항	−	

대표증례-3

상황지침

58세 여자 박희진 씨가 변에서 피가 나온다며 왔다.

[활력징후]

• 혈압 : 135/85mmHg	• 맥박 : 81회/분
• 호흡 : 20회/분	• 체온 : 36.5℃

응시자는 이 환자에게
- 증상과 관련된 병력을 청취하고,
- 증상과 관련된 적절한 신체진찰을 시행한 후,
- 추정진단과 향후 진단계획 등에 대해 환자와 논의하시오.

해설

※ **감별진단** : 대장암

※ **진단계획** : 대장내시경, 복부 CT, CEA 검사

• 나이 많은 환자에서 혈변과 체중감소, 변굵기 감소, 변비, 뒤무직 증상을 보이는 경우에는 대장암을 먼저 의심해봐야겠죠. 좌측 결장에서의 악성 종양에서 나타나는 종양의 특징인 BOB(Bleeding, Obstruction, Bowel habit change)와 오른쪽 결장에서 악성 종양의 특징인 MAD(Mass, Anemia, Dyspepsia)를 기억해주세요.

• 대장암이 의심되는 환자에서 암의 가능성을 말할 때는 조심스럽게 이야기하도록 합시다. 경우에 따라서 SP가 매우 걱정하거나 놀라실 수 있습니다.

• 1년 전 분변잠혈 검사(FOBT)에서 음성이 나온 것에 대해서는 검사의 민감도와 특이도에 따라 음성이 때때로 나올 수 있음을 설명할 수 있도록 합시다.

• 따라서 이전에 시행한 선별검사 결과 때에는 예측되지 않았던 대장암이 이번 검사에서 나올 수 있음을 설명하는 것이 좋습니다.

시나리오

Sex/Age	F/58	
Chief Complaint	변에 피가 묻어나옴	
Present illness	Location	–
	Onset	2주 전
	Situation	–
	Time	변 볼 때마다
	Course	2주 동안 피나오는 건 비슷함, 변비는 심해지는 것 같음
	Experience	10년 전에 변을 볼 때 피가 나오는 증상이 나타났었음, 스트레스 받거나 그런 경우 가끔 피가 나타남, 당시 치질 진단 받았으나 수술은 하지 않고 좌욕으로 완화되었다 함, 이번에 나타난 증상과는 약간 다른 것 같다고 함
	Character	선홍색, "변에 섞여 나온다기보다 변 주변에 묻고 변을 보고 나면 변기가 흥건하게 빨갛게 돼요", 변이 조금 묽어짐
	Factors	음식과 관계없음, 스트레스와 관계없음
	Associated symptoms	목마름/두근거림/어지럼/호흡곤란/소변량 감소(–/–/–/–/–), 발열/오한/**체중변화**(–/–/+; **1개월 간 4kg 감소**), A/N/V/D/**C**(–/–/–/–/+; **1개월 전부터 심해짐**), 토혈(–), **변굵기 변화**(+; **가늘어짐**), **복통**/소화불량/속쓰림/복부팽만(+; **하복부 묵직한 통증, NRS 3점**/–/–/–), 황달(–), 복부 덩이/**뒤무직**(–/+), 항문 통증/항문 덩이/소양증(–/–/–), 출혈 경향(–)
Medical history	약물복용력	종합비타민제
	과거력	HTN/DM/TB/간질환(–/–/–/–), 치질(10년 전) 2년 전 이상 없었음(대변잠혈 검사(–), 내시경은 위내시경만 받음)
	외상/수술력	수술(–), 외상력(–)
	사회력	주부, 술(–), 담배(–), 기름진 음식 좋아함, 운동 안함
	가족력	없음
	여성력	8년 전 폐경
Physical exam	Vital sign	135/85mmHg, 81회/분, 20회/분, 36.5℃
	Positive findings	결막(–), 공막(–), 피부출혈소견(–), **복부 압통(+, 아랫배)**, **DRE(+, AV verge 5cm 위에 1~2cm irregular margin mass가 만져짐, DRE 후 손가락에 피 묻어나옴)**
환자의 질문 또는 기타 특이사항		악성 가능성에 대해 이야기하면 담담하게 받아들임

대표증례 – 4

상황지침

40세 남자 허영창 씨가 변에서 피가 나왔다고 왔다.

[활력징후]

- 혈압 : 128/82mmHg
- 맥박 : 80회/분
- 호흡 : 19회/분
- 체온 : 36.4℃

응시자는 이 환자에게
- 증상과 관련된 병력을 청취하고,
- 증상과 관련된 적절한 신체진찰을 시행한 후,
- 추정진단과 향후 진단계획 등에 대해 환자와 논의하시오.

해설

※ **감별진단** : 궤양성 대장염, 크론병

※ **진단계획** : 대장내시경, 일반 혈액 검사

- 우선 혈변으로 오신 분은 피가 대변의 겉에 묻어 나오는지 섞여 나오는지 확인해야 합니다.
- 과거에는 SP분들께서 실제 환자처럼 직장수지 검사를 거부하시고 그랬다는데 최근에는 그런 거부는 없어졌다고 하니 너무 걱정 마시고 직장수지검사의 자세와 왜 이 검사가 필요한지 환자분께 설명드리면 됩니다.
- 치질이 재발한 것은 아닌지 환자가 질문하였는데, 신체검진상 치질에 합당한 소견이 관찰되지 않았으며 변 처음부터 끝까지 피가 묻어 나오는 상황이므로 치질보다는 다른 원인에 의해 혈변이 생긴 것으로 생각된다고 답변드리면 될 것 같습니다.

시나리오

Sex/Age	M/40	
Chief Complaint	변에서 피가 나왔어요	
Present illness	Location	–
	Onset	2주 전
	Situation	–
	Time	–
	Course	2주일 전 시작하여 계속, 6일 전부터 악화
	Experience	대학생 때도 비슷한 경험
	Character	변 처음부터 끝까지 피가 묻어 나옴, 선홍색 피, 양변기에 가득 고임
	Factors	식사와의 관련성(–), 운동(–)
	Associated symptoms	목마름/두근거림/어지럼/호흡곤란/소변량 감소(–/–/–/–/–), 발열/오한/체중변화(–/–/–), A/N/V/**D**/C(–/–/–/**+**/–), 토혈(–), 변굵기 변화(–), **복통**/소화불량/속쓰림/복부팽만(**+; 하복부 묵직한 느낌, NRS 2점/**–/–/–), 황달(–), 복부 덩이/뒤무직(–/–), 항문 통증/항문 덩이/소양증(–/–/–), 출혈 경향(–)
Medical history	약물복용력	아스피린 플라빅스, 진통제 모두(–)
	과거력	HTN/DM/TB/간질환(–/–/–/–), 항문관련 질환(+, 대학생때 치질 수술), 소화기질환(–) 3년 전 건강검진에서 정상
	외상/수술력	수술(+, 치질수술), 외상(–)
	사회력	회사원, 술(일주일 한번 맥주 1병 정도), 담배(–) 식습관(고기 좋아함)
	가족력	소화기 질환(–)
	여성력	–
Physical exam	Vital sign	128/82mmHg, 80회/분, 19회/분, 36.4℃
	Positive findings	결막(–), 공막(–), 피부출혈소견(–), **복부 압통(+, 하복부 압통)**, DRE(**+, 약간의 혈변이 묻어나오며 변색은 선홍색, 종괴 소견 보이지 않음, 전립선 정상)**
환자의 질문 또는 기타 특이사항	"치질이 재발한 건 아닌가요?"	

대표증례-5

상황지침

57세 여자 고미영 씨가 변에서 피가 나왔다고 왔다.

[활력징후]	
• 혈압 : 130/80mmHg	• 맥박 : 70회/분
• 호흡 : 19회/분	• 체온 : 36.5℃

응시자는 이 환자에게
- 증상과 관련된 병력을 청취하고,
- 증상과 관련된 적절한 신체진찰을 시행한 후,
- 추정진단과 향후 진단계획 등에 대해 환자와 논의하시오.

해설

※ **감별진단** : 게실 출혈, 혈관이형성증, 허혈성 대장염
※ **진단계획** : 대장내시경, 일반 혈액 검사, 복부 CT

• 고령의 여성에서 변기를 적실 정도로 다량의 혈변을 보는 경우이므로 게실 출혈을 우선적으로 고려해 볼 수 있습니다. 또한 환자가 고혈압을 앓고 있으므로 허혈성 대장염도 고려해볼 수 있습니다. 이러한 질환들은 대장 내시경을 통해 감별 가능합니다.
• 출혈의 경우 활력징후가 흔들리거나 어지러운 증상, 혹은 탈수 소견이 있으면 우선 수액을 공급해야 합니다.

시나리오

<table>
<tr><td>Sex/Age</td><td colspan="2">F/57</td></tr>
<tr><td>Chief Complaint</td><td colspan="2">변에서 피가 섞여 나와요</td></tr>
<tr><td rowspan="10">Present illness</td><td>Location</td><td>–</td></tr>
<tr><td>Onset</td><td>어제 저녁부터</td></tr>
<tr><td>Situation</td><td>–</td></tr>
<tr><td>Time</td><td>5번 변을 봤음</td></tr>
<tr><td>Course</td><td>점점 피가 많아져서 나중에는 변기를 적실 정도였음
처음에는 변이랑 묻어나오다가 점점 변 없이 피만 나왔음</td></tr>
<tr><td>Experience</td><td>처음</td></tr>
<tr><td>Character</td><td>처음에는 피가 변에 섞여서 나와서 피의 양은 모르겠음. 첫 4번은 집에서 봤고 검붉은색, 마지막 5번째는 병원 와서 봤고 선홍색이고 종이컵 1/2컵만큼 피가 나옴</td></tr>
<tr><td>Factors</td><td>–</td></tr>
<tr><td>Associated symptoms</td><td>목마름/두근거림/어지럼/호흡곤란/소변량 감소(–/–/+; 혈변 나올 당시에, 지금은 괜찮음/–/–), 발열/오한/체중변화(–/–/–), A/N/V/D/C(–/–/–/–/–), 토혈(–), 변굵기 변화(–), 복통/소화불량/속쓰림/복부팽만(+; 하복부 전반/–/–/–), 황달(–), 복부 덩이/뒤무직(–/–), 항문 통증/항문 덩이/소양증(–/–/–), 출혈 경향(–)</td></tr>
<tr><td rowspan="6">Medical history</td><td>약물복용력</td><td>고혈압약(노바스크)</td></tr>
<tr><td>과거력</td><td>HTN/DM/TB/간질환(+/–/–/–)
4~5년 전 건강검진에서 치질 진단 후 좌욕하여 모두 나았음</td></tr>
<tr><td>외상/수술력</td><td>자궁근종 수술</td></tr>
<tr><td>사회력</td><td>주부</td></tr>
<tr><td>가족력</td><td>–</td></tr>
<tr><td>여성력</td><td>폐경</td></tr>
<tr><td rowspan="2">Physical exam</td><td>Vital sign</td><td>130/80mmHg, 70회/분, 19회/분, 36.5℃</td></tr>
<tr><td>Positive findings</td><td>결막(–), 공막(–), 피부출혈소견(–), 복부 T/RT(+; RLQ/–), DRE(선홍색변 묻음, 덩이 없음)</td></tr>
<tr><td colspan="2">환자의 질문 또는 기타 특이사항</td><td>–</td></tr>
</table>

대표증례-6

상황지침

60세 남자 김철수 씨가 변에서 피가 나왔다고 왔다.

[활력징후]

- 혈압 : 120/80mmHg
- 맥박 : 70회/분
- 호흡 : 19회/분
- 체온 : 36.5℃

응시자는 이 환자에게

- 증상과 관련된 병력을 청취하고,
- 증상과 관련된 적절한 신체진찰을 시행한 후,
- 추정진단과 향후 진단계획 등에 대해 환자와 논의하시오.

해설

※ **감별진단** : 게실 출혈, 대장 용종, 대장암

※ **진단계획/치료계획** : 대장내시경, 일반 혈액 검사, 복부 X-ray / 수액 공급, 내시경적 치료, 혈관 조영술, 용종 절제술

- 열, 복통이 없고 체중 감소도 없는 고령의 환자에서의 무통성 혈변이므로 게실 출혈 위주로 설명하시면 되겠습니다.
- 가족력으로 암이 있는 경우에, 이에 대해서도 공감 표현을 하면 좋은 의사-환자 관계에 도움이 될 수 있습니다.

시나리오

Sex/Age	M/60	
Chief Complaint	변보는데 피가 나왔어요	
Present illness	Location	–
	Onset	8시간 전
	Situation	화장실에서 변을 보려고 하는데 변은 안 나오고 피만 울컥 쏟아져 나옴
	Time	1번, 이후 화장실 간 적 없음
	Course	–
	Experience	처음
	Character	변기를 빨갛게 물들일 정도의 피, 종이컵으로 어느 정도인지는 모름, 선홍색 피
	Factors	–
	Associated symptoms	목마름/두근거림/어지럼/호흡곤란/소변량 감소(–/–/–/–/–), 발열/오한/체중변화(–/–/–), A/N/V/D/C(–/–/–/–/–), **가끔 과음 후 설사한 적 있고 때때로 변이 굵어져서 나옴**, 토혈(–), 변굵기 변화(–), 복통/소화불량/속쓰림/복부팽만(–/–/–/–), 황달(–), 복부 덩이/뒤무직(–/–), 항문 통증/항문 덩이/소양증(–/–/–), 출혈 경향(–)
Medical history	약물복용력	–
	과거력	HTN/DM/TB/간질환(+; 10YA/–/–/–), 고지혈증(+), 씸장질환(–) 5년 전 건강검진에서 시행한 대장내시경에서 대장 용종 2개 있다고 들어서 절제함, 그 뒤로는 검진 받은 적 없음.
	외상/수술력	–
	사회력	식사는 한식, 고기 등 육류 좋아함 운동은 거의 못 하고 2주에 1번 정도 동네 뒷산 산책 술(+; social), 담배(+; 40PY, 5년 전 금연)
	가족력	가족 중 혈변(–), 아버지 대장암(+, 항암치료 받으심)
	여성력	–
Physical exam	Vital sign	120/80mmHg, 70회/분, 19회/분, 36.5℃
	Positive findings	결막(–), 공막(–), 피부출혈소견(–), 복부 T/RT(–/–), DRE(전립선비대, 다른 부분은 정상)
환자의 질문 또는 기타 특이사항	"변에서 피가 나와서 마음이 찝찝해요" 피부가 검은 중년 남자	

관련증례

14-1 75세 남자가 하루 전부터 대변에서 검붉은 피가 섞여 나온다고 왔다. 하루 전부터 설사와 함께 갑작스런 아랫배의 통증이 함께 동반되었으며, 구토도 1번 하였다고 하였다. 항문에서 통증은 없었다고 하였으며 덩어리는 만져지지 않는다고 하였다. 1개월 전에 심근경색증으로 진단받고 관상동맥재관류 수술을 받은 후에 치료 중이었으며 심부전으로 이뇨제와 항혈소판제를 함께 복용 중이었다. 은퇴한 교사로 술은 일주일에 소주 1병, 담배는 하루 한 갑씩 50년간 피웠다.

활력징후는 혈압 110/68mmHg, 맥박 90회/분, 호흡수 15회/분, 체온 38.0℃이었다. 결막은 약간 창백하였으며, 배 청진에서 약간의 장음이 항진되었고, 왼쪽 아랫배에서 압통을 보였다. 항문 진찰에서는 덩어리나 열창은 없었으나 손가락에 검붉은 색의 대변이 묻어나왔다.

Answer | 14-1. 허혈성 대장염

Check-list

	병력청취 채점항목	예	아니오
1	혈변이 언제, 어떤 양상(색, 양, 대변에 섞였는지, 겉에 묻어나오는지 등)에 대해서 물어보았는가?	☐	☐
2	항문 질환(항문 통증, 고름 등)에 대해서 물어보았는가?	☐	☐
3	동반증상(구토, 두근거림, 호흡곤란, 발열, 체중감소, 식은땀 등)을 물어보았는가?	☐	☐
4	악성신생물을 의심할 수 있는 증상(대변의 굵기 변화, 뒤무직 증상, 배변습관변화, 덩어리, 체중 변화 등)에 대해서 물어보았는가?	☐	☐
5	대장암, 가족성 대장샘종증을 포함한 소화기계 질환의 과거력 및 가족력에 대해서 물어보았는가?	☐	☐
6	복용하는 약물(아스피린, 플라빅스, 와파린, 진통제 등)과 출혈경향에 대해서 물어보았는가?	☐	☐
7	식이습관, 운동, 음주 및 흡연력에 대해서 물어보았는가?	☐	☐

	신체진찰 채점항목	제대로 함	제대로 못함	하지 않음
1	혈압, 맥박을 확인하여 응급상황 여부를 확인하였는가?	☐	☐	☐
2	결막, 공막, 피부를 시진하여 상태를 확인하였는가?	☐	☐	☐
3	복부 진찰 시 환자의 오른쪽에서 올바른 자세를 잡고 시진을 수행하였는가?	☐	☐	☐
4	복부 진찰 시에 복부 압통 및 덩어리를 확인하였는가?	☐	☐	☐
5	복부 진찰 시에 간, 비장 비대를 확인하였는가?	☐	☐	☐
6	손가락직장 검사를 시행하였는가?	☐	☐	☐

	환자교육 채점항목	예	아니오
1	혈변의 원인에 대하여 설명하였는가?	☐	☐
2	악성신생물의 가능성에 대해서 설명하였는가?	☐	☐
3	필요한 진단 방법과 치료방법을 설명하고 동의를 구하였는가?	☐	☐
4	간질환의 합병증과 금주, 정기검진의 중요성을 설명하였는가?	☐	☐

	환자의사관계 채점항목	아주우수	우수	보통	미흡
1	효율적으로 잘 물어보았다. - 효율적 질문 : 개방형 질문 사용, 확인, 중간 요약 - 피할 질문 : 유도 질문, 복수 질문	☐	☐	☐	☐
2	나의 말을 잘 들어주었다. - 대꾸하기, 경청 자세, 눈 맞춤 & 말 가로채지 않기	☐	☐	☐	☐
3	나의 입장을 이해하려고 노력하였다. - 공감 표현, 나의 입장 파악	☐	☐	☐	☐
4	환자가 이해하기 쉽게 설명하였다. - 간단명료함, 이해도 점검, 질문 기회 & 쉬운 용어	☐	☐	☐	☐
5	나와 좋은 유대 관계를 형성하려고 했다. - 자기소개, 일상 대화, 존중, 자신감 & 신뢰감	☐	☐	☐	☐

15 황 달

대표증례-1

상황지침

70세 남자 이춘배 씨가 얼굴이 노래졌다고 병원에 왔다.

[활력징후]

• 혈압 : 140/86mmHg	• 맥박 : 88회/분
• 호흡 : 22회/분	• 체온 : 36.5℃

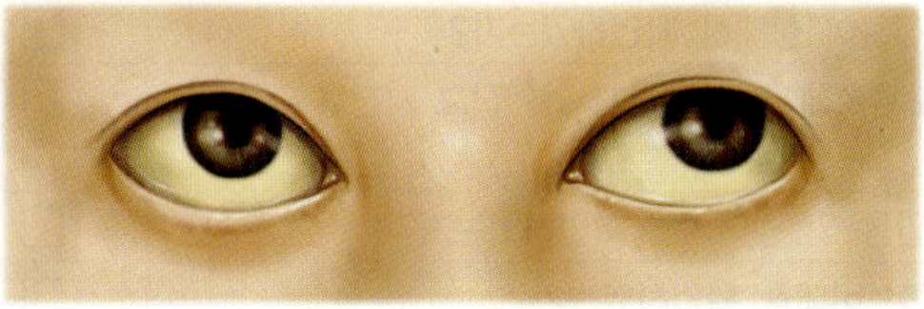

응시자는 이 환자에게
- 증상과 관련된 병력을 청취하고,
- 증상과 관련된 적절한 신체진찰을 시행한 후,
- 추정진단과 향후 진단계획 등에 대해 환자와 논의하시오.

해설

※ **진단가설** : 알코올성 간염, 간경화, 간암

※ **진단계획/치료계획** : 간기능 검사, 복부 초음파, 간염 바이러스 표지자 검사 / 금주, Prednisolone

• 사회력을 문진하기 전에는 감을 잡기 어려웠던 문제입니다. 하지만 사회력에서 술에 대한 질문만 하신다면 어렵지 않게 포인트를 잡을 수 있었던 문제였습니다.

• 교육에서 금주에 대한 언급을 자세히 해주시고 상담파트의 음주상담과 관련된 교육을 같이 해주시면 좋을 것 같습니다.

• 알코올성 간염의 경우에는 금주만이 치료방법이라는 것을 확실하게 설명하는 것이 중요합니다.

시나리오

Sex/Age	M/70	
Chief Complaint	눈이 노래졌어요	
Present illness	Location	눈
	Onset	1달 전
	Situation	-
	Time	-
	Course	일정함
	Experience	처음
	Character	귤/당근(-) 주변 사람들이 모두 알 정도로 선명한 노란색 소변색 진해짐(+), 대변색 진해짐(-)
	Factors	여행/해산물(날 것)(-/-)
	Associated symptoms	발열/오한/체중변화(-/-/-), A/N/V/D/C(-/-/-/-/-), H/M/H(-/-/-), **가려움증(+)**, 복통/소화불량/속쓰림, 복부팽만(-/-/-/-), 호흡곤란/어지러움(-/-)
Medical history	과거력	HTN/DM/TB/간질환(-/-/-/-) 5년 전 시행한 건강검진에서 이상 없음 간염 예방접종(+, 10년 전 맞음), 수혈(-)
	약물복용력	-
	외상/수술력	외상(-), 수술(-)
	사회력	농부, **음주(3~4병/1주에 6회, 20년간 드심)**, 담배(50갑·년)
	가족력	아버지가 20년 전 간암으로 돌아가심
	여성력	-
Physical exam	Vital sign	140/86mmHg, 88회/분, 22회/분, 36.5℃
	Positive findings	**공막 황달(+)**, 결막 빈혈소견(-), 복부 팽만(-), 복부검진 정상, Murphy sign(-), CVAT(-), 간/비장비대(-/-), DRE 정상, 골반 검사 정상, Flapping tremor(-), 거미혈관종(-)
환자의 질문 또는 기타 특이사항		-

대표증례 – 2

상황지침

22세 남자 김선호 씨가 얼굴이 노래졌다고 병원에 왔다.

[활력징후]

- 혈압 : 115/86mmHg
- 맥박 : 65회/분
- 호흡 : 18회/분
- 체온 : 36.5℃

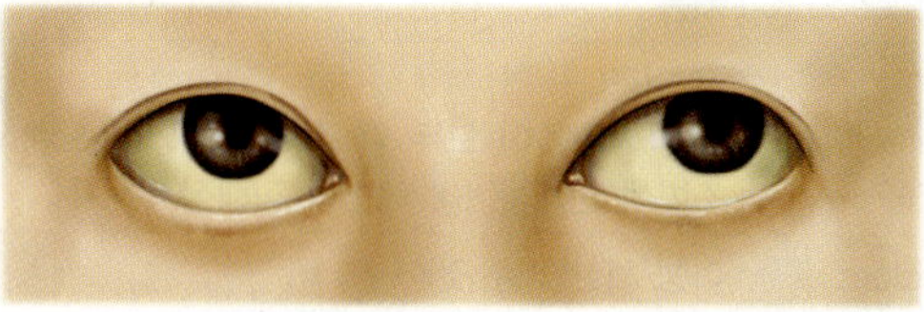

응시자는 이 환자에게

- 증상과 관련된 병력을 청취하고,
- 증상과 관련된 적절한 신체진찰을 시행한 후,
- 추정진단과 향후 진단계획 등에 대해 환자와 논의하시오.

해설

※ **감별진단** : 길버트 증후군, 생리적 황달

※ **진단계획/치료계획** : 간기능 검사, 복부 초음파, 간염 바이러스 표지자 검사 / 안심시키기

- 길버트 증후군의 경우 빌리루빈이 높은 것 이외에 특별한 증상 없이 우연히 발견될 수 있습니다. 유전적인 병이며, 비결합형 빌리루빈이 약간 증가하는 것이 특징입니다. 평생 모르고 살 수 있고, 이 증례처럼 성인이 되어 우연히 발견되는 경우도 많습니다.
- 과로나 스트레스, 감염이나 영양 섭취가 좋지 않은 경우 반복되는 황달과 피로가 나타날 수 있습니다. 따라서 이번 황달의 유발 원인이 무엇이었을지도 확인해보는 것이 좋습니다.
- 간염이나 담도폐쇄, 간경화, 용혈 등과 같이 황달을 일으킬 수 있는 다른 원인들을 철저히 배제한 후 진단을 붙여야 합니다.
- 특별한 치료가 필요 없이 경과 관찰할 수 있으니 환자를 안심시키고, 간염 바이러스 예방접종, 금연, 금주 등을 교육시키면 됩니다.

시나리오

Sex/Age		M/22
Chief Complaint		건강검진에서 빌리루빈이 높다고 들음
Present illness	Location	노란 곳 없음
	Onset	3주 전
	Situation	3주 전 건강검진 시행함. 빌리루빈 수치가 높다고 들음. 병원 가보라고 해서 옴. 검진 당시 공복 잘 지킴
	Time	–
	Course	–
	Experience	처음. 예전엔 들은 적 없음
	Character	귤/당근(–) 소변색 진해짐/대변색 진해짐(–/–)
	Factors	여행/해산물(날 것)(–/–) 스트레스, 심한 운동, 금식 후 악화(–), 식사, 휴식 후 완화(–)
	Associated symptoms	발열/오한/체중변화(–/–/–), A/N/V/D/C(–/–/–/–/–), H/M/H(–/–/–), 가려움증(–), 복통/소화불량/속쓰림, 복부팽만(–/–/–/–), 호흡곤란/어지러움(–/–), **피곤함(+; 가끔씩 피곤하기도 함)**
Medical history	약물복용력	–
	과거력	HTN/DM/TB/간질환(–/–/–/–), 간염 예방접종(+) 건강검진에서 빌리루빈 외 이상소견 없다고 들음
	외상/수술력	외상(–), 수술(–)
	사회력	취업 준비생, 술(+; social), 담배(–)
	가족력	–
	여성력	–
Physical exam	Vital sign	115/86mmHg, 65회/분, 18회/분, 36.5℃
	Positive findings	공막 황달(–), 결막 빈혈소견(–), 복부 팽만(–), 복부검진 정상, Murphy sign(–), 복수(–), CVAT(–), 간/비장비대(–/–), DRE 정상, Flapping tremor(–), 거미혈관종(–)
환자의 질문 또는 기타 특이사항		–

대표증례-3

상황지침

40세 여자 박하늘 씨가 얼굴이 노래졌다고 병원에 왔다.

[활력징후]

- 혈압 : 110/70mmHg
- 맥박 : 95회/분
- 호흡 : 20회/분
- 체온 : 37.2℃

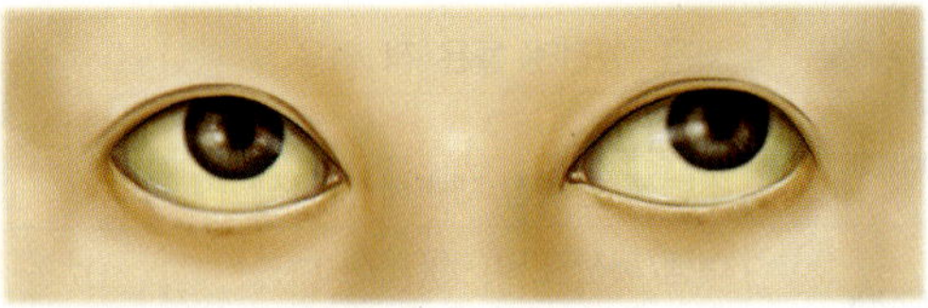

응시자는 이 환자에게

- 증상과 관련된 병력을 청취하고,
- 증상과 관련된 적절한 신체진찰을 시행한 후,
- 추정진단과 향후 진단계획 등에 대해 환자와 논의하시오.

해설

※ **감별진단** : 독성 간염, 급성 A형 간염

※ **진단계획/치료계획 :** 간기능 검사, 복부초음파, 간염 바이러스 표지자 검사 / 원인 약물 중단, 안정, 충분한 영양 공급

- SP가 약물이나 알코올 사용하는 것에 대해서 절대 비판하는 자세를 취해서는 안 됩니다. 나무라거나 질책하지 않도록 주의합시다. 환자의사관계에서 좋은 점수를 못 받을 뿐만 아니라 의사에 대한 환자의 신뢰에도 악영향을 줄 수 있습니다.
- 체중 때문에 성분미상의 건강보조식품을 먹고 있는 환자에게 체중 감소를 위해서는 약에 의지할 게 아니라 규칙적 운동과 식이조절이 훨씬 중요하다고 설명해 주는 것이 중요합니다. 한약이나 성분미상의 약품은 이렇게 간을 비롯한 몸을 망가뜨릴 수 있고, 건강하게 감량한 것이 아니기 때문에 요요가 쉽게 온다고 덧붙이는 것도 좋습니다.
- 물론 지금도 충분히 보기 좋다는 얘기를 하며 SP의 기분을 좀 띄워주는 것이 PPI 향상에 좋을 것으로 생각됩니다.

시나리오

<table>
<tr><td>Sex/Age</td><td colspan="2">F/40</td></tr>
<tr><td>Chief Complaint</td><td colspan="2">얼굴이 노래졌어요</td></tr>
<tr><td rowspan="9">Present illness</td><td>Location</td><td>얼굴, 눈, 손, 피부 전체적으로 노람</td></tr>
<tr><td>Onset</td><td>3일 전</td></tr>
<tr><td>Situation</td><td>–</td></tr>
<tr><td>Time</td><td>–</td></tr>
<tr><td>Course</td><td>계속 노람</td></tr>
<tr><td>Experience</td><td>처음</td></tr>
<tr><td>Character</td><td>귤/당근(−/−),
밝은 노란색, 눌러도 계속 남아있음, 주변 사람들이 모두 알 정도
소변색 진해짐(+), 대변색 변화(−)</td></tr>
<tr><td>Factors</td><td>여행/해산물(날 것)(−/−), 금식 후 악화(−)</td></tr>
<tr><td>Associated symptoms</td><td>발열/오한/체중변화(−/−/−), A/N/V/D/C(−/−/−/−/−), H/M/H(−/−/−), 가려움증(+), 복통/소화불량/속쓰림, 복부팽만(+; 오른쪽 옆구리가 불편, 빠근함/−/−/−), 호흡곤란/어지러움(−/−)</td></tr>
<tr><td rowspan="6">Medical history</td><td>약물복용력</td><td>고혈압약(2년 전), 한약(2달 전), 건강보조식품(성분 미상의 살빼는 약을 한 달 전부터 복용 중)</td></tr>
<tr><td>과거력</td><td>HTN/DM/TB/간질환(+/+/−/−), 간염바이러스 예방접종(모름)
2년 전 건강검진에서 고혈압/당뇨 진단</td></tr>
<tr><td>외상/수술력</td><td>외상(−), 수술(−)</td></tr>
<tr><td>사회력</td><td>주부, 음주(1달에 맥주 2캔), 담배(−)</td></tr>
<tr><td>가족력</td><td>아버지가 위암으로 치료받음</td></tr>
<tr><td>여성력</td><td>산과력 1-0-0-1
월경 규칙적, 월경량 보통, 월경통 보통, LMP 2주 전</td></tr>
<tr><td rowspan="2">Physical exam</td><td>Vital sign</td><td>110/70mHg, 95회/분, 20회/분, 37.2℃</td></tr>
<tr><td>Positive findings</td><td>공막 황달(+), 손바닥 황달(+), 결막 빈혈소견(−), 복부 팽만(−), 복부 촉진시 RUQ 불편감(+), Murphy sign(−), CVAT(−), 간/비장비대(−/−), DRE 정상, 골반 검사 정상</td></tr>
<tr><td colspan="2">환자의 질문 또는 기타 특이사항</td><td>공막은 사진을 보고 판단해야 함, 손바닥은 SP손이 진짜 노람</td></tr>
</table>

03 CHAPTER

대표증례-4

상황지침

35세 남자 김호 씨가 얼굴이 노래졌다고 병원에 왔다.

[활력징후]

- 혈압 : 120/85mmHg
- 맥박 : 75회/분
- 호흡 : 20회/분
- 체온 : 37.7℃

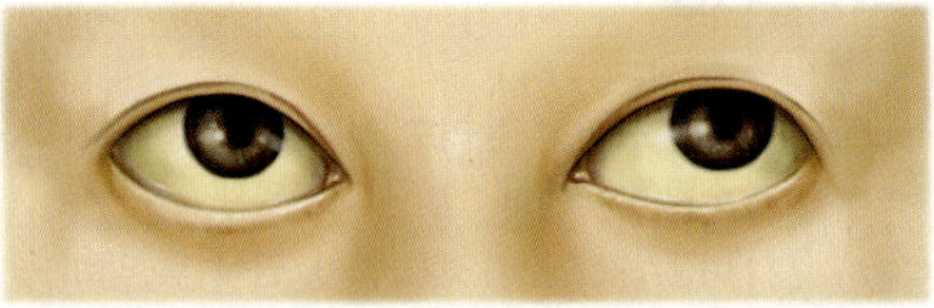

응시자는 이 환자에게
- 증상과 관련된 병력을 청취하고,
- 증상과 관련된 적절한 신체진찰을 시행한 후,
- 추정진단과 향후 진단계획 등에 대해 환자와 논의하시오.

해설

※ **감별진단** : 급성 담관염, 급성 A형간염

※ **진단계획/치료계획** : 간기능 검사, 복부 초음파, 간염 바이러스 표지자 검사 / ERCP

- 신체 검진시 눈은 상황지침과 별도로 제시된 환자의 눈 사진을 보고 판단해야 합니다. 제시된 사진은 환자의 공막이 노랗게 되어 있는 사진입니다. 손은 특수 분장을 했는지는 몰라도 정말로 노랗습니다.
- 황달의 경우 급성황달은 간염바이러스 항체 여부를 알아봐야 합니다. 이전에 만성 B형간염으로 인해 간경화에 걸리던 환자들이 많았다면 최근에는 20~40대의 젊은 환자들에게서 급성 A형간염 케이스가 늘어나고 있다고 합니다. 이전 예방접종 정도는 물어봐야 하겠죠?
- 담도계 질환의 경우 수술적 치료까지 필요한 경우가 있으므로 환자에게 금식을 권유하고 간염 바이러스 예방접종에 대한 교육까지 해주어야 합니다.

시나리오

Sex/Age		M/35
Chief Complaint		눈이 노래졌어요
Present illness	Location	손바닥, 눈, 피부
	Onset	3일 전
	Situation	–
	Time	–
	Course	비슷
	Experience	처음
	Character	귤/당근(–/–) 선명한 노란색, 눌러도 계속 남아있음 크게 불편한 점은 없지만 주변 사람들이 모두 노랗다고 함 소변색 진해짐(+, 갈색으로 변함), 대변색 변화(–)
	Factors	여행/해산물(날 것)(–/–), 금식 후 악화(–)
	Associated symptoms	**발열/오한**/체중변화(**+/+**/–), A/N/V/D/C(–/–/–/–/–), H/M/H(–/–/–), **가려움증(+)**, 복통/**소화불량**/속쓰림, 복부팽만(–/**+**; **계속 소화가 안 됨**/–/–), 호흡곤란/어지러움(–/–), **피곤함(+)**, **근육통(+; 온몸이 다 아픔)**
Medical history	약물복용력	항생제(–), 결핵약(–), 민간요법/한약/약초(–/–/–)
	과거력	HTN/DM/TB/간질환(–/–/–/–), 간·담도계 질환(B형간염, A형간염, 담관염 등) 없었음, A, B형 바이러스 간염 예방접종 모두 안 맞음 3개월 전 건강검진 시행했을 때 정상
	외상/수술력	외상(–), 수술력(–)
	사회력	회사원, 술(1주일 3번씩 1~2병), 담배(하루 한갑씩 15년)
	가족력	바이러스간염 가진 사람 없음
	여성력	–
Physical exam	Vital sign	120/85mmHg, 75회/분, 20회/분, 37.7℃
	Positive findings	**공막 황달(+)**, **손바닥 황달(+)**, 결막 빈혈(–), 복부 팽만(–), **복부 촉진시 RUQ 불편감(+)**, **Murphy sign(+)**, CVAT(–), 간/비장비대(–/–), DRE 정상, 퍼덕떨림(–), 거미혈관종(–)
환자의 질문 또는 기타 특이사항		공막은 사진을 보고 판단해야 함, 손바닥은 SP손이 진짜 노람

대표증례-5

상황지침

62세 여자 김성순 씨가 얼굴이 노래졌다고 병원에 왔다.

[활력징후]

• 혈압 : 120/80mmHg	• 맥박 : 75회/분
• 호흡 : 18회/분	• 체온 : 36.5℃

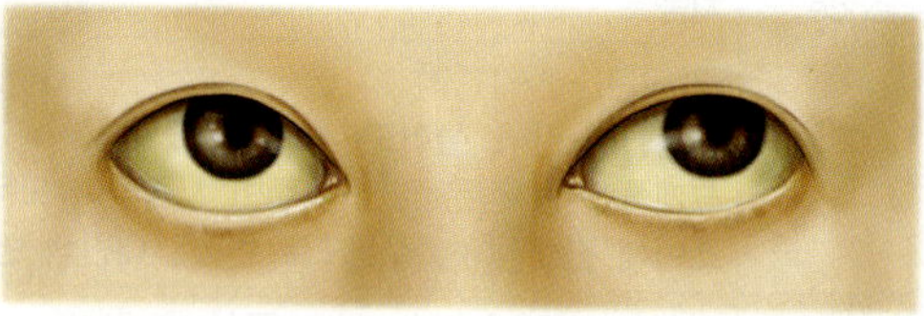

응시자는 이 환자에게
- 증상과 관련된 병력을 청취하고,
- 증상과 관련된 적절한 신체진찰을 시행한 후,
- 추정진단과 향후 진단계획 등에 대해 환자와 논의하시오.

해설

※ **감별진단** : 바이러스성 간염, 독성 간염

※ **진단계획** : 간기능 검사, 복부 초음파, 간염 바이러스 표지자 검사

• 황달문항에서는 최근에 복용을 시작한 약, 한약, 건강보조식품 여부를 꼼꼼하게 잘 물어보는 것이 중요합니다. 단순히 "약 드시는 것 있으세요?"라고 묻기보다는 한약이나 건강보조제 등을 포함한 드시고 계신 것이 있냐고 하나씩 물어보는 것이 좋겠죠.

시나리오

Sex/Age	F/62	
Chief Complaint	눈이 노래졌어요	
Present illness	Location	눈
	Onset	2일 전
	Situation	−
	Time	−
	Course	심해짐
	Experience	처음
	Character	귤/당근(−/−) 진한 노란색 소변색 진해짐(+), 대변색 변화(−)
	Factors	−
	Associated symptoms	발열/오한/체중변화(−/−/−), A/N/V/D/C(−/−/−/−/−), H/M/H(−/−/−), 가려움증(−), 복통/**소화불량**/속쓰림, 복부팽만(−/**+; 3MA**/−/−), 호흡곤란/어지러움(−/−), **감기증상(+; 2WA)**
Medical history	약물복용력	고혈압약, 소화제, 종합비타민제, 2주 전부터 종합감기약 먹다가 4일 전에 그만 먹음
	과거력	HTN/DM/TB/간질환(−/−/−/−), 간염 예방접종 기억 안 남
	외상/수술력	외상(−), 수술력(+; 치질수술)
	사회력	주부, 술(+; 맥주 1~2캔/달), 담배(−), 스트레스 보통(손주 보는 일)
	가족력	동생 췌장암(5년 전 사망)
	여성력	폐경함
Physical exam	Vital sign	120/80mmHg, 75회/분, 18회/분, 36.5℃
	Positive findings	**공막 황달(+)**, 결막 빈혈(−), 복부 팽만(−), 복부 촉진(−), Murphy sign(−), CVAT(−), 간/비장비대(−/−), DRE 정상, 퍼덕떨림(−), 거미혈관종(−)
환자의 질문 또는 기타 특이사항	−	

03 CHAPTER

대표증례 – 6

상황지침

65세 여자 박순자 씨가 얼굴이 노래졌다고 병원에 왔다.

[활력징후]

• 혈압 : 120/80mmHg	• 맥박 : 75회/분
• 호흡 : 18회/분	• 체온 : 36.5℃

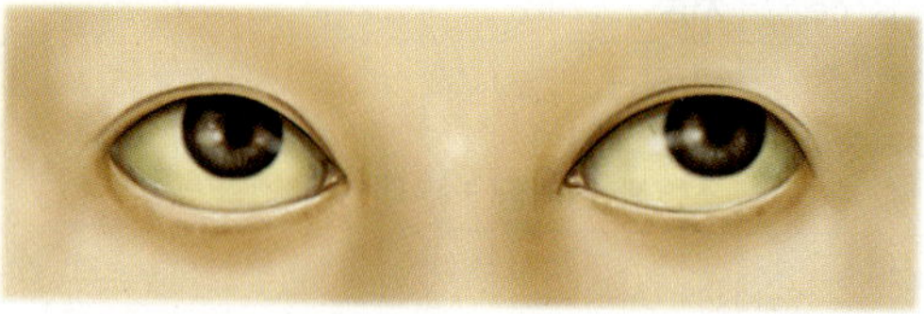

응시자는 이 환자에게
- 증상과 관련된 병력을 청취하고,
- 증상과 관련된 적절한 신체진찰을 시행한 후,
- 추정진단과 향후 진단계획 등에 대해 환자와 논의하시오.

해설

※ **감별진단** : 팽대부주위암, 독성 간염, 자가면역성 간염

※ **진단계획/치료계획** : 복부 초음파, 복부 CT, ERCP / 수술, 항암제, 원인 약물 중단

• 황달 환자에게서 반드시 감별해야 할 질환에 대한 증상들을 하나씩 짚어가며 물어보고, "눈이 노래서 주변 신경이 많이 쓰이시겠어요", "많이 피곤하시죠?" 등의 공감을 위한 반응을 해주는 것이 좋습니다.

시나리오

<table>
<tr><td>Sex/Age</td><td colspan="2">F/65</td></tr>
<tr><td>Chief Complaint</td><td colspan="2">눈이 노래졌어요</td></tr>
<tr><td rowspan="9">Present illness</td><td>Location</td><td>눈, 전신</td></tr>
<tr><td>Onset</td><td>눈; 2주 전, 전신; 1주 전</td></tr>
<tr><td>Situation</td><td>–</td></tr>
<tr><td>Time</td><td>–</td></tr>
<tr><td>Course</td><td>심해짐</td></tr>
<tr><td>Experience</td><td>처음</td></tr>
<tr><td>Character</td><td>귤/당근(–/–)
진한 노란색
소변색 진해짐(+), 대변색 연해짐(+)</td></tr>
<tr><td>Factors</td><td>1달 전에 회 먹음, 1년 전 속초 여행</td></tr>
<tr><td>Associated symptoms</td><td>발열/오한/체중변화(–/–/–), A/N/V/D/C(–/–/–/–/–), H/M/H(–/–/–), 가려움증(+), 복통/소화불량/속쓰림/복부팽만(+; RUQ 불편감/+; 1MA/+; 처녀때부터/–), 호흡곤란/어지러움(–/–)</td></tr>
<tr><td rowspan="6">Medical history</td><td>약물복용력</td><td>홍삼 1달 전까지 복용</td></tr>
<tr><td>과거력</td><td>HTN/DM/TB/간질환(+/+/–/–), 고지혈증(+)
고혈압과 고지혈증 5YA, 둘 다 약으로 조절 잘 됨
3년 전 건강검진에서 허리 이상으로 약 먹은 뒤 괜찮아짐
간염 예방접종 다 맞음</td></tr>
<tr><td>외상/수술력</td><td>–</td></tr>
<tr><td>사회력</td><td>주부, 술(+; 맥주 1~2병/달), 담배(–), 커피(+; 하루 1~2잔)</td></tr>
<tr><td>가족력</td><td>아버지 담낭염으로 담낭절제술</td></tr>
<tr><td>여성력</td><td>3년 전 폐경</td></tr>
<tr><td rowspan="2">Physical exam</td><td>Vital sign</td><td>120/80mmHg, 75회/분, 18회/분, 36.5℃</td></tr>
<tr><td>Positive findings</td><td>공막 황달(+), 손바닥 황달(+), 결막 빈혈(–), 복부 팽만(–), 복부 T/RT(+; RUQ/–), Murphy sign(–), CVAT(–), 간/비장비대(–/–), DRE 정상, 퍼덕떨림(–), 거미혈관종(–)</td></tr>
<tr><td colspan="2">환자의 질문 또는 기타 특이사항</td><td>–</td></tr>
</table>

관련증례

15-1 28세 남자가 눈이 노랗게 변했다고 병원에 왔다. 2일 전부터 눈이 노랗게 되었고, 1일 전부터는 몸도 노랗게 변했다. 1주 전에 피곤하고 토할 것 같은 몸살기운이 있었고, 4일 전에 소변색이 갈색으로 변했다. 식욕도 떨어져 최근 1주일 간 1~2kg 정도 체중이 줄었다. 대학생인데 눈과 몸이 노랗게 되어서 현재 학교를 못나가고 있었다. 비슷한 증상이 나타난 적은 없었고, 2년 전에 군대는 제대했으며, 최근에 여행을 하거나 특이한 음식, 생선회와 같은 날것을 먹은 적도 없었다. 이전에 앓고 있던 질환은 없었으며, 간염 예방접종에 대해서는 기억을 하지 못했다. 도서관과 학교 식당 등 학교생활을 주로 하며 2인 1실의 기숙사에 살고 있다. 룸메이트는 비슷한 증상이 없다고 했으며, 기숙사 건강검진에서 B형간염 항체는 있으나 A형간염 항체 여부는 모른다고 하였다. 주변 가족 중에 비슷한 증상이나 간염을 앓고 있는 사람은 없었다. 현재 일주일에 맥주 2병 정도 마시며 담배는 피지 않았다.

> 활력징후는 혈압 120/80mmHg, 맥박 79회/분, 호흡수 18회/분, 체온 37.9℃이었다. 공막과 손바닥이 노랗게 보였다. 복부 진찰 시 피부는 노란색이었으나 혈관종과 복수는 없었다. 우측 상복부에서 간이 우측 늑골 아래로 손가락 2개 넓이만큼 촉진되었다. 퍼덕떨림은 보이지 않았고, 반발 압통이나 복벽 강직 소견은 없었다. 직장수지 검사와 갈비척추각압통 검사는 정상이었다.

15-2 58세 남자가 피부가 노랗게 변했다고 병원에 왔다. 2개월 전부터 피부가 노랗게 되었다. 10년 전부터 만성 B형간염으로 치료중이었으며, 20년 전부터 일주일에 3일 넘게 소주 1~2병을 마셨다. 3개월 전부터 금방 피곤해지고, 힘이 없었으며 소화가 잘 되지 않는다고 하였다. 2주일 전부터는 배가 불러오고 다리가 붓는다고 하였다. 복부의 통증은 없었다. 만성 B형간염 이외에 다른 질병은 없었으며, 가족 중에 어머니가 만성 B형간염을 가지고 있었다. 담배는 피지 않았다.

> 활력징후는 혈압 100/75mmHg, 맥박 85회/분, 호흡수 18회/분, 체온 36.5℃이었다. 공막과 피부, 손바닥이 노랗게 보였다. 손바닥 홍반과 복부 앞쪽에 거미혈관종이 관찰되었다. 복부는 팽만되었고 이동탁음 양성이었다. 오른쪽 갈비뼈 아래로 간이 3cm가량 딱딱하게 촉진되었다. 반발 압통이나 복벽 강직 소견은 없었다. 직장수지 검사와 갈비척추각압통 검사는 정상이었다.

15-3 51세 남자가 얼굴과 눈이 노랗게 변했다고 병원에 왔다. 1개월 전에 출근하려고 할 때 아내가 알려줘서 알게 됐으며, 눈, 얼굴, 손, 배, 가슴 등 전신의 피부가 밝은 노란색으로 변했다. 최근에 귤, 오렌지, 당근 등을 과하게 섭취한 적은 없으며, 생선회, 민물고기 등의 날 음식을 먹은 적도 없었다. 3개월 전부터 오른쪽 상복부에 불편감이 있었으며, 소화가 잘 되지 않는 것 같았다. 소변색이 진해졌고 온 몸에 가려움증이 있었다. 최근 2개월 동안 5kg의 체중감소가 있었으며 쉽게 피곤함을 느꼈다. 이런 증상은 처음이었으며 피부색은 크게 변화 없이 계속 노란색이었다. 2년 전에 당뇨병으로 진단 받아 당뇨약과 함께 아스피린을 먹고 있었고, 10일 전에 감기에 걸려 감기약을 3일간 먹고 현재는 감기 증상은 없었다. 최근에 여행을 다녀오거나 구토, 설사, 변비 증상은 없었으며 대변색도 정상이었다. 최근에 스트레스를 심하게 받거나 금식을 하진 않았으며, B형간염 예방접종은 어릴 때 받았고, A형간염 예방접종은 하지 않았다. 당뇨 외에 다른 알고 있는 질병은 없었으며 5년 전에 건강검진 했을 때 정상이라고 들었다. 주변 가족 중에 비슷한 증상이나 간염을 앓고 있는 사람은 없었다. 현재 직업은 시청 공무원으로 일주일에 소주 3병 정도 마시며, 과거 하루 한 갑씩 담배를 20년간 피웠으나 현재는 금연중이었다.

활력징후는 혈압 130/85mmHg, 맥박 75회/분, 호흡수 18회/분, 체온 36.9℃이었다. 공막과 손바닥이 노랗게 보였다. 복부 진찰 시 복부는 팽만되어 있었고, 노란색이었으나 혈관종과 복수는 없었다. 우측 상복부 촉진 시에 뻐근한 양상의 압통이 있었다. 퍼덕떨림은 보이지 않았고, 반발 압통이나 복벽 강직 소견은 없었다. 간과 비장은 정상 크기였다. 직장수지검사와 갈비척추각 압통 검사는 정상이었다.

03 CHAPTER

Answer | 15-1. 바이러스간염(A형간염) 15-2. 간경화증 15-3. 담관폐쇄(췌장머리암)

Check-list

	병력청취 채점항목	예	아니오
1	황달이 언제, 어느 부위(얼굴, 눈, 손, 발 등)에서 나타났는지에 대해서 물어보았다.	☐	☐
2	황달의 발생상황(과음, 날 음식, 여행, 군대 등 단체생활 등)과 귤, 오렌지 등 가성황달에 대하여 물어보았다.	☐	☐
3	동반증상(복통, 가려움증, 오심, 구토, 소변색 변화, 토혈, 변비, 설사 등)에 대해서 물어보았다.	☐	☐
4	간질환여부(바이러스간염, 간경화 등)와 담도계질환, 간염바이러스 예방접종 및 항체여부에 대해서 물어보았다.	☐	☐
5	가족 중 간질환여부(바이러스간염, 간경화 등)와 담도계질환에 대해서 물어보았다.	☐	☐
6	복용하는 약물과 민간요법, 한약 등에 대해서 물어보았다.	☐	☐
7	직업, 여행력, 음주 및 흡연력에 대해서 물어보았다.	☐	☐

	신체진찰 채점항목	제대로 함	제대로 못함	하지 않음
1	결막, 공막, 손바닥을 시진하였는가?	☐	☐	☐
2	손바닥 퍼덕떨림(flapping tremor)을 확인하였는가?	☐	☐	☐
3	복부 진찰 시 환자의 오른쪽에서 올바른 자세를 잡고 시진을 수행하였는가?	☐	☐	☐
4	복부 진찰 시에 환자의 복부 팽만 여부와 복수를 확인하였는가?	☐	☐	☐
5	복부 진찰 시에 촉진을 통해 압통 여부와 간, 비장 비대를 확인하였는가?	☐	☐	☐
6	손가락직장 검사 및 갈비척추각 압통 검사를 시행하였는가?	☐	☐	☐

	환자교육 채점항목	예	아니오
1	황달의 원인과 가성황달에 대하여 설명하였는가?	☐	☐
2	간염바이러스 예방 접종 및 항체 측정에 대해서 설명하였는가?	☐	☐
3	필요한 진단 방법과 치료방법을 설명하고 동의를 구하였는가?	☐	☐
4	황달을 일으킬 수 있는 간질환의 합병증과 금주의 중요성을 설명하였는가?	☐	☐

	환자의사관계 채점항목	아주우수	우수	보통	미흡
1	효율적으로 잘 물어보았다. - 효율적 질문 : 개방형 질문 사용, 확인, 중간 요약 - 피할 질문 : 유도 질문, 복수 질문	☐	☐	☐	☐
2	나의 말을 잘 들어주었다. - 대꾸하기, 경청 자세, 눈 맞춤 & 말 가로채지 않기	☐	☐	☐	☐
3	나의 입장을 이해하려고 노력하였다. - 공감 표현, 나의 입장 파악	☐	☐	☐	☐
4	환자가 이해하기 쉽게 설명하였다. - 간단명료함, 이해도 점검, 질문 기회 & 쉬운 용어	☐	☐	☐	☐
5	나와 좋은 유대 관계를 형성하려고 했다. - 자기소개, 일상 대화, 존중, 자신감 & 신뢰감	☐	☐	☐	☐

CLINICAL PERFORMANCE EXAMINATION

CHAPTER 04

신장 · 비뇨

16 소변량변화(다뇨/핍뇨)

대표증례 – 1

상황지침

45세 여자 박정아 씨가 소변량이 많아 병원에 왔다.

[활력징후]

- 혈압 : 135/85mmHg
- 맥박 : 90회/분
- 호흡 : 16회/분
- 체온 : 36.5℃

응시자는 이 환자에게

– 증상과 관련된 병력을 청취하고,

– 증상과 관련된 적절한 신체진찰을 시행한 후,

– 추정진단과 향후 진단계획 등에 대해 환자와 논의하시오.

해설

※ **감별진단** : 당뇨병에 의한 다뇨

※ **진단계획/치료계획** : 공복 혈당 검사, 소변 검사 / 혈당강하제

- 소변량을 물어볼 때 단순히 '소변량이 늘었나요?'라고 물어보기보다는 페트병 같은 걸로 몇 병이 나오는지 물어보는 것이 좋을 것 같습니다.
- 물을 많이 드시냐고 물어보았을 때 목말라서 드시는지 아니면 강박적으로 드시는지 구분을 해야 합니다.
- 기본적으로 내용이 어렵거나 시간이 많이 소요되는 파트가 아니기 때문에 비교적 쉽게 수행할 수 있을 것 같습니다. 전형적인 당뇨병에 의한 다음, 다뇨, 다갈, 체중감소 등의 증상을 보이고 있습니다.

시나리오

Sex/Age	F/45	
Chief Complaint	소변량이 많아요	
Present illness	Location	–
	Onset	3개월 전 / 서서히
	Situation	–
	Time	하루에 소변 4~5번 보던 것을 10번 가량 봄
	Course	비슷함
	Experience	처음
	Character	[양상] **소변량(재보진 않았지만 늘어났음)** **색 변화(+, 묽어짐), 냄새(+, 단내), 거품(+), 피(–)** [정도] 일상생활이 불편하지는 않음
	Factors	하루 물 섭취량(**갈증이 심해서 3~4병 마심**, 단 음료수보다는 시원한 물이 좋음), 물을 많이 마셔야겠다는 강박(–)
	Associated symptoms	발열/오한(–/–), **체중감소(+, 3개월간 5kg)**, 부종(–), 어지럼증(–), 두근거림(–), 가려움증(–), 구역/구토(–/–), 두통/시야장애(–/–), **다음/다갈(+/+)**, F/U/**N**/**D**/H/I/S(**+**, **10회**/–/**+**/**+**/–/–/–), 요실금(–), 잔뇨감(–), 옆구리 통증(–), 질분비물(–)
Medical history	약물복용력	비타민 외에 없음, 리튬(–), 이뇨제(–)
	과거력	DM/TBc/HTN/간질환(–/–/–/–), 정신과 진료(–) 건강검진 시행한 적 없음
	외상/수술력	외상(–), 수술(–), 도뇨관 삽입력(–)
	사회력	주부, 음주(–), 흡연(–), 커피(1잔/day)
	가족력	**작은 아버지 당뇨로 인한 만성 신부전으로 사망**
	여성력	[월경력] 원래 규칙적이었으나 최근 들어 불규칙해짐, 월경량은 변화 없고, 월경통은 없음, LMP 3주전 [산과력] 0-0-0-0
Physical exam	Vital sign	135/85mmHg, 90회/분, 16회/분, 36.5℃
	Positive findings	결막(–), 구강 탈수(–), 피부 긴장도 정상, 시야장애(–) 복부 검진 정상, CVAT(–/–), 하지 부종 없음
환자의 질문 또는 기타 특이사항		–

대표증례 – 2

상황지침

38세 남자 김규환 씨가 소변량이 많아 병원에 왔다.

[활력징후]	
• 혈압 : 120/80mmHg	• 맥박 : 80회/분
• 호흡 : 17회/분	• 체온 : 36.4℃

응시자는 이 환자에게
- 증상과 관련된 병력을 청취하고,
- 증상과 관련된 적절한 신체진찰을 시행한 후,
- 추정진단과 향후 진단계획 등에 대해 환자와 논의하시오.

해설

※ **감별진단** : 중추성 요붕증, 당뇨

※ **진단계획/치료계획** : 24시간 소변 검사, 혈액 검사(plasma AVP), 뇌 MRI / 데스모프레신

- 진료 도중 환자가 목말라 하면 물을 마시도록 해줍시다.
- 최근의 문제를 보면 다뇨인지 빈뇨인지를 구분하는 것이 중요합니다. 일반적으로 빈뇨는 하루에 8회 이상의 소변을 보는 경우로, 다뇨는 하루에 보통 3L를 보는 경우로 정의합니다(다뇨의 경우에는 50mL/kg 이상의 소변을 보는 경우입니다. 60kg을 기준으로 해서 보면 3L가 됩니다). 다뇨증의 경우에는 다음, 다뇨, 다갈 증상을 보이는 경우를 요붕증이라고 하며, 요붕증의 경우에는 신성인지 중추성인지를 구분하는 것이 중요합니다.
- 환자가 두통을 호소하고 있으며, 갈증이 증가했다는 점, 1개월 전 뇌하수체선종 수술을 받은 병력상 중추성 요붕증이 가장 의심됩니다. 하지만 다음과 다갈은 당뇨에서도 특징적으로 나타나는 증상인 만큼 당뇨도 역시 염두에 두고 감별을 해주면 좋을 것 같습니다.

시나리오

Sex/Age	M/38	
Chief Complaint	소변량이 많아요	
Present illness	Location	–
	Onset	1개월 전
	Situation	–
	Time	하루에 소변 3~4번 보던 것을 10번 가량 봄
	Course	비슷함
	Experience	처음
	Character	[양상] **소변량(측정해보지 않았으나 늘어남), 색 변화(+, 묽어짐)** 냄새(–), 거품(–), 피(–) [정도] 일상생활이 불편하지는 않음
	Factors	물을 많이 마셔야겠다는 강박(–) 하루 물 섭취량(1.5L 페트병×2개)
	Associated symptoms	발열/오한(–/–), 체중변화(–), 부종(–), 어지럼증(–), 두근거림(–), 가려움증(–), 구역/구토(–/–), 두통/시야장애(+/–), **다음/다갈(+/+)**, F/U/N/D/H/I/S(**+, 10회**/–/–/–/–/–/–), 요실금(–), 잔뇨감(–), 옆구리 통증(–), 질분비물(–)
Medical history	약물복용력	갑상선 호르몬제, 부신피질 호르몬제 복용중, 리튬(–)
	과거력	DM/TBc/HTN/간질환(–/–/–/–), 뇌하수체 선종 건강검진 1년 전 시행, 당시 이상 소견 없었음
	외상/수술력	외상(–), **수술(+, 1개월 전 뇌하수체선종 수술)**
	사회력	회사원, 음주(–), 흡연(10PY), 커피(–)
	가족력	당뇨(–), 신질환(–)
	여성력	–
Physical exam	Vital sign	120/80mmHg, 80회/분, 17회/분, 36.4℃
	Positive findings	결막(–), **구강(점막이 말라보임)**, 피부 긴장도 정상, 시야장애(–) 복부 검진 정상, CVAT(–/–), 하지 부종 없음
환자의 질문 또는 기타 특이사항		–

대표증례 - 3

상황지침

44세 여자 박미영 씨가 소변이 많이 나온다며 병원에 왔다.

[활력징후]	
• 혈압 : 120/78mmHg	• 맥박 : 69회/분
• 호흡 : 20회/분	• 체온 : 36.7℃

응시자는 이 환자에게
- 증상과 관련된 병력을 청취하고,
- 증상과 관련된 적절한 신체진찰을 시행한 후,
- 추정진단과 향후 진단계획 등에 대해 환자와 논의하시오.

해설

※ **감별진단** : 원발성 다음증

※ **진단계획/치료계획** : 24시간 소변 검사, 혈액 검사(plasma AVP), 뇌 MRI / 수분 섭취 제한

- 환자가 2~3달 전 TV 프로그램에서 물을 많이 마셔야 한다는 이야기를 들은 이후로, 하루 물을 많이 섭취하고 있으므로 원발성 다음증을 가장 먼저 의심해볼 수 있습니다.
- 원발성 다음증을 확실히 진단하기 위해서는 신성 요붕증과의 감별을 위해 plasma AVP를 측정하고, 중추성 요붕증과의 감별을 위해 뇌 MRI를 촬영해야 합니다. 하지만 우선 기본적인 소변 검사만 시행한 뒤, 수분 섭취를 제한해보고 증상이 호전되는지 확인해보는 식으로 환자에게 설명드리면 되겠습니다.
- 커피를 많이 마시는 것이 소변을 많이 보는 증상에 영향을 줄 수 있음을 환자에게 설명드리고, 커피 섭취를 줄이도록 환자에게 교육하면 좋을 것 같습니다.

시나리오

Sex/Age	F/44	
Chief Complaint	소변량이 많아요	
Present illness	Location	–
	Onset	2달 반 전
	Situation	–
	Time	하루에 소변 12회 봄
	Course	비슷함
	Experience	처음
	Character	[양상] **소변량(측정해보지 않았으나 늘어남), 색 변화(+, 연함)** 냄새(–), 거품(–), 피(–) [정도] 일상생활이 불편하지는 않음
	Factors	**두 세달 전 TV 건강 프로그램에서 물을 많이 마셔야 건강해진다고 해서 일부러 물 많이 마시고 있음** 하루 물 섭취량(1.5L 페트병×2~3개) 스트레스(+, 고3 아들의 입시 문제로 스트레스 심함)
	Associated symptoms	발열/오한(–/–), 체중변화(–), **피로(+)**, 부종(–), 어지럼증(–), 두근거림(–), 가려움증(–), 구역/구토(–/–), 두통/시야장애(–/–), 다음/**다갈**(–/**+**), **F**/U/**N**/D/H/I/S(**+, 12회**/–/**+, 3~4회**/–/–/–/–), 요실금(–), 잔뇨감(–), 옆구리 통증(–), 질분비물(–)
Medical history	약물복용력	비타민 외에 없음. 리튬(–), 이뇨제(–)
	과거력	DM/TBc/HTN/간질환(–/–/–/–), 정신과 질환(–) 건강검진 6개월 전 시행, 당시 이상 소견 없었음
	외상/수술력	외상(–), 수술(–)
	사회력	가정주부, 음주(–), 흡연(–), 커피(+, 하루에 1~2잔)
	가족력	당뇨(–), 신질환(–)
	여성력	[월경력] 규칙적, 월경량 보통, 월경통 없음, LMP 1주 전 [산과력] 1-0-0-1
Physical exam	Vital sign	120/78mmHg, 69회/분, 20회/분, 36.7℃
	Positive findings	결막(–), 구강(–), 피부 긴장도 정상, 시야장애(–) 복부 검진 정상, CVAT(–/–), 하지 부종 없음
환자의 질문 또는 기타 특이사항		–

대표증례-4

상황지침

50세 남자 정영일 씨가 소변이 잘 안 나온다고 왔다.

[활력징후]

- 혈압 : 130/80mmHg
- 맥박 : 82회/분
- 호흡 : 19회/분
- 체온 : 36.7℃

응시자는 이 환자에게

- 증상과 관련된 병력을 청취하고,
- 증상과 관련된 적절한 신체진찰을 시행한 후,
- 추정진단과 향후 진단계획 등에 대해 환자와 논의하시오.

해설

※ **감별진단** : NSAID에 의한 급성 신부전

※ **진단계획/치료계획** : 소변 검사, 전해질 검사, 신장 초음파 / 약물 중단 및 교체, 수액 공급

- NSAIDs 때문에 문제가 생긴 것 같다고 환자에서 설명하면 약 종류에 따라 소변에 미치는 영향이 다르냐고 물어보실 수 있습니다. 같은 효과를 위해 쓰는 약이더라도, 약 종류와 성분에 따라 전신에 미치는 영향은 다를 수 있으며, NSAID는 신장으로 가는 혈류를 줄임으로써 신장에 문제를 일으킬 수 있다고 설명해드리면 됩니다.
- 약에 의해서 급성으로 생긴 문제이고, 심각한 병이 아니라고 환자를 안심시켜드리면 되겠습니다.

시나리오

Sex/Age		M/50
Chief Complaint		소변이 잘 안 나와요
Present illness	Location	–
	Onset	3일 전/갑자기
	Situation	요의가 있는데 소변이 안 나오는 것은 아니고 그냥 양이 줄음
	Time	평소에 5~6회 정도 소변 봤으나 3일 전부터는 2~3회로 줄음
	Course	비슷함
	Experience	처음
	Character	[양상] **1회 소변량(종이컵 2/3)** 색 변화(–), 냄새(–), 거품(–), 피(–) [정도] 일상생활이 불편하지는 않음
	Factors	수분 제한(–), 감기 증상(–), 과도한 운동(–)
	Associated symptoms	발열/오한(–/–), 체중변화(–), **피로(+, 5일 전)**, 부종(–), 근육통(–), 어지럼증(–), 두근거림(–), 입마름(–), 가려움증(–), A/N/V/D(–/–/–/–), 혈변/흑색변(–/–), F/U/N/D/H/I/S(–/–/–/–/–/–/–), 요실금(–), 잔뇨감(–), 옆구리 통증(–)
Medical history	약물복용력	**2주 전 어깨 통증으로 소염진통제 처방 받음**. 지금도 복용 중
	과거력	DM/TBc/HTN/간질환(–/–/–/–), 신장이식(–) 건강검진 1년 전 시행, 이상 있다는 말 못 들음, 조영제(–)
	외상/수술력	외상(–), 수술(–)
	사회력	회사원, 음주(별로 안 먹음), 흡연(–), 커피(+, 하루에 1~2잔)
	가족력	신질환(–)
	여성력	–
Physical exam	Vital sign	130/80mmHg, 82회/분, 19회/분, 36.7℃
	Positive findings	결막(–), 구강(–), 피부 긴장도 정상 심음/호흡음 정상 복부 검진 정상, CVAT(–/–) DRE 정상, 하지 부종 없음
환자의 질문 또는 기타 특이사항		"약 바꾸면 어깨 아픈 건 어떻게 되나요?"

대표증례 – 5

상황지침

65세 남자 김광현 씨가 소변이 잘 안 나온다고 왔다.

[활력징후]

- 혈압 : 120/80mmHg
- 맥박 : 80회/분
- 호흡 : 19회/분
- 체온 : 36.7℃

응시자는 이 환자에게

– 증상과 관련된 병력을 청취하고,
– 증상과 관련된 적절한 신체진찰을 시행한 후,
– 추정진단과 향후 진단계획 등에 대해 환자와 논의하시오.

해설

※ **감별진단** : 횡문근 융해증에 의한 급성 신부전, 전립선암

※ **진단계획/치료계획** : 혈액 검사(혈청 CK, PSA), 소변 검사, 경직장 초음파 / 수액 공급, 이뇨제, 전립샘절제술

- 이 환자의 경우 어제 등산을 갔다오고 술을 드신 이후에 증상이 발생했기 때문에 횡문근 융해증에 의한 급성 신손상을 의심해볼 수 있습니다. 또한 감기약을 드시고 계시기 때문에 약물로 인한 급성 신손상도 생각할 수 있습니다. 급성 신손상은 3개월 이내에 생기는 신손상을 생각하시면 됩니다.
- 전립선암의 가족력이 있고, 환자도 하복부에 묵직한 통증을 호소하고 있으므로 전립선암에 의해 급성으로 요폐색이 일어났을 가능성도 고려 가능합니다.
- 최근 문제 경향에 따르면 다른 특별한 이상증상 없이, 설사를 많이 해서 탈수로 인해서 소변이 잘 나오지 않는 증상을 호소하는 50대 남자 환자가 문제로 나온 적도 있습니다. 이런 경우에는 탈수 증상이나 탈수를 유발할 수 있는 것들(출혈, 식사, 위장관, 심장, 간 이상) 등을 여쭤보는 것이 중요했습니다.

시나리오

Sex/Age	M/65	
Chief Complaint	소변이 잘 안 나와요	
Present illness	Location	–
	Onset	오늘 새벽/갑자기
	Situation	–
	Time	오늘 새벽부터 소변 거의 나오지 않아 소변 보러 6번 정도 감 평소에는 소변을 2시간에 1번 정도 봤음
	Course	비슷함
	Experience	처음
	Character	[양상] **소변량(다 합치면 종이컵 반 정도)** 색 변화(–), 냄새(–), 거품(평소와 비슷), **피(+, 소량)** [정도] 현재 굉장히 불편함
	Factors	수분 제한(–), 감기 증상(+, 3일 전), 사우나(–) **어제 등산 갔다 왔으며 막걸리 3잔 정도 마심**
	Associated symptoms	발열/오한(–/–), 체중변화(–), **피로(+, 3일 전)**, 부종(–), 근육통(–), 어지럼증(–), 두근거림(–), 입마름(–), 가려움증(–), A/N/V/D(–/–/–/–), 혈변/흑색변(–/–), F/U/N/**D**/H/I/S(–/–/–/**+**/–/–/–), 요실금(–), **잔뇨감(+)**, 옆구리 통증(–), **하복부 통증(+, 하복부가 묵직해요)**
Medical history	약물복용력	당뇨약, **3일 전 감기약 복용함**
	과거력	DM/TBc/HTN/간질환(+/–/–/–), 신장이식(–) 건강검진 2년 전 시행, 이상 있다는 말 못 들음, 조영제(–)
	외상/수술력	외상(–), 수술(–)
	사회력	회사원, 음주(1~2회/달), 흡연(35PY), 커피(–)
	가족력	아버지가 전립선암으로 돌아가심
	여성력	–
Physical exam	Vital sign	120/80mmHg, 80회/분, 19회/분, 36.7℃
	Positive findings	결막(–), 구강(–), 피부 긴장도 정상 심음/호흡음 정상 복부 검진 정상, CVAT(–/–) DRE 정상, 하지 부종 없음
환자의 질문 또는 기타 특이사항	"소변 좀 시원하게 보고 싶어요"	

대표증례 – 6

상황지침

52세 여자 김상희 씨가 소변이 줄은 것을 주소로 내원하였다.

[활력징후]

- 혈압 : 130/84mmHg
- 맥박 : 80회/분
- 호흡 : 16회/분
- 체온 : 38.3℃

응시자는 이 환자에게

- 증상과 관련된 병력을 청취하고,
- 증상과 관련된 적절한 신체진찰을 시행한 후,
- 추정진단과 향후 진단계획 등에 대해 환자와 논의하시오.

해설

※ **감별진단** : 급성 신우신염, 고혈압약에 의한 급성 신부전

※ **진단계획/치료계획** : 소변 검사, 소변배양검사 / 수액공급, 항생제, 약제 중단 및 변경

- 이 환자의 경우 소변 횟수와 소변량이 모두 줄었으며, 38도 이상의 발열이 동반되고 있고 좌측 CVAT가 확인되므로 좌측의 급성 신우신염이 의심되는 상황입니다. 또한 성분은 모르지만 고혈압 약을 환자가 복용 중이므로, ACE inhibitor나 ARB를 복용 중일 가능성도 염두에 두고, 고혈압 약제를 정확히 확인한 뒤 필요시 약제를 변경하는 것 또한 환자에게 권해드리면 좋을 것 같습니다.
- 환자가 현재 어지럼증의 증상을 호소하고 있으며, 신체 진찰 상에서도 구강점막이 말라 있어 탈수가 의심되는 상황입니다. 수액공급을 하고, 환자에게 탈수 증상 발생 시 다시 병원에 내원하도록 교육하는 것이 중요합니다.

시나리오

Sex/Age		F/52
Chief Complaint		소변이 줄었어요
Present illness	Location	–
	Onset	3일 전
	Situation	–
	Time	하루 소변 5~6회 보던 것에서 3번으로 횟수 감소함
	Course	점점 심해짐
	Experience	처음
	Character	[양상] **소변량(측정해보지는 않았으나 줄었음)** **색 변화(+, 진해짐)**, 냄새(–), 거품(–), 피(–) [정도] 일상생활에 지장은 없음
	Factors	수분 제한(–), 감기 증상(–), 사우나(–), 심한 운동(–)
	Associated symptoms	**발열**/오한(**+**/–), 체중변화(–), 피로(–), **부종(+)**, 근육통(–), **어지럼증(+)**, 두근거림(–), 입마름(–), 가려움증(–), A/**N**/V/D(–/**+**/–/–), 혈변/흑색변(–/–), F/U/N/**D**/H/I/S(–/–/–/**+**, **소변 볼 때 아래쪽이 따끔거림**/–/–/–), 요실금(–), **잔뇨감(+)**, **옆구리 통증(+, 왼쪽)**
Medical history	약물복용력	**고혈압약**(성분 모름)
	과거력	DM/TBc/HTN/간질환(–/–/+/–), 신장이식(–) 건강검진 2년 전 시행, 고혈압 외 이상 없음, 조영제(–)
	외상/수술력	외상(–), 수술(–)
	사회력	주부, 음주(–), 흡연(–)
	가족력	신장질환(–)
	여성력	[월경력] 3년 전 폐경 [산과력] 1-0-0-1
Physical exam	Vital sign	130/84mmHg, 80회/분, 16회/분, 38.3℃
	Positive findings	결막(–), **구강(말라 있음)**, 피부 긴장도 정상 심음/호흡음 정상 복부 검진 정상, **CVAT(왼쪽 +)** DRE 정상, **하지 부종(+)**
환자의 질문 또는 기타 특이사항		–

대표증례 – 7

상황지침

65세 여자 안옥자 씨가 소변이 줄은 것을 주소로 내원하였다.

[활력징후]

- 혈압 : 70/50mmHg
- 맥박 : 110회/분
- 호흡 : 21회/분
- 체온 : 37.7℃

응시자는 이 환자에게

- 증상과 관련된 병력을 청취하고,
- 증상과 관련된 적절한 신체진찰을 시행한 후,
- 추정진단과 향후 진단계획 등에 대해 환자와 논의하시오.

해설

※ **감별진단** : 혈량저하증에 의한 급성신부전

※ **진단계획/치료계획** : 소변검사, 전해질 검사 / 수액공급

- 이 환자의 경우 상황지침에 주어진 활력징후만으로도 우선 혈량 저하증을 의심해볼 수 있습니다. 환자가 현재 탈수증상을 호소하고 있을 가능성이 높으므로 자세하게 문진을 시작하기에 앞서 탈수 증상은 없는지 여쭤보고, 중간에라도 증상 때문에 너무 힘들어서 문진을 하기가 어려울 것 같으면 말해달라고 환자에게 말씀드리며 라뽀를 쌓으면 좋을 것 같습니다.
- 문진을 해보았을 때, 이 환자는 설사에 의한 탈수로 급성신부전이 발생한 것으로 생각할 수 있으며, 치료로는 수액공급이 필요합니다.

시나리오

Sex/Age	F/65	
Chief Complaint	소변이 줄었어요	
Present illness	Location	–
	Onset	어제
	Situation	–
	Time	어제부터 소변을 거의 보지 못함 소변이 잘 안 나와 화장실은 자주 감
	Course	비슷
	Experience	처음
	Character	[양상] **소변량(거의 나오지 않음)** 색 변화(–), 냄새(–), 거품(–), 피(–) [정도] 굉장히 불편함
	Factors	수분 제한(–), **2주 전부터 열나고 몸살기운이 있음** 사우나(–), 심한 운동(–)
	Associated symptoms	**발열**/오한(**+**/–), 체중변화(–), 피로(–), 부종(–), **근육통(+)**, **어지럼증(+)**, **두근거림(+)**, **입마름(+)**, 가려움증(–), A/N/V/D(–/–/–/**+**, **하루 8차례**), 혈변/흑색변(–/–), F/U/N/D/H/I/S(–/–/–/–/–/–/–), 요실금(–), 잔뇨감(+), 옆구리 통증(–)
Medical history	약물복용력	당뇨약
	과거력	DM/TBc/HTN/간질환(+/–/–/–), 신장이식(–) 건강검진 최근에 시행한 적 없음, 조영제(–)
	외상/수술력	외상(–), 수술(–)
	사회력	주부, 음주(–), 흡연(–), 커피(–)
	가족력	신장질환(–)
	여성력	[월경력] 10년 전 폐경 [산과력] 3-0-0-3
Physical exam	Vital sign	70/50mmHg, 110회/분, 21회/분, 37.7℃
	Positive findings	결막(–), **구강(말라 있음)**, **피부 긴장도 저하되어 있음** 심음/호흡음 정상 복부 검진 정상, CVAT(–) DRE 징싱, 하지 부종(–)
환자의 질문 또는 기타 특이사항	–	

관련증례(다뇨)

16-1 28세 여성이다. 2개월 전부터 갑자기 발생한 갈증, 다뇨, 야간뇨로 내원하였다. 체중 감소는 없었으며 하루 요량 7L로 소변이 물 같았다. 환자는 두통이나 시야장애는 없고 평소 생리가 불규칙하였다고 한다.

> 활력징후는 혈압 110/80mmHg, 맥박 85회/분, 호흡수 17회/분, 체온 36.5℃이었다. 피부에 탈수소견은 없었다.

16-2 32세 남성이다. 6개월 전부터 발생한 다뇨와 야간뇨를 주소로 내원하였다. 소변량은 측정해 보지 않았으나 늘어났다고 하며, 밤에 자다가 2~3회 정도 깨서 화장실을 간다고 한다. 두통, 시야장애, 체중 감소의 증상은 없었다. 하루 물 섭취량은 이전과 차이가 없다고 하며, 반드시 물을 먹어야 한다는 강박 관념도 없다고 한다. 고혈압, 당뇨 등 기저 질환은 없으나 환자는 양극성 장애로 진단 받고 3년 전부터 리튬을 복용 중이라고 한다. 특별한 외상력, 수술력, 가족력은 없었다.

> 활력징후는 혈압 120/78mmHg, 맥박 67회/분, 호흡수 19회/분, 체온 36.2℃이었다. 피부에 탈수소견은 없었다.

16-3 35세 여성이다. 2개월 전 발생한 다음 및 다뇨를 주소로 내원하였다. 환자는 평소 건강하던 주부로 2개월 전 질식 분만으로 둘째 아이를 출산한 후, 자궁 수축 부전증으로 대량 수혈 및 응급 자궁 적출술을 시행한 병력이 있다. 하루 5~6L 소변을 보며, 유즙 분비가 정상적으로 되지 않고 있다.

> 활력징후는 혈압 110/70mmHg, 맥박 80회/분, 호흡수 18회/분, 체온 36.2℃이었다. 피부에 탈수소견은 없었다.

Answer | 16-1. 중추성 요붕증 16-2. 리튬에 의한 신성 요붕증 16-3. 중추성 요붕증(Sheehan's syndrome)

Check-list(다뇨)

	병력청취 채점항목	예	아니오
1	다뇨의 정의에 합당한지, 빈뇨와 감별하여 확인하였다.	☐	☐
2	배뇨 횟수와 소변의 양상에 대하여 물어보았다.	☐	☐
3	동반증상에 대하여 물어보았다(갈증, 배뇨이상 등).	☐	☐
4	증상의 경과에 대하여 물어보았다.	☐	☐
5	당뇨/고혈압을 포함한 현병력에 대하여 물어보았다.	☐	☐
6	복용중인 약물이 있는지 물어보았다.	☐	☐
7	두부 외상이나 수술력에 대하여 물어보았다.	☐	☐

	신체진찰 채점항목	제대로 함	제대로 못함	하지 않음
1	탈수 증상이 있는지 확인하였다.	☐	☐	☐
2	두경부 질환을 감별하기 위한 신경학적 진찰을 시행하였다.	☐	☐	☐
3	복부 진찰을 시행하였다.	☐	☐	☐
4	방광의 팽창 여부를 확인하였다.	☐	☐	☐

	환자교육 채점항목	예	아니오
1	다뇨의 원인에 대하여 설명하였다.	☐	☐
2	진단에 필요한 검사를 설명하고 동의를 구하였다.	☐	☐
3	원인에 따른 치료원칙을 설명하였다.	☐	☐
4	탈수예방법에 대하여 교육하였다.	☐	☐

	환자의사관계 채점항목	아주우수	우수	보통	미흡
1	효율적으로 잘 물어보았다. - 효율적 질문 : 개방형 질문 사용, 확인, 중간 요약 - 피할 질문 : 유도 질문, 복수 질문	☐	☐	☐	☐
2	나의 말을 잘 들어주었다. - 대꾸하기, 경청 자세, 눈 맞춤 & 말 가로채지 않기	☐	☐	☐	☐
3	나의 입장을 이해하려고 노력하였다. - 공감 표현, 나의 입장 파악	☐	☐	☐	☐
4	환자가 이해하기 쉽게 설명하였다. - 간단명료함, 이해도 점검, 질문 기회 & 쉬운 용어	☐	☐	☐	☐
5	나와 좋은 유대 관계를 형성하려고 했다. - 자기소개, 일상 대화, 존중, 자신감 & 신뢰감	☐	☐	☐	☐

관련증례(핍뇨)

16-4 70세 남자가 이틀 전부터 소변량이 줄고 부종이 생겨서 내원하였다. 2주 전 목통증과 발열, 근육통으로 동네 병원에서 인후염 진단받고 치료를 받았다고 한다. 3일 전부터 소변 색깔이 콜라색으로 변하며 옆구리 통증이 생겼다.

> 활력징후는 혈압 140/90mmHg, 맥박 89회/분, 호흡수 20회/분, 체온 37.6℃이었다. 구강 진찰에서 인후 발적이 있었으며 양측 늑골척추각 타진 시 압통이 있었고 양측 하지에 오목 부종이 관찰되었다.

16-5 68세 남자이다. 하루 전부터 소변량이 줄고 하복부 통증이 있다고 하였다. 1년 전부터 전립선 비대증으로 약물치료 중이다. 며칠 전부터 감기증상이 있었다.

> 활력징후는 혈압 150/90mmHg, 맥박 97회/분, 호흡수 20회/분, 체온 37.9℃이었다. 신체 진찰에서 구강점막이 약간 건조한 상태였고, 하복부 방광 부위에 종물이 촉진되었고 압통을 동반하였다.

Answer | 16-4. 사구체신염에 의한 급성신부전 16-5. 신후성 신부전

Check-list(핍뇨)

	병력청취 채점항목	예	아니오
1	핍뇨에 합당한지 파악하였다(400~500mL/day).	☐	☐
2	탈수를 유발하는 증상이나 요인이 있는지 확인하였다(신전성).	☐	☐
3	발열, 근육통, 옆구리 통증 등의 감염 징후를 확인하였다(신성).	☐	☐
4	조영제, 진통제 등의 신독성 약물력을 확인하였다(신성).	☐	☐
5	비뇨기의 기계적 폐색에 관련된 증상을 물어보았다(신후성).	☐	☐
6	동반되는 증상을 물어보았다.	☐	☐

	신체진찰 채점항목	제대로 함	제대로 못함	하지 않음
1	구강, 혀, 피부긴장도 등을 통해 탈수 여부를 확인하였다.	☐	☐	☐
2	흉부 진찰을 통해 폐/심음을 청진하였다.	☐	☐	☐
3	복부 진찰을 시행하였다.	☐	☐	☐
4	오목부종을 확인하였다.	☐	☐	☐

	환자교육 채점항목	예	아니오
1	핍뇨를 일으킬 수 있는 원인에 대하여 설명한다.	☐	☐
2	의심되는 요인과 진단에 필요한 검사를 설명한다.	☐	☐
3	치료계획과 급성 신부전의 임상경과에 대하여 설명한다.	☐	☐
4	필요한 경우 응급 혈액투석을 시행할 수도 있음을 설명한다.	☐	☐

	환자의사관계 채점항목	아주우수	우수	보통	미흡
1	효율적으로 잘 물어보았다. - 효율적 질문 : 개방형 질문 사용, 확인, 중간 요약 - 피할 질문 : 유도 질문, 복수 질문	☐	☐	☐	☐
2	나의 말을 잘 들어주었다. - 대꾸하기, 경청 자세, 눈 맞춤 & 말 가로채지 않기	☐	☐	☐	☐
3	나의 입장을 이해하려고 노력하였다. - 공감 표현, 나의 입장 파악	☐	☐	☐	☐
4	환자가 이해하기 쉽게 설명하였다. - 간단명료함, 이해도 점검, 질문 기회 & 쉬운 용어	☐	☐	☐	☐
5	나와 좋은 유대 관계를 형성하려고 했다. - 자기소개, 일상 대화, 존중, 자신감 & 신뢰감	☐	☐	☐	☐

17 배뇨 이상

대표증례-1

상황지침

38세 남자 최성진 씨가 소변을 자주 본다고 병원에 왔다.

[활력징후]

• 혈압 : 130/75mmHg	• 맥박 : 80회/분
• 호흡 : 20회/분	• 체온 : 36.5℃

응시자는 이 환자에게

- 증상과 관련된 병력을 청취하고,
- 증상과 관련된 적절한 신체진찰을 시행한 후,
- 추정진단과 향후 진단계획 등에 대해 환자와 논의하시오.

해설

※ 감별진단 : 양성전립샘비대증(BPH)

※ 진단계획/치료계획 : 소변 검사, 혈액검사(PSA), 경직장초음파 / 약물치료(a-blocker, 5a reductase inhibitor), 필요시 수술

- 신체진찰 상 환자의 전립샘이 비대해져 있으며, 소변을 자주 보고 잔뇨감이 있는 것 외에 크게 다른 배뇨곤란은 없으므로 양성전립샘비대증이 가장 의심되는 상황입니다.
- 성 접촉력을 문진할 때 환자가 수치심을 느끼지 않도록 주의합시다.
- 실제 임상에서는 외성기 진찰도 해야 합니다만, 시험장에서는 환자에게 외성기에 대한 특별한 증상이나 불편한 점이 있는지 물어보는 정도로 충분할 것으로 생각됩니다.

시나리오

Sex/Age	M/38	
Chief Complaint	소변이 자주 마려워요	
Present illness	Location	–
	Onset	6개월 전
	Situation	–
	Time	매일 증상이 있음 1~2시간에 한 번씩 소변이 마려움(하루 소변횟수 12회)
	Course	점점 심해짐
	Experience	이렇게 심한 건 처음
	Character	[양상] F/U/**N**/D/H/I/S(**+**/–/**+**/–/–/–/–), 요실금(–), **잔뇨감(+)** 소변량 변화(–), 색 변화(–), 냄새(–), 거품(–), 피(–) [정도] **직업이 택시기사라 불편함**
	Factors	[악화] 10년 간 스트레스 받거나 피곤하면 증상 생겼었음 성접촉(–), 최근 감기(–)
	Associated symptoms	발열/오한(–/–), 체중변화(–), 근육통(–), 관절통(–) 옆구리 통증(–), 복통(–), **10년 전부터 고환 쪽이 가끔 뻐근하게 아픔**, 두통/시야장애(–/–), 보행장애(–)
Medical history	약물복용력	없음
	과거력	DM/TBc/HTN/간질환(–/–/–/–) 건강검진 받아본 적 없음
	외상/수술력	외상(–), 수술(–)
	사회력	택시기사, 음주(–), 흡연(10PY, 7년 전 금연)
	가족력	비뇨기계 암(–)
	여성력	–
Physical exam	Vital sign	130/75mmHg, 80회/분, 20회/분, 36.5℃
	Positive findings	결막(–), 구강 탈수(–) 복부 검진 정상, CVAT(–/–) **DRE(결과지 : 전립선 4×4cm)** 외성기 진찰(고환종물/통증 없음)
환자의 질문 또는 기타 특이사항	–	

대표증례 – 2

상황지침

40세 남자 신축진 씨가 소변을 자주 본다고 병원에 왔다.

[활력징후]

- 혈압 : 110/70mmHg
- 맥박 : 72회/분
- 호흡 : 19회/분
- 체온 : 36.5℃

응시자는 이 환자에게

– 증상과 관련된 병력을 청취하고,
– 증상과 관련된 적절한 신체진찰을 시행한 후,
– 추정진단과 향후 진단계획 등에 대해 환자와 논의하시오.

해설

※ **감별진단** : 만성전립선염, 방광염

※ **진단계획/치료계획** : 소변검사, 혈액검사(PSA), 경직장초음파, 방광경 / 항생제 치료

- 5개월 전부터 있었던 것으로 만성적인 질환을 생각할 수 있습니다. 또한, 체중감소와 피로와 같은 암을 시사하는 소견은 없기 때문에 만성적인 염증으로 생각할 수 있으며, 소변을 자주 보는 증상 외에도 절박뇨, 배뇨통과 같은 증상이 동반되고 있으므로 만성전립선염이나 방광염을 생각할 수 있습니다(참고로 양성전립샘비대증은 염증이 동반된 요폐를 제외하고는 통증이 거의 동반되지 않습니다).
- 택시 운전기사이기는 하지만, 소변이 마려울 때는 참지 말고 소변을 보는 것이 도움이 됨을 교육시키는 것이 중요합니다. 또한, 이뇨 작용이 있는 커피의 섭취를 되도록 줄이고, 물의 섭취는 제한할 필요가 없다는 것도 교육하는 것이 중요합니다.

시나리오

Sex/Age	M/40	
Chief Complaint	소변이 자주 마려워요	
Present illness	Location	−
	Onset	5개월 전
	Situation	−
	Time	매일 증상이 있음 하루 화장실 10회 정도 감
	Course	비슷함
	Experience	처음
	Character	[양상] **F/U/N/D**/H/I/S(**+, 10회/+/+, 2~3회/+**/−/−/−) 가는 소변 줄기(−), 요실금(−), **잔뇨감(+)** 소변량 변화(1회 소변량 줄었으나, 하루 소변량 그대로) 색 변화(−), 냄새(−), 거품(−), 피(−) [정도] **직업상 화장실을 자주 못 가 불편함**
	Factors	성접촉(−), 물 섭취량 변화(−), 최근 감기(−)
	Associated symptoms	발열/오한(−/−), 체중변화(−), 근육통(−), 관절통(−), 옆구리 통증(−), 복통(−), **10년 전부터 고환 쪽이 뻐근함**, 외음부 분비물(−), 두통/시야장애(−/−), 보행장애(−)
Medical history	약물복용력	아로나민 골드, 그 외에 먹는 약 없음
	과거력	DM/TBc/HTN/간질환(−/−/−/−) 건강검진 3년 전 시행, 당시 이상 없었음
	외상/수술력	외상(−), 수술(−)
	사회력	택시기사, 음주(소주 1병, 3~4회/주), 흡연(−), 커피(2~3잔/day)
	가족력	비뇨기계 암(−)
	여성력	−
Physical exam	Vital sign	110/70mmHg, 72회/분, 19회/분, 36.5℃
	Positive findings	결막(−), 구강 탈수(−) 복부 검진 정상, CVAT(−/−) **DRE(결과지 : 전립선 45g(정상 20g))** 외성기 진찰(고환종물/통증 없음)
환자의 질문 또는 기타 특이사항	−	

대표증례-3

상황지침

68세 남자 신제혁 씨가 소변을 자주 본다고 병원에 왔다.

[활력징후]	
• 혈압 : 110/65mmHg	• 맥박 : 72회/분
• 호흡 : 19회/분	• 체온 : 36.2℃

응시자는 이 환자에게

- 증상과 관련된 병력을 청취하고,
- 증상과 관련된 적절한 신체진찰을 시행한 후,
- 추정진단과 향후 진단계획 등에 대해 환자와 논의하시오.

해설

※ **감별진단** : 전립샘암, 전립샘비대증

※ **진단계획/치료계획** : 소변검사, 혈액검사(PSA), 경직장초음파 / 수술(경요도 전립샘 절제술), a-blocker

- 일단 나이가 68세로 고령이시고 30갑·년의 사회력, 체중감소와 막힘 증상과 자극증상이 모두 있는 case입니다. 또한 DRE를 했을 때 크기가 커진 전립샘이 만져집니다. 이것으로 보아 전립샘암, 전립샘 비대증, 방광암 의심해볼 수 있습니다.
- 암이라고 말씀드릴 때 대부분의 환자분들은 놀라시거나 걱정을 하는 반응을 보여주십니다. 실기시험에서 환자분들의 반응 하나하나는 그냥 나오는 것이 아니라 철저하게 교육을 받은 부분입니다. 따라서 이러한 반응들도 채점 항목 중 하나라고 생각하시고 환자분을 안심시켜 드리며 아직 확실한 검진결과가 나오기 전까지는 확신할 수 없으니 너무 심려치 마시라는 등의 말로 교육하는 것이 좋겠습니다.

시나리오

<table>
<tr><td>Sex/Age</td><td colspan="2">M/68</td></tr>
<tr><td>Chief Complaint</td><td colspan="2">소변이 자주 마려워요</td></tr>
<tr><td rowspan="9">Present illness</td><td>Location</td><td>–</td></tr>
<tr><td>Onset</td><td>8개월 전</td></tr>
<tr><td>Situation</td><td>–</td></tr>
<tr><td>Time</td><td>매일 증상이 있음
1~2시간마다 소변이 마려움(하루 소변 보는 횟수 12회)</td></tr>
<tr><td>Course</td><td>점점 심해짐</td></tr>
<tr><td>Experience</td><td>처음</td></tr>
<tr><td>Character</td><td>[양상] F/U/N/D/H/I/S(+, 12회/+/+, 2~3회/+/–/–/–)
가는 소변 줄기(+), 요실금(–), 잔뇨감(+)
소변량 변화(1회 소변량 줄었으나, 하루 소변량 그대로)
색 변화(–), 냄새(–), 거품(–), 피(–)
[정도] 일상생활이 불편하지는 않음</td></tr>
<tr><td>Factors</td><td>성접촉(–), 물 섭취량 변화(–), 최근 감기(–)</td></tr>
<tr><td>Associated symptoms</td><td>발열/오한(–/–), 체중감소(+, 5개월간 6kg), 근육통(–), 관절통(–), 옆구리 통증(–), 복통(–), 외음부 분비물(–), 두통/시야장애(–/–), 보행장애(–)</td></tr>
<tr><td rowspan="6">Medical history</td><td>약물복용력</td><td>없음</td></tr>
<tr><td>과거력</td><td>DM/TBc/HTN/간질환(–/–/–/–)
건강검진 2년 전 시행, 당시 이상 없었음</td></tr>
<tr><td>외상/수술력</td><td>외상(–), 수술(–)</td></tr>
<tr><td>사회력</td><td>경비원, 음주(소주 1병, 3~4회/주), 흡연(30PY, 2년 전 금연)
커피(2~3잔/day)</td></tr>
<tr><td>가족력</td><td>아버지(전립선암), 어머니(자궁내막암)</td></tr>
<tr><td>여성력</td><td>–</td></tr>
<tr><td rowspan="2">Physical exam</td><td>Vital sign</td><td>110/65mmHg, 72회/분, 19회/분, 36.2℃</td></tr>
<tr><td>Positive findings</td><td>결막(–), 구강 탈수(–)
복부 검진 정상, CVAT(–/–)
DRE(결과지 : 전립선 40g(정상 20g))
외성기 진찰(고환종물/통증 없음)</td></tr>
<tr><td colspan="2">환자의 질문 또는 기타 특이사항</td><td>–</td></tr>
</table>

대표증례 – 4

상황지침

55세 여자 나희연 씨가 소변을 볼 때 불편하다며 병원에 왔다.

[활력징후]

- 혈압 : 110/60mmHg
- 맥박 : 94회/분
- 호흡 : 16회/분
- 체온 : 38.5℃

응시자는 이 환자에게
- 증상과 관련된 병력을 청취하고,
- 증상과 관련된 적절한 신체진찰을 시행한 후,
- 추정진단과 향후 진단계획 등에 대해 환자와 논의하시오.

해설

※ **감별진단** : 급성 신우신염, 요로 결석

※ **진단계획/치료계획** : 소변검사, 소변배양검사, KUB / 수분 공급, 항생제 치료

- 소변 볼 때 불편감을 주소로 내원한 환자로, 우선 정확히 어떤 점이 불편한 것인지 환자에게 open question으로 여쭤 봐 증상을 구체화하는 것이 중요합니다.
- 발열, 오한과 함께 환자가 우측 옆구리 통증을 호소하고, 신체 검진 상에서도 우측 CVAT에서 양성 소견을 보였으므로 급성 신우신염, 요로 결석 등을 의심해 볼 수 있습니다.
- 급성 신우신염의 치료로는 ciprofloxacin과 같은 fluoroquinolone계 항생제를 사용하게 됩니다. 올해부터 CPX가 개정되며 사이시험이 사라졌으므로, 구체적인 약제 이름을 기억하기보다는 환자가 이해하기 쉽게 항생제 치료를 할 것이라고만 설명해줘도 충분할 것 같습니다.

시나리오

Sex/Age	F/55	
Chief Complaint	소변 보는 게 불편해요	
Present illness	Location	–
	Onset	3일 전
	Situation	–
	Time	3일 전부터 지속적으로 증상이 있음 소변 볼 때마다 불편한 느낌이 있으며, 자주 마려움(하루 13회)
	Course	점점 심해짐
	Experience	처음
	Character	[양상] **F**/U/N/**D**/H/I/S(**+, 13회**/–/–/**+**/–/–/–) 가는 소변 줄기(–), 요실금(–), **잔뇨감(+)** **색 변화(+, 약간 진함)**, 냄새(–), 거품(–), 피(–) [정도] 일상생활이 불편하지는 않음
	Factors	성접촉(–), 최근 감기(–)
	Associated symptoms	**발열(+,하루 전)**, **오한(+)**, 체중감소(–), 근육통(–), 관절통(–), **옆구리 통증(+, 우측 옆구리가 결리는 것 같은 느낌)**, 복통(–), 외음부 가려움증/통증/분비물(–/–/–), 두통/시야장애(–/–), 보행 장애(–)
Medical history	약물복용력	없음
	과거력	DM/TBc/HTN/간질환(–/–/–/–), 1년에 2~3차례 방광염으로 치료받은 적이 있음, 건강검진 1년 전 시행, 당시 이상 없었음
	외상/수술력	외상(–), 수술(–)
	사회력	주부, 음주(–), 흡연(–), 커피(1잔/day)
	가족력	비뇨기계 암(–)
	여성력	–
Physical exam	Vital sign	110/60mmHg, 94회/분, 16회/분, 38.5℃
	Positive findings	결막(–), 구강 탈수(–) 복부 검진 정상, **CVAT(우측 +)** DRE 정상, 외성기 진찰 정상
환자의 질문 또는 기타 특이사항	–	

대표증례 – 5

상황지침

56세 여자 김정순 씨가 소변이 샌다고 병원에 왔다.

[활력징후]

- 혈압 : 130/80mmHg
- 맥박 : 84회/분
- 호흡 : 20회/분
- 체온 : 36.8℃

응시자는 이 환자에게
- 증상과 관련된 병력을 청취하고,
- 증상과 관련된 적절한 신체진찰을 시행한 후,
- 추정진단과 향후 진단계획 등에 대해 환자와 논의하시오.

해설

※ **감별진단** : 복압성 요실금

※ **진단계획/치료계획** : 소변 검사, 요역동학 검사 / 케겔 운동, 필요시 수술

- 3명의 질식 분만력을 지닌 중년 여성입니다. 기침을 하거나 크게 웃을 때, 운동을 할 때 소변이 새고 있습니다. 여성들에게 요실금 중 가장 흔한, 골반을 지탱하는 근육의 힘이 약해져 생기는 긴장성 요실금이 가장 의심됩니다.
- 다른 원인을 배제하기 위해 요역동학 검사, 요배양 검사, 요분석 검사 등이 필요합니다. 치료는 골반 근육의 힘을 키워주는 생활 습관 교육 위주로 우선 진행하면 됩니다. 케겔 운동이나 유산소 운동 등을 적극적으로 하라고 권합니다. 또한 현재 환자에게 나타나는 요실금의 원인이 질식분만, 다산일 가능성이 높고, 특별히 다른 병이 있어서 그런 것이 아니라고 안심시키면 환자와 좋은 관계를 형성할 수 있겠죠?
- 수술 관련해서 환자가 질문을 하였습니다. 이런 경우 약해진 골반 근육을 대체하는 테이프를 두르는 시술이나 수술이 있다고 대략적으로 알려주면 됩니다.

시나리오

Sex/Age		F/56
Chief Complaint		소변이 새요
Present illness	Location	–
	Onset	7~8년 전
	Situation	**기침할 때, 크게 웃을 때, 뛰거나 운동할 때 소변이 샌다**
	Time	지속적으로 증상이 있으며, 빈도는 그때그때 상황마다 다름
	Course	한 달 전에 감기 걸린 후 많이 심해짐. 지금은 감기 호전됨
	Experience	20년 전 셋째 낳았을 때 증상 있다가 저절로 호전됨
	Character	[양상] F/U/N/D/H/I/S(–/–/–/–/–/–/–), **요실금(+)**, 잔뇨감(–) 소변량 변화(1회 소변량 줄었으나, 하루 소변량 그대로) 색 변화(–), 냄새(–), 거품(–), 피(–) [정도] 많이 불편하고 스트레스 받음. 밖에 잘 못 다닐 정도임
	Factors	DIAPPERS(전부 –), 추울 때(–)
	Associated symptoms	발열/오한(–/–), 체중변화(–), 옆구리 통증(–), 복통(–), 밑이 빠지는 느낌(–), 두통/시야장애(–/–), 보행장애(–), 대변 실금(–)
Medical history	약물복용력	없음
	과거력	DM/TBc/HTN/간질환(–/–/–/–), 뇌졸중(–), 디스크(–) 건강검진 2년 전 시행, 당시 이상 없었음
	외상/수술력	외상(–), 수술(–)
	사회력	주부, 음주(맥주 1캔, 1~2회/월), 흡연(–), 커피(–)
	가족력	비슷한 증상(–)
	여성력	[월경력] 폐경 [산과력] **3-0-0-3, 모두 자연 분만**
Physical exam	Vital sign	130/80mmHg, 84회/분, 20회/분, 36.8℃
	Positive findings	결막(–), 구강 탈수(–) 복부 검진 정상, CVAT(–/–) DRE 정상, 골반 진찰 정상 하지 근력/감각/DTR 정상
환자의 질문 또는 기타 특이사항		"수술은 어떻게 하는 건가요?"

대표증례 – 6

상황지침

52세 여자 최순심 씨가 소변이 샌다고 병원에 왔다.

[활력징후]

- 혈압 : 110/85mmHg
- 맥박 : 74회/분
- 호흡 : 22회/분
- 체온 : 36.3℃

응시자는 이 환자에게

- 증상과 관련된 병력을 청취하고,
- 증상과 관련된 적절한 신체진찰을 시행한 후,
- 추정진단과 향후 진단계획 등에 대해 환자와 논의하시오.

해설

※ **감별진단** : 혼합성 요실금

※ **진단계획/치료계획** : 요역동학검사, 배뇨 일지 / 케겔 운동, 필요시 수술, 항콜린제

- 긴장성과 절박성의 증상을 모두 가지고 있는 요실금을 혼합성 요실금이라 합니다.
- 교육하실 때 케겔운동의 효과와 케겔운동방법 등을 같이 설명해 주면 좋을 것 같네요.
- 최근 문제 경향에 따르면 40대의 중년 여성이 1년 전부터 시작된 소변이 새는 것을 주소로 내원했다고 해서 나오기도 했습니다. 패드 5~6장을 적실 정도로 일상생활에 불편함을 호소했으며, 기침할 때 소변이 새고, 긴박뇨, 야간뇨도 호소하는 경우로 혼합성 요실금에 해당하였습니다. 이 경우 더 심한 증상을 먼저 치료하는 쪽으로 설명하면 됩니다. 혼합성 요실금 중에 이 환자는 복압성 요실금 증상을 더 심하다고 여겼기 때문에, 케겔운동과 함께 tension free vaginal tape으로 시술하는 방법을 설명하는 쪽으로 가닥을 잡으면 됩니다.

시나리오

Sex/Age	F/52	
Chief Complaint	소변이 새요	
Present illness	Location	−
	Onset	1년 전/서서히
	Situation	**기침할 때, 크게 웃을 때, 뛰거나 운동할 때 소변이 샌다** **3개월 전부터는 요의를 느껴 화장실 가려고 할 때 소변 지림**
	Time	지속적으로 증상 있음 속옷이 젖어서 패드 사용할 정도(6개/day)
	Course	점점 심해짐
	Experience	처음
	Character	[양상] **F/U**/N/D/H/I/S(**+, 15회**/+/−/−/−/−/−) **요실금(+)**, 잔뇨감(−) 소변량 변화(−), 색 변화(−), 냄새(−), 거품(−), 피(−) [정도] 일상 생활에 지장(+, 많이 불편하고 스트레스 받음)
	Factors	DIAPPERS(전부 −), 추울 때(−)
	Associated symptoms	발열/오한(−/−), **체중증가(+, 8개월간 6kg)**, 옆구리 통증(−), 복통(−), 밑이 빠지는 느낌(−), 두통/시야장애(−/−), 보행장애(−), 대변 실금(−)
Medical history	약물복용력	없음
	과거력	DM/TBc/HTN/간질환(−/−/−/−), 뇌졸중(−), 디스크(−) 건강검진 7년 전 시행, 당시 이상 없었음
	외상/수술력	외상(−), 수술(−)
	사회력	은행원, 음주(소주 1~2잔, 1~2회/월), 흡연(−), 커피(−)
	가족력	비슷한 증상(−)
	여성력	[월경력] 폐경 [산과력] **3-0-0-3, 모두 자연분만**
Physical exam	Vital sign	110/85mmHg, 74회/분, 22회/분, 36.3℃
	Positive findings	결막(−), 구강 탈수(−) 복부 검진 정상, CVAT(−/−) DRE 정상, 골반 진찰 정상 하지 근력/감각/DTR 정상
환자의 질문 또는 기타 특이사항		−

대표증례 – 7

상황지침

49세 여자 김하영 씨가 소변이 샌다고 병원에 왔다.

[활력징후]	
• 혈압 : 130/80mmHg	• 맥박 : 84회/분
• 호흡 : 20회/분	• 체온 : 36.8℃

응시자는 이 환자에게

– 증상과 관련된 병력을 청취하고,
– 증상과 관련된 적절한 신체진찰을 시행한 후,
– 추정진단과 향후 진단계획 등에 대해 환자와 논의하시오.

해설

※ **감별진단** : 과민성 방광, 당뇨에 의한 neurogenic bladder
※ **진단계획/치료계획** : 소변검사, 배뇨 일지 / 행동치료, 항콜린제

• 환자가 추울 때 증상이 심해지며, 이로 인해 일상생활에 지장이 있는 상황이므로 과민성 방광이 가장 의심되는 상황입니다. 환자가 2년 전 새롭게 당뇨를 진단받았으므로 당뇨에 의한 신경인성 방광 역시 의심 가능합니다.
• 긴장성 요실금은 해부학적인 문제가 원인이 될 수 있으므로 수술적 치료(TVT 등)가 고려되는 반면, 과민성 방광은 해부학적인 원인이 아닌 방광의 과민성이 문제이므로 불수의적인 방광수축을 방지하기 위해 행동치료와 함께 약물치료(anticholinergics) 등을 우선으로 사용합니다.

시나리오

<table>
<tr><td>Sex/Age</td><td colspan="2">F/49</td></tr>
<tr><td>Chief Complaint</td><td colspan="2">소변이 새요</td></tr>
<tr><td rowspan="9">Present illness</td><td>Location</td><td>–</td></tr>
<tr><td>Onset</td><td>1년 전</td></tr>
<tr><td>Situation</td><td>기침하거나 복압 상승 시 소변(–)
요의를 느끼고 화장실 가려 하면 소변 지림(–)</td></tr>
<tr><td>Time</td><td>–</td></tr>
<tr><td>Course</td><td>1년 전부터 그랬으나 6개월 전부터 점점 심해짐</td></tr>
<tr><td>Experience</td><td>처음</td></tr>
<tr><td>Character</td><td>[양상] F/U/N/D/H/I/S(–/–/–/–/–/–/–)
요실금(+), 잔뇨감(–), 속옷이 살짝 젖을 정도로 소변이 샘
색 변화(–), 냄새(–), 거품(–), 피(–)
[정도] 일상 생활에 지장(+, 증상 때문에 짜증남)</td></tr>
<tr><td>Factors</td><td>[악화] 추울 때(+), 긴장할 때(+)
DIAPPERS(전부 –)</td></tr>
<tr><td>Associated symptoms</td><td>발열/오한(–/–), 체중변화(–), 옆구리 통증(–), 복통(–), 밑이 빠지는 느낌(–), 두통/시야장애(–/–), 보행장애(–), 대변 실금(–)</td></tr>
<tr><td rowspan="6">Medical history</td><td>약물복용력</td><td>당뇨약 복용 중(성분 모름)</td></tr>
<tr><td>과거력</td><td>DM/TBc/HTN/간질환(+, 2년 전/–/–/–), 뇌졸중(–), 디스크(–)
건강검진 3년 전 시행, 당시 이상 없었음</td></tr>
<tr><td>외상/수술력</td><td>외상(–), 수술(+, 자궁 적출술, 제왕절개 2회)</td></tr>
<tr><td>사회력</td><td>주부, 음주(–), 흡연(–)</td></tr>
<tr><td>가족력</td><td>비슷한 증상(–)</td></tr>
<tr><td>여성력</td><td>[월경력] 규칙적, 월경량 보통, 월경통 없음, LMP 1주 전
[산과력] 2-0-0-2, 모두 제왕절개</td></tr>
<tr><td rowspan="2">Physical exam</td><td>Vital sign</td><td>130/80mmHg, 84회/분, 20회/분, 36.8℃</td></tr>
<tr><td>Positive findings</td><td>결막(–), 구강 탈수(–)
복부 검진 정상, CVAT(–/–)
DRE 정상, 골반 진찰 정상
하지 근력/감각/DTR 정상</td></tr>
<tr><td colspan="2">환자의 질문 또는 기타 특이사항</td><td>–</td></tr>
</table>

04 CHAPTER

관련증례

17-1 23세 남자가 소변을 자주 본다며 왔다. 2일 전부터 소변이 자주 마렵고 소변이 마려우면 참기 어려우며 소변을 보고 나서도 시원하지 않고 소변이 남아 있는 듯하다고 하였다. 자다가 소변이 마려워서 깨어나기도 한다고 하였다. 갑자기 소변보는 중에 피가 찔끔 나오기도 했는데 다른 분비물이나 배뇨통은 없다고 하였다. 최근 감기 걸린 적은 없었고 열도 없었다. 신혼 초에도 비슷한 증상이 있다가 하루만에 저절로 없어졌던 적이 있다고 하였다. 사무직 회사원으로 최근 스트레스를 많이 받고 있다고 하였다. 음주는 가끔씩 하며, 흡연은 하지 않는다고 하였다.

활력징후는 혈압 130/80mmHg, 맥박 72회/분, 호흡수 20회/분, 체온 36.5℃이었다. 복부 진찰 소견은 모두 정상이었다. 직장수지 검사에서도 이상소견 없었다.

17-2 59세 여성이 2년 전부터 소변 마려운 느낌이 들 경우 참기 어려워 바로 화장실을 가야하고 가는 도중 참지 못해 속옷을 적시는 경우가 많다고 하였다. 그래서 이동 시마다 화장실 위치를 파악해야만 하며 이 때문에 일상 생활이 불편하다고 하였다.

활력징후는 혈압 120/80mmHg, 맥박 80회/분, 호흡수 19회/분, 체온 36.5℃이었다. 복부 진찰 소견은 모두 정상이었다. 직장수지 검사와 골반 진찰 검사에서도 이상소견 없었다.

Answer | 17-1. 급성 방광염 17-2. 절박성 요실금

Check-list

	병력청취 채점항목	예	아니오
1	언제부터 증상이 시작되었는지 물어보았다.	☐	☐
2	어떤 점이 불편한지 구체적으로 물어보았다.	☐	☐
3	동반증상이 있는지 물어보았다 (발열/오한, 절박뇨, 빈뇨, 핍뇨, 혈뇨, 단백뇨, 통증 등).	☐	☐
4	소변의 양상에 대하여 물어보았다. (요실금의 경우 소변이 새는 상황도)	☐	☐
5	최근 성접촉 경험에 대하여 물어보았다.	☐	☐
6	(여성) 질 분비물이나 냄새, 가려움이 있는지 물어보았다. (남성) 통증, 가려움 등이 있는지 물어보았다.	☐	☐
7	복용중인 약물이 있는지 물어보았다.	☐	☐
8	앓고 있는 질환에 대하여 물어보았다	☐	☐
9	여성의 경우 산부인과력 특히 출산력과 분만방식에 대하여 물어보았다.	☐	☐

	신체진찰 채점항목	제대로 함	제대로 못함	하지 않음
1	복부진찰을 시행하였다.	☐	☐	☐
2	옆구리 통증 및 CVAT를 확인하였다.	☐	☐	☐
2	DRE를 시행하였다.	☐	☐	☐
3	하지의 감각 및 운동, 반사 이상을 확인하였다.	☐	☐	☐

	환자교육 채점항목	예	아니오
1	배뇨이상을 일으킬 수 있는 원인에 대하여 설명하였다.	☐	☐
2	원인을 파악하기 위한 검사를 설명하고 동의를 구하였다.	☐	☐
3	예상되는 질환의 치료에 대해 설명하였다.	☐	☐
4	요로계 감염증의 합병증과 예방법에 대하여 설명하였다.	☐	☐

	환자의사관계 채점항목	아주우수	우수	보통	미흡
1	효율적으로 잘 물어보았다. – 효율적 질문 : 개방형 질문 사용, 확인, 중간 요약 – 피할 질문 : 유도 질문, 복수 질문	☐	☐	☐	☐
2	나의 말을 잘 들어주었다. – 대꾸하기, 경청 자세, 눈 맞춤 & 말 가로채지 않기	☐	☐	☐	☐
3	나의 입장을 이해하려고 노력하였다. – 공감 표현, 나의 입장 파악	☐	☐	☐	☐
4	환자가 이해하기 쉽게 설명하였다. – 간단명료함, 이해도 점검, 질문 기회 & 쉬운 용어	☐	☐	☐	☐
5	나와 좋은 유대 관계를 형성하려고 했다. – 자기소개, 일상 대화, 존중, 자신감 & 신뢰감	☐	☐	☐	☐

18 붉은색 소변

대표증례 – 1

상황지침

25세 여자 김미래 씨가 소변에 피가 나와서 병원에 왔다.

[활력징후]

- 혈압 : 115/75mmHg
- 맥박 : 68회/분
- 호흡 : 19회/분
- 체온 : 36.3℃

응시자는 이 환자에게

- 증상과 관련된 병력을 청취하고,
- 증상과 관련된 적절한 신체진찰을 시행한 후,
- 추정진단과 향후 진단계획 등에 대해 환자와 논의하시오.

해설

※ **감별진단** : PSGN / IgA nephropathy

※ **진단계획/치료계획** : 소변 검사(Urinanalysis with microscopy), 혈액 검사(ASO) / 수액공급, 이뇨제, 혈압 조절

- 이와 같은 case에서는 감기 걸린 적이 있는지 꼭 물어보는 것이 중요합니다.
- 또한 잊지 말고 복부 특히 옆구리 쪽에 외상이 있는지 여부를 반드시 확인해야 합니다.
- 최근의 문제 경향에 따르면 20대 여자 환자가 하루 전부터 시작된 붉은 소변을 주소로 내원한 문제가 나온 적이 있습니다. 1주일 전에 목감기를 심하게 앓아서 감기약을 먹었으며, 팔다리 부종, 체중 증가, 근육통을 호소하였습니다. 이러한 문제는 전형적으로 PSGN을 의심할 수 있는 문제로, IgA nephropathy와의 차이를 알아두면 도움이 될 것입니다.

시나리오

Sex/Age		F/25
Chief Complaint		소변이 붉게 나와요
Present illness	Location	–
	Onset	4일 전
	Situation	–
	Time	소변 보는 횟수는 이전과 비슷 2일 전 밤부터는 매번 소변 볼 때마다 색이 붉음
	Course	지속됨
	Experience	처음
	Character	[양상] **콜라색 소변**/냄새(–)/**거품(+)**/피 덩어리(–) **소변 전체에 걸쳐서 피가 섞여 나옴**
	Factors	심한 운동(–), 사우나(–), **최근 감기(+, 10일 전)**, 색소 음식(–)
	Associated symptoms	발열/오한(–/–), **체중변화(+, 증가)**, **부종(+, 손발이 붓는 느낌)**, 어지럼증(–), 호흡곤란(–), 멍이 잘 듦(–), 잇몸 출혈(–), 옆구리 통증(–), 복통(–), **근육통(+)**, F/U/N/D/H/I/S(–/–/–/–/–/–/–), 요실금(–), 잔뇨감(–)
Medical history	약물복용력	목감기로 인해 타이레놀 복용함. 결핵약(–), 항응고제(–)
	과거력	DM/TBc/HTN/간질환(–/–/–/–) 3년 전 건강검진에서 단백뇨 있다고 들었음(증상이 없어 따로 진료 받지는 않음)
	외상/수술력	외상(–), 수술(–)
	사회력	대학생, 음주(–), 흡연(–)
	가족력	아버지가 신부전으로 사망
	여성력	[월경력] 규칙적, 월경량 보통, 월경통 보통, LMP 5일 전 [산과력] 0-0-0-0
Physical exam	Vital sign	115/75mmHg, 68회/분, 19회/분, 36.3℃
	Positive findings	결막(–), 편도 비대(–), 복부 검진 정상, CVAT(–/–), DRE(–)
환자의 질문 또는 기타 특이사항		–

대표증례-2

상황지침

50세 남자 최영식 씨가 소변에 피가 나와서 병원에 왔다.

[활력징후]

- 혈압 : 110/70mmHg
- 맥박 : 70회/분
- 호흡 : 18회/분
- 체온 : 36.8℃

응시자는 이 환자에게

- 증상과 관련된 병력을 청취하고,
- 증상과 관련된 적절한 신체진찰을 시행한 후,
- 추정진단과 향후 진단계획 등에 대해 환자와 논의하시오.

해설

※ **감별진단** : 양성전립샘비대증(BPH)

※ **진단계획/치료계획** : 소변 검사, 혈액검사(PSA), 경직장초음파 / 약물치료(a-blocker, 5a reductase inhibitor)

- 금연을 권고하는 것은 방광암에 대한 위험성을 줄일 수 있기 때문에 교육할 때 하면 좋습니다.
- 소변에서 피가 나온다면 처음부터 나오는지 끝쯤에 나오는지 등을 물어보아야 합니다. 뿐만 아니라 거품이 나오는지 피떡이 나오는지 여부도 체크리스트의 항목이니 자세히 문진하는 것이 중요합니다.
- F/U/N/D H/I/S와 소변의 양상을 자세히 문진하는 것이 좋겠죠.
- 환자의 연령대와 DRE 결과를 종합해보면 그 연령대의 남성에게 흔한 질병인 양성전립선비대증이 의심됩니다.

시나리오

Sex/Age	M/50	
Chief Complaint	소변이 붉게 나와요	
Present illness	Location	–
	Onset	1일 전
	Situation	–
	Time	소변 보는 횟수는 이전과 비슷 어젯밤부터 지금까지 소변 볼 때마다 붉게 나옴
	Course	계속 지속
	Experience	처음
	Character	[양상] **선홍색**/냄새(–)/거품(–)/**피딱지(+)** **소변 처음부터 끝까지 계속 붉은 색**
	Factors	심한 운동(–), 사우나(–), 최근 감기(–), 다이어트(–)
	Associated symptoms	발열/오한(–/–), 체중변화(–), 부종(–), 근육통(–), 어지럼증(–), 호흡곤란(–), 멍이 잘 듦(–), 잇몸 출혈(–), 옆구리 통증(–), 복통(–), F/U/N/D/H/I/S (–/–/–/–/–/–/–), 요실금(–), 잔뇨감(–)
Medical history	약물복용력	비타민만 복용 중. 결핵약(–), 항응고제(–)
	과거력	DM/TBc/HTN/간질환(–/–/–/–) 건강검진 2년 전 시행, 당시 이상 소견 없었음
	외상/수술력	외상(–), 수술(–)
	사회력	퇴직 후 슈퍼 운영 음주(소주 1~2병/주), 흡연(30PY)
	가족력	아버지 고혈압, 어머니 당뇨
	여성력	–
Physical exam	Vital sign	110/70mmHg, 70회/분, 18회/분, 36.8℃
	Positive findings	결막(–), 편도 비대(–), 복부 검진 정상, CVAT(–/–), **DRE(+, prostate hypertrophy, 결절이 만져지지는 않음, 압통 동반 안 됨)** pitting edema(–)
환자의 질문 또는 기타 특이사항		–

대표증례-3

상황지침

30세 남자 이상훈 씨가 소변이 붉게 나온다고 병원에 왔다.

[활력징후]

• 혈압 : 110/70mmHg	• 맥박 : 82회/분
• 호흡 : 19회/분	• 체온 : 36.7℃

응시자는 이 환자에게
- 증상과 관련된 병력을 청취하고,
- 증상과 관련된 적절한 신체진찰을 시행한 후,
- 추정진단과 향후 진단계획 등에 대해 환자와 논의하시오.

해설

※ **감별진단** : 횡문근 융해증

※ **진단계획/치료계획** : 소변 검사, 혈액 검사(혈청 CK, BUN / Cr) / 수액공급, 이뇨제

- 사우나, 무리하거나 격한 운동, 과음 등을 꼭 물어봐야겠죠?
- 이 환자의 경우, 3일 전 마라톤을 한 이후 증상이 발생한 것이므로 횡문근 융해증이 가장 의심되는 상황입니다. 횡문근 융해증의 경우 심각한 합병증으로 급성 신부전이 발생할 수 있으므로, 수액공급, 이뇨제를 통해 빠르게 치료를 시작해야 합니다.
- 복용 중인 약물에 대해서 구체적으로 물어보는 것이 좋습니다.
  cf. "어떤 용도로 드시고 계신가요?", "성분명(모르면 상품명)을 아시나요?"

시나리오

Sex/Age		M/30
Chief Complaint		소변이 붉게 나와요
Present illness	Location	–
	Onset	2일 전
	Situation	–
	Time	소변 보는 횟수는 이전과 비슷 어젯밤부터 지금까지 소변 볼 때마다 붉게 나옴
	Course	계속 지속
	Experience	처음
	Character	[양상] 소변량 변화(–)/**콜라색**/냄새(–)/거품(–) **소변 처음부터 끝까지 계속 피가 나옴**/피딱지(–)
	Factors	**심한 운동(+, 3일 전 마라톤 10km)** 사우나(–), 최근 감기(–), 색소 음식(–)
	Associated symptoms	발열/오한(–/–), 체중변화(–), 부종(–), **근육통(+, 허벅지 빼근)**, 어지럼증(–), 호흡곤란(–), 멍이 잘 듦(–), 잇몸 출혈(–), 옆구리 통증(–), 복통(–), F/U/N/D/H/I/S(–/–/–/–/–/–/–), 요실금(–), 잔뇨감(–)
Medical history	약물복용력	결핵약(–), 항응고제(–)
	과거력	DM/TBc/HTN/간질환(–/–/–/–) 건강검진 6개월 전 시행, 당시 이상 소견 없었음
	외상/수술력	외상(–), 수술(–)
	사회력	회사원, 음주(social), 흡연(–)
	가족력	신질환(–)
	여성력	–
Physical exam	Vital sign	110/70mmHg, 82회/분, 19회/분, 36.7℃
	Positive findings	결막(–), 편도 비대(–), 복부 검진 정상, CVAT(–/–) DRE(–), pitting edema(–)
환자의 질문 또는 기타 특이사항		–

대표증례－4

상황지침

56세 남자 구승준 씨가 소변이 붉게 나온다고 병원에 왔다.

[활력징후]

- 혈압 : 130/80mmHg
- 맥박 : 72회/분
- 호흡 : 20회/분
- 체온 : 36.5℃

응시자는 이 환자에게

- 증상과 관련된 병력을 청취하고,
- 증상과 관련된 적절한 신체진찰을 시행한 후,
- 추정진단과 향후 진단계획 등에 대해 환자와 논의하시오.

해설

※ **감별진단** : 방광암, 전립샘암, 전립샘비대증

※ **진단계획/치료계획** : 방광경, 골반 MRI, 경직장초음파, 혈액검사(PSA) / 수술적 치료(경요도절제술(TURB), 방광적출술)

- 이 환자의 경우 체중감소와 함께 무증상 혈뇨를 보이고 있으며, 오랜 흡연력에서 방광암을 의심해 볼 수 있습니다.
- 방광암은 방광경 검사를 통해 병변을 확인하고, 골반 MRI를 통해 근육 침범 정도를 확인해 staging work up을 시행하게 됩니다. 이후 stage에 따라 경요도절제술 또는 방광적출술을 시행하게 됩니다.
- 환자의 DRE 상 전립선비대증이 의심되는 소견을 보이므로 경직장초음파, PSA 검사도 해보는 것이 좋으며, 영상 검사를 통해 전립샘암도 감별해주는 것이 필요합니다.

시나리오

Sex/Age		M/56
Chief Complaint		소변이 붉게 나와요
Present illness	Location	–
	Onset	어제 저녁
	Situation	–
	Time	어제 저녁부터 소변 5회 봤으며, 5회 전부 피가 나옴
	Course	지속됨
	Experience	처음
	Character	[양상] **소변량 종이컵 1개 반/선홍색**/냄새(–)/거품(–) **소변 처음부터 끝까지 계속 피가 나옴/피덩어리(+, 2번)**
	Factors	심한 운동(–), 사우나(–), 최근 감기(–), 색소 음식(–) 스트레스(+, 아들 부부가 손자를 안 낳아서 걱정됨)
	Associated symptoms	발열/오한(–/–), **체중변화(+, 감소)**, 부종(–), 근육통(–), 어지럼증(–), 호흡곤란(–), 멍이 잘 듦(–), 잇몸 출혈(–), 옆구리 통증(–), 복통(–), F/U/N/D/H/I/S(–/–/–/–/–/–/–), 요실금(–), 잔뇨감(–), 외음부 가려움증/분비물/통증(–/–/–)
Medical history	약물복용력	종합비타민제 외 복용하는 약 없음, 결핵약(–), 항응고제(–)
	과거력	DM/TBc/HTN/간질환(–/–/–/–) 건강검진 1년 전 시행, 당시 이상 소견 없었음
	외상/수술력	외상(–), 수술(–)
	사회력	자영업, 음주(1달에 1~2번 정도 마심), **흡연(30PY)**
	가족력	신질환(–)
	여성력	–
Physical exam	Vital sign	130/80mmHg, 72회/분, 20회/분, 36.5℃
	Positive findings	결막(–), 편도 비대(–), 복부 검진 정상, CVAT(–/–) **DRE(+, 양쪽 전립선이 커져 있음)**, pitting edema(–)
환자의 질문 또는 기타 특이사항		–

대표증례 - 5

상황지침

53세 남자 이혁준 씨가 소변이 붉게 나온다고 병원에 왔다.

[활력징후]

- 혈압 : 120/80mmHg
- 맥박 : 70회/분
- 호흡 : 16회/분
- 체온 : 36.5℃

응시자는 이 환자에게
- 증상과 관련된 병력을 청취하고,
- 증상과 관련된 적절한 신체진찰을 시행한 후,
- 추정진단과 향후 진단계획 등에 대해 환자와 논의하시오.

해설

※ **감별진단** : 요로결석

※ **진단계획/치료계획** : 영상검사(KUB, 골반 CT) / 수분섭취하며 경과 관찰, 체외충격파쇄석술

- 환자가 3일 전 시작된 한쪽 옆구리의 통증을 호소하고 있으며, 평소 물을 잘 안 마시는 편임을 고려해보았을 때 요로결석을 의심해 볼 수 있습니다.
- 요로결석은 그 크기에 따라 치료방법이 달라지게 되는데 5mm 이하인 경우 수분 섭취하며 자연배출을 기다려볼 수 있고, 그 이상의 경우 체외충격파쇄석술을 시행하게 됩니다. 체외충격파쇄석술이 실패거나 요로결석의 크기가 2.5cm 이상으로 매우 큰 경우 경피적 신쇄석술, 또는 수술을 시행해 볼 수 있습니다.

시나리오

<table>
<tr><td>Sex/Age</td><td colspan="2">M/53</td></tr>
<tr><td>Chief Complaint</td><td colspan="2">소변이 붉게 나와요</td></tr>
<tr><td rowspan="9">Present illness</td><td>Location</td><td>–</td></tr>
<tr><td>Onset</td><td>오늘 아침</td></tr>
<tr><td>Situation</td><td>–</td></tr>
<tr><td>Time</td><td>오늘 아침 선홍색 소변을 보았고, 병원에 와서 한 차례 더 보았는데 역시 선홍색이었음</td></tr>
<tr><td>Course</td><td>지속됨</td></tr>
<tr><td>Experience</td><td>처음</td></tr>
<tr><td>Character</td><td>[양상] 소변량 정상/선홍색/냄새(–)/거품(–)
소변 처음부터 끝까지 계속 피가 나옴/피덩어리(–)</td></tr>
<tr><td>Factors</td><td>심한 운동(–), 사우나(–), 최근 감기(–), 색소 음식(–)
평소 물을 잘 안 마시는 편임</td></tr>
<tr><td>Associated symptoms</td><td>발열/오한(–/–), 체중변화(–), 부종(–), 근육통(–), 어지럼증(–), 호흡곤란(–), 멍이 잘 듦(–), 잇몸 출혈(–), 옆구리 통증(+, 3일 전부터 오른쪽 옆구리가 뻐근함), 복통(–), F/U/N/D/H/I/S(+, 평소보다 소변을 자주 보는 편/–/–/–/–/–/–), 요실금(–), 잔뇨감(–), 외음부 가려움증/분비물/통증(–/–/–)</td></tr>
<tr><td rowspan="6">Medical history</td><td>약물복용력</td><td>없음, 결핵약(–), 항응고제(–)</td></tr>
<tr><td>과거력</td><td>DM/TBc/HTN/간질환(–/–/–/–)
건강검진 2년 전 시행, 당시 이상 소견 없었음</td></tr>
<tr><td>외상/수술력</td><td>외상(–), 수술(–)</td></tr>
<tr><td>사회력</td><td>회사원, 음주(social), 흡연(40PY)</td></tr>
<tr><td>가족력</td><td>신질환(–)</td></tr>
<tr><td>여성력</td><td>–</td></tr>
<tr><td rowspan="2">Physical exam</td><td>Vital sign</td><td>120/80mmHg, 70회/분, 16회/분, 36.5℃</td></tr>
<tr><td>Positive findings</td><td>결막(–), 편도 비대(–), 복부 검진 정상, CVAT(우측 +)
DRE(–), pitting edema(–)</td></tr>
<tr><td colspan="2">환자의 질문 또는 기타 특이사항</td><td>–</td></tr>
</table>

관련증례

18-1 70세 남자이다. 두 달 전부터 소변이 편하게 나오지 않았고 소변 끝에 피가 조금 비치었다. 소변을 다 본 후 화장실에 다시 가는 경우가 많으나 소변이 더 나오지는 않았다. 오늘 아침에 소변을 보는데 피처럼 빨갛게 나와서 외래에 왔다. 최근 6개월 동안 6kg의 체중감소가 있었고, 담배를 하루에 두 갑씩 40년 이상 피웠다.

> 활력징후는 혈압 120/80mmHg, 맥박 70회/분, 호흡수 18회/분, 체온 36.2℃이었다. 복부 진찰 소견은 정상이었으며, 양다리에 오목부종은 없었다.

18-2 26세 여자이다. 일주일 전 시행한 건강검진 결과 혈뇨가 있다는 판정을 받고 확인을 위해 병원에 왔다. 평소에 건강하였으며 배뇨관련 증상도 없었다.

> 활력징후는 혈압 110/70mmHg, 맥박 80회/분, 호흡수 18회/분, 체온 36.2℃이었다. 신체 진찰에서 특별한 이상은 없었고 월경은 3주 전에 있었다.

Answer | 18-1. 방광암 8-2. 무증상혈뇨

Check-list

	병력청취 채점항목	예	아니오
1	언제부터 나타났는지 물어보았다.	☐	☐
2	양상(색깔, 냄새, 거품/혈괴 동반, 소변의 초반/후반 등)에 대하여 물어보았다.	☐	☐
3	옆구리, 또는 아랫배 통증이 동반되는지 물어보았다.	☐	☐
4	최근 무리한 운동을 했거나, 운동 후 발생하였는지 물어보았다.	☐	☐
5	최근 감기몸살 등의 감염력이 있었는지 물어보았다.	☐	☐
6	붉은색 소변 외 소변 볼 때 불편한 증상에 대하여 물어보았다.	☐	☐
7	복용 중인 약물이 있는지 물어보았다.	☐	☐

	신체진찰 채점항목	제대로 함	제대로 못함	하지 않음
1	결막을 시진하였다.	☐	☐	☐
2	구강 진찰을 시행하였다.	☐	☐	☐
3	복부 진찰을 시행하였다.	☐	☐	☐
4	늑골척추각 압통(CVAT) 유무를 확인하였다.	☐	☐	☐
5	양 다리를 촉진하고 오목부종을 확인하였다.	☐	☐	☐

	환자교육 채점항목	예	아니오
1	혈뇨를 일으킬 수 있는 원인에 대하여 설명하였다.	☐	☐
2	필요한 검사를 설명하고 동의를 구하였다.	☐	☐
3	원인에 따른 치료원칙을 설명하였다.	☐	☐
4	현재 질병이 진행하여 발생 가능한 문제를 설명하였다.	☐	☐

	환자의사관계 채점항목	아주우수	우수	보통	미흡
1	효율적으로 잘 물어보았다. – 효율적 질문 : 개방형 질문 사용, 확인, 중간 요약 – 피할 질문 : 유도 질문, 복수 질문	☐	☐	☐	☐
2	나의 말을 잘 들어주었다. – 대꾸하기, 경청 자세, 눈 맞춤 & 말 가로채지 않기	☐	☐	☐	☐
3	나의 입장을 이해하려고 노력하였다. – 공감 표현, 나의 입장 파악	☐	☐	☐	☐
4	환자가 이해하기 쉽게 설명하였다. – 간단명료함, 이해도 점검, 질문 기회 & 쉬운 용어	☐	☐	☐	☐
5	나와 좋은 유대 관계를 형성하려고 했다. – 자기소개, 일상 대화, 존중, 자신감 & 신뢰감	☐	☐	☐	☐

05

CHAPTER

내분비 · 전신증상

19 체중감소

대표증례 – 1

상황지침

45세 남자 최호준 씨가 살이 빠져서 병원에 왔다.

[활력징후]

• 혈압 : 130/85mmHg	• 맥박 : 72회/분
• 호흡 : 18회/분	• 체온 : 36.3℃

응시자는 이 환자에게
- 증상과 관련된 병력을 청취하고,
- 증상과 관련된 적절한 신체진찰을 시행한 후,
- 추정진단과 향후 진단계획 등에 대해 환자와 논의하시오.

해설

※ **감별진단** : 당뇨에 의한 체중감소, 갑상샘 기능 항진증

※ **진단계획/치료계획** : 경구혈당 검사, 당화혈색소 검사, TFT / 생활습관 개선, 혈당강하제

• 의도하지 않은 체중 감소와 함께 당뇨병의 대표적인 증상인 다음, 다뇨, 다갈이 나타난 다소 전형적인 증례입니다.

• 감별진단과 치료계획 수립을 위해 사회력에서 식습관과 운동량에 대해서 구체적으로 물어보는 것이 중요합니다. 시간 안배를 잘 하여 식사의 규칙성, 양, 주로 먹는 음식 등을 확인하고 이를 바탕으로 환자 교육을 진행하는 것이 바람직합니다.

시나리오

Sex/Age	M/45	
Chief Complaint	체중이 빠져서 왔어요	
Present illness	Location	−
	Onset	5개월 전
	Situation	8kg 감소(70kg → 62kg, 175cm) 의도한 체중 감량 아님 운동이나 활동량 적당함
	Time	−
	Course	꾸준하게 감소
	Experience	처음
	Character	175cm, 허리둘레 모름
	Factors	−
	Associated symptoms	발열/오한/야간 발한/**피로**(−/−/−/+), 기침/가래/호흡곤란(−/−/−), 두근거림(−), **다음/다뇨/목마름**(+/+/+), 더위불내성(−), 두통(−), A/N/V/D/**C**(−/−/−/−/+), **배뇨이상**(+, **빈뇨**, **다뇨**, **거품**, **냄새**), 우울감/의욕저하/수면장애/식욕저하(−/−/−/−), 의도적 구토(−)
Medical history	약물복용력	없음
	과거력	DM/HTN/Tb/간질환(−/−/−/−) 내분비질환(−), 건강검진(5년 전, 정상), 정신과진료(−)
	외상/수술력	외상(−), 수술력(−)
	사회력	운송업, 술(3회/주, 소주 2병), 담배(25PY), 커피(−) 주로 하루 1~2끼 많은 양 먹음 대부분 외식
	가족력	아버지 당뇨, 어머니 갑상샘암, 큰형 당뇨/고혈압
	여성력	−
Physical exam	Vital sign	130/85mmHg, 72회/분, 18회/분, 36.3℃, 175cm, 62kg
	Positive findings	눈, 갑상샘, 림프절, 호흡음, 심음, 복부 진찰 이상 없음 복부 진찰 이상 없음, DRE 이상 없음, 피부긴장도 정상
환자의 질문 또는 기타 특이사항		−

대표증례 – 2

상황지침

52세 남자 김도훈 씨가 살이 빠져서 병원에 왔다.

[활력징후]

- 혈압 : 110/70mmHg
- 맥박 : 85회/분
- 호흡 : 18회/분
- 체온 : 36.5℃

응시자는 이 환자에게
- 증상과 관련된 병력을 청취하고,
- 증상과 관련된 적절한 신체진찰을 시행한 후,
- 추정진단과 향후 진단계획 등에 대해 환자와 논의하시오.

해설

※ **감별진단** : 위암

※ **진단계획** : 위내시경, 복부 CT, 신속 요소분해효소 검사

- 체중 감소를 동반한 소화불량으로 내원한 중년 남자 환자입니다. 다른 특이 증상을 호소하고 있지는 않습니다.
- 연령과 평소 생활 습관, 위암의 가족력, 증상을 종합적으로 고려했을 때 위암의 가능성이 있습니다. 그러나 소화불량에 의해 식사량이 줄은 것은 아닌지 확인해보아야 합니다. 상부 위장관 출혈이 있을 경우 흑색변 소견이 나타날 수 있으므로 병력 청취 및 신체 검진 시 누락되지 않도록 조심합시다.
- 위암에 대해 이야기할 때는 환자가 너무 놀라거나 겁먹지 않도록 잘 공감하며 이야기하는 것이 중요합니다.
- 전신 증상을 다루는 CPX의 주제로, 모든 증상을 다 묻게 되면 시간이 부족할 수 있습니다. 계통적으로 중요한 증상들을 물은 뒤 positive finding에 대해서 더 분석적인 질문과 신체 검진을 진행하는 연습을 하도록 합시다.

시나리오

Sex/Age	M/52	
Chief Complaint	체중이 빠져서 왔어요	
Present illness	Location	–
	Onset	3개월 전
	Situation	6kg 감소(71kg → 65kg, 170cm) 다이어트(–) 운동량 변화(–)
	Time	–
	Course	꾸준하게 감소
	Experience	처음
	Character	170cm, 허리둘레 모름
	Factors	–
	Associated symptoms	발열/오한/야간 발한/**피로**(–/–/–/**+**), 기침/가래/호흡곤란(–/–/–), 두근거림(–), 다음/다뇨/목마름(–/–/–), 더위불내성(–), 두통(–), **A**/N/V/D/C(**+**/–/–/–/–), H/M/H(–/–/–), 복통/**소화불량**(–/**+**, **더부룩한 느낌**), 배뇨이상(–), 우울감/의욕저하/수면장애/식욕저하(–/–/–/–), 의도적 구토(–)
Medical history	약물복용력	비타민
	과거력	DM/HTN/Tb/간질환(–/–/–/–) 내분비질환(–), 5년 전 위내시경 정상
	외상/수술력	외상(–), 수술력(–)
	사회력	자동차 정비업, 술(2~3회/주, 소주 1병), 담배(30PY, 5년 전 끊음) 식사 불규칙, 고기, 기름진 음식 위주
	가족력	아버지 위암, 당뇨(–)
	여성력	–
Physical exam	Vital sign	110/70mmHg, 85회/분, 18회/분, 36.5℃
	Positive findings	눈, 갑상샘, 림프절, 호흡음, 심음, 복부 진찰 이상 없음 **복부 진찰** T/RT(**+**, **epigastric**/–), DRE 이상 없음, 피부긴장도 정상
환자의 질문 또는 기타 특이사항		–

대표증례 – 3

상황지침

29세 여자 최유진 씨가 살이 빠져서 병원에 왔다.

[활력징후]

- 혈압 : 120/80mmHg
- 맥박 : 80회/분
- 호흡 : 16회/분
- 체온 : 36.5℃

응시자는 이 환자에게
- 증상과 관련된 병력을 청취하고,
- 증상과 관련된 적절한 신체진찰을 시행한 후,
- 추정진단과 향후 진단계획 등에 대해 환자와 논의하시오.

해설

※ **감별진단** : 일차성 체중감소, 갑상샘 기능 항진증

※ **진단계획/치료계획** : 갑상샘 기능 검사, 일반 혈액 검사 / 환자 안심, 생활습관 교정

- 스트레스로 인한 일차성 체중감소가 가장 의심됩니다. 모든 증상을 배제해야만 가능한 진단이므로, 계통별로 놓치지 않고 증상을 물어봐야 합니다. 마찬가지로 배제 진단을 위해 기본 검사를 함께 시행합니다.
- 환자 교육에서는 다른 질환 때문이 아님을 말하며 환자를 안심시키고, 스트레스를 완화시킬 수 있는 방법들에 대해 교육하면 좋습니다. 적절한 공감 표현으로 환자와의 관계를 좋게 형성할 수 있습니다.

시나리오

Sex/Age	F/29	
Chief Complaint	체중이 빠져서 왔어요	
Present illness	Location	–
	Onset	3개월 전
	Situation	4kg 감소(47kg → 43kg) 다이어트(–), 최근 식사량 변화(하루 3끼, 불규칙) 운동(–), **스트레스(+)**, 의도적 구토(–)
	Time	–
	Course	꾸준하게 감소
	Experience	처음
	Character	155cm, 허리둘레 모름
	Factors	–
	Associated symptoms	발열/오한/야간 발한/피로(–/–/–/–), 기침/가래/호흡곤란(–/–/–), **두근거림(+, 커피)**, 다음/다뇨/목마름(–/–/–), 더위불내성(–), 두통(–), A/N/V/D/C(–/–/–/–/–), 복통/소화불량(–/–), 배뇨이상(–), 우울감/의욕저하/수면장애/식욕저하(–/–/–/–), 의도적 구토(–)
Medical history	약물복용력	비타민
	과거력	DM/HTN/Tb/간질환(–/–/–/–) 내분비질환(–), 소화기질환(–), 건강검진(–)
	외상/수술력	외상(–), 수술력(–)
	사회력	요식업, 술(1회/달, 맥주 1캔), 담배(–) 스트레스(+, 가게 운영) 본인 체형에 대한 불만족(–)
	가족력	암(–), 갑상샘 질환(–), 당뇨(–)
	여성력	para 0-0-0-0, 월경 불규칙, 월경량 보통, 월경통 없음, LMP 1주 전
Physical exam	Vital sign	120/80mmHg, 80회/분, 16회/분, 36.5℃
	Positive findings	눈, 갑상샘, 림프절, 호흡음, 심음, 복부 진찰 이상 없음 복부 진찰 정상, 피부긴장도 정상
환자의 질문 또는 기타 특이사항		갑자기 체중이 빠져서 걱정돼요

대표증례 - 4

상황지침

20세 여자 최수빈 씨가 살이 빠져서 병원에 왔다.

[활력징후]

- 혈압 : 124/70mmHg
- 맥박 : 82회/분
- 호흡 : 19회/분
- 체온 : 36.7℃

응시자는 이 환자에게
- 증상과 관련된 병력을 청취하고,
- 증상과 관련된 적절한 신체진찰을 시행한 후,
- 추정진단과 향후 진단계획 등에 대해 환자와 논의하시오.

해설

※ **감별진단** : 신경성 식욕부진증, 일차성 체중감소

※ **진단계획/치료계획** : 전해질 검사, 심전도 / 인지행동치료, 생활습관 교정

- 체형에 대한 자기인식 장애가 있고, 에너지 섭취 제한으로 현저한 저체중을 보여 신경성 식욕부진증이 가장 먼저 감별됩니다.
- 식이장애 환자들은 본인의 실제 신체와 본인이 인식하고 있는 신체가 다른 경우가 많습니다. 더 이상의 체형 교정이 불필요하고, 월경 불규칙과 변비 외에 심각한 병을 초래할 수 있다고 경고해주는 것이 좋습니다. 발생 가능한 질병으로는 서맥, 위장관 운동성 저하, 빈혈, 골다공증 등이 있고, 구토가 동반되는 경우 전해질 불균형, 위염, 식도/치아 손상이 있습니다.
- 외모에 대한 집착이나 신체 왜곡이 심한 경우 심리상담을 권하는 것도 좋은 방법입니다.
- 입원 치료는 BMI 16 미만, 6개월 내 30% 이상 체중 감소, 저칼륨혈증, 폭식/제거가 지속되는 경우 고려할 수 있습니다. 병력 청취 시 폭식 행동에 대해 물어봅시다.

시나리오

Sex/Age	F/20	
Chief Complaint	체중이 빠져서 왔어요	
Present illness	Location	–
	Onset	6개월 전
	Situation	15kg 감소(58kg → 43kg) **다이어트(+)** : 아침(저지방우유, 사과), 점심(샐러드, 달걀흰자), 저녁(과일 몇 조각) **운동**(+, 아침 저녁 1시간씩 → 지금은 하루 30~50분)
	Time	–
	Course	3개월 전까지 급격하게 감소, 현재는 감소 속도 줄어듦
	Experience	처음
	Character	163cm, 허리둘레 모름
	Factors	–
	Associated symptoms	발열/오한/야간 발한/피로(–/–/–/–), 기침/가래/호흡곤란(–/–/–), 두근거림(–), 다음/다뇨/목마름(–/–/–), 더위불내성(–), 두통(–), A/N/V/D/**C** (–/–/–/–/**+**), 복통/소화불량(–/–), 배뇨이상(–), 우울감/의욕저하/수면장애/식욕저하(–/–/–/–), 의도적 구토(–)
Medical history	약물복용력	하제/구토제 사용한 적 없음, 변비로 알로에 섭취
	과거력	DM/HTN/Tb/간질환(–/–/–/–) 내분비질환(–), 소화기질환(–), 건강검진(–)
	외상/수술력	외상(–), 수술력(–)
	사회력	학생, 술(–), 담배(–) **본인 체형에 대한 불만족(+)**
	가족력	암(–), 갑상샘 질환(–), 당뇨(–)
	여성력	para 0-0-0-0, 다이어트 이후 월경 불규칙, LMP 3개월 전
Physical exam	Vital sign	124/70mmHg, 82회/분, 19회/분, 36.7℃
	Positive findings	눈, 구강, 갑상샘, 림프절, 호흡음, 심음, 복부 진찰 이상 없음 복부 진찰 정상, 피부긴장도 정상
환자의 질문 또는 기타 특이사항		어머니가 보내서 억지로 내원 제가 살찐 게 아닌가요? 조금 더 살을 빼야 할 것 같아요

관련증례

19-1 30세 여자이다. 신장 158cm에 원래 체중은 53kg으로 최근 6개월 동안 체중이 6kg 감소하였다. 의도적으로 살을 빼려고 시도한 적은 없었다. 식욕이 증가되었고, 하루에 2~3번 무른 변을 보았다. 사무직으로 근무하고 있으며, 특별한 운동은 하지 않았다. 남들보다 더위를 많이 타고, 신경이 예민해진 느낌이 들었다. 가슴이 자주 두근거리며, 계단을 오를 때 다리에 힘이 없고, 숨이 찼다. 최근 생리양이 많이 감소되었다.

> 활력징후는 혈압 140/70mmHg, 맥박 100회/분, 호흡수 18회/분, 체온 36.8℃이었다. 신체진찰에서 안구가 돌출되어 있었고 갑상샘이 전체적으로 커져서 부드럽게 만져졌다.

19-2 53세 남자이다. 신장 170cm에 원래 체중은 70kg으로 최근 6개월 동안 체중이 7kg 감소하였다. 의도적으로 살을 빼려고 시도한 적은 없었다. 식욕이 별로 없어서 식사량이 많이 감소되었고 운동은 일주일에 3~4회 가벼운 산책 정도로 하였다. 변비가 있었고, 최근 간헐적 복통과 함께 대변에 피가 섞여 나오기도 했다.

> 활력징후는 혈압 140/90mmHg, 맥박 80회/분, 호흡수 16회/분, 체온 36.5℃이었다. 복부진찰에서 좌측 하복부 종괴가 촉진되었다.

19-3 19세 여자이다. 신장 162cm에 원래 체중은 50kg이었으나 2년간 체중이 10kg 감소하였다. 스스로가 비만하다고 생각하며, 체중이 늘어날까봐 걱정하고 있었다. 일주일에 두세 번 정도 스스로 주체할 수 없을 정도로 폭식하게 되고, 그 이후에는 토하곤 했다. 최근 6개월간 생리가 없었다.

> 활력징후는 혈압 85/60mmHg, 맥박 90회/분, 호흡수 18회/분, 체온 36.2℃이었다. 신체진찰에서 결막이 창백한 것 외에는 특이소견 없었다.

Answer | 19-1. 갑상샘 기능 항진증 19-2. 대장암 19-3. 신경성 식욕부진증

Check-list

	병력청취 채점항목	예	아니오
1	언제부터 체중이 감소했는지 물어보았다.	☐	☐
2	처음 체중과 현재 체중을 비교하여 얼마동안 몇 kg 감소했는지 확인하고, 갑자기 빠진 것인지 서서히 빠진 것인지 물어보았다.	☐	☐
3	식이, 운동 등으로 체중 조절중이거나, 최근 걱정거리나 스트레스 요인이 있는지 물어보았다.	☐	☐
4	동반증상에 대하여 물어보았다(다음/다뇨/다갈, 더위 불내성/불안/짜증/두근거림, 우울/피곤/식욕저하, 오심/구토/설사/변비 등).	☐	☐
5	복용중인 약물이 있는지 물어보았다.	☐	☐
6	현재 앓고 있는 질환이나 과거력에 대하여 물어보았다.	☐	☐
7	가족 중 암이나 당뇨, 결핵을 앓은 사람이 있는지 물어보았다.	☐	☐

	신체진찰 채점항목	제대로 함	제대로 못함	하지 않음
1	전반적인 상태를 확인하고, 의미있는 체중감소 판단을 위해 신장, 체중, BMI를 계산하였다.	☐	☐	☐
2	안구 돌출 및 결막 공막을 확인하였다.	☐	☐	☐
3	두경부 검사시 갑상샘을 진찰하였다.	☐	☐	☐
4	흉부 진찰에서 호흡음을 청진하였다.	☐	☐	☐
5	복부 진찰을 시행하였다.	☐	☐	☐
6	항문직장진찰을 모형에 시행하였다.	☐	☐	☐

	환자교육 채점항목	예	아니오
1	의미있는 체중감소에 대하여 설명하였다.	☐	☐
2	의심되는 원인과 필요한 검사와 치료에 대하여 설명하였다.	☐	☐
3	심각한 체중감소의 경우 경구식이 등을 통한 치료의 필요성을 설명하였다.	☐	☐

	환자의사관계 채점항목	아주우수	우수	보통	미흡
1	효율적으로 잘 물어보았다. - 효율적 질문 : 개방형 질문 사용, 확인, 중간 요약 - 피할 질문 : 유도 질문, 복수 질문	☐	☐	☐	☐
2	나의 말을 잘 들어주었다. - 대꾸하기, 경청 자세, 눈 맞춤 & 말 가로채지 않기	☐	☐	☐	☐
3	나의 입장을 이해하려고 노력하였다. - 공감 표현, 나의 입장 파악	☐	☐	☐	☐
4	환자가 이해하기 쉽게 설명하였다. - 간단명료함, 이해도 점검, 질문 기회 & 쉬운 용어	☐	☐	☐	☐
5	나와 좋은 유대관계를 형성하려고 했다. - 자기소개, 일상 대화, 존중, 자신감 & 신뢰감	☐	☐	☐	☐

20 체중증가 · 비만

대표증례 – 1

상황지침

42세 여자 정예현 씨가 체중이 늘어서 병원에 왔다.

[활력징후]

- 혈압 : 130/80mmHg
- 맥박 : 84회/분
- 호흡 : 18회/분
- 체온 : 36.8℃

응시자는 이 환자에게
- 증상과 관련된 병력을 청취하고,
- 증상과 관련된 적절한 신체진찰을 시행한 후,
- 추정진단과 향후 진단계획 등에 대해 환자와 논의하시오.

해설

※ **감별진단** : 갑상샘 기능 저하증, 일차성 체중증가

※ **진단계획/치료계획** : 갑상샘 기능 검사, 갑상샘 자가항체 검사, 갑상샘 스캔 / L-thyroxine 투여, 운동

- 갑상샘 기능저하, 쿠싱증후군, 다낭성 난소증후군은 체중증가 문항에서 반드시 생각해야 하는 이차성 기저 질환입니다.
- 갑상샘 기능저하는 자체가 질환이라기보다는 갑상샘의 기능에 변화가 생겨 이것이 병적인 상태에 도달한 것으로, 살이 찐 것은 맞지만 약물치료로 갑상샘 기능을 활성화시키면 다시 빠질 수 있다고 안심시킵니다. 운동을 병행하면 더 빨리 빠질 수 있고, 건강에도 좋다고 교육할 수 있습니다.
- 신체진찰에서 갑상샘은 반드시 확인하도록 합시다.
- 여성의 경우 월경력이 중요하므로 절대 빠트리지 않도록 합니다.

시나리오

Sex/Age	F/42	
Chief Complaint	체중이 늘어요	
Present illness	Location	–
	Onset	6개월 전
	Situation	8kg 증가(58kg → 64kg) 식습관(규칙적, 하루 세끼, 채식 위주) 운동량 감소(+, 예전 운동 많이 함, 최근 쉽게 피로해져서 안함)
	Time	–
	Course	심해지진 않음
	Experience	처음
	Character	전반적으로 살이 찜
	Factors	–
	Associated symptoms	**피로/무력감**/부종/안면홍조(**+/+**/–/–), 기침/가래/호흡곤란/흉통(–/–/–/–), 두근거림(–), A/N/V/C/D(–/–/–/–/–), 황달/복수(–/–), 배뇨이상/핍뇨/혈뇨/거품뇨(–/–/–/–), **추위불내성/피부 거칠어짐**/자색선조(**+/+**/–), 우울감/**의욕저하**/수면장애/식욕저하(–/**+**/–/–)
Medical history	약물복용력	비타민 스테로이드/한약(–/–)
	과거력	DM/HTN/Tb/간질환(–/–/–/–) 내분비질환(–), 소화기질환(–), 심장질환(–), 건강검진(–)
	외상/수술력	외상(–), 수술력(–)
	사회력	주부, 술(social drinker), 담배(–)
	가족력	당뇨(–), 심혈관질환(–), 내분비계 질환(–)
	여성력	para 1-0-0-1, 월경 규칙적, 월경량 보통, LMP 5일 전, 임신 가능성 없음, 폐경(–)
Physical exam	Vital sign	130/80mmHg, 84회/분, 18회/분, 36.8℃
	Positive findings	**갑상샘 촉진(+, goiter 촉진됨)**, DRE(–), 복부 진찰(–), 사지부종(–), 결막(–), 심음 정상
환자의 질문 또는 기타 특이사항	이게 다 살로 갈까 걱정이에요	

대표증례 – 2

상황지침

35세 남자 김남중 씨가 체중이 늘어서 병원에 왔다.

[활력징후]

- 혈압 : 130/80mmHg
- 맥박 : 84회/분
- 호흡 : 18회/분
- 체온 : 36.8℃

응시자는 이 환자에게

- 증상과 관련된 병력을 청취하고,
- 증상과 관련된 적절한 신체진찰을 시행한 후,
- 추정진단과 향후 진단계획 등에 대해 환자와 논의하시오.

해설

※ **감별진단** : 일차성 체중증가, 대사증후군

※ **진단계획/치료계획** : 혈중 콜레스테롤 측정, 공복혈당 측정 / 운동, 식이요법

- 많은 응시자들이 체중증가 문항에서 내분비계 혹은 신장 질환에만 치중하여 질문하다가 시간이 다 돼 그냥 살이 찐 환자에 대한 교육도 제대로 하지 못하고 퇴실했습니다. 생활습관에 의한 체중증가를 항상 염두에 두어야 합니다.
- 다른 질환들은 감별한 뒤, 일차성 체중증가로 방향을 잡고 빨리 교육하는 게 중요합니다. 뭔가 안 물어본 것 같이 애매한 느낌이 있을 때 그만 둘 줄 아는 용기가 필요합니다.
- 살이 쪘다고 했을 때 가장 먼저 떠오르는 소인(식사, 운동)부터 물어보시면 될 듯합니다. 또한 식사 습관이나 운동 습관에 대하여 간략히 물어보는 것이 아니라 정확한 양과 횟수, 그 방법을 물어보아야 합니다.

시나리오

<table>
<tr><td colspan="2">Sex/Age</td><td>M/35</td></tr>
<tr><td colspan="2">Chief Complaint</td><td>체중이 늘어서 왔어요</td></tr>
<tr><td rowspan="9">Present illness</td><td>Location</td><td>–</td></tr>
<tr><td>Onset</td><td>6개월 전</td></tr>
<tr><td>Situation</td><td>5kg 증가(170cm, 77kg → 82kg), 붓는 느낌(–)
식습관(고기, 인스턴트 음식 위주)
운동량 감소(+, 6개월 전 영업직 관두고 운동량 감소)</td></tr>
<tr><td>Time</td><td>–</td></tr>
<tr><td>Course</td><td>심해지진 않음</td></tr>
<tr><td>Experience</td><td>고2~고3때 쪘다가 군대 가서 빠짐
군 제대 후 회사 취직한 뒤 5kg 이상 체중 증가</td></tr>
<tr><td>Character</td><td>전반적으로 살이 찜</td></tr>
<tr><td>Factors</td><td>–</td></tr>
<tr><td>Associated symptoms</td><td>피로/무력감/부종(–/–/–/–), 기침/가래/호흡곤란(–/–/+, 계단 오를 때, 자세에 따른 변화 없음/–), 두근거림(–), A/N/V/C/D(–/–/–/–/–), 황달/복수(–/–), 추위불내성/피부 거칠어짐/자색선조(–/–/–), 소변이상(–/–/–/–), 우울/불안(–/–), 코골이(+)</td></tr>
<tr><td rowspan="6">Medical history</td><td>약물복용력</td><td>스테로이드/한약(–/–)</td></tr>
<tr><td>과거력</td><td>DM/HTN/Tb/간질환(–/–/–/–)
내분비질환(–), 소화기질환(–), 심장질환(–), 건강검진(+,이상없음)</td></tr>
<tr><td>외상/수술력</td><td>외상(–), 수술력(–)</td></tr>
<tr><td>사회력</td><td>술(social), 담배(반 갑씩 피다가 최근 스트레스 받아서 한 갑으로 늘었음, 15년 정도 피움), 스트레스(+, 회사관련)
아침(샌드위치, 빵), 점심(김밥, 햄버거 및 분식류), 저녁(한식)</td></tr>
<tr><td>가족력</td><td>아버지(HTN, DM, 심장질환), 어머니(HTN, OA)</td></tr>
<tr><td>여성력</td><td>–</td></tr>
<tr><td rowspan="2">Physical exam</td><td>Vital sign</td><td>130/80mmHg, 84회/분, 18회/분, 36.8℃, BMI 28.5, 복부둘레 96cm</td></tr>
<tr><td>Positive findings</td><td>입, 목, 갑상샘, 복부 검진 상 특이소견 없음, 사지부종 없음, 심음청진 정상</td></tr>
<tr><td colspan="2">환자의 질문 또는 기타 특이사항</td><td></td></tr>
</table>

05 CHAPTER

대표증례－3

상황지침

37세 여자 한청아 씨가 체중이 늘어서 병원에 왔다.

[활력징후]	
• 혈압 : 130/80mmHg	• 맥박 : 74회/분
• 호흡 : 19회/분	• 체온 : 36.2℃

응시자는 이 환자에게
- 증상과 관련된 병력을 청취하고,
- 증상과 관련된 적절한 신체진찰을 시행한 후,
- 추정진단과 향후 진단계획 등에 대해 환자와 논의하시오.

해설

※ **감별진단** : 스테로이드로 인한 의인성 쿠싱증후군, 일차성 체중증가

※ **진단계획/치료계획** : 24시간 소변 코티솔, Rapid ACTH stimulation test / 스테로이드 중단

- 천식 때문에 스테로이드를 흡인하던 환자가 체중증가를 주소로 온 case입니다. Inhaled corticosteroid(ICS)는 systemic corticosteroid에 비해 전신적 영향이 적어 의인성 쿠싱증후군을 덜 일으키지만 완전히 안전하지는 않습니다.
- 단순히 "드시는 약 있으세요?"라고 물어본다면 일반적으로 대답을 안 해주시는 경우가 있습니다. 따라서 체중증가 주제에서는 스테로이드나 한약을 콕 집어서 물어봐야 합니다.

시나리오

Sex/Age	F/37	
Chief Complaint	체중이 늘어서 왔어요	
Present illness	Location	–
	Onset	2개월 전
	Situation	8kg 증가(57kg → 65kg, 155cm), 붓는 느낌(–) 식습관(한식 위주, 기름진음식/고기/간식 X) 운동량(주 1회, 30분간 조깅)
	Time	–
	Course	꾸준히 살찜
	Experience	처음
	Character	전반적으로 살이 찜
	Factors	–
	Associated symptoms	피로/무력감/부종(–/–/–/–), 기침/가래/호흡곤란(–/–/–/–), 두근거림(–), A/N/V/C/D(–/–/–/–/–), 황달/복수(–/–), 추위불내성/피부거칠어짐/자색선조/**moon face**(–/–/–/**+**), 체모증가/여드름(–/–), 소변이상(–/–/–/–), 두통/시야변화(–/–), 우울/불안(–/–)
Medical history	약물복용력	2년 전부터 경구혈당강하제 복용 **스테로이드**/한약(**+, 천식으로 6개월 전부터 복용**/–)
	과거력	DM/HTN/Tb/간질환(+/–/–/–), 천식(+) 다른 질환(–), 건강검진(+, 2년 전 이상없음)
	외상/수술력	외상(–), 수술력(–)
	사회력	보험회사 직원, 술(–), 담배(–)
	가족력	아버지 어머니 친오빠 당뇨병
	여성력	월경 규칙적, 월경량 보통, LMP 1주 전
Physical exam	Vital sign	130/80mmHg, 74회/분, 19회/분, 36.2℃ 키 155cm, 허리 88cm, BMI 27.06
	Positive findings	결막(–), 갑상샘 정상, 복부 검사 정상, DRE(–), 복부자색선조(–), 살쪄서 튼살, 오목부종(–), 심장청진 정상
환자의 질문 또는 기타 특이사항		

관련증례

20-1 53세 여자이다. 최근 2년 동안 6kg 체중이 증가하였으며, 예전에 입던 바지가 작아 입을 수 없게 되었다. 이유 없이 땀이 많이 나고 가끔 얼굴이 벌겋게 달아오르곤 하였다. 생리가 불규칙하다가 없어진지 2년 정도 되었다. 막내가 대학에 입학한 뒤로 시간 여유가 많아져 계 모임에 자주 나가게 되었다. 요즘은 무릎 통증 때문에 예전에 즐기던 등산을 못하고 있다.

활력징후는 혈압 130/80mmHg, 맥박 80회/분, 호흡수 20회/분, 체온 36.7℃이었다. BMI 28kg/m^2, 허리둘레 90cm이었다. 갑상샘 종대는 없었다. 심음은 정상이었다.

Answer | 20-1. 폐경기 체중증가

Check-list

	병력청취 채점항목	예	아니오
1	체중증가의 정도와 속도에 대하여 물어보았다.	□	□
2	최근 식이에 변화가 있었는지 물어보았다(식사량, 횟수, 기름진 음식, 보충제 등).	□	□
3	최근 운동여부나 활동량의 변화가 있었는지 물어보았다.	□	□
4	최근 심하게 스트레스를 받는 일이 있었는지 물어보았다.	□	□
5	동반증상이 있는지 물어보았다(피로감, 추위 불내성, 변비, 부종, 멍이 잘 듦, 호흡곤란 등).	□	□
6	내분비계/신장 포함, 앓고 있는 질환이 있는지 물어보았다.	□	□
7	복용중인 약물이 있는지 물어보았다.	□	□
8	여성의 경우 임신 가능성이 있는지 물어보았다.	□	□

	신체진찰 채점항목	제대로 함	제대로 못함	하지 않음
1	키/체중, 복부둘레를 확인하고 BMI를 계산하였다.	□	□	□
2	갑상샘 진찰을 시행하였다.	□	□	□
3	비만의 유형을 확인하였다.	□	□	□
4	호흡음과 심음을 청진하였다.	□	□	□
5	복부 진찰을 시행하였다.	□	□	□
6	하지부종을 확인하였다.	□	□	□

	환자교육 채점항목	예	아니오
1	현재 비만 정도와 체중증가의 원인에 대하여 설명하였다.	□	□
2	필요한 검사와 결과에 다른 치료계획을 설명하였다.	□	□
3	과체중 또는 비만에 따른 건강위험도와 동반할 수 있는 병적 상태를 설명하였다.	□	□
4	식이요법, 운동 등의 생활습관 교정에 대하여 교육하였다.	□	□

	환자의사관계 채점항목	아주우수	우수	보통	미흡
1	효율적으로 잘 물어보았다. - 효율적 질문 : 개방형 질문 사용, 확인, 중간 요약 - 피할 질문 : 유도 질문, 복수 질문	□	□	□	□
2	나의 말을 잘 들어주었다. - 대꾸하기, 경청 자세, 눈 맞춤 & 말 가로채지 않기	□	□	□	□
3	나의 입장을 이해하려고 노력하였다. - 공감 표현, 나의 입장 파악	□	□	□	□
4	환자가 이해하기 쉽게 설명하였다. - 간단명료함, 이해도 점검, 질문 기회 & 쉬운 용어	□	□	□	□
5	나와 좋은 유대 관계를 형성하려고 했다. - 자기소개, 일상 대화, 존중, 자신감 & 신뢰감	□	□	□	□

21 | 발 열

대표증례-1

상황지침

60세 여자 박복자 씨가 열이 난다며 병원에 왔다.

[활력징후]	
• 혈압 : 130/80mmHg	• 맥박 : 105회/분
• 호흡 : 24회/분	• 체온 : 39.0℃

응시자는 이 환자에게
- 증상과 관련된 병력을 청취하고,
- 증상과 관련된 적절한 신체진찰을 시행한 후,
- 추정진단과 향후 진단계획 등에 대해 환자와 논의하시오.

해설

※ **감별진단** : 쯔쯔가무시병, 렙토스피라증, 신증후군 출혈열

※ **진단계획/치료계획** : 면역 혈청 검사, 렙토스피라 항체응집검사, ELISA / 항생제

• 최근 여행을 갔다 온 환자로 발열 이외의 여러 비특이적인 증상을 호소하고 있습니다. 환자는 피부에 상처가 없다고 주장하나 신체 검진 시 옷을 탈의시키면 명확한 Eschar를 확인할 수 있습니다. 환자도 몰랐던 상처라고 하니 문진의 결과만 믿지 말고 꼼꼼한 신체검진이 필요합니다.

• 쯔쯔가무시병의 항생제 치료는 독시사이클린을 사용하며, 사용 시 24시간 후 열이 급격하게 떨어집니다.

시나리오

Sex/Age	F/60	
Chief Complaint	열이 나요	
Present illness	Location	–
	Onset	3일 전
	Situation	잘못 먹은 음식(–), 동물/성관계/주변 비슷 증상(–/–/–), **여행**(**+**, 1주일 전 모임에서 야유회를 갔다 옴), 벌레 물린 곳(–)
	Time	열이 39.0℃까지 오르고 나서 그 온도를 계속 유지
	Course	지속적
	Experience	처음
	Character	특이사항 없음
	Factors	
	Associated symptoms	**오한**/발한/피로/부종(**+**/–/–/–), **근육통**/인후통/관절통(**+**/–/–), **기침**/가래/콧물(**+**/–/–), 흉통/호흡곤란/두근거림(–/–/–), **A**/N/V/C/D(**+**/**+**/–/–/–), **복통**/황달/혈변(**+**/–/–), 비뇨기 증상/옆구리 통증(–/–), 목마름/소변량감소(–/–), 두통/감각저하/근력저하/목 뻣뻣(–/–/–/–)
Medical history	약물복용력	해열제(반응 없음)
	과거력	DM/HTN/Tb/간질환(–/–/–/–) 건강검진(–), 인플루엔자 접종(–)
	외상/수술력	외상(–), 수술력(–)
	사회력	주부, 술(1~2병/1달), 담배(–)
	가족력	없음
	여성력	para 0-0-0-0, 현재 폐경
Physical exam	Vital sign	130/80mmHg, 105회/분, 24회/분, 39.0℃
	Positive findings	**복부** T/RT(**+**, **epigastric**/–), murphy sign(–), CVAT(–), 흉부(–), 결막(–), skin turgor(–), 경부 LN(–), 경부강직 검사(–), **옷 걷고 다리 검진 시 Eschar(+)**
환자의 질문 또는 기타 특이사항		열이 나서 너무 힘들어요

대표증례 - 2

상황지침

55세 여자 정예은 씨가 열이 난다며 병원에 왔다.

[활력징후]

- 혈압 : 100/75mmHg
- 맥박 : 70회/분
- 호흡 : 20회/분
- 체온 : 38.5℃

응시자는 이 환자에게

- 증상과 관련된 병력을 청취하고,
- 증상과 관련된 적절한 신체진찰을 시행한 후,
- 추정진단과 향후 진단계획 등에 대해 환자와 논의하시오.

해설

※ **감별진단** : 인플루엔자 감염, 급성 세기관지염, 폐렴

※ **진단계획/치료계획** : 인플루엔자 신속 항원검사, 흉부 X선 검사 / 수액 치료, Oseltamivir

- 증례 환자는 전반적으로 몸이 욱신거리고(몸살) 감기기운과 함께 고열, 인후통이 있으므로 다소 전형적인 인플루엔자 감염, 흔히 말하는 독감의 양상을 띠고 있습니다. 하지만 고열과 동반되는 기침과 가래 증상을 생각해 봤을 때 급성 세기관지염이나 폐렴 등 호흡기 질환이 있거나 합병되었을 가능성도 배제할 수는 없는 상황입니다.
- 과거 요석으로 체외충격파 시술을 받은 history가 있어서 급성 신우신염을 의심해볼 수 있겠으나 비뇨기 증상이 전혀 없고 CVAT도 없는 상황이라 가능성이 굉장히 낮아 보입니다. 하지만 잊지 말고 신체진찰때 CVAT가 있는지 없는지는 확인하는 편이 좋겠습니다.
- Physical exam상 탈수가 의심되므로 오늘은 일단 입원해서 탈수가 호전될 때까지 수액 치료를 받게 합니다. 대게 4~5일 정도 증상이 지속되다가 치료와 함께 완화되므로 환자를 안심시켜줍니다. 남편도 치료를 받아야 함을 설명하고, 손 위생을 철저히 신경 쓰고 사람들이 많은 곳에는 한동안 방문을 자제하라고 교육해주시면 좋은 마무리가 될 듯합니다.

시나리오

Sex/Age	F/55	
Chief Complaint	열이 나요	
Present illness	Location	–
	Onset	3일 전
	Situation	의심되는 음식 없음, 여행/애완동물 없음, 성접촉(–) 집에서 체온계로 측정 시 39.0℃까지 오름
	Time	열이 낮에는 내렸다가 밤에는 심해지는 양상
	Course	호전 없이 계속됨
	Experience	처음
	Character	특이사항 없음
	Factors	해열제 먹으면 호전
	Associated symptoms	**오한**/피로/부종(+/–/–), **근육통/인후통/관절통(+/+/+)**, **기침/가래/콧물(+/+/+)**, 흉통/호흡곤란/두근거림(–/–/–), A/N/V/C/D(–/–/–/–/–), 복통/황달/혈변(–/–/–), 비뇨기 증상(–), **목마름/소변량감소(+/+)**, **두통**/감각저하/근력저하/목 뻣뻣(+/–/–/–)
Medical history	약물복용력	타이레놀 복용 후 호전
	과거력	건강검진(–), 인플루엔자 접종(–)
	외상/수술력	외상(–), 과거 요석으로 체외충격파 시술 받은 적 있음
	사회력	주부, 술(–), 담배(–)
	가족력	남편 3~4일 전부터 비슷한 증상
	여성력	para 2-0-0-2, 현재 폐경
Physical exam	Vital sign	100/75mmHg, 90회/분, 20회/분, 38.6℃
	Positive findings	결막(–), 경부 림프절(–), 입과 혀가 말라있음, 흉부 정상, 복부 정상, 피부 시진 정상, 피부긴장도 떨어짐, CVA tenderness(–)
환자의 질문 또는 기타 특이사항		–

05 CHAPTER

대표증례 – 3

상황지침

30세 남자 정성호 씨가 열이 난다며 병원에 왔다.

[활력징후]

- 혈압 : 138/85mmHg
- 맥박 : 91회/분
- 호흡 : 24회/분
- 체온 : 39.2℃

응시자는 이 환자에게

- 증상과 관련된 병력을 청취하고,
- 증상과 관련된 적절한 신체진찰을 시행한 후,
- 추정진단과 향후 진단계획 등에 대해 환자와 논의하시오.

해설

※ **감별진단** : 장티푸스, 인플루엔자

※ **진단계획/치료계획** : 혈액 배양, 대변 배양, 흉부 X선 검사 / 항생제, 수분 섭취, 수액 주사

- 잠복기가 긴 식중독, 장티푸스가 의심되는 환자입니다. 약 2주의 잠복기를 거친 뒤 지속되는 고열, 설사, 호흡기 증상, 림프절 비대, 장미진 등의 임상 증상을 보입니다.
- 배와 가슴에 수십 개의 붉은 반점이 관찰됩니다.

시나리오

Sex/Age	M/30	
Chief Complaint	열이 나요	
Present illness	Location	–
	Onset	3일 전
	Situation	2주 전 조치원 결혼식에서 뷔페 음식 먹음, 동물/성관계/같이 먹은 사람 증상(−/−/−), 최근 여행(−)
	Time	39.2℃까지 오름, 약간 올랐다 내렸다 하는데 계속 열감은 있음, 정상으로 안 떨어짐, 밤에 열이 더 심함
	Course	지속적
	Experience	처음
	Character	일상생활 지장 있음
	Factors	해열제 먹어도 효과 잠깐밖에 없음
	Associated symptoms	오한/**발한**/피로/**어지럼**(−/**+**/−/**+**), **근육통**/인후통/관절통(**+**/−/−), **피부 발진(+, 5일 전, 배)**, **기침**/가래/콧물(**+**/−/−), 흉통/호흡곤란/**두근거림**(−/−/**+**), A/N/V/**C**/D(−/−/−/**+, 5일 전**/−), **복통**/황달/혈변(**+**/−/−), 비뇨기 증상/옆구리 통증(−/−), 목마름/소변량감소(−/−), 두통/감각저하/근력저하/목 뻣뻣(−/−/−/−)
Medical history	약물복용력	타이레놀
	과거력	DM/HTN/Tb/간질환(−/−/−/−) 건강검진(+,정상), 인플루엔자 접종(−), HAV, HBV 백신 모두 접종
	외상/수술력	외상(−), 수술력(−)
	사회력	사무직, 술(1~2병/주), 담배(10갑·년)
	가족력	없음
	여성력	–
Physical exam	Vital sign	138/85mmHg, 91회/분, 24회/분, 39.2℃
	Positive findings	복부 진찰 T/RT(−/−), 복부 Rash(+), murphy sign(−), CVAT(−), 결막(−), skin turgor(−), LN(−), DRE 정상
환자의 질문 또는 기타 특이사항		

대표증례-4

상황지침

32세 여자 김경진 씨가 열이 난다며 병원에 왔다.

[활력징후]	
• 혈압 : 130/75mmHg	• 맥박 : 98회/분
• 호흡 : 25회/분	• 체온 : 39.0℃

응시자는 이 환자에게
- 증상과 관련된 병력을 청취하고,
- 증상과 관련된 적절한 신체진찰을 시행한 후,
- 추정진단과 향후 진단계획 등에 대해 환자와 논의하시오.

해설

※ **감별진단** : 약열, 임신

※ **진단계획/치료계획** : 일반 혈액 검사, beta-hCG 측정 / 항간질약 중단

- 가임기 여성에서 배란기나 임신 시 체온이 증가할 수 있음을 잊지 맙시다.
- 발열 CPX 또한 모든 계통적 문진을 통해 감별 진단을 해야 하는 시간이 부족한 술기 중 하나입니다. 문진 시 아무런 문제가 없어서 당황하는 응시자들도 많았지만, 약물로 인한 약물열을 염두에 두신다면 어렵지 않게 해결할 수 있습니다.

시나리오

Sex/Age	F/32	
Chief Complaint	열이 나요	
Present illness	Location	−
	Onset	4~5일 전
	Situation	성경험(−), 여행력/애완동물(−/−), 의심되는 음식(−)
	Time	
	Course	지속적
	Experience	처음
	Character	
	Factors	해열제 복용 시 호전 안됨
	Associated symptoms	**오한**/발한/피로/어지럼(**+**/−/−/−), 근육통/인후통/관절통(−/−/−), 피부 발진(−), 기침/가래/콧물(−/−/−), 흉통/호흡곤란/두근거림(−/−/−), A/N/V/C/D(−/−/−/−/−), 복통/황달/혈변(−/−/−), 비뇨기 증상/옆구리 통증(−/−), 목마름/소변량감소(−/−), 두통/감각저하/근력저하/목 뻣뻣(−/−/−/−)
Medical history	약물복용력	10년 전부터 간질약 복용, 결혼준비중인데 임신하면 약물이 금기라고 해서 **2주 전에 다른 약물로 교체**, 약물 이름을 물어보니 모른다고 함, 열나서 타이레놀 얼마 전에 먹었는데 호전 안 됨
	과거력	DM/HTN/Tb/간질환(−/−/−/−) 건강검진(−), 인플루엔자 접종(+), 간염 백신 모두 접종
	외상/수술력	외상(−), 수술력(−)
	사회력	중학교 교사(학생들 중에 열나는 사람도 없음), 술(−), 담배(−)
	가족력	없음
	여성력	para 0-0-0-0, 월경 규칙적, 월경량 보통, LMP 1주 전
Physical exam	Vital sign	130/75mmHg, 98회/분, 25회/분, 39.0℃
	Positive findings	결막(−), 구강 정상, 흉부 정상, 복부 정상, 피부 시진 정상, 피부긴장도 정상, 경부 림프절(−)
환자의 질문 또는 기타 특이사항		

대표증례-5

상황지침

26세 여자 신가을 씨가 열이 난다며 병원에 왔다.

[활력징후]

- 혈압 : 140/85mmHg
- 맥박 : 102회/분
- 호흡 : 23회/분
- 체온 : 38.9℃

응시자는 이 환자에게

- 증상과 관련된 병력을 청취하고,
- 증상과 관련된 적절한 신체진찰을 시행한 후,
- 추정진단과 향후 진단계획 등에 대해 환자와 논의하시오.

해설

※ **감별진단** : 급성 신우신염, 급성 방광염

※ **진단계획/치료계획** : 소변 검사, 소변 배양, 일반 혈액검사, 단순요로촬영 / 항생제

- 빈뇨, 어지러움, 배뇨통, 옆구리 통증을 주소로 내원한 여자 환자입니다. 이 임상증상만으로 급성 신우신염, 급성 방광염 등을 의심해 볼 수 있겠습니다.
- 발열의 경우 의심할 수 있는 진단의 경우의 수가 너무 많기 때문에 병력청취에서 필요한 것만 묻고 얼른 신체진찰로 넘어가야 합니다. 두 마리 토끼를 다 잡으려다 두 마리 다 놓치는 경우가 발생할 수 있기 때문에 이점을 명심해주세요.

시나리오

Sex/Age	F/26	
Chief Complaint	열이 나요	
Present illness	Location	–
	Onset	7일 전
	Situation	성접촉(–), 여행력/애완동물(–/–), 의심되는 음식(–)
	Time	열이 38.9℃까지 오르고 나서 그 온도를 계속 유지, 근데 밤에 더 남
	Course	지속적
	Experience	처음
	Character	일상생활 지장 있음
	Factors	해열제 복용 시 반응 없음
	Associated symptoms	오한/발한/피로/**어지럼**(–/–/–/**+**), **근육통**/인후통/관절통(**+**/–/–), 기침/가래/콧물(–/–/–), 흉통/호흡곤란/**두근거림**(–/–/**+**), A/N/V/**C**/D(**+**/**+**/–/**+**/–), 복통/황달/혈변(–/–/–), **비뇨기 증상/옆구리 통증(+, 빈뇨, 배뇨통, 잔뇨감, 야간뇨/+)**, 목마름/소변량변화(–/–), 피부 발진(–), 두통/감각저하/근력저하/목 뻣뻣(–/–/–/–)
Medical history	약물복용력	해열제
	과거력	DM/HTN/Tb/간질환(–/–/–/–) 소화기질환(+, IBS 2년 전 진단), 호흡기질환(–), 심장질환(–), 비뇨기 질환(–) 건강검진(–)
	외상/수술력	외상(–), 수술력(–)
	사회력	사무직, 술(1~2병/1달), 담배(–)
	가족력	없음
	여성력	para 0-0-0-0, 월경 규칙적, 월경량 보통, LMP 4일 전
Physical exam	Vital sign	140/85mmHg, 102회/분, 23회/분, 38.9℃
	Positive findings	복부(–), **Rash(+)**, murphy sign(–), **CVAT(+, Rt)**, 흉부(–), 결막(–), skin turgor(–), 경부 LN(–), 경부강직 검사(–)
환자의 질문 또는 기타 특이사항		

관련증례

21-1 24세 여자이다. 2주 전 휴가 다녀온 뒤 열이 나면서 근육통과 관절통이 발생하였다. 손가락, 손목, 무릎이 붓고 아팠으며, 관절부위의 열감과 발적이 있었다. 아침에 일어나서 3~4시간이 지나야 붓기가 빠지고 뻣뻣함이 덜해졌다. 지난 6개월간 가끔씩 2~3일 동안 피로감과 근육통이 있곤 하였다. 특별한 과거력 없으며 흡연은 하지 않았다.

활력징후는 혈압 110/65mmHg, 맥박 100회/분, 호흡수 20회/분, 체온 39℃이었다. 양쪽 볼 부분에 홍조가 보였고, 목에 작고 단단하지 않은 임파절들이 만져졌다. 복부 진찰에서 간 가장자리가 촉진되었고, 흡기 시 지라 끝이 촉진되었다. 양쪽 손목관절, 중수지관절, 팔꿈치, 무릎 관절에 압통과 부종이 관찰되었다.

Answer | 21-1. 전신 홍반 루푸스(SLE)

Check-list

	병력청취 채점항목		예	아니오
1	열감인지 실제 측정한 체온이 높은지 확인하였다.		☐	☐
2	언제부터 시작하였고, 주기성이 있는지 점점 심해지는지 물어보았다.		☐	☐
3	동반증상을 물어보았다.		☐	☐
4	최근 여행력, 접촉력, 직업력 및 예방접종력에 대해 물어보았다.		☐	☐
5	앓고 있는 질환에 대하여 물어보았다.		☐	☐
6	약물복용력에 대하여 물어보았다.		☐	☐
	신체진찰 채점항목	**제대로 함**	**제대로 못함**	**하지 않음**
1	체온을 포함한 활력징후를 확인하였다.	☐	☐	☐
2	전신 피부소견을 관찰하였다.	☐	☐	☐
3	결막 및 공막의 이상을 관찰하였다.	☐	☐	☐
4	경부강직을 확인하였다.	☐	☐	☐
5	복부 진찰을 시행하였다.	☐	☐	☐
6	림프절 종대를 확인하였다.	☐	☐	☐
	환자교육 채점항목		**예**	**아니오**
1	발열을 일으킨 원인과 그에 따른 치료원칙을 설명하였다.		☐	☐
2	필요한 검사를 설명하고 동의를 구하였다.		☐	☐
3	증상 발생시 필요한 조치를 설명하였다.		☐	☐
4	위생과 충분한 휴식을 교육하였다.		☐	☐

	환자의사관계 채점항목	아주우수	우수	보통	미흡
1	효율적으로 잘 물어보았다. - 효율적 질문 : 개방형 질문 사용, 확인, 중간 요약 - 피할 질문 : 유도 질문, 복수 질문	☐	☐	☐	☐
2	나의 말을 잘 들어주었다. - 대꾸하기, 경청 자세, 눈 맞춤 & 말 가로채지 않기	☐	☐	☐	☐
3	나의 입장을 이해하려고 노력하였다. - 공감 표현, 나의 입장 파악	☐	☐	☐	☐
4	환자가 이해하기 쉽게 설명하였다. - 간단명료함, 이해도 점검, 질문 기회 & 쉬운 용어	☐	☐	☐	☐
5	나와 좋은 유대 관계를 형성하려고 했다. - 자기소개, 일상 대화, 존중, 자신감 & 신뢰감	☐	☐	☐	☐

22 피 로

대표증례 – 1

상황지침

36세 남자 이성민 씨가 피곤하다고 병원에 왔다.

[활력징후]

- 혈압 : 150/90mmHg
- 맥박 : 82회/분
- 호흡 : 19회/분
- 체온 : 36.7℃

응시자는 이 환자에게

- 증상과 관련된 병력을 청취하고,
- 증상과 관련된 적절한 신체진찰을 시행한 후,
- 추정진단과 향후 진단계획 등에 대해 환자와 논의하시오.

해설

※ **감별진단** : 수면무호흡증, 갑상샘 기능저하증

※ **진단계획/치료계획** : 수면다원검사, TFT / 운동 및 식이요법을 통한 체중감량, CPAP

- 피곤함이 얼마나 심각한지, 일상생활(업무나 운전)에 지장이 있을 정도인지 먼저 물어봅시다.
- 식습관, 수면, 운동 등 평소 생활습관과 최근 변화가 있었는지, 스트레스 등에 대하여 자세하게 물어보는 것이 중요합니다. 우울, 불안 등의 기분변화나 정신과적 증상이 있는지도 물어보면 좋겠죠.
- 비만이거나 최근 급격히 체중이 증가한 환자의 경우 키/몸무게/허리둘레 질문은 필수이겠죠? 그리고 sleep apnea와 관련된 질문을 반드시 물어봐야 합니다. 치료계획 및 교육시에도 살을 빼는 것이 피로를 줄이는 데 큰 도움이 된다고 설명해드립시다.
- 술을 먹으면 수면의 질이 좋지 않아지므로 금주를 권하는 것도 좋은 교육입니다.

시나리오

Sex/Age	M/36	
Chief Complaint	피곤해요	
Present illness	Location	–
	Onset	3년 전, 서서히
	Situation	피곤하고 몸이 무거운 기분, 주간 졸림(+)
	Time	
	Course	1년 전부터 심해짐
	Experience	이 정도는 처음
	Character	**일상생활에 지장**(**+**, 낮에 졸다가 접촉사고 냄, 직장에서 실수 많이 함)
	Factors	스트레스(–), 휴식 시 호전(±), 우울(–) 수면(8시간, 자고 일어나면 머리가 띵함)
	Associated symptoms	발열/오한/야간발한/체중감소(–/–/–/–), **코골이(+, 대학MT때 주변 사람들이 방을 따로 줄 정도)**, **두통(+)**, 기침/가래/객혈/**호흡곤란**(–/–/–/**+, 계단 오를 때**), 두근거림(–), A/N/V/C/D(–/–/–/–/–), 황달/복수/복부덩이(–/–/–), 추위불내성(–), 우울/불안/불면(–/–/–), 만성피로증후군(모두 –)
Medical history	약물복용력	고혈압약(3년 전), 고지혈증약(1년 전)
	과거력	DM/HTN/Tb/간질환(–/+/–/–), 고지혈(+) 건강검진(+, 작년 시행 시 고혈압, 고지혈증), 빈혈(–)
	외상/수술력	외상(–), 수술력(–)
	사회력	은행원, 술(주 3회, 1~2병), 담배(10갑·년, 3년 전에 금연), 커피(하루 4잔) 운동(–), 식사(짜고 기름진 음식)
	가족력	갑상샘(–), 암(–), 심혈관 질환(–)
	여성력	–
Physical exam	Vital sign	혈압 150/90, 82회/분, 19회/분, 36.7℃
	Positive findings	키 172cm, 체중 85kg, 허리둘레 34inch, 결막, 갑상샘, 림프절, 심음, 복부, 근력 정상
환자의 질문 또는 기타 특이사항		

대표증례 – 2

상황지침

45세 여자 김한송 씨가 피곤하다고 병원에 왔다.

[활력징후]	
• 혈압 : 110/75mmHg	• 맥박 : 80회/분
• 호흡 : 18회/분	• 체온 : 36.7℃

응시자는 이 환자에게
- 증상과 관련된 병력을 청취하고,
- 증상과 관련된 적절한 신체진찰을 시행한 후,
- 추정진단과 향후 진단계획 등에 대해 환자와 논의하시오.

해설

※ **감별진단** : 폐결핵, 철결핍성 빈혈, 수면부족

※ **진단계획/치료계획** : CXR, 객담배양검사, 혈중 Fe, TIBC, Ferritin 검사 / 결핵약, 철분제

- 증례의 환자는 현재 체중감소와 함께 기침과 가래, 야간발한이 동반되는 상황입니다. 전형적인 폐결핵의 증상인데다가 아버지 또한 폐결핵을 앓았다는 가족력이 있었던 것들을 종합해보면 폐결핵으로 인한 피로가 가장 의심되는 상황입니다. 따라서 폐결핵을 감별하기 위해서 흉부 X선 검사, 객담 배양 검사를 시행합니다.
- 하지만 평상시 수면시간이 5시간으로 그리 길지 않다는 점에서 수면 부족으로 인한 피로나, 채식 위주의 식단으로 육류 섭취가 부족할 때 쉽게 발생하는 철 결핍성 빈혈 또한 완전히 배제하지는 못하는 상황이므로 이에 대한 검사도 이루어져야 할 것입니다.
- 환자 교육 시 결핵은 결핵약을 복용하면서 6~9개월의 치료가 필요하고 다른 사람들과 접촉하지 못하게 격리 조치가 필요합니다. 또한 손 위생을 신경 쓰고 사람들이 많은 곳을 피할 것을 당부해야 합니다. 또한, 운동이 피로를 유발할 수 있지만 강도 낮은 운동을 피로 증상을 개선할 수 있으므로 일주일에 주 3회 30분정도 가벼운 조깅이나 유산소 운동을 권하도록 합니다.

시나리오

Sex/Age	F/45	
Chief Complaint	피곤하고 기운이 없어요	
Present illness	Location	−
	Onset	3개월 전
	Situation	
	Time	하루 중 저녁이 피곤
	Course	최근 1개월 사이에 더 심해짐
	Experience	처음
	Character	일상생활에 지장 없음
	Factors	휴식으로 호전 안 됨 스트레스(−), 일하고나서 악화(−) 수면(5시간, 수면위생 좋음)
	Associated symptoms	발열/오한/**야간발한/체중감소**(−/−/**+, 자고 일어나면 땀에 젖어있음/+, 2개월간 3kg 빠졌고 식사를 보통의 반절만 함**), **기침/가래**/객혈/호흡곤란(**+/+, 묽은색**/−/−), 두근거림(−), A/N/V/C/D(−/−/−/−/−), 황달/복수/복부덩이(−/−/−), 추위불내성(−), 우울/불안/불면(−/−/−), 만성피로증후군(모두 −)
Medical history	약물복용력	없음
	과거력	DM/HTN/Tb/간질환(−/−/−/−) 건강검진(−)
	외상/수술력	외상(−), 수술력(−)
	사회력	주부, 음주(+, 아주 소량), 담배(+, 하루 5개비) 운동(힘들어서 못함), 식사(채식 위주)
	가족력	돌아가신 아버지가 예전에 폐결핵 약 먹었다고 들음
	여성력	para 1-0-0-1, 현재 폐경
Physical exam	Vital sign	혈압 110/75mmHg, 80회/분, 18회/분, 36.7℃
	Positive findings	결막 창백함, 갑상샘 정상, 림프절 정상, 심음 정상, 복부 정상, 근력 정상, 골반검진, DRE 정상
환자의 질문 또는 기타 특이사항		

대표증례-3

상황지침

37세 여자 송예리 씨가 피곤하다고 병원에 왔다.

[활력징후]

• 혈압 : 110/70mmHg	• 맥박 : 70회/분
• 호흡 : 18회/분	• 체온 : 36.7℃

응시자는 이 환자에게
- 증상과 관련된 병력을 청취하고,
- 증상과 관련된 적절한 신체진찰을 시행한 후,
- 추정진단과 향후 진단계획 등에 대해 환자와 논의하시오.

해설

※ **감별진단** : 철결핍성 빈혈, 일과성 피로, 갑상샘 기능저하증

※ **진단계획/치료계획** : 혈중 Fe, TIBC, Ferritin 검사, CBC, TFT / 철분제

- 피로의 원인 자체가 워낙 다양하기 때문에 우선적으로 환자가 가지고 있는 피로를 유발할 수 있는 기질적인 질환들을 먼저 배제하는 것이 필요합니다. 그 후 식습관이나 수면 습관 등의 생활 습관도 확인을 해야 합니다. 환자에게 문진해야 할 사항이 많아서 자칫 시간 관리를 잘못하면 신체 진찰을 해보기도 전에 시간이 빠듯해지는 상황이 발생할 수 있습니다. 실제로 꽤 많은 수의 수험생들이 이런 상황을 경험하였다고 하므로, 평소 연습할 때 효율적으로 물어볼 수 있도록 연습하시기 바랍니다.
- 젊고 월경량이 많은 여성으로 철 결핍성 빈혈의 가능성이 높습니다. 육류를 포함한 식사 및 필요시 철분 보충제로 부족한 철분을 보충할 수 있습니다. 꾸준한 운동 역시 도움이 되겠죠?
- 충분한 휴식으로 호전이 되는 것으로 보아 일과성 피로를 생각할 수도 있습니다. 하지만 이런 질환들로 진단내리기 위해서는 충분히 다른 기질적 질환들을 배제해야 된다는 것을 명심해 주세요!

시나리오

Sex/Age	F/37	
Chief Complaint	피곤해요	
Present illness	Location	–
	Onset	6개월 전
	Situation	하루 종일 피곤하고 몸에 기운이 없음
	Time	하루 종일 지속됨, 오후 되면 더 심해짐
	Course	점점 심해짐
	Experience	처음
	Character	
	Factors	스트레스(–), 일하고나서 악화(+), 휴식 시 호전(+), 우울(–) 수면(7시간, 수면위생 좋음)
	Associated symptoms	발열/오한/야간발한/체중감소(–/–/–/–), 기침/가래/객혈/**호흡곤란**(–/–/–/**+, 계단 오를 때**), 두근거림(–), A/N/V/C/D(–/–/–/–/–), 황달/복수/복부덩이(–/–/–), 추위불내성(–), 우울/불안/불면(–/–/–), 만성피로증후군(**운동 후 권태감 +**, 나머지 –)
Medical history	약물복용력	없음
	과거력	DM/HTN/Tb/간질환(–/–/–/–) 건강검진(–), 빈혈(–)
	외상/수술력	외상(–), 수술력(+, 제왕절개)
	사회력	주부, 음주(–), 담배(–) 운동(힘들어서 못함), 식사(채식 위주)
	가족력	갑상샘(–), 암(–), 심혈관 질환(–)
	여성력	1년 전부터 월경 불규칙, 월경량 증가(대형패드 4~5장), LMP 2주전
Physical exam	Vital sign	혈압 110/70mmHg, 70회/분, 18회/분, 36.7℃
	Positive findings	결막 창백, 갑상샘, 림프절, 심음, 복부, 근력, 골반검진, DRE 정상
환자의 질문 또는 기타 특이사항		얼굴이 하얗게 보이는 화장을 하고 있는 표준화 환자

대표증례－4

상황지침

35세 남자 신희영 씨가 피곤하다고 병원에 왔다.

[활력징후]

- 혈압 : 120/70mmHg
- 맥박 : 71회/분
- 호흡 : 17회/분
- 체온 : 36.5℃

응시자는 이 환자에게

- 증상과 관련된 병력을 청취하고,
- 증상과 관련된 적절한 신체진찰을 시행한 후,
- 추정진단과 향후 진단계획 등에 대해 환자와 논의하시오.

해설

※ **감별진단** : 만성 피로증후군, 주요 우울장애

※ **진단계획/치료계획** : TFT, BDI 우울척도 검사 / 항우울제, 인지행동치료

- 비교적 전형적인 만성 피로증후군 증상을 보이는 증례입니다. 우선적으로 감별해야 할 기질적 질환에 대한 병력청취 후에 만성 피로증후군 진단기준에 맞춰 문진할 수 있어야겠습니다.
- 다음 중 4가지 이상이 6개월 이상 지속되는 경우 만성 피로증후군을 의심해 볼 수 있습니다.
  ① 기억력 또는 집중력 장애
  ② 인두통(침 삼킬 때 목통증)
  ③ 경부 또는 액와부 림프절 압통
  ④ 다발성 관절통
  ⑤ 근육통
  ⑥ 새로 생긴 두통(두통이 있다고 한다면 새로 생긴 두통인지 양상은 어떤지 어느 강도로 아픈지 등 두통에 대하여 자세히 물어봐야 합니다)
  ⑦ 운동이나 힘든 일 후에 나타나는 심한 권태감
  ⑧ 잠을 자도 상쾌한 느낌이 없음

시나리오

Sex/Age	M/35	
Chief Complaint	푹 자고 쉬어도 피곤해요	
Present illness	Location	–
	Onset	1년 전
	Situation	피곤하고 몸이 무거운 기분, 주간 졸림(+)
	Time	하루 종일 피로
	Course	점점 심해지는 듯
	Experience	처음
	Character	온몸이 뻐근하고 만성적인 근육통 동반
	Factors	스트레스(–), 수면/휴식 시 호전(–), 우울(–) 수면위생 좋음
	Associated symptoms	발열/오한/야간발한/체중감소(–/–/–/–), 코골이(–), 기침/가래/객혈/호흡곤란(–/–/–/–), 두근거림(–), A/N/V/C/D(–/–/–/–/–), 황달/복수/복부덩이(–/–/–), 추위불내성(–), 우울/불안/불면(–/–/–), 만성피로증후군(**두통, 인후통, 경부/액와부 림프절 압통, 두통, 운동 후 권태감, 다발성 관절통, 기억력/집중력 저하** 모두 **+**, 근육통/잠 자도 피곤만 –)
Medical history	약물복용력	종합비타민제
	과거력	DM/HTN/Tb/간질환(–/–/–/–) 건강검진(–), 빈혈(–)
	외상/수술력	외상(–), 수술력(–)
	사회력	회사원, 술(–), 담배(–), 커피(–)
	가족력	없음
	여성력	–
Physical exam	Vital sign	120/70mmHg, 71회/분, 17회/분, 36.5℃
	Positive findings	결막(–), 갑상샘(–), 경부 림프절(–), 폐음 정상
환자의 질문 또는 기타 특이사항		

대표증례 – 5

상황지침

45세 남자 신영미 씨가 피곤하다고 병원에 왔다.

[활력징후]

- 혈압 : 110/65mmHg
- 맥박 : 62회/분
- 호흡 : 18회/분
- 체온 : 36.2℃

응시자는 이 환자에게

- 증상과 관련된 병력을 청취하고,
- 증상과 관련된 적절한 신체진찰을 시행한 후,
- 추정진단과 향후 진단계획 등에 대해 환자와 논의하시오.

해설

※ **감별진단** : 갑상샘 기능저하증

※ **진단계획/치료계획** : TFT, 갑상샘 초음파 검사, CBC / L-thyroxine

- 피로의 원인이 특발성인 경우가 많지만 위와 같은 case같이 분명한 기저질환에 의한 피로도 많습니다. 위의 환자는 임상증상에서 저명하게 갑상샘 기능저하를 의심할 수 있습니다.
- 환자에게 교육시 앓고 있는 질환(갑상샘 기능저하증)을 치료하면 피로감과 다른 임상증상이 개선될 것이라고 안심시킬 수 있습니다.

시나리오

Sex/Age	M/45	
Chief Complaint	피곤해요	
Present illness	Location	–
	Onset	7개월 전
	Situation	
	Time	하루 종일 피곤함
	Course	점점 심해짐
	Experience	처음
	Character	일생생활에 지장(–)
	Factors	스트레스(–), 휴식 시 호전(–), 우울(–) 수면위생 좋음
	Associated symptoms	발열/오한/야간발한/**체중증가**(–/–/–/**+, 7개월간 5kg**), 코골이(–), 기침/가래/객혈/호흡곤란(–/–/–/–), 두근거림(–), A/N/V/C/D(–/–/–/–/–), **황달**/복수/복부덩이(**+, 1달전부터**/–/–), **추위불내성/머리카락 푸석(+/+)**, 우울/불안/불면(–/–/–), 만성피로증후군(**운동 후 권태감 +, 잠을 자도 피곤 +**, 나머지 –)
Medical history	약물복용력	종합비타민제
	과거력	DM/HTN/Tb/간질환(–/–/–/–) 건강검진(+, 3년 전 유방촬영 및 내시경에서 이상소견 없었음) 신경정신과질환(–), 수면장애(–), 빈혈(–), 내분비/소화기 질환(–)
	외상/수술력	외상(–), 수술력(–)
	사회력	주부, 술(1주일에 2번 소주 1병), 담배(–), 커피(2~3잔/day)
	가족력	갑상샘 질환(–), 암(–)
	여성력	para 2-1-0-3, 월경 규칙적, 월경량 보통, LMP 3일 전
Physical exam	Vital sign	110/65mmHg, 62회/분, 18회/분, 36.2℃
	Positive findings	결막(–), 갑상샘(–), 두경부 림프절(–), 호흡음 정상, 사지 근력 정상
환자의 질문 또는 기타 특이사항		

관련증례

22-1 56세 남자이다. 8개월 전부터 피로감이 지속되었으며 휴식에 의해 완화되지 않았다. 1년 전 명예퇴직을 한 이후 우울한 기분을 느꼈으며 식욕도 저하되었다. 체중감소는 없었다. 35년간 하루 1갑씩 흡연하였으며 최근에 하루 2갑으로 늘었다.

> 활력징후는 혈압 125/85mmHg, 맥박 74회/분, 호흡수 18회/분, 체온 36.7℃이었다. 신체진찰에서 이상소견은 없었다.

22-2 35세 남자이다. 사무직으로 근무하다가 10개월 전부터 택배일을 시작하였다. 최근 2개월간 이전과 달리 피로감이 느껴졌다. 평소 식사시간이 불규칙하고 최근 일이 많아지면서 수면시간이 부족해졌다. 피로는 휴식에 의해 완화되었으며 우울감은 없었다. 복용 중인 약물은 없었으며 술, 담배는 하지 않았다.

> 활력징후는 혈압 120/80mmHg, 맥박 65회/분, 호흡수 12회/분, 체온 36.4℃이었다. 신체진찰에서 다소 마른 체형이었으며 그 외에는 특이사항이 없었다.

Answer | 22-1. 우울증 22-2. 일과성 피로

Check-list

	병력청취 채점항목	예	아니오
1	피로의 발생시기, 빈도, 주기성, 지속기간을 물어보았다.	☐	☐
2	피로의 양상(졸림, 힘이 빠짐, 무기력함 등)에 대하여 물어보았다.	☐	☐
3	피로를 악화 또는 완화시키는 요인을 물어보았다.	☐	☐
4	최근 수면시간, 수면패턴 등의 수면 위생을 물어보았다.	☐	☐
5	체중변화를 물어보았다.	☐	☐
6	앓고 있는 질환이 있는지 물어보았다.	☐	☐
7	복용 중인 약물이 있는지 물어보았다.	☐	☐
8	여성의 경우 월경력과 관계있는지 확인하였다.	☐	☐

	신체진찰 채점항목	제대로 함	제대로 못함	하지 않음
1	기본적인 외양, 영양상태, 병색 등을 관찰하였다.	☐	☐	☐
2	갑상샘 진찰을 시행하였다.	☐	☐	☐
3	두경부 림프절을 진찰하였다.	☐	☐	☐
4	심음 및 호흡음 청진을 시행하였다.	☐	☐	☐
5	양측 하지부종을 확인하였다.	☐	☐	☐

	환자교육 채점항목	예	아니오
1	피로를 일으킬 수 있는 원인을 설명한다.	☐	☐
2	필요한 검사를 설명하고 동의를 구한다.	☐	☐
3	원인에 따른 치료와 계획을 설명한다.	☐	☐

	환자의사관계 채점항목	아주우수	우수	보통	미흡
1	효율적으로 잘 물어보았다. - 효율적 질문 : 개방형 질문 사용, 확인, 중간 요약 - 피할 질문 : 유도 질문, 복수 질문	☐	☐	☐	☐
2	나의 말을 잘 들어주었다. - 대꾸하기, 경청 자세, 눈 맞춤 & 말 가로채지 않기	☐	☐	☐	☐
3	나의 입장을 이해하려고 노력하였다. - 공감 표현, 나의 입장 파악	☐	☐	☐	☐
4	환자가 이해하기 쉽게 설명하였다. - 간단명료함, 이해도 점검, 질문 기회 & 쉬운 용어	☐	☐	☐	☐
5	나와 좋은 유대 관계를 형성하려고 했다. - 자기소개, 일상 대화, 손중, 사신김 & 신뢰감	☐	☐	☐	☐

23 쉽게 멍이 듦

대표증례-1

상황지침

38세 여자 이청하 씨가 멍이 잘 든다고 병원에 왔다.

[활력징후]

- 혈압 : 128/76mmHg
- 맥박 : 80회/분
- 호흡 : 16회/분
- 체온 : 36.7℃

응시자는 이 환자에게

- 증상과 관련된 병력을 청취하고,
- 증상과 관련된 적절한 신체진찰을 시행한 후,
- 추정진단과 향후 진단계획 등에 대해 환자와 논의하시오.

해설

※ **감별진단** : 만성 B형 간염, Chronic ITP

※ **진단계획/치료계획** : 간기능 검사, B형 간염 항원 항체검사, CBC / 항바이러스제

- ITP가 아닌 간 손상에 대한 증례입니다. HBV 보균자로 10년간 치료를 받지 않은 것을 통해서 만성 간염에 의한 혈액 응고 장애를 가장 먼저 떠올릴 수 있겠죠.
- 환자는 백혈병에 대한 걱정을 하고 있습니다. 백혈병일 가능성이 높지 않다는 것을 주지시켜주시고 환자가 원할 시 검사를 진행하도록 합니다.

시나리오

<table>
<tr><td>Sex/Age</td><td colspan="2">F/38</td></tr>
<tr><td>Chief Complaint</td><td colspan="2">멍이 들어요</td></tr>
<tr><td rowspan="9">Present illness</td><td>Location</td><td>왼쪽 무릎, 양쪽 발목</td></tr>
<tr><td>Onset</td><td>2년 전</td></tr>
<tr><td>Situation</td><td>무릎 : 부딪혀서 생긴 멍(4cm, 원형)
발목 : 부딪힌 적 없이 저절로 생김(좁쌀크기, 여러 개)
최근 감기/외상/약물(모두 −)</td></tr>
<tr><td>Time</td><td>멍이 10분 이상 지속(−)</td></tr>
<tr><td>Course</td><td>크기, 개수가 처음과 비슷</td></tr>
<tr><td>Experience</td><td>처음</td></tr>
<tr><td>Character</td><td>압통(−), 가려움증(−), 누르면 소실(−)
잇몸, 구강에서 피(+, 양치질시 2~3회/달), 코피(+, 가끔씩)</td></tr>
<tr><td>Factors</td><td></td></tr>
<tr><td>Associated symptoms</td><td>발열/오한/어지럼/체중변화(−/−/−/−), 출혈경향/호흡곤란(−/−), 관절통/관절 피고임(−/−), 자색선조/중심성비만(−/−), 소화불량/복통/황달/복수(−/−/−/−), 혈변/객혈/토혈(−/−/−), 소변이상(−)</td></tr>
<tr><td rowspan="6">Medical history</td><td>약물복용력</td><td>아스피린/와파린/스테로이드(−/−/−)</td></tr>
<tr><td>과거력</td><td>DM/HTN/Tb/간질환(−/−/−/+, 10년 전부터 B형 간염 보균자, 치료 안 받음)
건강검진(−)</td></tr>
<tr><td>외상/수술력</td><td>외상(−), 수술력(−)</td></tr>
<tr><td>사회력</td><td>회사원, 음주(+, 2~3병/주), 흡연(+, 9갑·년)</td></tr>
<tr><td>가족력</td><td>어머니 B형 간염 보균자</td></tr>
<tr><td>여성력</td><td>월경 규칙적, 월경량 보통, LMP 2주 전</td></tr>
<tr><td rowspan="2">Physical exam</td><td>Vital sign</td><td>128/76mmHg, 80회/분, 16회/분, 36.7℃</td></tr>
<tr><td>Positive findings</td><td>왼쪽 무릎, 발목에 멍, 복부 진찰, 간/비장비대(−), 눈 빈혈(−), 구강 출혈(−), 림프절 비대(−), DRE(−), 관절 종창/열감(−/−)</td></tr>
<tr><td colspan="2">환자의 질문 또는 기타 특이사항</td><td>친구가 백혈병 진단을 받아 같은 병이 아닌지 걱정 돼요</td></tr>
</table>

05 CHAPTER

대표증례 – 2

상황지침

60세 남자 이정수 씨가 멍이 잘 든다고 병원에 왔다.

[활력징후]

- 혈압 : 124/70mmHg
- 맥박 : 82회/분
- 호흡 : 19회/분
- 체온 : 36.7℃

응시자는 이 환자에게

– 증상과 관련된 병력을 청취하고,
– 증상과 관련된 적절한 신체진찰을 시행한 후,
– 추정진단과 향후 진단계획 등에 대해 환자와 논의하시오.

해설

※ **감별진단** : 아스피린에 의한 출혈 경향, acute ITP

※ **진단계획/치료계획** : 말초혈액도말검사, CBC, PT, aPTT / 약물 교체, 생활습관 교정

- 양 팔과 오른쪽 어깨에 멍이 생겨서 내원한 60세 환자입니다. 멍이 있다고 환자가 말한 부위만 검진하지 말고 환자가 말한 부위 외에도 멍이 있는지 찾아봐야합니다.
- 현재 고혈압 약으로 노바스크와 아스피린을 복용 중인데, 아스피린 때문에 혈소판 기능이 떨어져 작은 자극에도 쉽게 피가 나고 잘 굳어지지 않는 응고장애가 가장 의심되는 상황입니다. 하지만 문제는 실제 시험장에서 환자가 고혈압 약으로 노바스크 하나만 대답을 하고, 아스피린도 먹은 적이 있냐고 콕 찝어서 물어보지 않으면 전혀 말을 해주지 않았기 때문에 정확한 원인을 찾기가 어려워서 당황했던 학생들이 많았습니다. 잊지 말고 꼭 물어보도록 하세요.
- 환자가 나타내는 증상은 약물을 교체하거나 스테로이드 약물 치료로 증상이 호전될 수 있음을 알리고 환자를 안심시키는 것이 중요합니다. 또한 무거운 짐을 짊어져서 몸에 무리한 하중을 가하거나 과도하게 운동을 하는 등 평상시에 멍을 일으킬만한 활동을 줄이라고 교육하고, 가벼운 조깅이나 산책을 추천합니다. 만약 멍이 멈추지 않고 계속 커지거나 토혈, 객혈, 혈변 등의 피가 나오는 증상이 추가로 생긴다면 반드시 병원을 방문하도록 말해야합니다.

시나리오

Sex/Age	M/60	
Chief Complaint	멍이 들어요	
Present illness	Location	양팔, 오른쪽 어깨
	Onset	3일 전
	Situation	부딪힌 적 없음 4일 전 감기 걸려 약 먹음
	Time	계속 있음 10분 이상 지속(−)
	Course	크기, 개수가 처음과 비슷
	Experience	처음
	Character	자주색, 여러개, 좁쌀크기 압통(−), 가려움(−), 누르면 소실(−) 출혈 경향(−), 잇몸/구강 출혈(−)
	Factors	
	Associated symptoms	발열/오한/어지럼/체중변화(−/−/−/−), 출혈경향/호흡곤란(−/−), 관절통/관절 피고임(−/−), 자색선조/중심성비만(−/−), 소화불량/황달/복수(−/−/−), 혈변/객혈/토혈(−/−/−), 소변이상(−)
Medical history	약물복용력	아스피린, 노바스크, 고지혈증약 꾸준히 복용중 4일 전 감기약 복용
	과거력	DM/HTN/Tb/간질환(−/+/−/−), 고지혈증(+) 건강검진(+, 고혈압, 고지혈증 외 정상)
	외상/수술력	외상(−), 수술력(−)
	사회력	2년 전 은퇴, 술·담배(안함)
	가족력	간질환(−)
	여성력	−
Physical exam	Vital sign	124/70mmHg, 82회/분, 19회/분, 36.7℃
	Positive findings	팔 양쪽에 멍, 오른 어깨에 멍, 다리, 몸통에 멍 없음, 복부 진찰, 간/비장비대(−), 눈 빈혈(−), 구강 출혈(−), 림프절 비대(−), DRE(−), 관절 종창/열감(−/−)
환자의 질문 또는 기타 특이사항		구체적으로 묻기 전에 아스피린 언급하지 않음

대표증례－3

상황지침

25세 여자 김예원 씨가 멍이 잘 든다고 병원에 왔다.

[활력징후]	
• 혈압 : 124/70mmHg	• 맥박 : 82회/분
• 호흡 : 19회/분	• 체온 : 36.7℃

응시자는 이 환자에게

- 증상과 관련된 병력을 청취하고,
- 증상과 관련된 적절한 신체진찰을 시행한 후,
- 추정진단과 향후 진단계획 등에 대해 환자와 논의하시오.

해설

※ **감별진단** : acute ITP, HSP

※ **진단계획/치료계획** : CBC, 혈소판 기능검사, 혈액 응고검사 / 보존적 치료

- ITP는 대부분 증상이 경미하고 자연적으로 회복되기 때문에 특별한 치료가 필요 없습니다. 따라서 환자를 안심시켜 드리는 것이 가장 중요하고, 이후 응급상황에 대한 교육을 하는 것을 추천합니다. "피 많이 나거나 어지럽거나 멍이 많이 커지거나 하면 응급실로 오세요."

시나리오

Sex/Age	F/25	
Chief Complaint	멍이 들어요	
Present illness	Location	처음에 오른 허벅지 뒤쪽, 그 후 양쪽 다리와 발목으로 번짐
	Onset	5일 전
	Situation	샤워하다 발견 **최근 감기**/외상(**+, 2주 전**/−)
	Time	계속 있음
	Course	개수 증가
	Experience	처음
	Character	자주색, 여러 개, 압통(−), 가려움증(−), 누르면 소실(−), 부딪히지 않아도 발생(−), 잇몸, 구강에서 피(−)
	Factors	
	Associated symptoms	발열/오한/어지럼/체중변화(−/−/−/−), 출혈경향/호흡곤란(−/−), 관절통/관절 피고임(−/−), 자색선조/중심성비만(−/−), 소화불량/**복통**/황달/복수(−/**+, 전체적**/−/−), 혈변/객혈/토혈(−/−/−), 소변이상(−)
Medical history	약물복용력	약/건강보조식품/한약(−/−/−)
	과거력	DM/HTN/Tb/간질환(−/−/−/−), 건강검진(−), 간염 예방접종 다 맞음
	외상/수술력	외상(−), 수술력(−)
	사회력	취업준비생, 술(−), 담배(−), 담배(3개피×4년) 스트레스(+, 취업준비)
	가족력	간질환(−)
	여성력	월경 규칙적, 월경량 보통, LMP 3일 전
Physical exam	Vital sign	124/70mmHg, 82회/분, 19회/분, 36.7℃
	Positive findings	**다리, 발목에 멍(자주색 분장)**, 그 외 멍 발견되지 않음, 복부 진찰, 간/비장 비대(−), 복수(−), 눈 빈혈(−), 구강 출혈(−), 림프절 비대(−), 관절종창/열감(−/−)
환자의 질문 또는 기타 특이사항		

관련증례

23-1 76세 여자이다. 멍이 자꾸 든다고 내원하였다. 과거력상 10년여 전부터 다리관절이 아파 한약이나 진통제 등을 많이 복용하고 수차례 주사도 맞았다고 한다.

> 활력징후는 혈압 140/90mmHg, 맥박 97회/분, 호흡수 18회/분, 체온 36.8℃이었다. 얼굴이 둥글고 붉었으며, 복부 비만이 있었으나 팔다리는 가늘고 여러 곳에 검붉게 멍이 들어 있었다.

23-2 13세 여자이다. 4일 전에 심한 감기를 앓으면서 양측 다리에 검붉은 반점이 생겼다. 배가 아프고 오른쪽 발목 관절통까지 발생하여 내원하였다. 4년 전 감기에 걸리면서 양다리에 검붉은 반점이 다발성으로 생겼고 감기가 나으면서 저절로 반점도 없어진 이후 감기가 심하게 걸리면 양측 다리에 검붉은 반점이 나타나곤 하였다고 한다.

> 활력징후는 혈압 110/60mmHg, 맥박 97회/분, 호흡수 18회/분, 체온 37.8℃이었다. 편도가 비대하고 발적이 있었다.

23-3 18세 남자이다. 피구를 하다가 공에 손목을 3일 전에 부딪친 후 당일에는 좀 아프다가 나았는데 2일이 지난 후에 갑자기 손목이 부으면서 통증이 심해지고 열감이 진행하여 움직일 수 없어 내원하였다. 과거력상 어릴 때부터 코피가 나면 잘 멈추지를 않았으며 피부에 멍도 잘 들지만 특히 무릎 등의 관절에 타박상을 당하면 멍이 잘 가라앉지 않고 통증도 심하였다고 한다.

> 활력징후는 혈압 120/80mmHg, 맥박 80회/분, 호흡수 18회/분, 체온 36.8℃이었다. 피부의 멍은 외부적 충격을 잘 받는 다리에만 약간 있었으며, 무릎의 관절이 완전히 펴지지 않는 소견을 관찰할 수 있었다.

Answer | 23-1. 의인 쿠싱증후군 23-2. 헤노흐–쉰라인 자색반 23-3. 혈우병

Check-list

	병력청취 채점항목	예	아니오
1	멍의 양상에 대하여 물어보았다(크기, 빈도, 색깔, 부위, 개수).	☐	☐
2	동반되는 다른 출혈이 있는지 물어보았다(잇몸출혈, 코피, 혈뇨/혈변, 월경과다, 혈관절 등).	☐	☐
3	그 외 동반증상이 있는지 물어보았다(호흡곤란, 피곤, 발열/(야간)발한, 체중감소, 두통/어지러움 등).	☐	☐
4	복용중인 약물이 있는지 구체적으로 물어보았다.	☐	☐
5	평소 출혈경향에 대하여 물어보았다.	☐	☐
6	외상 및 수술력에 대하여 물어보았다.	☐	☐
7	직업 및 흡연/음주력에 대하여 물어보았다.	☐	☐
8	가족 중 비슷한 증상이나 관련질환이 있는지 물어보았다.	☐	☐
9	여성의 경우 월경력에 대하여 물어보았다.	☐	☐

	신체진찰 채점항목	제대로 함	제대로 못함	하지 않음
1	멍이 있는 부위를 확인하고, 다른 부위에도 있는지 확인하였다.	☐	☐	☐
2	결막 및 공막을 시진하였다.	☐	☐	☐
3	구강과 잇몸을 진찰하였다.	☐	☐	☐
4	관절의 변형, 부종, 구축 등을 확인하였다.	☐	☐	☐
5	복부 진찰을 시행하였다.	☐	☐	☐

	환자교육 채점항목	예	아니오
1	멍이 발생하는 기전과 예상되는 원인에 대하여 설명하였다.	☐	☐
2	필요한 검사에 대하여 설명하고 동의를 구하였다.	☐	☐
3	출혈위험에 대한 관리원칙을 설명하였다(외상피하기 등).	☐	☐
4	응급상황을 의미하는 증상과 처치를 교육하였다.	☐	☐

	환자의사관계 채점항목	아주우수	우수	보통	미흡
1	효율적으로 잘 물어보았다. - 효율적 질문 : 개방형 질문 사용, 확인, 중간 요약 - 피할 질문 : 유도 질문, 복수 질문	☐	☐	☐	☐
2	나의 말을 잘 들어주었다. - 대꾸하기, 경청 자세, 눈 맞춤 & 말 가로채지 않기	☐	☐	☐	☐
3	나의 입장을 이해하려고 노력하였다. - 공감 표현, 나의 입장 파악	☐	☐	☐	☐
4	환자가 이해하기 쉽게 설명하였다. - 간단명료함, 이해도 점검, 질문 기회 & 쉬운 용어	☐	☐	☐	☐
5	나와 좋은 유대 관계를 형성하려고 했다. - 자기소개, 일상 대화, 존중, 자신감 & 신뢰감	☐	☐	☐	☐

CLINICAL PERFORMANCE EXAMINATION

06

CHAPTER

근골격 · 피부감각기

24-1 목 통증

대표증례-1

상황지침

27세 여자 조영현 씨가 뒷목이 아프다고 외래에 왔다.

[활력징후]

• 혈압 : 120/70mmHg	• 맥박 : 82회/분
• 호흡 : 17회/분	• 체온 : 36.4℃

응시자는 이 환자에게
- 증상과 관련된 병력을 청취하고,
- 증상과 관련된 적절한 신체진찰을 시행한 후,
- 추정진단과 향후 진단계획 등에 대해 환자와 논의하시오.

해설

※ **감별진단** : 경추 추간판 탈출증(Cervical HIVD), 경추 염좌(Cervical sprain)

※ **진단계획/치료계획** : 경추 X-ray, 경추 MRI / 마사지, 물리치료, NSAIDs

- 이 case는 환자분은 오른쪽 뒷목의 통증을 호소하시는 것뿐 아니라 오른쪽 팔에 감각저하와 근력저하가 있습니다. 따라서 경추 추간판 탈출증을 의심할 수가 있습니다.
- 그리고 교육 시 증상의 정도에 따라 일단 마사지와 물리치료를 통해 치료하고, 진통제를 처방해 드린다고 하시고, 증상이 심하면 수술을 한다고 하는 것이 좋을 것 같습니다. 또한 평소 생활습관 교정도 해드리는 게 좋을 것 같네요. 가령 낮은 베개를 사용하거나, 오랫동안 컴퓨터를 하지 말라는 등의 생활습관 교육을 하면 교육에서 좋은 점수를 받을 수 있을 것 같네요.

시나리오

<table>
<tr><td>Sex/Age</td><td colspan="2">F/27</td></tr>
<tr><td>Chief Complaint</td><td colspan="2">뒷목이 불편해요</td></tr>
<tr><td rowspan="10">Present illness</td><td>Location</td><td>오른쪽 뒷목 아래</td></tr>
<tr><td>Onset</td><td>10일 전</td></tr>
<tr><td>Situation</td><td>2주 전 무거운 화분을 들기는 했지만 삐끗하지는 않음</td></tr>
<tr><td>Time</td><td>2주 동안 지속적</td></tr>
<tr><td>Course</td><td rowspan="2">1년 전부터 서서히 아팠지만 참을만한 정도였는데 10일 전부터는 참기 힘듦</td></tr>
<tr><td>Experience</td></tr>
<tr><td>Character</td><td>뻐근하고 둔한 통증
VAS 3점</td></tr>
<tr><td>Factors</td><td>자세에 따른 변화(−), 스트레스(−)</td></tr>
<tr><td>Associated symptoms</td><td>감각이상/방사통(+/+, 오른팔에 감각이상과 근력저하 소견 보인다), 조조강직/움직이면 나아짐(−/−), 발열/오한(−/−), 체중감소(−), 두통(+, 통증이 심할 땐 두통도 동반됨), 특정부위 작열감(−), 띠 같은 느낌(−), 땀(−), 목뻣뻣(−), 이전 감기증상(−), 다른 관절 통증(−), N/V(−/−)</td></tr>
<tr><td colspan="2"></td></tr>
<tr><td rowspan="6">Medical history</td><td>약물복용력</td><td>없음</td></tr>
<tr><td>과거력</td><td>DM/TBc/HTN/간질환(−/−/−/−)
류마티스(−), 근골격계 질환(−), 암(−)
건강검진 해본 적 없음</td></tr>
<tr><td>외상/수술력</td><td>외상(−), 수술력(−)</td></tr>
<tr><td>사회력</td><td>대학원생, 술(1주일에 1~2번), 담배(−), 커피(−)</td></tr>
<tr><td>가족력</td><td>어머니 골관절염</td></tr>
<tr><td>여성력</td><td>[산과력] 0-0-0-0
[월경력] 규칙적(28일), 월경량 보통, 월경통 없음, LMP 3WA</td></tr>
<tr><td rowspan="2">Physical exam</td><td>Vital sign</td><td>120/70mmHg, 82회/분, 17회/분, 36.4℃</td></tr>
<tr><td>Positive findings</td><td>목 부위 압통/경련/부종/열감(+, 오른쪽 뒷목/−/−/−), Spurling(+, 왼쪽), Lhermitte(+), Right에서 flexion 안 되고, extention은 됨, Brudzinski(−), Kernig(−), 팔 감각이상/운동이상(+, right/+, right), DTR 정상, 병적 반사 없음</td></tr>
<tr><td colspan="2">환자의 질문 또는 기타 특이사항</td><td></td></tr>
</table>

대표증례-2

상황지침

32세 남자 김영수 씨가 뒷목이 아프다고 외래에 왔다.

[활력징후]

• 혈압 : 130/80mmHg	• 맥박 : 75회/분
• 호흡 : 16회/분	• 체온 : 36.5℃

응시자는 이 환자에게
- 증상과 관련된 병력을 청취하고,
- 증상과 관련된 적절한 신체진찰을 시행한 후,
- 추정진단과 향후 진단계획 등에 대해 환자와 논의하시오.

해설

※ **감별진단** : 경추 염좌(Cervical sprain), 경추 골절(Cervical spine fracture)
※ **진단계획/치료계획** : 경추 X-ray, 경추 MRI / 보조기 착용, NSAIDs

- 목통증은 위치, 통증의 발생시기, 급성/만성 여부를 파악하면 그 원인에 대해 접근하기 쉬워집니다.
- 통증이 어디인지 정확히 짚어보라고 하여 통증의 위치가 midline인지 paravertebral muscle인지 확인합니다.
- 감각이상과 운동이상을 구별하여 물어보도록 합니다. Spine level별로 담당 motor와 sensory를 암기해둡시다.
- 환자의 과거력에 대해 질문할 때 머리나 목 부위 외상과 수술력도 꼭 확인합니다.
- 신체검진 시 spurling's test로 neck radiculopathy를 확인해보아야 합니다.
- 채찍질 손상은 fracture, disc herniation, head injury, focal neurologic findings, altered consciousness가 없는지 배제해야 합니다.
- 휴식이나 운동에 영향을 받지 않는 통증이 있는 경우 암성 통증, 감염 등 기타 원인을 확인해봐야 합니다.

시나리오

Sex/Age	M/32	
Chief Complaint	뒷목이 아파요	
Present illness	Location	뒷목 아래, 뻗치는 곳은 없음
	Onset	3일 전
	Situation	**외상(+, 4일 전 운전 도중 뒤에서 차가 박은 사고가 있었음, 목이 앞뒤로 휘청했던 것 같음)**
	Time	계속 아프다
	Course	비슷
	Experience	처음
	Character	뻐근한 느낌 VAS 3점
	Factors	**자세 변화(+, 앞으로 숙일 때 가장 아픔, 평소 일할 때 목을 불편한 자세로 오래 유지함)**, 스트레스(−), 높은 베개(−)
	Associated symptoms	**압통(+)**, **부종(+)**, **열감(+)**, 띠 같은 느낌(−), 팔의 감각/운동장애(−), 대소변 이상(−), 조조강직/움직이면 나아짐(−/−), 체중변화(−), 특정부위 작열감(−), 땀(−), 목 뻣뻣(−), 이전 감기증상(−), 다른 관절 통증(−), 두통(−), N/V(−/−)
Medical history	약물복용력	진통제/스테로이드(−/−)
	과거력	DM/TBc/HTN/간질환(−/−/−/−) 류마티스/근골격계 질환(−/−), 암(−) 건강검진 시행한 적 없음
	외상/수술력	외상(+, 4일 전 교통사고), 수술력(−)
	사회력	증권회사, 술(한 달에 1~2번), 담배(안함), 커피(안함)
	가족력	류마티스 질환(−)
	여성력	−
Physical exam	Vital sign	130/80mmHg, 75회/분, 16회/분, 36.5℃
	Positive findings	Spurling(−), Lhermitte(−), Flexion/extension/left/right 다 제한됨, Brudzinski(+), Kernig(−), 팔 감각·운동 정상, DTR 정상, 호프만 없음, 목 부위 **압통**/경련/**부종/열감**(**+**/−/**+**/**+**)
환자의 질문 또는 기타 특이사항		

대표증례 – 3

상황지침

40세 여자 김미경 씨가 뒷목이 아프다고 외래에 왔다.

[활력징후]

- 혈압 : 124/70mmHg
- 맥박 : 82회/분
- 호흡 : 19회/분
- 체온 : 36.7℃

응시자는 이 환자에게

– 증상과 관련된 병력을 청취하고,

– 증상과 관련된 적절한 신체진찰을 시행한 후,

– 추정진단과 향후 진단계획 등에 대해 환자와 논의하시오.

해설

※ **감별진단** : 근막동통증후군(Myofascial pain syndrome), 경추 염좌(Cervical sprain)

※ **진단계획/치료계획** : 경추 X-ray, 경추 MRI / 자세교육, NSAIDs

- 근육을 계속 수축하게 하는 유발지속인자가 될 수 있는 과도한 스트레스나 우울증은 없는지 물어볼 수 있습니다.
- 신체검사 상 눌렀을 때 통증이 재현되는 지점(trigger point)이 있고 뭉쳐지는 근육이 만져지지는 않는지 확인해야 합니다.
- 평상시 자세와 수면습관에 대한 질문을 하여 잘못된 자세로 기인한 통증이 아닌지 확인하고 목통증이 발생하기 쉬운 자세에 대해 설명하고 바른 자세의 중요성에 대해 적절한 교육을 시행하도록 합니다.
- 자세교정, 스트레칭, 온찜질, 진통제 등의 치료가 도움이 됩니다.

시나리오

Sex/Age	F/40	
Chief Complaint	뒷목이 당겨요	
Present illness	Location	뒷목 아래, 뻗치는 곳은 없음
	Onset	6개월
	Situation	–
	Time	하루 종일
	Course	6개월 전부터 호전과 악화 반복, 1개월 전부터 더 아픔
	Experience	처음
	Character	뻐근한 느낌, 근육에 담이 결린 것 같음 VAS 2~5점, 가장 아플 때는 7점 정도
	Factors	자세에 따른 변화(–), 찜질, 마사지 시 호전 스트레스(–), 무리한 운동(–)
	Associated symptoms	띠 같은 느낌(–), 팔의 감각·운동장애(–), 체중변화(–), 열(–), **특정부위 작열감(+)**, 대소변 이상(–), 조조강직/움직이면 나아짐(–/–), 땀(–), 목 뻣뻣(–), 이전 감기증상(–), 다른 관절 통증(–), 두통(–), **어깨통증(+)**, N/V(–/–)
Medical history	약물복용력	없음
	과거력	DM/TBc/HTN/간질환(–/–/–/–) 류마티스(–), 근골격계 질환(–), 암(–) 건강검진 1년 전, 정상
	외상/수술력	외상(–), 수술력(–)
	사회력	회사 다님, 컴퓨터는 매일 봄, 운동(–), 술(한 달에 1~2번), 담배(–), 커피(–)
	가족력	류마티스(–), 근골격계 질환(–)
	여성력	[산과력] 1-0-0-1 [월경력] 규칙적(28일), 월경량 보통, 월경통 없음, LMP 10DA
Physical exam	Vital sign	124/70mmHg, 82회/분, 19회/분, 36.7℃
	Positive findings	**압통(+, 특이 압통점 있음, C3~6 좌우 세게 누르면 거기 아파함, 좌우대칭으로 아픔, 어깨 쪽에 압통 point가 한군데 더 있음)**, 부종/**열감**(–/**+, 타는 듯한 느낌**), Flexion/extension/left/right 모두 통증 호소, Spurling(–), Lhermitte(–), Meningeal(Brudzinski는 아프다 함), 팔 감각·운동 정상, DTR 정상, 호프만 없음
환자의 질문 또는 기타 특이사항	통증이 심해요	

대표증례 – 4

상황지침

40세 남자 장동건 씨가 목이 아프다고 외래에 왔다.

[활력징후]

• 혈압 : 130/70mmHg	• 맥박 : 72회/분
• 호흡 : 16회/분	• 체온 : 36.4℃

응시자는 이 환자에게
- 증상과 관련된 병력을 청취하고,
- 증상과 관련된 적절한 신체진찰을 시행한 후,
- 추정진단과 향후 진단계획 등에 대해 환자와 논의하시오.

해설

※ **감별진단** : 경추 염좌(Cervical sprain), 경추 추간판 탈출증(Cervical HIVD)
※ **진단계획/치료계획** : 경추 X-ray, 경추 MRI / 보조기 착용, NSAIDs

- 목통증은 위치, 통증의 발생시기, 급성/만성 여부를 파악하면 그 원인에 대해 접근하기 쉬워집니다.
- 위 case와 같이 증상 발생 시기에 외상 등의 특별한 사건이 있었는지 물어보면 감별에 도움이 됩니다.
- 감각이상과 운동이상을 구별하여 물어보도록 합니다. Spine level별로 담당 motor와 sensory를 암기해둡시다.
- 통증이 어디인지 정확히 짚어보라고 하여 통증의 위치가 midline인지 paravertebral muscle인지 확인합니다.
- 환자의 과거력에 대해 질문할 때 머리나 목 부위 외상과 수술력도 꼭 확인합니다.
- 신체검진 시 Spurling's test로 neck radiculopathy를 확인해보아야 합니다.
- 휴식이나 운동에 영향을 받지 않는 통증이 있는 경우 암성 통증, 감염 등 기타 원인을 확인해봐야 합니다.

시나리오

Sex/Age	M/40	
Chief Complaint	목이 아파요	
Present illness	Location	목 뒤, 양쪽 어깨
	Onset	10일 전
	Situation	10일 전 일하다가 플라스틱 자재 박스와 부딪힘
	Time	2주 동안 지속적
	Course	7일 전부터 악화
	Experience	7년 전 목디스크 진단 받았음/치료해서 다 나음
	Character	욱신거리고 찢어지는 듯한 아픔 가만히 있으면 VAS 5, 움직이면 VAS 7~8 어깨는 VAS 5
	Factors	움직이면 통증 악화, 쉬면 나아짐
	Associated symptoms	감각이상(−), 조조강직/움직이면 나아짐(−/−), 발열/오한(−/−), 체중감소(−), 두통(−), 특정부위 작열감(−), 띠 같은 느낌(−), 땀(−), 목뻣뻣(−), 이전 감기증상(−), 다른 관절 통증(−), **어깨통증(+)**, N/V(−/−)
Medical history	약물복용력	없음
	과거력	DM/TBc/HTN/간질환(−/−/−/−) 류마티스(−), 근골격계 질환(−), 암(−) 건강검진 해본 적 없음
	외상/수술력	외상(+, 10일 전), 수술력(−)
	사회력	공사현장 안전 관련 업무(비파괴 안전검사) 운동으로 매일 수영, 현재 아파서 쉬는 중
	가족력	류마티스(−), 근골격계 질환(−), 암(−)
	여성력	−
Physical exam	Vital sign	130/70mmHg, 72회/분, 16회/분, 36.4℃
	Positive findings	목 부위 **압통**/경련/부종/열감(**+**/−/−/−), Spurling(−), Lhermitte(−), **Lateral flexion시 통증(+)**, Brudzinski(−), Kernig(−), 팔 감각/운동(−/−), DTR 정상, 병적반사 없음
환자의 질문 또는 기타 특이사항		

대표증례-5

상황지침

34세 남자 배진혁 씨가 목이 아프다고 외래에 왔다.

[활력징후]

• 혈압 : 120/75mmHg	• 맥박 : 80회/분
• 호흡 : 18회/분	• 체온 : 36.5℃

응시자는 이 환자에게
- 증상과 관련된 병력을 청취하고,
- 증상과 관련된 적절한 신체진찰을 시행한 후,
- 추정진단과 향후 진단계획 등에 대해 환자와 논의하시오.

해설

※ **감별진단** : 경추 염좌(Cervical sprain), 경추 추간판 탈출증(Cervical HIVD)
※ **진단계획/치료계획** : 경추 X-ray, 경추 MRI / 마사지, NSAIDs

- 목통증은 위치, 통증의 발생시기, 급성/만성 여부를 파악하면 그 원인에 대해 접근하기 쉬워집니다.
- 위 case와 같이 증상 발생 시기에 외상 등의 특별한 사건이 있었는지 물어보면 감별에 도움이 됩니다.
- 감각이상과 운동이상을 구별하여 물어보도록 합니다. Spine level별로 담당 motor와 sensory를 암기해둡시다.
- 통증이 어디인지 정확히 짚어보라고 하여 통증의 위치가 midline인지 paravertebral muscle인지 확인합니다.
- 환자의 과거력에 대해 질문할 때 머리나 목 부위 외상과 수술력도 꼭 확인합니다.
- 신체검진 시 Spurling's test로 neck radiculopathy를 확인해보아야 합니다.
- 휴식이나 운동에 영향을 받지 않는 통증이 있는 경우 암성 통증, 감염 등 기타 원인을 확인해봐야 합니다.

시나리오

Sex/Age	M/34	
Chief Complaint	목이 아파요	
Present illness	Location	목 뒤, 왼쪽 어깨 아래
	Onset	10일 전
	Situation	11일 전 야근하면서 많이 움직임
	Time	지속적
	Course	나아지고 있는 것 같지만 잘 모르겠음
	Experience	1년 전에도 있었음/당시는 하루 쉬면 나았음
	Character	욱신거림 가만히 있으면 VAS 7
	Factors	움직이면 통증 악화
	Associated symptoms	감각이상/**방사통/근력저하**(−/**+**/**+**), 조조강직/움직이면 나아짐(−/−), 발열/오한(−/−), 체중감소(−), 두통(−), 특정부위 작열감(−), 띠 같은 느낌(−), 땀(−), 목뻣뻣(−), 이전 감기증상(−), 다른 관절 통증(−), N/V(−/−)
Medical history	약물복용력	없음
	과거력	DM/TBc/HTN/간질환(−/−/−/−) 류마티스(−), 근골격계 질환(−), 암(−) 건강검진 해본 적 없음
	외상/수술력	외상(−), 수술력(−)
	사회력	소주 2~3병/주, 흡연 10PY, 인쇄업에 종사 컴퓨터 작업이 많아 자세가 좋지 않음
	가족력	류마티스(−), 근골격계 질환(−), 암(−)
	여성력	−
Physical exam	Vital sign	120/75mmHg, 80회/분, 18회/분, 36.5℃
	Positive findings	목 부위 **압통**/경련/부종/열감(**+**/−/−/−), **Spurling(+)**, **Lhermitte(+)**, Brudzinski(−), Kernig(−), 팔 감각이상/운동이상(+, left/+, left), DTR 정상, 병적반사 없음
환자의 질문 또는 기타 특이사항		검진할 때 매우 아파함

관련증례

24-1-1 33세 여자가 오른쪽 뒷목이 아프다며 왔다. 통증은 3일 전부터 발생하였으며 하루 종일 지속되는 통증으로 일상생활에 지장이 있다고 하였다. 움직일 때도 아프고 눌러도 아프며 오른쪽으로 고개를 돌릴 때 더 심한 것 같다고 하였다. 움직이지 않고 가만히 있으면 통증이 다소 완화된다고 하였다. 팔이 저리거나 손에 힘이 빠지는 증상은 없었으나 통증의 범위가 처음 발생하였을 때보다 넓어진 것 같다고 하였다. 진통제를 먹으면 2～3시간 가량은 괜찮아지지만 곧 효과가 없어진다고 하였다. 동네 마트를 운영하고 있는데 길 건너 대형마트가 생겨서 스트레스를 다소 받는다고 하였다. 음주는 가끔씩 하며, 흡연은 하지 않는다고 하였다.

활력징후는 혈압 120/78mmHg, 맥박 72회/분, 호흡수 20회/분, 체온 36.5℃이었다. 오른쪽 목의 ROM이 저하되어 있었다.

Answer | 24-1-1. 근막동통증후군

Check-list

	병력청취 채점항목	예	아니오
1	목통증의 양상(빈도, 지속시간, 패턴 등)에 대하여 물어보았다.	☐	☐
2	언제부터 발생하였는지 물어보았다.	☐	☐
3	동반되는 증상이 있는지 질문하였다.	☐	☐
4	목통증이 악화 또는 완화는 경우가 있는지 물어보았다.	☐	☐
5	평소 생활습관이나 자세에 대하여 물어보았다.	☐	☐
6	외상력이 있는지 물어보았다.	☐	☐
7	직업에 대하여 물어보았다.	☐	☐

	신체진찰 채점항목	제대로 함	제대로 못함	하지 않음
1	통증 부위를 확인하였다.	☐	☐	☐
2	목의 운동범위와 통증여부 및 감각/운동이상을 확인하였다.	☐	☐	☐
3	Spurling's test를 시행하였다.	☐	☐	☐
4	어깨 및 상지의 감각/운동이상이 있는지 확인하였다.	☐	☐	☐

	환자교육 채점항목	예	아니오
1	목통증을 유발할 수 있는 원인에 대하여 설명하였다.	☐	☐
2	의심되는 질환을 설명하고 필요한 검사에 대해 동의를 구하였다.	☐	☐
3	통증을 악화시킬 수 있는 생활습관 및 자세에 대하여 설명하고, 도움이 되는 운동법을 교육하였다.	☐	☐
4	치료 계획에 대하여 설명하였다.	☐	☐

	환자의사관계 채점항목	아주우수	우수	보통	미흡
1	효율적으로 잘 물어보았다. – 효율적 질문 : 개방형 질문 사용, 확인, 중간 요약 – 피할 질문 : 유도 질문, 복수 질문	☐	☐	☐	☐
2	나의 말을 잘 들어주었다. – 대꾸하기, 경청 자세, 눈 맞춤 & 말 가로채지 않기	☐	☐	☐	☐
3	나의 입장을 이해하려고 노력하였다. – 공감 표현, 나의 입장 파악	☐	☐	☐	☐
4	환자가 이해하기 쉽게 설명하였다. – 간단명료함, 이해도 점검, 질문 기회 & 쉬운 용어	☐	☐	☐	☐
5	나와 좋은 유대 관계를 형성하려고 했다. – 자기소개, 일상 대화, 존중, 자신감 & 신뢰감	☐	☐	☐	☐

24-2 허리 통증

대표증례-1

상황지침

37세 남자 김정훈 씨가 허리가 아프다고 병원에 왔다.

[활력징후]

• 혈압 : 124/70mmHg	• 맥박 : 82회/분
• 호흡 : 19회/분	• 체온 : 36.7℃

응시자는 이 환자에게
- 증상과 관련된 병력을 청취하고,
- 증상과 관련된 적절한 신체진찰을 시행한 후,
- 추정진단과 향후 진단계획 등에 대해 환자와 논의하시오.

해설

※ **감별진단** : 요추 추간판 탈출증(Lumbar HIVD), 요추 염좌(Lumbar strain)
※ **진단계획/치료계획** : 요추 X-ray, 요추 MRI / NSAIDs, 추간판탈출증 수술

- 최초 증상 발생이 급작스러운 외상에 의한 것인지 물어봐야 합니다.
- 최초 증상 발생 이후 현재까지 증상의 변화가 있었는지 질문하는 것도 중요합니다.
- 하루 중 증상이 가장 심할 때가 언제인지, 증상이 악화되는 자세와 완화되는 자세가 있는지 질문합니다.
- 허리 통증 이외에 방사통 등의 동반 증상이 있는지 물어보되 sensory와 motor를 구분하여 문진합니다.
- 다리 쪽 감각 검사를 할 때 하의를 탈의시키고 전체적으로 시행하는 것이 좋지만 모의 환자에게 전체 하의 탈의를 요청하는 것이 불가능하다면 감각이상을 호소하는 위치 정도까지 바지를 걷어서 보는 것을 추천합니다.
- 요통을 줄이기 위한 바른 자세에 대해 설명하고 적절한 운동법도 교육해주면 좋겠죠.

시나리오

Sex/Age	M/37	
Chief Complaint	허리가 아파요	
Present illness	Location	허리 아래(L5), 우측 다리로 뻗치는 통증
	Onset	1개월 전
	Situation	1달 전 건설현장에서 갑자기 오른쪽으로 돌아보던 중 오른쪽 허리를 삐끗함
	Time	지속적
	Course	점점 심해짐(파스, 진통제에 듣지 않게 됨)
	Experience	처음
	Character	뻐근한 느낌 VAS 6점, 진통제 파스에 반응하지 않음
	Factors	허리 움직이면 아픔, 움직이고 걷고 운동하면 아픔, 누워있으면 나아짐
	Associated symptoms	체중감소(−), 다른 관절 이상(−), **우측 다리 저림(+, 주로 다리 뒤쪽과 종아리 가쪽으로 멍멍한 감각)**, 하지 운동 이상은 없음, 대소변 이상(−), 허리 압통(−), 복부 혈관질환(−), 조조강직(−), 항문주위 감각 이상(−), 포도막염(−)
Medical history	약물복용력	타이레놀 효과 있다가 없어짐, 파스 효과 없음
	과거력	DM/TBc/HTN/간질환(−/−/−/−) 류마티스/근골격계 질환(−/−), 암(−) 건강검진 시행한 적 없음
	외상/수술력	외상(−), 수술력(−)
	사회력	건설현장 사무직, 무거운 것을 들지는 않으나 오래 서 있는 직업 운동 잘 안 함, 술·담배(잘 안 함)
	가족력	어머니 골다공증 있음, 친척 중에 고혈압 있다고 들음
	여성력	−
Physical exam	Vital sign	124/70mmHg, 82회/분, 19회/분, 36.7℃
	Positive findings	압통/발적/부종/열감(−/−/−/−), 허리를 척추 따라서 눌러 보았을 때 특별히 아픈 점이 있지 않음, 허리 운동 제한 있음(주로 앞으로 숙이는 것이 문제, Rt. Lateral flexion 문제 extension 괜찮음), **Rt SLR(+, 20~30도 정도에서)**, Patrick test(−), Gaenslen test(−), DTR 이상 없음, 걸음걸이 이상 없음(아파서 걷는 게 힘든 정도), 근력저하는 없었음, **우측 다리 허벅지 뒷면 및 종아리 가쪽 저리고 멍멍함**, Babinski(−), DRE상 괄약근 감각과 근력 정상
환자의 질문 또는 기타 특이사항		

대표증례 – 2

상황지침

67세 남자 최영식 씨가 허리가 아파서 병원에 왔다.

[활력징후]

• 혈압 : 130/80mmHg	• 맥박 : 84회/분
• 호흡 : 20회/분	• 체온 : 36.5℃

응시자는 이 환자에게

– 증상과 관련된 병력을 청취하고,

– 증상과 관련된 적절한 신체진찰을 시행한 후,

– 추정진단과 향후 진단계획 등에 대해 환자와 논의하시오.

해설

※ **감별진단** : 신장암의 요추전이, 요추 압박골절(Lumbar compression fracture)

※ **진단계획/치료계획** : 요추 X-ray, 요추 MRI / 방사선 치료, 진통제

• 암의 과거력이 있는 환자에게서 허리 통증은 응급상황일 수 있다는 점에 주의합니다. 배뇨장애가 동반되었다면 cauda equina syndrome을 의심해야 합니다.

• 동반되는 근력약화, 감각이상 등의 신경증상이 있는지 물어보면 추간판 탈출증이나 척추관 협착증을 감별할 수 있습니다.

• 허리 통증의 경우 시행해야 할 신체검진 항목이 많으므로 통증의 양상을 재빨리 묻고 신체검진을 해야 합니다. 진찰 시에는 환자를 옆에서 잘 부축해드리고 통증에 대해 관심을 표시하며 수행하면 좋습니다. 허리정렬상태 확인 및 SLR, Thomas, Patrick, Schober test, 하지 근력/감각 검사를 시행합니다.

• 암의 요추전이가 의심된다면 환자의 기분을 살피고 잘 위로하며 전하도록 합니다.

시나리오

Sex/Age	M/67	
Chief Complaint	허리가 아파요	
Present illness	Location	허리 가운데, 방사통(−)
	Onset	6개월 전
	Situation	−
	Time	지속적
	Course	점점 심해짐
	Experience	처음
	Character	뻐근하고 둔한 통증 VAS 7점, 자다가 뒤척일 때 아파서 깬 적도 있음
	Factors	자세에 따른 변화(+, 허리 움직일 때, 자세 바꿀 때 악화) 눕거나 가만히 앉아 있으면 완화
	Associated symptoms	**체중감소(3~4kg/6개월)**, **혈뇨(+, 4년 전)**, 하지 근력저하/감각이상(−/−), 대소변 이상(−), 복부 혈관질환(−), 다른 관절 이상(−), 조조강직(−), 발열/오한(−/−), 항문주위 감각이상(−), 포도막염(−)
Medical history	약물복용력	타이레놀 먹어봤는데 효과 있다가 없어짐, 스테로이드(−)
	과거력	DM/TBc/HTN/간질환(−/−/−/−) 류마티스/근골격계 질환(−/−), **암(+, 4년 전 신장암 진단)** 암 검진 작년(+)
	외상/수술력	4년 전 오른쪽 신장암으로 신장 적출, 외상(−)
	사회력	동네에서 작은 슈퍼 운영, 술(소주 1병/주), 담배(40갑·년, 4년 전 금연)
	가족력	가족 중 허리 아픈 분 없음
	여성력	−
Physical exam	Vital sign	130/80mmHg, 84회/분, 20회/분, 36.5℃
	Positive findings	압통/발적/부종/열감(+/−/−/−), **허리 운동 제한 있음(flexion, extension, lateral flexion)**, SLRT(−), Patrick(−/−), DTR 이상 없음, 하지 근력 감각 반사 모두 이상 없음, **CVAT 시 통증 호소**, 하지 맥박 촉진 정상
환자의 질문 또는 기타 특이사항		너무 아파서 빨리 낫고 싶어요

대표증례 – 3

상황지침

55세 여자 박미정 씨가 허리가 아프다고 병원에 왔다.

[활력징후]

- 혈압 : 110/70mmHg
- 맥박 : 72회/분
- 호흡 : 17회/분
- 체온 : 36.5℃

응시자는 이 환자에게

- 증상과 관련된 병력을 청취하고,
- 증상과 관련된 적절한 신체진찰을 시행한 후,
- 추정진단과 향후 진단계획 등에 대해 환자와 논의하시오.

해설

※ **감별진단** : 요추 염좌(Lumbar sprain), 골다공증에 의한 요추 압박골절

※ **진단계획/치료계획** : 요추 X-ray, 요추 CT / 보조기, NSAIDs

- 병력청취 시 골다공증 같은 것이 있는지 직접적으로 물어보는 것이 좋습니다.
- 허리통증은 신체진찰이 많고 자세변화를 해야 되는 경우가 많기 때문에 시간이 많이 걸립니다. 미리 1분의 문제 확인시간에 감별진단을 빨리 적고 신체진찰을 적어놓으면 자세변화를 최소화 할 수 있습니다.
- 교육 시 허리에 무리를 주지 않는 수영이나 가벼운 산책 등을 언급해 주는 게 좋습니다.
- 최근에 나온 문제들을 보면 1년 전부터 시작된 허리통증을 주소로 내원하였으며, 활동하거나 오래 앉아있을 때 악화되고, 휴식 시 호전되며, 아팠다 안 아팠다를 반복하는 양상으로 주어지는 요추염좌가 출제된 적이 있습니다. 이러한 경우 신체검진에서는 ROM시 어디로 움직이든 허리를 아파하고 압통도 존재하는 경우로 주어졌으며, 책상에 오래 앉아 있는 직업 때문에 생기는 허리통증으로 주어진 적도 있습니다. 따라서 허리 통증을 꼭 어디 움직이다가 생긴 것으로 생각하기보다는 잘못된 자세로 오래 있었을 때에도 생길 수 있다는 것을 항상 염두에 두었으면 합니다.

시나리오

Sex/Age	F/55	
Chief Complaint	허리가 아파요	
Present illness	Location	오른쪽 허리, 엉덩이
	Onset	15일 전
	Situation	이사하면서 이삿짐 들다가 통증이 시작됨
	Time	지속적
	Course	점점 심해짐
	Experience	예전에도 무리할 때 한두 번씩
	Character	쑤시는 듯한 통증, 하지로 방사통 없음 VAS 7점, 진통제 파스에 반응하지 않음
	Factors	움직이면 악화, 휴식 취하면 완화, 자세에 따른 통증(−), 스트레스(−)
	Associated symptoms	다른 관절 이상(−), 다리근력저하/감각이상(−/−), 체중변화(−), 대소변 이상(−), 허리 압통(−), 걷다가 아파서 주저앉은 적(−), 조조강직(−), 복부 혈관질환(−), 항문주위 감각이상(−), 포도막염(−)
Medical history	약물복용력	진통제/스테로이드(+/−), 칼슘제제(+, 1년 전부터)
	과거력	DM/TBc/HTN/간질환(−/−/−/−) 류마티스/근골격계 질환/암(−/−/−), **골다공증(+, 1년 전 검진)** 1년 전 검진에서 골밀도가 낮다는 이야기 들음
	외상/수술력	외상(+), 수술력(−)
	사회력	가정주부(집안일), 술(−), 담배(−)
	가족력	어머니 골다공증 있음
	여성력	[산과력] 3-0-0-3 [월경력] 2년 전 폐경
Physical exam	Vital sign	110/70mmHg, 72회/분, 17회/분, 36.5℃
	Positive findings	압통/발적/부종/열감(−/−/−/−), **허리운동 제한 있음(flexion, right rotation 할 때 불편)**, **SLRT(+, 오른쪽)**, **Patrick test(+, 오른쪽)**, **Gaenslen test(+, 오른쪽)**, DTR 이상 없음, 걸음걸이 이상 없음, 하지 근력저하/감각이상(−/−), 하지 맥박 촉진시 정상, Babinski(−), DRE상 괄약근 감각과 근력 정상
환자의 질문 또는 기타 특이사항		너무 아파서 빨리 낫고 싶어요

대표증례 – 4

상황지침

70세 여자 이미윤 씨가 허리가 아프다고 병원에 왔다.

[활력징후]

• 혈압 : 120/74mmHg	• 맥박 : 75회/분
• 호흡 : 19회/분	• 체온 : 36.2℃

응시자는 이 환자에게
- 증상과 관련된 병력을 청취하고,
- 증상과 관련된 적절한 신체진찰을 시행한 후,
- 추정진단과 향후 진단계획 등에 대해 환자와 논의하시오.

해설

※ **감별진단** : 요추 압박골절(Lumbar compression fracture), 요추 염좌(Lumbar sprain)
※ **진단계획/치료계획** : 요추 X-ray, 요추 MRI / 보조기 착용, NSAIDs

- 병력청취시 허리의 통증을 일으킬만한 요인에 대하여 자세히 물어보아야 합니다. 위 case의 경우 교통사고로 인한 압박골절 또는 단순 염좌를 의심해 볼 수 있겠습니다.
- 신체진찰에 시간이 많이 소요되므로 병력청취 시 필요한 것 만 빠르게 물어보고 신체진찰로 넘어가는 것이 좋겠습니다.

시나리오

Sex/Age	F/70	
Chief Complaint	허리가 아파요	
Present illness	Location	가운데 허리
	Onset	1주일 전
	Situation	교통사고 당하고 통증이 시작됨
	Time	지속적
	Course	점점 심해짐
	Experience	처음
	Character	찢어질 듯한 통증, 하지로 방사통 없음 VAS 6점, 진통제 파스에 반응하지 않음
	Factors	움직이면 악화, 휴식 취하면 완화, 자세에 따른 통증(−), 스트레스(−)
	Associated symptoms	다른 관절 이상(−), 다리근력저하/감각이상(−/−), 체중변화(−), 대소변 이상(−), **허리 압통(+)**, 걷다가 아파서 주저앉은 적(−), 조조강직(−), 복부 혈관질환(−), 항문주위 감각이상(−), 포도막염(−)
Medical history	약물복용력	진통제/스테로이드(+/−), 칼슘제제(1년 전부터)
	과거력	DM/TBc/HTN/간질환(−/−/−/−) 류마티스/근골격계 질환/암(−/−/−), 골다공증(−) 1년 전 검진에서 골밀도가 낮다는 이야기 들음
	외상/수술력	**외상(+, 교통사고 당함, 당시 검사에서는 문제없었음)**, 수술력(−)
	사회력	가정주부, 술(−), 담배(−)
	가족력	어머니 골다공증 있음
	여성력	[산과력] 3-0-0-3 [월경력] 20년 전 폐경
Physical exam	Vital sign	120/74mmHg, 75회/분, 19회/분, 36.2℃
	Positive findings	**압통**/발적/부종/열감(**+, 건드리기만 해도 아픔**/−/−/−), 허리 운동 제한 있음(모든 방향에서 제한), SLRT 정상, FNST(−), **Patrick test(+, 약간 불편한 정도)**, Gaenslen test(−), DTR 이상 없음, 걸음걸이 이상 없음, 하지 근력저하/감각이상(−/−), 하지 맥박 촉진시 정상, Babinski(−), DRE상 괄약근 감각과 근력 정상
환자의 질문 또는 기타 특이사항	너무 아파서 빨리 낫고 싶어요	

대표증례 – 5

상황지침

67세 여자 김순자 씨가 허리가 아프다고 외래에 왔다.

[활력징후]	
• 혈압 : 120/70mmHg	• 맥박 : 80회/분
• 호흡 : 18회/분	• 체온 : 36.5℃

응시자는 이 환자에게
- 증상과 관련된 병력을 청취하고,
- 증상과 관련된 적절한 신체진찰을 시행한 후,
- 추정진단과 향후 진단계획 등에 대해 환자와 논의하시오.

해설

※ **감별진단** : 요추 염좌(Lumbar sprain), 요추 압박골절(Lumbar compression fracture)

※ **진단계획/치료계획** : 요추 X-ray, 요추 MRI / 안정, 스테로이드 주사

- 우선 허리 통증을 일으키는 명확한 유발요인이 있는지 확인합니다.
- 움직일수록 통증이 더 심해지는지, 아니면 움직일수록 점차 통증이 완화되는지 물어봅니다. 또 자세와 관련되어 증상이 나타나는지, 앉거나 누우면 증상이 완화되는지 확인합니다.
- 고령 여성의 경우 골다공증에 의한 압박골절을 감별해야 합니다.
- 고령 환자의 경우 신체검진 시 움직임이 느려 시간이 오래 걸릴 수 있음에 주의해야 합니다.
- 환자 신체 검진 시, 통증을 호소하면 공감하는 표현을 하도록 합니다.

시나리오

<table>
<tr><td>Sex/Age</td><td colspan="2">F/67</td></tr>
<tr><td>Chief Complaint</td><td colspan="2">허리가 아파요</td></tr>
<tr><td rowspan="9">Present illness</td><td>Location</td><td>가운데 허리 아래쪽</td></tr>
<tr><td>Onset</td><td>2주일 전</td></tr>
<tr><td>Situation</td><td>화분을 들다가 삐끗함</td></tr>
<tr><td>Time</td><td>하루종일 계속</td></tr>
<tr><td>Course</td><td>점점 심해짐</td></tr>
<tr><td>Experience</td><td>처음</td></tr>
<tr><td>Character</td><td>끊어지는 듯한 통증, 허리 모든 방향이 아픔
VAS 6~7점</td></tr>
<tr><td>Factors</td><td>움직이면 악화, 휴식 취하면 완화
자세에 따른 통증(−), 스트레스(−)</td></tr>
<tr><td>Associated symptoms</td><td>다른 관절 이상(−), 다리근력저하/감각이상(−/−), 체중변화(−), 대소변 이상(−), 허리 압통(+), 걷다가 아파서 주저앉은 적(−), 조조강직(−), 복부 혈관질환(−), 항문주위 감각이상(−), 포도막염(−)</td></tr>
<tr><td rowspan="6">Medical history</td><td>약물복용력</td><td>진통제/스테로이드(+/−), 호르몬치료(−)</td></tr>
<tr><td>과거력</td><td>DM/TBc/HTN/간질환(−/−/−/−), 신장 안 좋아서 병원 다님(병명 모름), 류마티스/근골격계 질환/암(−/−/−), 골다공증(−)
정형외과에서 X-ray 찍었으나 이상 없다고 들음
건강검진 1년 전, 이상 없었음</td></tr>
<tr><td>외상/수술력</td><td>외상(+), 수술력(−)</td></tr>
<tr><td>사회력</td><td>폐지 줍는 일(최근 중단), 술(−), 담배(−)</td></tr>
<tr><td>가족력</td><td>−</td></tr>
<tr><td>여성력</td><td>[산과력] 3-0-0-3
[월경력] 15년 전 폐경</td></tr>
<tr><td rowspan="2">Physical exam</td><td>Vital sign</td><td>120/70mmHg, 80회/분, 18회/분, 36.5℃</td></tr>
<tr><td>Positive findings</td><td>압통/발적/부종/열감(+/−/−/−), 허리 운동 제한 있음(모든 방향에서 제한), SLRT 정상, FNST(−), Patrick test(−), Gaenslen test(−), DTR 이상 없음, 걸음걸이 이상 없음, 하지 근력저하/감각이상(−/−), 하지 맥박 촉진 시 정상, Babinski(−), DRE상 괄약근 감각과 근력 정상</td></tr>
<tr><td colspan="2">환사의 실문 또는 기타 특이사항</td><td></td></tr>
</table>

대표증례-6

상황지침

37세 남자 이준재 씨가 허리가 아프다고 외래에 왔다.

[활력징후]

- 혈압 : 120/70mmHg
- 맥박 : 80회/분
- 호흡 : 18회/분
- 체온 : 36.5℃

응시자는 이 환자에게

- 증상과 관련된 병력을 청취하고,
- 증상과 관련된 적절한 신체진찰을 시행한 후,
- 추정진단과 향후 진단계획 등에 대해 환자와 논의하시오.

해설

※ **감별진단** : 요추 척추관 협착증(Lumbar spinal stenosis), 요추 추간판 탈출증(Lumbar HIVD)

※ **진단계획/치료계획** : 요추 X-ray, 요추 MRI / 안정, 스테로이드 주사

- 우선 허리 통증을 일으키는 명확한 유발요인이 있는지 확인합니다.
- 움직일수록 통증이 더 심해지는지, 아니면 움직일수록 점차 통증이 완화되는지 물어봅니다. 또 자세와 관련되어 증상이 나타나는지, 앉거나 누우면 증상이 완화되는지 확인합니다.
- 척추의 퇴행성 변화가 의심되는 환자에서는 파행 여부에 대해서 물어봐야 합니다.

시나리오

Sex/Age		M/37
Chief Complaint		허리가 아파요
Present illness	Location	가운데 허리 아래쪽, 엉덩이쪽으로 방사통
	Onset	1년
	Situation	–
	Time	–
	Course	점점 심해짐
	Experience	처음
	Character	뻐근한 양상의 통증 가만히 있으면 VAS 2~3점, 움직이면 VAS 7점
	Factors	의자에 오래 앉아있으면 통증 심해짐 자세에 따른 통증(+, 앞으로 굽힐 땐 괜찮으나 젖히면 아픔), 스트레스(–)
	Associated symptoms	다른 관절 이상(–), 다리근력저하/감각이상(–/–), 대소변 이상(–), **허리 압통(+)**, 걷다가 아파서 주저앉은 적(+ –, 힘들지만 쉬지는 않음), 조조강직(–), 복부 혈관질환(–), 항문주위 감각이상(–), 포도막염(–)
Medical history	약물복용력	진통제/스테로이드(+, 효과 없음/–)
	과거력	DM/TBc/HTN/간질환(–/–/–/–) 류마티스/근골격계 질환/암(–/–/–) 건강검진 1년 전, X-ray 검사 상 이상 없었음
	외상/수술력	외상(–), 수술력(–)
	사회력	사무직, 술(social), 담배(–)
	가족력	–
	여성력	
Physical exam	Vital sign	120/70mmHg, 80회/분, 18회/분, 36.5℃
	Positive findings	**압통**/발적/부종/열감(**+**/–/–/–), 허리 운동 제한 있음(모든 방향에서 제한), **SLRT(+)**, FNST(–), Patrick test(–), Gaenslen test(–), DTR 이상 없음, 걸음걸이 이상 없음, 하지 근력저하/감각이상(–/–), 하지 맥박 촉진 시 정상, Babinski(–), DRE상 괄약근 감각과 근력 정상
환자의 질문 또는 기타 특이사항		빨리 나았으면 좋겠어요

관련증례

24-2-1 31세 남자가 허리가 아프다고 왔다. 통증은 3년 전부터 간헐적으로 발생하였는데 1년 전부터 자주 아팠고 2주 전부터 심해졌다고 하였다. 허리 아래와 가운데에 둔하고 먹먹한 통증이 하루 종일 지속되다 오후가 되면 나아지는 양상이었다. 특별한 외상력은 없었고 무리하게 사용한 적도 없었다. 눈, 입이 건조, 발진, 소화기 증상, 체중변화 등 다른 동반되는 증상은 없었다. 이전에 눈병으로 안과에서 치료받은 적이 있는데 병명은 모른다고 하였다. 사무직 회사원으로 음주는 가끔씩 하며, 흡연은 하지 않는다고 하였다.

> 활력징후는 혈압 120/78mmHg, 맥박 72회/분, 호흡수 20회/분, 체온 36.5℃이었다. 왼쪽 하지에서 하지 직거상 검사와 Patrick test 양성 소견이 보였고 허리 운동의 모든 범위에서 제한이 있었다. 아픈 부위를 눌렀을 때 압통을 호소하였다. Chest expansion, DTR, 감각 검사, 운동 검사 상 이상소견은 없었다.

24-2-2 50세 남자가 2～3개월 전부터 발생한 요통과 양측 하지 통증으로 내원하였다. 특별한 과거력은 없었고, 최근에는 오래 걷기가 힘들어 자주 쉬어야 한다고 하며, 앉아서 쉬거나 누우면 통증이 경감된다고 한다. 요통 발현이 자세의 변화와 관련되어 있다고 했다.

> 활력징후는 혈압 130/80mmHg, 맥박 75회/분, 호흡수 20회/분, 체온 36.8℃이었다. 양쪽 광대뼈 부위를 촉진하였을 때 통증은 없었으며, 입안 진찰도 모두 정상이었다. 폐 진찰에서 호흡음은 모두 정상이었다.

Answer | 24-2-1. 강직성 척추염 24-2-2. 척추관협착증

Check-list

	병력청취 채점항목	예	아니오
1	허리 통증이 언제부터 발생하였고, 발생상황을 물어보았다.	☐	☐
2	최초 증상 발생 후 변화가 있었는지 물어보았다.	☐	☐
3	허리 통증이 악화 또는 완화되는 자세/요인이 있는지 물어보았다.	☐	☐
4	방사통, 감각이상, 근력저하, 운동제한, 체중감소, 발열 등의 동반증상이 나타나는지 물어보았다.	☐	☐
5	외상 및 수술력에 대하여 물어보았다.	☐	☐
6	현병력에 대하여 물어보았다(암, 류마티스 질환, 근골격계).	☐	☐
7	복용중인 약물이 있는지 물어보았다.	☐	☐

	신체진찰 채점항목	제대로 함	제대로 못함	하지 않음
1	허리 통증 부위를 확인하였다.	☐	☐	☐
2	척추의 정렬 상태를 확인하였다.	☐	☐	☐
3	자세와 걸음걸이를 확인하였다.	☐	☐	☐
4	하지직거상 검사를 시행하였다.	☐	☐	☐
5	하지의 관절, 운동, 감각을 확인하였다.	☐	☐	☐
6	하지 말초혈관 맥박을 촉진하였다.	☐	☐	☐

	환자교육 채점항목	예	아니오
1	허리 통증을 유발하는 원인에 대하여 설명하였다.	☐	☐
2	추가적으로 필요한 검사를 설명하고 동의를 구하였다.	☐	☐
3	허리 통증을 일으킬 수 있는 자세와 올바른 자세를 설명하였다.	☐	☐
4	허리 통증을 줄일 수 있는 운동법과 생활습관을 교육하였다.	☐	☐

	환자이사관계 채점항목	아주우수	우수	보통	미흡
1	효율적으로 잘 물어보았다. - 효율적 질문 : 개방형 질문 사용, 확인, 중간 요약 - 피할 질문 : 유도 질문, 복수 질문	☐	☐	☐	☐
2	나의 말을 잘 들어주었다. - 대꾸하기, 경청 자세, 눈 맞춤 & 말 가로채지 않기	☐	☐	☐	☐
3	나의 입장을 이해하려고 노력하였다. - 공감 표현, 나의 입장 파악	☐	☐	☐	☐
4	환자가 이해하기 쉽게 설명하였다. - 간단명료함, 이해도 점검, 질문 기회 & 쉬운 용어	☐	☐	☐	☐
5	나와 좋은 유대 관계를 형성하려고 했다. - 자기소개, 일상 대화, 존중, 자신감 & 신뢰감	☐	☐	☐	☐

25 관절 통증·부기

대표증례-1

상황지침

55세 여자 이영자 씨가 무릎이 아파서 병원에 왔다.

[활력징후]

- 혈압 : 130/80mmHg
- 맥박 : 78회/분
- 호흡 : 18회/분
- 체온 : 36.7℃

응시자는 이 환자에게
- 증상과 관련된 병력을 청취하고,
- 증상과 관련된 적절한 신체진찰을 시행한 후,
- 추정진단과 향후 진단계획 등에 대해 환자와 논의하시오.

해설

※ **감별진단** : 퇴행성 관절염(Osteoarthritis), 류마티스 관절염(Rheumatoid arthritis)
※ **진단계획/치료계획** : 무릎 X-ray, 관절액 천자 / NSAIDs, 관절에 무리가 가지 않는 운동

- 관절 통증을 호소하는 환자에게는 통증의 위치, 염증성/비염증성, 다발성/단발성, 급성/만성, 대칭성/비대칭성 등 관절통의 양상을 묻고, OA와 RA를 감별해야 합니다.
- 무릎 자주 쓰시는지, 무릎에 무리가는 운동이나 자세를 자주 하는지 확인해봅니다.
- 관절이 아파서 침 맞은 적 있는지 물어보는 것도 좋겠죠.
- 구강/성기 궤양, 구강/안구 건조증, 레이노드 현상이 있는지 질문하여 류마티스 질환의 가능성도 놓치지 말고 평가하도록 합니다.
- 신체 검진 시에는 정확한 통증의 위치, 발적/부종/열감 등 염증의 징후, 운동 범위의 제한을 꼭 확인해야 합니다. 이때, 양쪽을 모두 비교하며 진찰하도록 합니다.

시나리오

<table>
<tr><td>Sex/Age</td><td colspan="2">F/55</td></tr>
<tr><td>Chief Complaint</td><td colspan="2">무릎이 아파요</td></tr>
<tr><td rowspan="9">Present illness</td><td>Location</td><td>오른쪽 무릎(anteroposterior) : dermatome 따라서</td></tr>
<tr><td>Onset</td><td>2~3일 전</td></tr>
<tr><td>Situation</td><td>–</td></tr>
<tr><td>Time</td><td>지속적</td></tr>
<tr><td>Course</td><td>비슷</td></tr>
<tr><td>Experience</td><td>3년 전부터 간헐적으로 아픔</td></tr>
<tr><td>Character</td><td>전반적으로 욱신거림
걷기 좀 힘들 정도, 일상생활에 크게 지장은 없음</td></tr>
<tr><td>Factors</td><td>평상시 집안일 할 때 걸레질 등 무릎 굽히고 해서 힘들기도 함, 휴식 후 완화됨</td></tr>
<tr><td>Associated symptoms</td><td>침 맞은 적(–), 최근 상기도 감염(–), 열/오한(–/–), 뻣뻣함/운동제한/조조강직(–/–/–), 관절부위 발적/종창/열감/압통(–/+/+/+), 구강성기 궤양(–), 입마름(–), 체중변화(–), 손가락 Raynaud's phenomenon(–), SLE 증상(–), 요도염/설사 이후(–/–), 피로감(–), 식욕부진(–), 야간통증(–)</td></tr>
<tr><td rowspan="6">Medical history</td><td>약물복용력</td><td>호르몬제제(–), 한약(–), 스테로이드(–), 진통제(–)</td></tr>
<tr><td>과거력</td><td>DM/TBc/HTN/간질환(–/–/–/–)
류마티스/근골격계 질환(–/–), 암(–)
건강검진 2년 전, 정상</td></tr>
<tr><td>외상/수술력</td><td>외상(–), 수술력(–)</td></tr>
<tr><td>사회력</td><td>주부, 술·담배(–/–), 운동은 등산 자주 하고 요가 다님</td></tr>
<tr><td>가족력</td><td>어머니가 퇴행성 관절염</td></tr>
<tr><td>여성력</td><td>[산과력] 2-0-0-2
[월경력] 폐경(5년 전)</td></tr>
<tr><td rowspan="2">Physical exam</td><td>Vital sign</td><td>130/80mmHg, 78회/분, 18회/분, 36.7℃</td></tr>
<tr><td>Positive findings</td><td>오른쪽 무릎 압통/발적/부종(+/–/+), 걷기 조금 어려워하심, 흉부, 복부 이상 없음, ROM 정상, 피부궤양(–), 결막/공막(–/–), 마찰음(–)</td></tr>
<tr><td colspan="2">환자의 질문 또는 기타 특이사항</td><td></td></tr>
</table>

대표증례-2

상황지침

35세 여자 오영지 씨가 무릎이 아파서 병원에 왔다.

[활력징후]

- 혈압 : 130/80mmHg
- 맥박 : 78회/분
- 호흡 : 18회/분
- 체온 : 36.7℃

응시자는 이 환자에게
- 증상과 관련된 병력을 청취하고,
- 증상과 관련된 적절한 신체진찰을 시행한 후,
- 추정진단과 향후 진단계획 등에 대해 환자와 논의하시오.

해설

※ **감별진단** : 반응성 관절염(Reactive arthritis), 세균성 관절염(Septic arthritis)

※ **진단계획/치료계획** : 무릎 X-ray, 관절액 천자 / NSAIDs, Sulfasalazine

- 2주 전에 장염에 걸려서 항생제를 복용했던 과거력과 무릎이 시간이 지남에 따라 다른 곳으로 퍼져 나가면서 아픈 것, 비대칭적으로 아픈 것 이러한 부분이 반응성 관절염을 시사하는 것입니다. 약물 복용력이나 과거에 감염에 걸린 적이 있는지를 물어보면 쉽게 접근할 수 있는 문제였습니다.
- 주의해야 할 점은 치료계획에서 항생제가 아니고 NSAID와 Sulfasalazine을 쓴다는 것입니다. 항생제가 아니라는 것에 주의하시기 바랍니다.

시나리오

Sex/Age	F/35	
Chief Complaint	관절이 아파요	
Present illness	Location	1주일 전부터는 오른쪽 아킬레스건이 아픔, 2~3일 전부터는 왼쪽 무릎 관절이 아픔
	Onset	2~3일 전
	Situation	–
	Time	하루 종일, 아침 저녁 변동 없음
	Course	비슷
	Experience	처음
	Character	왼쪽 무릎은 빨갛게 붓고 열감이 있음, 오른쪽 아킬레스건은 빨갛거나 붓지 않음 심할 때는 VAS 7~8점, 괜찮을 때는 VAS 2~3점
	Factors	–
	Associated symptoms	침 맞은 적(–), **최근 감염(+, 2주 전 장염)**, 열/오한(–/–), 뻣뻣함/운동제한/조조강직(–/–/–), 관절부위 발적/**종창/열감/압통**(–/**+/+/+**), 구강 또는 성기 궤양(–), 입마름(–), 체중변화(–), 손가락 Raynaud's phenomenon(–), SLE 증상(–), 요도염/설사 이후(–/–), 피로감(–), 식욕부진(–), 야간통증(–)
Medical history	약물복용력	호르몬제제(–), 한약(–), 스테로이드(–), 진통제(–) 2주 전 장염으로 항생제
	과거력	DM/TBc/HTN/간질환(–/–/–/–) 류마티스/근골격계 질환(–/–), 암(–) 건강검진 2년 전, 정상
	외상/수술력	외상(–), 수술력(–)
	사회력	공무원, 술·담배(–/–)
	가족력	어머니가 퇴행성 관절염
	여성력	[산과력] 2-0-0-2 [월경력] 규칙적, 월경량 정상, 월경통 보통, LMP 1달 전
Physical exam	Vital sign	130/80mmHg, 78회/분, 18회/분, 36.7℃
	Positive findings	**왼쪽 무릎 압통/발적/부종(+/+/+)**, 흉부, 복부 이상 없음, ROM 정상, 피부궤양(–), 결막/공막(–/–), 마찰음(–)
환자의 질문 또는 기타 특이사항		

대표증례 – 3

상황지침

34세 여자 김미영 씨가 손가락 관절이 아파서 왔다.

[활력징후]

- 혈압 : 124/70mmHg
- 맥박 : 82회/분
- 호흡 : 19회/분
- 체온 : 36.7℃

응시자는 이 환자에게

– 증상과 관련된 병력을 청취하고,
– 증상과 관련된 적절한 신체진찰을 시행한 후,
– 추정진단과 향후 진단계획 등에 대해 환자와 논의하시오.

해설

※ **감별진단** : 전신성홍반루푸스(SLE), 류마티스 관절염(Rheumatoid arthritis)

※ **진단계획/치료계획** : 항핵항체 검사, 일반 혈액 검사 / NSAIDs, 스테로이드

- 동반된 증상을 꼼꼼히 확인하여 류마티스 질환을 감별해야 합니다.
- 임신을 계획 중인 젊은 여성이라면 주요 장기 침범이 없이 6개월 이상 잘 조절되는 경우에는 임신을 해도 괜찮다고 설명해줍니다. 특히, 유산한 적 있는 환자의 경우에는 SLE와 연관된 항인지질항체 증후군에 대해서 설명하고 항응고치료하면 유산을 막을 수 있다고 교육해주면 좋겠죠.
- 흡연, 당뇨, 고혈압, 고지혈증, 여성호르몬이 혈전의 위험 요소임을 설명하고 경구 피임제의 복용은 중단하고 혈압, 당뇨, 고지혈증에 대한 치료를 잘 해야 하며 금연해야 한다고 교육합니다. 시간 배분을 잘하여 교육 하시면 됩니다.

시나리오

Sex/Age	F/34	
Chief Complaint	손 뼈마디가 아파요	
Present illness	Location	DIP 제외하고 PIP~MCP까지 관절통(엄지는 괜찮다)
	Onset	6개월 전, 손목은 2개월 전
	Situation	−
	Time	지속적, 아침에 가장 아픔
	Course	점점 심해짐
	Experience	처음
	Character	아침에 제일 아픔, 30분 정도 통증이 지속되며 손을 털면 나아짐 집안일을 잘 못해서 일상생활에 지장이 매우 큼
	Factors	손을 사용하면 나아짐, 단 무거운 것 들거나 무리하면 다시 아픔
	Associated symptoms	**구강 궤양(+, 힘들 때 입이 조금씩 허는 느낌)**, **광과민성(+, 햇빛 받으면 두드러기 나서 피부과 갔더니 광과민성 진단 받음)**, **Raynaud's phenomenon(+, 찬물에 손을 넣으면 손가락이 새파랗게 됨)**, 운동제한/조조강직(−/−), **체중변화(감소, 6개월간 3kg)**, 관절 발적/**종창**/열감(−/**+**/−), 발열/오한/설사(−/−/−), 입마름(−), 요도염(−), 피로감(−), 식욕부진(−), 야간통증(−)
Medical history	약물복용력	진통제/스테로이드(−/−), 글루코사민
	과거력	DM/TBc/HTN/간질환(−/−/−/−) 3년 전 회사 다닐 때 건강검진 받았었는데 이상 없었음
	외상/수술력	외상(−), 수술력(−)
	사회력	가정주부, 술(−), 담배(−)
	가족력	관절, 근골격계 질환(−)
	여성력	[산과력] 0-0-1-0(임신 초기 유산이었음) [월경력] 규칙적, 월경량 보통, 월경통 조금, LMP 3주 전
Physical exam	Vital sign	124/70mmHg, 82회/분, 19회/분, 36.7℃
	Positive findings	**손 뼈마디 압통**/발적/**변형**(**+**/−/**+**), 마찰음(−), 부종(−), 손목 ROM 정상, **구강(+, 궤양)**, **흉부 청진(+, 수포음)**, 공막/결막(−/−)
환자의 질문 또는 기타 특이사항	조만간 임신을 하려고 하는데 괜찮은가요?	

대표증례 – 4

상황지침

50세 여자 최순옥 씨가 어깨가 아파서 왔다.

[활력징후]

- 혈압 : 110/70mmHg
- 맥박 : 68회/분
- 호흡 : 18회/분
- 체온 : 36.3℃

응시자는 이 환자에게

- 증상과 관련된 병력을 청취하고,
- 증상과 관련된 적절한 신체진찰을 시행한 후,
- 추정진단과 향후 진단계획 등에 대해 환자와 논의하시오.

해설

※ **감별진단** : 유착관절낭염, 회전근개 파열

※ **진단계획/치료계획** : 어깨 X-ray, 어깨 MRI / 진통소염제, 스트레칭 및 물리치료

- 꼼꼼한 병력청취를 통해서 다른 류마티스 질환을 배제해야 합니다.
- 또한 신체진찰을 꼼꼼히 해서 몇 도에서 운동 제한이 있는지 파악해야 합니다.
- 최근에 잘 출제되지 않으니 가볍게 보고 넘어가시면 됩니다.

시나리오

Sex/Age	F/50	
Chief Complaint	어깨가 아파요	
Present illness	Location	오른쪽 어깨, 방사통(－), 아픈 부위 이동(－), 이외 다른 관절(－)
	Onset	6개월 전
	Situation	교통사고 당하고 통증이 시작됨
	Time	지속적
	Course	점점 심해짐(2주 전부터 더 심해짐)
	Experience	처음
	Character	따끔거리고 쑤심, 둔한 아픔이 지속적으로 있고 통증의 강도는 때때로 다름(VAS 3~6) 집안일을 잘 못해서 일상생활에 지장이 매우 큼
	Factors	**자세에 따른 통증 변화(＋, 오른쪽 팔 올릴 때 심함, 오른쪽으로 누워 잘 때 심해짐), 휴식에 완화(＋)**
	Associated symptoms	SLE 증상(－), 조조강직(－), 관절부위 발적/종창/열감(－/－/－), 눈이나 입 건조(－), 구강 또는 성기 궤양(－), Raynaud's phenomenon(－), 발열/오한/설사(－/－/－), 잘못된 성접촉(－), 체중변화(－), 열/오한(－/－), 피로감(－), 식욕부진(－), 야간통증(－)
Medical history	약물복용력	진통제/스테로이드(＋, 처음에만 효과/－)
	과거력	DM/TBc/HTN/간질환(－/－/－/－) 류마티스/근골격계 질환/암(－/－/－), 최근 감염(－) 건강검진 5년 전 정상
	외상/수술력	외상(－), **수술(＋, 1년 전 왼쪽 팔 골절로 수술)**
	사회력	교사, 술(－), 담배(－)
	가족력	관절, 근골격계(－)
	여성력	[산과력] 2-0-0-2 [월경력] 8개월 전 폐경
Physical exam	Vital sign	110/70mmHg, 68회/분, 18회/분, 36.3℃
	Positive findings	결막(－), 오른쪽 관절 발적/변형(－/－), **오른쪽 관절 ROM(Lateral bending 100도 정도 이후부터 아예 올리지 못함, Internal rotation 제한)**, 구강 검사(－), 침샘 촉진 정상, 흉부청진 정상, 관절 감각이상(－), 다른 관절 통증(－)
환자의 질문 또는 기타 특이사항		

대표증례-5

상황지침

30세 여자 심청 씨가 무릎이 아프다고 외래에 왔다.

[활력징후]	
• 혈압 : 120/70mmHg	• 맥박 : 80회/분
• 호흡 : 18회/분	• 체온 : 36.5℃

응시자는 이 환자에게

- 증상과 관련된 병력을 청취하고,
- 증상과 관련된 적절한 신체진찰을 시행한 후,
- 추정진단과 향후 진단계획 등에 대해 환자와 논의하시오.

해설

※ **감별진단** : 안쪽곁인대 손상(MCL injury), 외상성 관절염(Traumatic arthritis)

※ **진단계획/치료계획** : 무릎 X-ray, 무릎 MRI / 진통소염제, 스트레칭 및 물리치료

• 젊은 사람에서 발생한 무릎 통증은 퇴행성 관절질환보다는 외상이나 류마티스 질환을 먼저 감별해야 합니다.

• 관절의 통증인지, 관절 외 통증인지 감별하기 위해 신체검진을 정확히 알아두는 것이 중요합니다.

• 무릎 관절 부위를 이루는 인대, 건의 해부학적 위치와 명칭을 정확히 알아두는 것이 좋겠습니다.

시나리오

Sex/Age	F/30	
Chief Complaint	무릎이 아파요	
Present illness	Location	오른쪽 무릎 내측, 방사통(－)
	Onset	1주일 전
	Situation	－
	Time	지속적
	Course	점점 심해짐
	Experience	이전부터 간헐적으로 통증 있었음
	Character	둔하고 욱씬 욱씬 한 느낌, 열감(－), **부종(＋)**, 발적(－), **압통(＋, 내측)** NRS 5~6점
	Factors	계단 내려갈 때/양반 다리 할 때 악화
	Associated symptoms	발열/오한(－/－), 체중변화(－), 부종(－), **조조강직(＋, 자고 일어나면 뻣뻣해서 풀어줘야 함)**, 관절 주사력(－), 최근 감기(－), 과도한 음주(－), 구강 또는 성기 궤양(－), 허리 통증(－), Raynaud's phenomenon(－), 눈/입마름(－/－), 호흡곤란(－)
Medical history	약물복용력	진통제/스테로이드(＋/－)
	과거력	DM/TBc/HTN/간질환(－/－/－/－) 류마티스/근골격계 질환/암(－/－/－) 건강검진 받은 적 없음
	외상/수술력	**외상(＋, 2년 전 스키 타다)**, 수술력(－)
	사회력	유치원 교사, 술(＋, social), 담배(끊음)
	가족력	류마티스질환(－)
	여성력	[월경력] 규칙적, 월경량 보통, 월경통 심함(진통제 복용)
Physical exam	Vital sign	120/70mmHg, 80회/분, 18회/분, 36.5℃
	Positive findings	**압통**/발적/부종/열감(**＋**/－/－/－) **우측 valgus stress test(＋)**, 우측 varus(－), 좌측 valgus/varus(－/－)
환자의 질문 또는 기타 특이사항		

대표증례 - 6

상황지침

56세 남자 임성진씨가 무릎이 아프다고 외래에 왔다.

[활력징후]

- 혈압 : 120/70mmHg
- 맥박 : 80회/분
- 호흡 : 18회/분
- 체온 : 36.5℃

응시자는 이 환자에게

- 증상과 관련된 병력을 청취하고,
- 증상과 관련된 적절한 신체진찰을 시행한 후,
- 추정진단과 향후 진단계획 등에 대해 환자와 논의하시오.

해설

※ **감별진단** : 퇴행성 관절염, 류마티스 관절염

※ **진단계획/치료계획** : 무릎 X-ray, 무릎 MRI / NSAIDs, 체중 부하 적은 운동

- 관절 통증을 호소하는 환자에게는 통증의 위치, 염증성/비염증성, 다발성/단발성, 급성/만성, 대칭성/비대칭성 등 관절통의 양상을 묻고, OA와 RA를 감별해야 합니다.
- 무릎 자주 쓰시는지, 무릎에 무리가는 운동이나 자세를 자주 하는지 확인해봅니다.
- 관절이 아파서 침 맞은 적 있는지 물어보는 것도 좋겠죠.
- 구강/성기 궤양, 구강/안구 건조증, 레이노드 현상이 있는지 질문하여 류마티스 질환의 가능성도 놓치지 말고 평가하도록 합니다.
- 신체 검진 시에는 정확한 통증의 위치, 발적/부종/열감 등 염증의 징후, 운동 범위의 제한을 꼭 확인해야 합니다. 이때, 양쪽을 모두 비교하며 진찰하도록 합니다.
- 체중이 많이 나가는 퇴행성 관절염 환자의 경우 체중을 감량하도록 교육해야합니다. 이때, 체중 부하가 적은 운동에 대해 교육하면 좋겠죠.

시나리오

<table>
<tr><td>Sex/Age</td><td colspan="2">M/56</td></tr>
<tr><td>Chief Complaint</td><td colspan="2">무릎이 아파요</td></tr>
<tr><td rowspan="9">Present illness</td><td>Location</td><td>양쪽 무릎, 방사통(−)</td></tr>
<tr><td>Onset</td><td>3년 전</td></tr>
<tr><td>Situation</td><td>−</td></tr>
<tr><td>Time</td><td>지속적</td></tr>
<tr><td>Course</td><td>점점 심해짐</td></tr>
<tr><td>Experience</td><td>처음</td></tr>
<tr><td>Character</td><td>우리하게 아픈 통증
VAS 5점</td></tr>
<tr><td>Factors</td><td>많이 걸으면 악화</td></tr>
<tr><td>Associated symptoms</td><td>조조강직(+, 움직이면 30분 이내 좋아짐), 열/오한(−/−), 발적/종창/열감(−/−/−), 피부 병변(−), 안구 통증(−), Raynaud's phenomenon(−), 구강 또는 성기궤양(−), 최근요도염/위장관염(−), 입 마름/눈물 마름(−/−), 다른 관절 통증(−)</td></tr>
<tr><td rowspan="6">Medical history</td><td>약물복용력</td><td>고혈압약, 진통제/스테로이드(+, 호전/−)</td></tr>
<tr><td>과거력</td><td>DM/TBc/HTN/간질환(−/−/+/−)
류마티스/근골격계 질환/암(−/−/−)
건강검진 1년 전, 고혈압 진단</td></tr>
<tr><td>외상/수술력</td><td>외상(−), 수술력(−)</td></tr>
<tr><td>사회력</td><td>은행 부장 하다 은퇴 후 농장 운영, 술(−), 담배(−)</td></tr>
<tr><td>가족력</td><td>−</td></tr>
<tr><td>여성력</td><td>첫째 누나 관절염, 둘째 누나 골다공증</td></tr>
<tr><td rowspan="2">Physical exam</td><td>Vital sign</td><td>120/70mmHg, 80회/분, 18회/분, 36.5℃</td></tr>
<tr><td>Positive findings</td><td>ROM 정상
압통/발적/부종/열감(−/−/−/−)</td></tr>
<tr><td colspan="2">환자의 질문 또는 기타 특이사항</td><td>말이 매우 느리심</td></tr>
</table>

06 CHAPTER

관련증례

25-1 25세 여자가 손발가락 관절이 아프다며 왔다. 통증은 1주일 전부터 발생하였으며 손가락과 발가락, 오른 손목이 하루 종일 아프고 압통, 발적, 종창, 부종이 동반된다고 하였다. 편의점 아르바이트를 해서 손을 많이 쓰긴 하지만 오히려 움직이면 좀 나아지는 것 같다고 하였다. 허리, 어깨, 목 등 다른 관절이 아프지는 않고 팔다리 힘이 빠지는 증상은 없지만 전신이 피로하고 아픈 느낌이 있다고 하였다. 5일 전부터 눈과 입이 마르는 증상이 있다고 하였다. 눈이나 생식기에 궤양은 없다고 하였다. 손톱이나 피부병변은 없었으나 추운 곳에 가거나 찬물에 손을 담갔을 때 손이 파래지는 증상이 있다고 하였다. 특별한 스트레스 요인이나 외상력은 없었다. 어머니가 퇴행성 관절염으로 약을 복용 중인데 류마티스 질환이 의심된다는 이야기를 들은 적이 있다고 하였다. 음주와 흡연은 하지 않는다고 하였다.

활력징후는 혈압 130/80mmHg, 맥박 72회/분, 호흡수 20회/분, 체온 36.5℃이었다. 손가락과 발가락에 발적이 관찰되며 ROM이 저하되어 있었다. 만지기만 해도 통증을 호소하였다.

25-2 38세 여자가 손가락 관절의 통증으로 왔다. 환자는 손가락 관절 통증과 함께 4개월 전부터 자주 피곤을 느꼈고, 1~2kg의 체중감소와 식욕부진이 있었다. 최근 2개월 전부터는 양측 손가락 두 번째, 세 번째 첫마디 관절이 붓는 것 같고 통증이 심해졌다. 아침에 일어나면 관절의 뻣뻣함이 3시간 정도 지속되었다.

활력징후는 혈압 130/80mmHg, 맥박 75회/분, 호흡수 18회/분, 체온 36.7℃이었다. 양쪽 손가락의 두 번째, 세 번째 첫마디 관절의 부기가 있었고 열감이 느껴졌으며 누를 때 통증을 호소하였다. 결막이 약간 창백해 보였다.

25-3 50세 남자가 갑자기 발생한 관절 통증으로 왔다. 증상은 전날 직장에서 회식을 하고 난 후 발생하였고 통증과 함께 오른쪽 엄지발가락이 붓고 열이 나타났다. 이전에도 가끔씩 이런 통증이 발생하였으나 인근 약국에서 약을 복용하며 증상이 좋아졌다고 한다.

> 신체진찰에서 BMI는 24kg/m^2, 혈압 150/90mmHg, 맥박 87회/분, 호흡수 22회/분, 체온 37.6℃이었다. 오른쪽 엄지발가락의 엄지 부분이 상당히 부어 있었고 열감이 느껴졌으며 홍반이 넓게 퍼져 있었다. 환부에 손을 대지 못할 정도로 심한 통증을 호소하였다.

Answer | 25-1. 쇼그렌 증후군 25-2. 류마티스 관절염 25-3. 통풍

Check-list

	병력청취 채점항목	예	아니오
1	관절 통증의 양상에 대하여 자세히 물어보았다.	☐	☐
2	언제부터 시작하였으며, 얼마나 지속되는지, 하루 중 가장 심할 때 등을 물어보았다.	☐	☐
3	관절 통증이 악화되거나 완화되는 상황이나 요인에 대하여 질문하였다.	☐	☐
4	과도한 운동이나 직업적으로 반복해서 관절을 사용한 적이 있는지 물어보았다.	☐	☐
5	가족력을 물어보았다.	☐	☐
6	류마티스, 근골격계를 포함한 질환력에 대하여 물어보았다.	☐	☐
7	복용중인 약물이 있는지 물어보았다.	☐	☐

	신체진찰 채점항목	제대로 함	제대로 못함	하지 않음
1	관절의 상태를 확인하였다.	☐	☐	☐
2	통증이 있는 위치와 범위를 확인하였다.	☐	☐	☐
3	관절의 부종, 열감, 운동범위, 주변조직을 확인하였다.	☐	☐	☐
4	대칭성을 확인하였다.	☐	☐	☐
5	관절 외에 동반되는 신체적 증상을 확인하였다(피부 발진, 구강/생식기 궤양, 손발톱 경화 등).	☐	☐	☐

	환자교육 채점항목	예	아니오
1	관절염의 생성 기전에 대해서 설명하였다.	☐	☐
2	원인 감별을 위한 검사를 설명하고 동의를 구하였다.	☐	☐
3	질환의 정도에 따른 치료를 설명하였다.	☐	☐
4	통증이 유발될 수 있는 요인을 설명하고 대처법을 알려주었다.	☐	☐

	환자의사관계 채점항목	아주우수	우수	보통	미흡
1	효율적으로 잘 물어보았다. - 효율적 질문 : 개방형 질문 사용, 확인, 중간 요약 - 피할 질문 : 유도 질문, 복수 질문	☐	☐	☐	☐
2	나의 말을 잘 들어주었다. - 대꾸하기, 경청 자세, 눈 맞춤 & 말 가로채지 않기	☐	☐	☐	☐
3	나의 입장을 이해하려고 노력하였다. - 공감 표현, 나의 입장 파악	☐	☐	☐	☐
4	환자가 이해하기 쉽게 설명하였다. - 간단명료함, 이해도 점검, 질문 기회 & 쉬운 용어	☐	☐	☐	☐
5	나와 좋은 유대 관계를 형성하려고 했다. - 자기소개, 일상 대화, 존중, 자신감 & 신뢰감	☐	☐	☐	☐

M·E·M·O

26 피부 발진

대표증례-1

상황지침

24세 남자 김민준 씨가 피부 발진으로 병원에 왔다.

[활력징후]

- 혈압 : 120/80mmHg
- 맥박 : 84회/분
- 호흡 : 18회/분
- 체온 : 37.5℃

응시자는 이 환자에게
- 증상과 관련된 병력을 청취하고,
- 증상과 관련된 적절한 신체진찰을 시행한 후,
- 추정진단과 향후 진단계획 등에 대해 환자와 논의하시오.

해설

※ **감별진단** : 아토피 피부염(Atopic dermatitis), 피부묘기증(Dermographism)

※ **진단계획/치료계획** : 피부따끔 검사, 혈청 특이 IgE 농도 / 원인 회피, 항히스타민제

- 아토피 피부염 증상은 성장하면서 대부분 호전되지만, 성인 이후까지 지속되는 환자가 증가하고 있는 추세이고, 특히 성인기 환자는 증상이 더 심한 경향이 있습니다.
- 아토피 피부염이 의심되는 환자에서 시행한 피부 검사 등에서 양성이고 임상적인 연관성이 있는 알레르겐은 피해야 합니다. 환경적인 조절이나 직업적으로 노출될 수 있는 자극물질에 대한 회피도 중요하겠죠.

시나리오

<table>
<tr><td>Sex/Age</td><td colspan="2">M/24</td></tr>
<tr><td>Chief Complaint</td><td colspan="2">피부에 뭐가 나요</td></tr>
<tr><td rowspan="9">Present illness</td><td>Location</td><td>몸통부위 배에서 시작해서 가슴 등도 발진</td></tr>
<tr><td>Onset</td><td>2일 전</td></tr>
<tr><td>Situation</td><td>–</td></tr>
<tr><td>Time</td><td>한번 나면 안 사라지는 것 같음</td></tr>
<tr><td>Course</td><td>2일 전보다 넓게 퍼짐</td></tr>
<tr><td>Experience</td><td>처음</td></tr>
<tr><td>Character</td><td>좁쌀모양, 5mm, 개수(10개 이상), 색깔(붉은색), 사라지지 않음, 수포/가피(–/–), 통증(–), 가려움(+, 너무 가려움 가려워서 잠을 못잠)</td></tr>
<tr><td>Factors</td><td>2일 전 강촌을 갔다 옴, 음식은 잘못 먹은 것 없음, 김치찌개 먹음, MT에서 등산하고 체육대회(발야구) 했음, 벌레물린 것은 모름, 물에 들어가지는 않음 외상(–), 뜨거운 물 차가운 물 닿아서 생긴 것 아님, 수혈/성관계(–/–), 심한운동(–), 세면도구/옷/샴푸 등 새로 바꾼 것 없음</td></tr>
<tr><td>Associated symptoms</td><td>두통/어지러움(–/–), 근육통/관절통(–/–), 구강/성기궤양 없음, 발열/오한(–/–), 감각변화(–), 재채기(–), 운동하거나 더울 때 두드러기(–), SLE 증상(–), 진행시 모양(불규칙하게 산재되어 있음)</td></tr>
<tr><td rowspan="6">Medical history</td><td>약물복용력</td><td>없음, 아스피린(–), 플라빅스(–), 와파린(–)</td></tr>
<tr><td>과거력</td><td>DM/TBc/HTN/간질환(–/–/–/–)
천식(+, 어렸을 때 알았지만 지금은 완치), 알레르기 비염(–), 예방접종 다 함
건강검진 시행한 적 없음</td></tr>
<tr><td>외상/수술력</td><td>외상(–), 수술력(–)</td></tr>
<tr><td>사회력</td><td>학생, 술(–), 담배(–)</td></tr>
<tr><td>가족력</td><td>아버지(알레르기성 비염), 남동생(천식), 가족/주변사람 중 비슷한 증상 없음</td></tr>
<tr><td>여성력</td><td>–</td></tr>
<tr><td rowspan="2">Physical exam</td><td>Vital sign</td><td>120/80mmHg, 84회/분, 18회/분, 37.5℃</td></tr>
<tr><td>Positive findings</td><td>가슴 배 등에 있는데 점 같은 발진이 아니고 손톱으로 긁은 자국, 부위마다 5개 정도씩 보이고 감염성 문제가 아닌 것처럼 보임, Scale 없음, 폐음 정상, 발진부분 감각이상(–), 결막(–), 두경부 림프절(–)</td></tr>
<tr><td colspan="2">환자의 질문 또는 기타 특이사항</td><td>가려움 좀 해소할 수 없나요</td></tr>
</table>

대표증례-2

상황지침

60세 여자 김주자 씨가 피부 발진으로 병원에 왔다.

[활력징후]

- 혈압 : 120/80mmHg
- 맥박 : 84회/분
- 호흡 : 20회/분
- 체온 : 37.5℃

응시자는 이 환자에게

- 증상과 관련된 병력을 청취하고,
- 증상과 관련된 적절한 신체진찰을 시행한 후,
- 추정진단과 향후 진단계획 등에 대해 환자와 논의하시오.

해설

※ **감별진단** : 경결 홍반(Erythema induratum), 약물발진(Drug eruption)

※ **진단계획/치료계획** : 피부생검, Chest X-ray / 안심, 약물 중단

- 약물발진의 경우에는 약을 끊고 steroid를 써볼 수 있습니다. 또한, 훼라민을 그만 사용하는 것도 한 가지 방법일 될 수 있습니다. 항상 피부발진이 나올 때는 약물발진에 의한 것이 아닌지 의심하는 것이 중요합니다.
- 또한, 경결 홍반의 경우에는 특별한 치료가 필요하지 않고 안심시키는 것과 함께 피부질환이 낫는 것에는 시간이 오래 걸린다는 점을 설명하는 것이 중요합니다. 또한, 가슴 X선 사진을 통해 혹시 결핵이 있지 않은지 확인하는 것도 필요하다는 것을 알아두시기 바랍니다.

시나리오

Sex/Age	F/60	
Chief Complaint	피부에 뭐가 나요	
Present illness	Location	양쪽 정강이
	Onset	10일 전, 갑자기 생김
	Situation	–
	Time	지속적
	Course	퍼지고 심해짐
	Experience	처음
	Character	**Erythematous/round/경계 명확한 편**, 수포/가피(–/–), **통증(압통, 쓰리다)**, 가려움(–), **처음엔 콩만한 게 한쪽 다리에만 생겼는데 점점 커지면서 반대쪽 다리로 퍼짐**
	Factors	외상(–), 뜨거운 물 차가운 물 닿아서 생긴 것 아님, 수혈/성관계(–/–), 심한운동(–), 세면도구/옷/샴푸 등 새로 바꾼 것 없음
	Associated symptoms	두통/어지러움(–/–), 근육통/관절통(–/–), 구강/성기궤양 없음, 발열/오한(–/–), 감각변화(–), 재채기(–), 운동하거나 더울 때 두드러기(–), SLE 증상(–), **진행시 모양(불규칙하게 산재되어 있음)**
Medical history	약물복용력	**훼라민 복용한지 2주 됨**, 아스피린(–), 플라빅스(–), 와파린(–) 홍삼만 가끔 복용함
	과거력	DM/TBc/HTN/간질환(–/–/–/–) 천식(–), 알레르기 비염(–), 예방접종 다 함 건강검진 2년 전, 정상
	외상/수술력	외상(–), 수술력(–)
	사회력	보험회사, 술(–), 담배(–)
	가족력	–
	여성력	[산과력] 2-0-0-2 [월경력] 2년 전 폐경
Physical exam	Vital sign	120/80mmHg, 84회/분, 20회/분, 37.5℃
	Positive findings	Tenderness 있음, Scale 없음, 폐음 정상, 발진부분 감각이상(–), 결막(–), 두경부 림프절(–) 정강이 쪽에 erythematous한 nodule
환자의 질문 또는 기타 특이사항		

대표증례-3

상황지침

54세 여자 이순자 씨가 피부에 뭐가 났다고 병원에 왔다.

[활력징후]

- 혈압 : 120/80mmHg
- 맥박 : 80회/분
- 호흡 : 20회/분
- 체온 : 36.5℃

응시자는 이 환자에게
- 증상과 관련된 병력을 청취하고,
- 증상과 관련된 적절한 신체진찰을 시행한 후,
- 추정진단과 향후 진단계획 등에 대해 환자와 논의하시오.

해설

※ **감별진단** : 대상포진(Herpes zoster), 수두(Chicken pox)

※ **진단계획/치료계획** : Tzanck test, VZV IgM Ab PCR / 항바이러스제(Acyclovir), 칼라민 로션

- 수포가 왼쪽 배와 등쪽까지 있으니까 확인해보시고, 가능하면 전신을 다 보는 것이 좋겠죠.
- 특징적인 피부 발진을 가지는 피부과 질환 외에 약물에 의한 발진과 같은 비특이적 증상을 동반하는 질환이 출제될 가능성도 있으니, 뒤에 예제를 보고 연습하도록 합시다.
- 치료 설명할 때 항바이러스제 쓰면 질병 경과를 단축할 수 있고 합병증으로 생길 수 있는 신경통 예방할 수 있다고 말씀하시면 됩니다.

시나리오

<table>
<tr><td>Sex/Age</td><td colspan="2">F/54</td></tr>
<tr><td>Chief Complaint</td><td colspan="2">피부에 뭐가 나요</td></tr>
<tr><td rowspan="9">Present illness</td><td>Location</td><td>몸통부위 배에서 시작해서 등으로 dermatome 따라 수포성 발진</td></tr>
<tr><td>Onset</td><td>3일 전</td></tr>
<tr><td>Situation</td><td>-</td></tr>
<tr><td>Time</td><td>지속적</td></tr>
<tr><td>Course</td><td>통증 점점 심해짐</td></tr>
<tr><td>Experience</td><td>처음</td></tr>
<tr><td>Character</td><td>점점 개수 늘어남, 통증(+, 찌르는 듯한 통증), 모양 불분명함, 크기 다양, 개수(10개 이상), 사라지지 않음, 수포(+), 가려움(-)
VAS 7~8점</td></tr>
<tr><td>Factors</td><td>최근 스트레스(+), 시어머니께서 병원에 입원해 계신 상태로 병수발 드느라 잠을 제대로 못 잠, 잘못 먹은 음식/운동/잘못된 성관계(-/-/-), 시간에 따른 변화(-), 여행력(-), 새로 바꾼 화장품 및 장신구(-)</td></tr>
<tr><td>Associated symptoms</td><td>발열/오한(-/-), 두통/어지러움(-/-), 근육통/관절통(-/-), 구강/성기 궤양 없음, 발열/오한(-/-), 감각변화(-), 재채기(-), 운동하거나 더울 때 두드러기(-), SLE 증상(-), 진행시 모양(띠를 이루어 발진이 생김)</td></tr>
<tr><td rowspan="6">Medical history</td><td>약물복용력</td><td>타이레놀 먹지만 효과 없음</td></tr>
<tr><td>과거력</td><td>DM/TBc/HTN/간질환(-/-/-/-)
천식/알레르기 비염/아토피피부염(-/-/-), 어렸을 때 예방접종(잘 기억나지 않음), 수두 병력 잘 기억나지 않음
건강검진 4년 전, 정상</td></tr>
<tr><td>외상/수술력</td><td>외상(-), 수술력(-)</td></tr>
<tr><td>사회력</td><td>주부, 술(-), 담배(-)</td></tr>
<tr><td>가족력</td><td>천식/알레르기 비염/아토피피부염(-/-/-)</td></tr>
<tr><td>여성력</td><td>[월경력] 4년 전 폐경</td></tr>
<tr><td rowspan="2">Physical exam</td><td>Vital sign</td><td>120/80mmHg, 80회/분, 20회/분, 36.5℃</td></tr>
<tr><td>Positive findings</td><td>복부 전면과 후면에 걸쳐 수포성 발진이 8~10개 정도 있음, 누르면 아파함, 띠를 따라 발진이 형성, 결막(-), 경부 림프절(-), 폐음 청진 정상</td></tr>
<tr><td colspan="2">환자의 질문 또는 기타 특이사항</td><td></td></tr>
</table>

06 CHAPTER

대표증례-4

상황지침

35세 여자 안희애 씨가 피부 발진으로 병원에 왔다.

[활력징후]	
• 혈압 : 110/70mmHg	• 맥박 : 72회/분
• 호흡 : 19회/분	• 체온 : 36.8℃

응시자는 이 환자에게
- 증상과 관련된 병력을 청취하고,
- 증상과 관련된 적절한 신체진찰을 시행한 후,
- 추정진단과 향후 진단계획 등에 대해 환자와 논의하시오.

해설

※ **감별진단** : 약물발진(Drug eruption), 고정약물발진(Fixed drug eruption)
※ **진단계획/치료계획** : 피부따끔검사, 피부접촉검사(patch test) / 약물 중단

- 흔히 약에 의해서 피부 발진이 생기는 것을 약물발진이라고 합니다. 그래서 환자의 약물 복용력을 자세히 물어봐야 합니다.
- 그리고 식중독에 의해서도 피부 발진이 생길 수 있기 때문에 신체 진찰시 추가적으로 복부 검진을 하고 DRE도 추가적으로 해야 할 것으로 보입니다.
- 교육 때 “다음에 먹는 약 가져오세요.”라고 하면 좋을 것 같네요. 당연히 약에 의한 것이므로 약을 끊어보는 것이 진단 및 치료가 되겠지요.

시나리오

Sex/Age		F/35
Chief Complaint		피부에 뭐가 나요
Present illness	Location	왼쪽 팔 뒤 → 양 쪽 팔 전체 → 전반적인 몸통
	Onset	3일 전
	Situation	–
	Time	한번 나면 안 사라지는 것 같음
	Course	3일 전보다 넓게 퍼짐
	Experience	1년 전에도 감기약 먹고 이런 적이 있음
	Character	**원형, 2cm, 1cm, 좁쌀 모양 등 다양한 발진이 몸통, 겨드랑이 종아리 뒤쪽에 있음, 선홍색, 가려움(+)**, 통증(–), 번지고, 수포나 가피는 없음 너무 가려워서 잠을 못 잠
	Factors	**병변 생기기 전 먹은 음식**/운동/잘못된 성관계(**+, 5일 전 평소에 안먹던 육회를 먹고 설사함**/–/–), 주간, 야간에 따른 변화 없음, 여행력(–), 새로운 화장품 및 장신구(–)
	Associated symptoms	**감기증상(+, 7일 전 감기증상으로 기침, 인후통 있었지만 2일간 감기약 먹고 호전), 5일 전부터 설사증세**, 두통/어지러움(–/–), 근육통/관절통(–/–), 구강/성기궤양 없음, 복통(–), 운동하거나 더울 때 두드러기(–), 진행 시 모양(불규칙함), SLE 증상(–)
Medical history	약물복용력	**설사약(+, 성분 모름), 감기약(+, 성분 모름)**
	과거력	DM/TBc/HTN/간질환(–/–/–/–) 알레르기 비염/천식/아토피 피부염(–/–/–), 예방접종 다 함 건강검진 받아본 적 없음
	외상/수술력	외상(–), 수술력(–)
	사회력	잡지사 editor, 술(–), 담배(–)
	가족력	어머니도 비슷한 증상 있었음
	여성력	[산과력] 0-0-0-0 [월경력] 규칙적, 월경량 보통, 월경통 없음, LMP 5DA
Physical exam	Vital sign	110/70mmHg, 72회/분, 19회/분, 36.8℃
	Positive findings	**왼팔과 오른팔에 1.5cm의 선홍색 발진이 관찰됨, 눌러도 소실되지 않고 가려움 외에 다른 증상 호소하지 않음**, 결막(–), 경부 림프절(–), 복부진찰 정상, DRE 정상
환자의 질문 또는 기타 특이사항		가려움 좀 해소할 수 없나요

대표증례-5

상황지침

25세 여자 이애란 씨가 피부 발진으로 병원에 왔다.

[활력징후]

- 혈압 : 116/74mmHg
- 맥박 : 76회/분
- 호흡 : 18회/분
- 체온 : 36.2℃

응시자는 이 환자에게

- 증상과 관련된 병력을 청취하고,
- 증상과 관련된 적절한 신체진찰을 시행한 후,
- 추정진단과 향후 진단계획 등에 대해 환자와 논의하시오.

해설

※ **감별진단** : 장미색 비강진(Pityriasis rosea), 약물 발진(Drug eruption)

※ **진단계획/치료계획** : 피부따끔검사, Specific IgE / 안심, 항히스타민제

- 위의 case의 경우에는 발진을 일으킬만한 상황들이 많습니다. 2주 전 감기로 먹은 감기약이 원인이 될 수도 있고, 어릴 적에 알레르기성 비염을 앓았다고 했으므로 아토피 피부염도 생각해 볼 수 있습니다. 또한 등 쪽의 발진의 진행방향이 크리스마스 트리모양을 닮은 것으로 보아 장미진 비강진을 의심해 볼 수 있었습니다.
- 흔히들 많은 사람들이 CPX에서 진단가설을 세울 때 반드시 정답을 맞혀야 한다는 강박관념을 가지고 있습니다. 정답을 맞히는 게 중요한 것이 아닙니다. 위의 환자의 경우도 여러 가지 원인에 의한 발진을 염두에 두고 병력청취 할 때 여러 가지 질문을 해야 될 것으로 생각됩니다.

시나리오

Sex/Age	F/25	
Chief Complaint	피부에 뭐가 나요	
Present illness	Location	겨드랑이, 배와 등(크리스마스 트리모양) 양쪽 팔에서 전체 몸통으로 퍼짐
	Onset	4일 전
	Situation	–
	Time	한번 나면 안 사라지는 것 같음
	Course	넓게 퍼짐
	Experience	처음
	Character	**모양은 다양**, **5mm 크기**, 긁으면 번짐(–), **통증(+, 욱신거림)**, 열감(–), 가려움(–), 감각이상(–), **수포는 없지만 각질이 있음**
	Factors	병변 생기기 전 먹은 음식/**운동**/잘못된 성관계(–/**+, 운동이나 더운 장소에 의하여 심해짐**/–), 주간 야간에 따른 변화 없음, 여행력(–), 새로운 화장품 및 장신구(–)
	Associated symptoms	감기증상(–), 두통/어지러움(–/–), 체중변화(–), 근육통/관절통(–/–), 구강/성기궤양(–/–), **알레르기(+, 갑각류 알레르기)**, 복통/설사(–/–), 광과민성(–), 발열/오한(–/–), SLE 증상(–), 진행시 모양(크리스마스 트리모양)
Medical history	약물복용력	**감기약(+, 2주 전 목감기로 3일간 먹음)**
	과거력	DM/TBc/HTN/간질환(–/–/–/–) **알레르기 비염**/천식/아토피 피부염(**+, 어릴 때 앓았음**/–/–), 예방접종 다 함 건강검진 받아본 적 없음
	외상/수술력	외상(–), 수술력(–)
	사회력	대학원생, 술(–), 담배(–)
	가족력	–
	여성력	[산과력] 0-0-0-0 [월경력] 규칙적, 월경량 보통, 월경통 없음, LMP 14DA
Physical exam	Vital sign	116/74mmHg, 76회/분, 18회/분, 36.2℃
	Positive findings	**팔 안쪽과 몸통에 붉은색 5mm 크기의 발진이 있음(크리스마스 트리모양)**, 결막(–), 경부 림프절(–), 구강/성기궤양(–/–)
환자의 질문 또는 기타 특이사항		–

대표증례-6

상황지침

32세 여자 박혜린 씨가 피부 발진으로 병원에 왔다.

[활력징후]

- 혈압 : 120/80mmHg
- 맥박 : 76회/분
- 호흡 : 18회/분
- 체온 : 36.5℃

응시자는 이 환자에게

- 증상과 관련된 병력을 청취하고,
- 증상과 관련된 적절한 신체진찰을 시행한 후,
- 추정진단과 향후 진단계획 등에 대해 환자와 논의하시오.

해설

※ **감별진단** : 성홍열(Scarlet fever), 홍역(Measles), 약물발진(Drug eruption)

※ **진단계획/치료계획** : ESR · CRP, 일반 혈액 검사 / 안심, 항히스타민제

- 애매한 문제입니다. 약물발진이라고 하기에는 약은 딱 한 번만 먹었기에 약물발진이라고 단정 짓기에는 힘듭니다. 또한, 약을 3일 전에 한 번만 먹었는데, 그 약을 한 번 먹은 것으로 발진이 손바닥에서부터 배까지 퍼졌다고 하기에는 힘듭니다.
- 성홍열도 사실 확실하진 않습니다. 하지만, 목이 아팠고 아이도 아팠다는 부분에서 예상해볼 수 있습니다. 또한, 인후통을 앓았다는 점에서 성홍열을 생각해볼 수도 있습니다. 하지만, 성홍열의 발진은 "발진은 목, 겨드랑이, 사타구니에서 생기기 시작하여 전신으로 퍼지게 되며, 이마와 뺨은 홍조를 띠며, 입 주위가 창백해 보이기도 한다. 발진은 겨드랑이, 팔꿈치 내측 부위, 사타구니 등의 접히면서 압박을 받는 부위에 가장 현저하다(Pastia lines). 발진은 3~4일 이내에 사라지고 발진 후에는 꺼풀이 벗겨진다."라는 특징을 가지기 때문에 조금 애매한 문제였습니다.

시나리오

Sex/Age		F/32
Chief Complaint		피부에 발진이 생겼어요
Present illness	Location	손바닥, 손등, 배 손바닥에서 시작해서 손등, 배까지 번짐
	Onset	3일 전
	Situation	–
	Time	한번 나면 안 사라지는 것 같음
	Course	넓게 퍼짐
	Experience	처음
	Character	**모양은 좁쌀만 하고 붉은색, 여러 개가 존재, 5mm 크기,** 긁으면 번짐(–), **통증(+, 압통),** 열감(–), 가려움(–), 감각이상(–), 수포, 각질(–/–)
	Factors	악화/완화요인(–/–), 햇빛/술/음식/금속/접촉(all –), 새로운 옷/화장품 사용(–/–), **3일 전에 감기 기운이 있어서 감기약을 사 먹고 나서 생긴 것 같음,** 여행/성관계/동물과의 접촉(–/–/–)
	Associated symptoms	**감기증상(+),** 두통/어지러움(–/–), 체중변화(–), 근육통/관절통(–/–), 구강/성기궤양(–/–), 알레르기(–), 복통/설사(–/–), 광과민성(–), **발열/오한(+/+),** SLE 증상(–), 목이 아프고 따가움
Medical history	약물복용력	**감기약(+, 목감기로 3일 전에 한 번 먹음)**
	과거력	DM/TBc/HTN/간질환(–/–/–/–) 알레르기 비염/천식/아토피 피부염(–/–/–), 예방접종 다 함 건강검진 받아본 적 없음
	외상/수술력	외상(–), 수술력(–)
	사회력	주부, 술(–), 담배(–)
	가족력	아이도 같이 아픔
	여성력	[산과력] 1-0-0-1 [월경력] 규칙적, 월경량 보통, 월경통 없음, LMP 14DA
Physical exam	Vital sign	120/80mmHg, 76회/분, 18회/분, 36.5℃
	Positive findings	**손등과 배, 손바닥에 좁쌀만 한 발진들이 존재함. 압통이 존재,** 결막(–), 경부 림프절(–), 구강/성기궤양(–/–)
환자의 질문 또는 기타 특이사항		

관련증례

26-1 28세 여자가 피부에 뭐가 났다며 왔다. 3일 전부터 다리에 조금씩 나기 시작한 이후로 계속 나서 현재는 양쪽 종아리 앞쪽에 10개 정도 병변이 생겼다고 하였다. 병변은 빨갛고 열감이 있으며 가려움증, 통증, 붓기는 없다고 하였다. 구강이나 성기 궤양은 없다고 하였다. 2년 전에도 이런 증상을 경험한 적이 있다고 하였다. 한 달 전부터 피임약을 복용하고 있고 그 밖에 복용하는 약물은 없다고 하였다. 기혼자이며 회계사로 술은 거의 하지 않으며 비흡연자라고 하였다. 최근 다른 지역으로 여행한 적도 없다고 하였다.

> 활력징후는 혈압 120/78mmHg, 맥박 69회/분, 호흡수 20회/분, 체온 36.7℃이었다. 병변 부위를 촉진하였을 때 압통이 있었고, 입안 진찰 시에도 이상소견은 보이지 않았다. 흉부 시진 상 정상이었다. 다리 이외의 다른 곳에 병변은 없었다.

26-2 20세 여자가 피부발진으로 왔다. 2주 전부터 전신의 홍반성 반점과 손, 발바닥의 각질을 동반한 구진이 생겼다. 약간의 열감이 있으며 가려움은 없었다. 개인 의원에서 1주일간 스테로이드 연고를 도포하였으나 호전 없이 악화되었다. 남자친구와는 주 1~2회 성관계를 가지고 있었다.

> 활력징후는 혈압 110/70mmHg, 맥박 80회/분, 호흡수 15회/분, 체온 37.0℃이었다. 편평한 홍반성 반점이 전신에 미만성으로 분포하였고 손발에 각질이 붙어있는 구진이 발견되었으며 입안에 잘 아물지 않는 미란성 병변이 관찰되었다.

Answer | 26-1. 결절홍반 26-2. 2기 매독

Check-list

	병력청취 채점항목	예	아니오
1	발진이 시작된 부위, 양상, 분포, 발생시기를 파악하였다.	☐	☐
2	가려움증, 따갑거나 통증, 열감 등의 동반증상이 있는지 확인하였다.	☐	☐
3	최근 먹은 음식이나 술, 화장품이나 장신구의 변화가 있었는지 물어보았다.	☐	☐
4	천식/알레르기/비염을 포함한 질병력을 확인하였다.	☐	☐
5	복용 중인 약물에 대해서 물어보았다.	☐	☐
6	최근 여행력과 신체 접촉력(성관계, 풀, 벌레)에 대하여 물어보았다.	☐	☐
7	발진의 크기가 점점 커지는지, 개수가 많아지는지 물어보았다.	☐	☐
8	가족 중에 알레르기나 천식, 비염을 앓고 있는지 물어보았다.	☐	☐

	신체진찰 채점항목	제대로 함	제대로 못함	하지 않음
1	발진을 직접 눈으로 확인하고 관찰하였다.	☐	☐	☐
2	옷이나 장신구, 머리카락 등으로 가려지는 부위도 완전히 노출하여 관찰하였다.	☐	☐	☐
3	호소하는 병변 외에 다른 부위도 소견이 있는지 확인하였다.	☐	☐	☐

	환자교육 채점항목	예	아니오
1	피부발진을 일으킬 수 있는 원인에 대하여 설명하였다.	☐	☐
2	의심되는 질환에 따른 검사를 설명하고 동의를 구하였다.	☐	☐
3	가능한 병변을 자극하지 않도록 교육하였다.	☐	☐
4	치료원칙과 계획에 대하여 설명하였다.	☐	☐

	환자의사관계 채점항목	아주우수	우수	보통	미흡
1	효율적으로 잘 물어보았다. - 효율적 질문 : 개방형 질문 사용, 확인, 중간 요약 - 피할 질문 : 유도 질분, 목수 실문	☐	☐	☐	☐
2	나의 말을 잘 들어주었다. - 대꾸하기, 경청 자세, 눈 맞춤 & 말 가로채지 않기	☐	☐	☐	☐
3	나의 입장을 이해하려고 노력하였다. - 공감 표현, 나의 입장 파악	☐	☐	☐	☐
4	환자가 이해하기 쉽게 설명하였다. - 간단명료함, 이해도 점검, 질문 기회 & 쉬운 용어	☐	☐	☐	☐
5	나와 좋은 유대 관계를 형성하려고 했다. - 지기소개, 일상 대화, 존중, 자신감 & 신뢰감	☐	☐	☐	☐

CLINICAL PERFORMANCE EXAMINATION

07 CHAPTER

산부 · 소아

27 유방통 · 유방덩이

대표증례 – 1

상황지침

45세 여자 이명주 씨가 유방에 멍울이 만져져서 병원에 왔다.

[활력징후]

• 혈압 : 120/75mmHg	• 맥박 : 80회/분
• 호흡 : 19회/분	• 체온 : 36.7℃

응시자는 이 환자에게

- 증상과 관련된 병력을 청취하고,
- 증상과 관련된 적절한 신체진찰을 시행한 후(환자가 착용한 모형에 시행)
- 추정진단과 향후 진단계획 등에 대해 환자와 논의하시오.

해설

※ **감별진단** : 섬유선종(Fibroadenoma), 유방암

※ **진단계획/치료계획** : 유방 촬영술, 유방 초음파 / 안심, 교육

- 단순한 문진만으로는 악성 종양과 양성 종양의 감별이 어렵습니다. 섬유선종의 경우 젊은 여성에 잘 생기는 것으로 알려져 있으나, 딱딱하고 촉진 시 움직이는 단일 종괴로 압통이 없고 서서히 커지며 월경 주기에 따라 변할 수도 있는 특성을 가지고 있습니다.
- 유방통/유방덩이 CPX의 경우 질환의 감별만큼이나 중요한 것이 유방 신체검진 및 환자 교육 파트입니다. 정확한 유방 자세로 유방검진을 시행하고 유방암 건강검진에 대한 정보를 환자에게 꼭 교육시키길 바랍니다. 증례의 환자의 경우 2년 전 치밀 유방을 진단받았다고 하니 정기적인 검진이 정말 중요하겠죠?

시나리오

<table>
<tr><td>Sex/Age</td><td colspan="4">F/45</td></tr>
<tr><td>Chief Complaint</td><td colspan="4">유방에 멍울이 있어요</td></tr>
<tr><td rowspan="9">Present illness</td><td>Location</td><td colspan="3">왼쪽 유방 안쪽의 멍울</td></tr>
<tr><td>Onset</td><td colspan="3">1개월 전</td></tr>
<tr><td>Situation</td><td colspan="3">–</td></tr>
<tr><td>Time</td><td colspan="3">월경 주기에 따른 변화(+)</td></tr>
<tr><td>Course</td><td colspan="3">비슷</td></tr>
<tr><td>Experience</td><td colspan="3">처음</td></tr>
<tr><td>Character</td><td colspan="3">유방덩이(100원 동전 크기 1개), 딱딱함/이동성(+/+), 압통(−)</td></tr>
<tr><td>Factors</td><td colspan="3">모유 수유(−)</td></tr>
<tr><td>Associated symptoms</td><td colspan="3">발열/오한(−/−), 근육통(−), 피부발적/피부열감/유방통(−/−/−), 체중 변화(−), 피부함몰/유두함몰/유두분비물(−/−/−), 겨드랑이 멍울(−)</td></tr>
<tr><td rowspan="5">Medical history</td><td>약물복용력</td><td colspan="3">피임약(−), 호르몬제(−)</td></tr>
<tr><td>과거력</td><td colspan="3">DM/TBc/HTN/간질환(−/−/−/−), 유방/난소질환(−/−)
산부인과 검진 2년 전 시행(치밀유방 소견 받음)</td></tr>
<tr><td>외상/수술력</td><td colspan="3">외상(−), 수술력(−)</td></tr>
<tr><td>사회력</td><td colspan="3">주부, 술/담배(−/−), 커피(+, 2~3잔/일)</td></tr>
<tr><td>가족력</td><td colspan="3">외할머니 유방암</td></tr>
<tr><td rowspan="5">Menstrual history</td><td>산과력</td><td colspan="3">0-0-0-0</td></tr>
<tr><td>월경규칙성</td><td>규칙적</td><td>월경 주기</td><td>28일</td></tr>
<tr><td>월경량</td><td colspan="3">보통</td></tr>
<tr><td>월경통</td><td colspan="3">없음</td></tr>
<tr><td>LMP</td><td colspan="3">1주 전</td></tr>
<tr><td rowspan="2">Physical exam</td><td>Vital sign</td><td colspan="3">120/75mmHg, 80회/분, 19회/분, 36.7℃</td></tr>
<tr><td>Positive findings</td><td colspan="3">유방 시진 정상, 유방촉진(+, 왼쪽 9시 방향에 100원짜리 크기의 멍울 1개), 겨드랑이 진찰 정상, 유두 분비물(−)</td></tr>
<tr><td colspan="2">환자의 질문 또는 기타 특이사항</td><td colspan="3"></td></tr>
</table>

대표증례 - 2

상황지침

44세 여자 김순희 씨가 유방이 아파서 병원에 왔다.

[활력징후]	
• 혈압 : 110/75mmHg	• 맥박 : 60회/분
• 호흡 : 20회/분	• 체온 : 36.8℃

응시자는 이 환자에게
- 증상과 관련된 병력을 청취하고,
- 증상과 관련된 적절한 신체진찰을 시행한 후(환자가 착용한 모형에 시행)
- 추정진단과 향후 진단계획 등에 대해 환자와 논의하시오.

해설

※ **감별진단** : 주기적 유방통(Cyclic breast pain), 유방암(Breast cancer)

※ **진단계획/치료계획** : 유방 촬영술, 유방 초음파 / 교육

- 우선 유방통이나 유방덩이가 생리주기와 일치하는지, 변화가 있는지 반드시 물어봐야 합니다. 수유력과 열감이나 발적이 있는지 물어보는 것도 감별진단에 중요한 질문이 되겠죠. 덩이가 만져지면 어디 있는지 물어보고 신체진찰 시 환자가 말한 부위를 포함한 다른 부위도 모두 확인하도록 합시다.
- 기름진 음식을 잘 먹는지 물어보니 패스트푸드를 많이 먹는다는 답변을 들었다고 합니다. 식이습관에 대한 대답도 준비되어 있는 것 같으므로 시간이 되면 물어보도록 합시다. 카페인 섭취에 의해서도 유방통이 생길 수 있으니 커피를 조금 줄여보는 게 좋겠다고 교육에 넣는 것도 좋을 것 같네요.
- 3년 전 건강검진 이후로 없다고 하시니 자가 검진을 포함한 주기적인 검진 교육이 중요하겠습니다.

시나리오

<table>
<tr><td>Sex/Age</td><td colspan="4">F/44</td></tr>
<tr><td>Chief Complaint</td><td colspan="4">유방이 아파요</td></tr>
<tr><td rowspan="10">Present illness</td><td>Location</td><td colspan="3">양쪽 유방 통증</td></tr>
<tr><td>Onset</td><td colspan="3">1년 전</td></tr>
<tr><td>Situation</td><td colspan="3">–</td></tr>
<tr><td>Time</td><td colspan="3">하루 종일 통증 지속, 생리 주기에 따른 변화(+, 월경 시작 2~3일부터)</td></tr>
<tr><td>Course</td><td colspan="3">1년 전부터 심해짐</td></tr>
<tr><td>Experience</td><td colspan="3">초경(초6) 이후 통증 있었음, 10년 전부터 생리할 때마다 지속적으로 통증 있음, 평소에는 일주일쯤 지속</td></tr>
<tr><td>Character</td><td colspan="3">지속적인 쥐어짜는 통증, 다른 부위로 뻗침(–), VAS 2~3점(참고 견딜만함)
유방덩이(양쪽 유방 위 가에 한 개씩, 압통(+), 월경 주기에 따른 크기/개수의 변화(+/+))</td></tr>
<tr><td>Factors</td><td colspan="3">스트레스(–), 모유 수유(–), 핫팩·아이스팩에 호전(–)</td></tr>
<tr><td>Associated symptoms</td><td colspan="3">발열/오한(–/–), 체중변화(–), 피부함몰/유두함몰/유두분비물(–/–/–), 겨드랑이 멍울(–)</td></tr>
<tr><td colspan="4" style="display:none"></td></tr>
<tr><td rowspan="5">Medical history</td><td>약물복용력</td><td colspan="3">피임약(–), 호르몬제(–)</td></tr>
<tr><td>과거력</td><td colspan="3">DM/TBc/HTN/간질환(–/–/–/–), 유방/난소질환(–/–)
유방 검진 3년 전 시행(정상)</td></tr>
<tr><td>외상/수술력</td><td colspan="3">외상(–), 수술력(–)</td></tr>
<tr><td>사회력</td><td colspan="3">가정주부, 술/담배(–/–), 커피(2~3잔), 패스트푸드 즐겨 먹음</td></tr>
<tr><td>가족력</td><td colspan="3">엄마 유방암, 10년 전 수술</td></tr>
<tr><td rowspan="5">Menstrual history</td><td>산과력</td><td colspan="3">3-0-1-2, 피임 안함(남편 정관수술)</td></tr>
<tr><td>월경규칙성</td><td>규칙적, 초경(초6)</td><td>월경 주기</td><td>27일</td></tr>
<tr><td>월경량</td><td colspan="3">보통</td></tr>
<tr><td>월경통</td><td colspan="3">조금</td></tr>
<tr><td>LMP</td><td colspan="3">2주 전</td></tr>
<tr><td rowspan="2">Physical exam</td><td>Vital sign</td><td colspan="3">110/75mmHg, 60회/분, 20회/분, 36.8℃</td></tr>
<tr><td>Positive findings</td><td colspan="3">압통(+), 멍울은 안 만져짐</td></tr>
<tr><td colspan="2">환자의 질문 또는 기타 특이사항</td><td colspan="3">어머니가 유방암이어서 본인도 큰병일까 봐 걱정
유방모형에서 덩이 만져지지 않음(바깥에는 분홍색 가운 입음)</td></tr>
</table>

대표증례-3

상황지침

32세 여자 홍수현 씨가 유방이 아파서 병원에 왔다.

[활력징후]

- 혈압 : 124/70mmHg
- 맥박 : 82회/분
- 호흡 : 19회/분
- 체온 : 38.2℃

응시자는 이 환자에게

- 증상과 관련된 병력을 청취하고,
- 증상과 관련된 적절한 신체진찰을 시행한 후(환자가 착용한 모형에 시행)
- 추정진단과 향후 진단계획 등에 대해 환자와 논의하시오.

해설

※ **감별진단** : 유방농양(Breast abscess), 유선염(Mastitis)

※ **진단계획/치료계획** : 유방 촬영술(Mammography), CRP · ESR / 항생제, 절개배농

- 감염에 의한 유방농양, 유선염의 증례입니다. 모유수유를 하는 여성에서 주로 발생합니다. 항생제 치료를 우선으로 하고 조절되지 않을 시 절개 배농을 시행할 수 있습니다.
- 항생제는 아이 모유수유에 영향이 없는 것으로 처방되니 수유를 지속해도 된다고 설명합니다.
- 유방 증상 외에 감염에 의한 열감, 오한, 근육통 등의 전신 증상 등이 나타날 수도 있습니다.

시나리오

<table>
<tr><td>Sex/Age</td><td colspan="4">F/32</td></tr>
<tr><td>Chief Complaint</td><td colspan="4">유방이 아파요</td></tr>
<tr><td rowspan="10">Present illness</td><td>Location</td><td colspan="3">오른쪽 유방 통증</td></tr>
<tr><td>Onset</td><td colspan="3">1주일 전</td></tr>
<tr><td>Situation</td><td colspan="3">–</td></tr>
<tr><td>Time</td><td colspan="3">하루 종일, 생리 주기에 따른 변화(–)</td></tr>
<tr><td>Course</td><td colspan="3">–</td></tr>
<tr><td>Experience</td><td colspan="3">처음</td></tr>
<tr><td>Character</td><td colspan="3">유방통(+, 둔한 양상의 통증, 다른 부위로 뻗침(–)), VAS 4~5점, 유방 덩이(–)</td></tr>
<tr><td>Factors</td><td colspan="3">스트레스(+, 업무 복귀관련 문제), 모유 수유(+, 3개월 전 출산, 모유·분유 혼합 수유), 핫팩/아이스팩에 호전(–/모름)</td></tr>
<tr><td>Associated symptoms</td><td colspan="3">발열/오한(+/+), 근육통(+), 피부발적/피부열감/압통(+/+/+), 체중감소(–), 피부함몰/유두함몰/유두분비물(–/–/–)</td></tr>
<tr><td colspan="4" style="display:none"></td></tr>
<tr><td rowspan="5">Medical history</td><td>약물복용력</td><td colspan="3">피임약(–), 호르몬제(–)</td></tr>
<tr><td>과거력</td><td colspan="3">DM/TBc/HTN/간질환(–/–/–/–), 유방/난소질환(–/–)
검진 받아본 적 없음</td></tr>
<tr><td>외상/수술력</td><td colspan="3">외상(–), 수술력(–)</td></tr>
<tr><td>사회력</td><td colspan="3">술 /담배(–/–), 커피(가끔씩 하루 1잔)</td></tr>
<tr><td>가족력</td><td colspan="3">어머니(유방암), 언니(유방 결절로 수술)</td></tr>
<tr><td rowspan="5">Menstrual history</td><td>산과력</td><td colspan="3">1-0-1-1, 임신이나 분만 당시 문제없었음</td></tr>
<tr><td>월경규칙성</td><td>규칙적, 초경(초5)</td><td>월경 주기</td><td>27일</td></tr>
<tr><td>월경량</td><td colspan="3">보통</td></tr>
<tr><td>월경통</td><td colspan="3">거의 없음</td></tr>
<tr><td>LMP</td><td colspan="3">1년 전, 첫 아이 출산한지 얼마 안 되어 아직 월경 안 함, 현재 피임도 안 함, 이전에 피임약 먹었던 적 있음</td></tr>
<tr><td rowspan="2">Physical exam</td><td>Vital sign</td><td colspan="3">124/70mmHg, 82회/분, 19회/분, 38.2℃</td></tr>
<tr><td>Positive findings</td><td colspan="3">오른쪽 유방 진찰 시 손 대기만 해도 심하게 아파함, 우측 유방의 아래 부위의 발적(붉은 색칠), 오른쪽 겨드랑이 압통/부종(+/+), 부은 느낌이 있다고 말함</td></tr>
<tr><td colspan="2">환자의 질문 또는 기타 특이사항</td><td colspan="3">"수유 중인데 유방 촬영술을 해도 괜찮나요?"
유방모형(바깥에는 분홍색 가운 입고 있음)</td></tr>
</table>

대표증례 – 4

상황지침

43세 여자 이진희 씨가 유방에 멍울이 만져져서 병원에 왔다.

[활력징후]

- 혈압 : 110/80mmHg
- 맥박 : 72회/분
- 호흡 : 20회/분
- 체온 : 36.2℃

응시자는 이 환자에게

– 증상과 관련된 병력을 청취하고,
– 증상과 관련된 적절한 신체진찰을 시행한 후(환자가 착용한 모형에 시행)
– 추정진단과 향후 진단계획 등에 대해 환자와 논의하시오.

해설

※ **감별진단** : 유방암, 섬유선종(Fibroadenoma)

※ **진단계획/치료계획** : 유방 촬영술(Mammography), 유방 초음파, 유방 생검 / 교육

- 왼쪽 유방의 멍울을 주소로 내원한 환자입니다. 일단 멍울에 대하여 자세히 문진해야겠죠. 멍울의 경도, 고정성, 압통, 크기 모양 위치를 자세히 문진하는 것이 좋습니다.
- 중년이고 생리주기에 상관없는 딱딱하고 고정된 멍울과 함께 눈에 띄는 체중변화도 있기 때문에 유방암을 가장 먼저 의심해 볼 수 있습니다.
- CPX 유방주제는 환자 교육이 굉장히 중요합니다. 그래서 각 나이대별로 필요한 유방 진단법, 자가 진단법 등을 환자에게 교육하셔야 합니다.

시나리오

<table>
<tr><td>Sex/Age</td><td colspan="4">F/43</td></tr>
<tr><td>Chief Complaint</td><td colspan="4">유방에 멍울이 있어요</td></tr>
<tr><td rowspan="9">Present illness</td><td>Location</td><td colspan="3">왼쪽 유방에 멍울</td></tr>
<tr><td>Onset</td><td colspan="3">6개월 전</td></tr>
<tr><td>Situation</td><td colspan="3">–</td></tr>
<tr><td>Time</td><td colspan="3">월경 주기에 따른 변화(–)</td></tr>
<tr><td>Course</td><td colspan="3">비슷</td></tr>
<tr><td>Experience</td><td colspan="3">처음</td></tr>
<tr><td>Character</td><td colspan="3">유방덩이(500원 동전 크기 1개, 100원 동전 크기 2개), 딱딱함/고정(+/+), 압통(–)</td></tr>
<tr><td>Factors</td><td colspan="3">모유수유(–), 스트레스(–)</td></tr>
<tr><td>Associated symptoms</td><td colspan="3">발열/오한(–/–), 근육통(–), 피부발적/피부열감/유방통(–/–/–), 체중감소(+, 5kg/6개월), 피부함몰/유두함몰/유두분비물(–/–/–)</td></tr>
<tr><td rowspan="5">Medical history</td><td>약물복용력</td><td colspan="3">피임약(–), 호르몬제(–)</td></tr>
<tr><td>과거력</td><td colspan="3">DM/TBc/HTN/간질환(–/–/–/–), 유방/난소질환(–/–)
산부인과 검진 받아본 적 없음</td></tr>
<tr><td>외상/수술력</td><td colspan="3">외상(–), 수술력(–)</td></tr>
<tr><td>사회력</td><td colspan="3">주부, 술/담배(–/–), 커피(–)</td></tr>
<tr><td>가족력</td><td colspan="3">큰언니(유방암으로 돌아가심)</td></tr>
<tr><td rowspan="5">Menstrual history</td><td>산과력</td><td colspan="3">1-1-0-2, 임신이나 분만 당시 문제(–)</td></tr>
<tr><td>월경규칙성</td><td>최근 5개월 불규칙
초경(15살)</td><td>월경 주기</td><td>27일</td></tr>
<tr><td>월경량</td><td colspan="3">보통</td></tr>
<tr><td>월경통</td><td colspan="3">없음</td></tr>
<tr><td>LMP</td><td colspan="3">1주 전</td></tr>
<tr><td rowspan="2">Physical exam</td><td>Vital sign</td><td colspan="3">110/80mmHg, 72회/분, 20회/분, 36.2℃</td></tr>
<tr><td>Positive findings</td><td colspan="3">유방 시진 정상, 유방촉진(+, 왼쪽 9시 방향에 500원짜리 크기의 멍울 1개, 7시 방향에 100원짜리 동전 크기의 멍울 2개), 겨드랑이 진찰 정상, 유두분비물(–)</td></tr>
<tr><td colspan="2">환자의 질문 또는 기타 특이사항</td><td colspan="3"></td></tr>
</table>

대표증례-5

상황지침

42세 여자 최세희 씨가 유방에 멍울이 만져져서 병원에 왔다.

[활력징후]	
• 혈압 : 110/80mmHg	• 맥박 : 72회/분
• 호흡 : 20회/분	• 체온 : 36.2℃

응시자는 이 환자에게
- 증상과 관련된 병력을 청취하고,
- 증상과 관련된 적절한 신체진찰을 시행한 후(환자가 착용한 모형에 시행)
- 추정진단과 향후 진단계획 등에 대해 환자와 논의하시오.

해설

※ **감별진단** : 유방암, 섬유선종(Fibroadenoma)

※ **진단계획/치료계획** : 유방 촬영술(Mammography), 유방 초음파, 생검 / 교육

- 오른쪽 위 유방의 멍울을 주소로 내원한 환자입니다. 일단 멍울에 대하여 자세히 문진해야겠죠. 멍울의 경도, 고정성, 압통, 크기 모양 위치를 자세히 문진하는 것이 좋습니다.
- 폐경이 진행 중인 여성에서 생리주기에 상관없는 딱딱하고 고정된 멍울과 함께 눈에 띄는 체중변화도 있기 때문에 유방암을 가장 먼저 의심해 볼 수 있습니다.
- 환자가 유방암에 대해 불안하고 우울하다고 직접적으로 언급하기 때문에 이에 대해 적절한 안심과 위로가 필요합니다.
- CPX 유방주제는 환자 교육이 굉장히 중요합니다. 그래서 각 나이대별로 필요한 유방 진단법, 자가 진단법 등을 환자에게 교육하셔야 합니다.

시나리오

<table>
<tr><td>Sex/Age</td><td colspan="4">F/42</td></tr>
<tr><td>Chief Complaint</td><td colspan="4">유방에 멍울이 있어요</td></tr>
<tr><td rowspan="9">Present illness</td><td>Location</td><td colspan="3">오른쪽 위 유방에 멍울</td></tr>
<tr><td>Onset</td><td colspan="3">2개월 전</td></tr>
<tr><td>Situation</td><td colspan="3">–</td></tr>
<tr><td>Time</td><td colspan="3">월경 주기에 따른 변화(–)</td></tr>
<tr><td>Course</td><td colspan="3">비슷</td></tr>
<tr><td>Experience</td><td colspan="3">처음</td></tr>
<tr><td>Character</td><td colspan="3">손톱크기, 딱딱함/고정(+/+), 압통(+)</td></tr>
<tr><td>Factors</td><td colspan="3">모유수유(–, 아이 황달), 스트레스(–)</td></tr>
<tr><td>Associated symptoms</td><td colspan="3">발열/오한(–/–), 근육통(–), 피부발적/피부열감/유방통(–/–/–), 체중감소(+, –2kg/1개월), 피부함몰/유두함몰/유두분비물(–/–/–), 얼굴 화끈거림(+), 밤에 가끔 땀이 많아짐(+)</td></tr>
<tr><td rowspan="5">Medical history</td><td>약물복용력</td><td colspan="3">피임약(–), 호르몬제(–)</td></tr>
<tr><td>과거력</td><td colspan="3">DM/TBc/HTN/간질환(–/–/–/–), 유방/난소질환(–/–)
10년 전 유방촬영술 정상, 건강검진 정상</td></tr>
<tr><td>외상/수술력</td><td colspan="3">외상(–), 수술력(–)</td></tr>
<tr><td>사회력</td><td colspan="3">주부, 술/담배(–/–), 커피 3~4잔/일</td></tr>
<tr><td>가족력</td><td colspan="3">어머니 유방암으로 돌아가심</td></tr>
<tr><td rowspan="5">Menstrual history</td><td>산과력</td><td colspan="3">2-0-0-2, 임신이나 분만 당시 문제(–), 피임(–)</td></tr>
<tr><td>월경규칙성</td><td>규칙적, 초경 12세</td><td>월경 주기</td><td>30일</td></tr>
<tr><td>월경량</td><td colspan="3">평범</td></tr>
<tr><td>월경통</td><td colspan="3">없음</td></tr>
<tr><td>LMP</td><td colspan="3">2주 전</td></tr>
<tr><td rowspan="2">Physical exam</td><td>Vital sign</td><td colspan="3">110/80mmHg, 72회/분, 20회/분, 36.2℃</td></tr>
<tr><td>Positive findings</td><td colspan="3">유방 시진 정상, 유방촉진(+, 오른쪽 위쪽에 손톱 크기 멍울 1개), 겨드랑이 진찰 정상, 유두 분비물(–)</td></tr>
<tr><td colspan="2">환자의 질문 또는 기타 특이사항</td><td colspan="3">유방암일까봐 불안해요</td></tr>
</table>

대표증례-6

상황지침

33세 여자 전미연 씨가 유방이 아파서 병원에 왔다.

[활력징후]

- 혈압 : 124/70mmHg
- 맥박 : 82회/분
- 호흡 : 19회/분
- 체온 : 36.2℃

응시자는 이 환자에게

- 증상과 관련된 병력을 청취하고,
- 증상과 관련된 적절한 신체진찰을 시행한 후(환자가 착용한 모형에 시행)
- 추정진단과 향후 진단계획 등에 대해 환자와 논의하시오.

해설

※ **감별진단** : 카페인에 의한 유방통, 섬유선종

※ **진단계획/치료계획** : 유방 촬영술(Mammography), 유방초음파 / 카페인 중단, 교육

- 카페인에 의해서도 유방 통증이 일어날 수 있으므로 하루에 커피를 몇 잔 마시는지 반드시 물어보도록 합니다.
- 환자가 유방암에 대해 불안하고 우울하다고 직접적으로 언급하기 때문에 이에 대해 적절한 안심과 위로가 필요합니다.

시나리오

<table>
<tr><td>Sex/Age</td><td colspan="4">F/33</td></tr>
<tr><td>Chief Complaint</td><td colspan="4">유방이 아파요</td></tr>
<tr><td rowspan="9">Present illness</td><td>Location</td><td colspan="3">오른쪽 유방 전체 통증</td></tr>
<tr><td>Onset</td><td colspan="3">1년 전</td></tr>
<tr><td>Situation</td><td colspan="3">–</td></tr>
<tr><td>Time</td><td colspan="3">하루 종일, 생리 주기에 따른 변화(–)</td></tr>
<tr><td>Course</td><td colspan="3">한달 전부터 악화</td></tr>
<tr><td>Experience</td><td colspan="3">처음</td></tr>
<tr><td>Character</td><td colspan="3">통증이 유방을 싹 돌면서 쓰리듯이 아픔, 유방 덩이(–)</td></tr>
<tr><td>Factors</td><td colspan="3">스트레스(–), 모유 수유(–), 핫팩/아이스팩에 호전(–/–)</td></tr>
<tr><td>Associated symptoms</td><td colspan="3">발열/오한(–/–), 근육통(–), 피부발적/피부열감/유방통(–/–/–), 체중감소(–), 피부함몰/유두함몰/유두분비물(–/–/–)</td></tr>
<tr><td rowspan="5">Medical history</td><td>약물복용력</td><td colspan="3">통증 심할 땐 진통제, 피임약(–), 호르몬제(–)</td></tr>
<tr><td>과거력</td><td colspan="3">DM/TBc/HTN/간질환(–/–/–/–), 유방/난소질환(–/–)
3년 전 건강검진(유방촬영술), 정상</td></tr>
<tr><td>외상/수술력</td><td colspan="3">외상(–), 수술력(–)</td></tr>
<tr><td>사회력</td><td colspan="3">술은 가끔(맥주 1~2캔/달), 담배(–), 커피는 최근 5~6잔으로 증가(원래 3잔), 고기류 좋아함</td></tr>
<tr><td>가족력</td><td colspan="3">어머니(유방암으로 수술)</td></tr>
<tr><td rowspan="5">Menstrual history</td><td>산과력</td><td colspan="3">1-0-0-1, 임신이나 분만 당시 문제(–)</td></tr>
<tr><td>월경규칙성</td><td>규칙적, 초경(초5)</td><td>월경 주기</td><td>30일</td></tr>
<tr><td>월경량</td><td colspan="3">보통</td></tr>
<tr><td>월경통</td><td colspan="3">거의 없음</td></tr>
<tr><td>LMP</td><td colspan="3">2주 전</td></tr>
<tr><td rowspan="2">Physical exam</td><td>Vital sign</td><td colspan="3">124/70mmHg, 82회/분, 19회/분, 36.2℃</td></tr>
<tr><td>Positive findings</td><td colspan="3">오른쪽 유방 진찰 시 손 대기만 해도 심하게 아파함, 우측 유방의 아래 부위의 발적(붉은 색칠), 오른쪽 겨드랑이 압통/부종(+/+), 부은 느낌이 있다고 말함</td></tr>
<tr><td colspan="2">환자의 질문 또는 기타 특이사항</td><td colspan="3">유방암일까봐 불안해요</td></tr>
</table>

관련증례

27-1 33세 여자가 유방이 아프다며 왔다. 통증은 1주일 전부터 발생하였으며 2일 전부터 더 많이 아프고 오른쪽 가슴에서 겨드랑까지 뻗치는 양상이었다. 덩어리는 만져지지 않으나 지속적으로 심한 통증과 열감이 있고 붓고 붉어졌다고 하였다. 모유 외에 이상한 유두 분비물은 없다고 하였다. 7주째 모유수유 중이라고 하였다. 모유수유하거나 찜질팩을 하고 나면 통증이 완화된다고 하였다. 출산 직후라 월경은 아직 없다고 하였다. 평소 월경주기는 규칙적인 편이었다고 하였다. 앓고 있는 질환이나 복용 중인 약은 없었다. 21살 때 오른쪽 유두함몰 수술을 받았다고 하였다. 특별히 스트레스를 받지는 않으며 커피, 음주, 흡연은 하지 않는다고 하였다.

활력징후는 혈압 130/80mmHg, 맥박 72회/분, 호흡수 20회/분, 체온 36.5℃이었다. 유방 시진 소견상 붉고 부어 있으며 촉진 시 심한 압통을 호소하였다.

Answer | 27-1. 급성 유선염

Check-list

	병력청취 채점항목	예	아니오
1	유방덩이가 언제부터 만져졌는지 물어보았다.	☐	☐
2	덩이의 양상에 대하여 물어보았다(크기, 단단한 정도, 경계, 점점 커지는지, 통증, 유두 분비물, 피부함몰 등).	☐	☐
3	월경주기와 관련이 있는지 물어보았다.	☐	☐
4	덩이 주위에 통증과 열감, 발열/오한, 체중감소, 피로감 등의 동반증상이 있는지 물어보았다.	☐	☐
5	월경력과 산과력, 기타 산부인과력에 대하여 물어보았다.	☐	☐
6	유방암 또는 유방질환의 질병력이 있는지 물어보았다.	☐	☐
7	복용중인 약물(피임약 포함)이나 호르몬 치료 기왕력이 있는지 물어보았다.	☐	☐
8	가족 중 유방암 질병력이 있는지 물어보았다.	☐	☐

	신체진찰 채점항목	제대로 함	제대로 못함	하지 않음
1	유방 진찰 시 앉은 자세와 누운 자세 모두 확인하였다.	☐	☐	☐
2	유방의 피부변화를 면밀히 관찰하고 유두분비물이 있는지 확인하였다.	☐	☐	☐
3	올바른 방법으로 유방을 촉진하였다.	☐	☐	☐
4	촉진시 만져지는 종괴 및 압통 여부를 확인하였다.	☐	☐	☐
5	양측 경부 및 겨드랑이를 촉진하였다.	☐	☐	☐
6	흉부 진찰을 시행하였다.	☐	☐	☐

	환자교육 채점항목	예	아니오
1	유방덩이(또는 통증)의 원인에 대하여 설명하였다.	☐	☐
2	필요한 검사를 설명하고 동의를 구하였다.	☐	☐
3	치료계획을 설명하였다.	☐	☐
4	유방암 조기진단의 중요성을 설명하고 자가검진법을 교육하였다.	☐	☐

	환자의사관계 채점항목	아주우수	우수	보통	미흡
1	효율적으로 잘 물어보았다. - 효율적 질문 : 개방형 질문 사용, 확인, 중간 요약 - 피할 질문 : 유도 질문, 복수 질문	☐	☐	☐	☐
2	나의 말을 잘 들어주었다. - 대꾸하기, 경청 자세, 눈 맞춤 & 말 가로채지 않기	☐	☐	☐	☐
3	나의 입장을 이해하려고 노력하였다. - 공감 표현, 나의 입장 파악	☐	☐	☐	☐
4	환자가 이해하기 쉽게 설명하였다. - 간단명료함, 이해도 점검, 질문 기회 & 쉬운 용어	☐	☐	☐	☐
5	나와 좋은 유대 관계를 형성하려고 했다. - 자기소개, 일상 대화, 존중, 자신감 & 신뢰감	☐	☐	☐	☐

28 월경이상 · 월경통

대표증례 – 1

상황지침

34세 여자 나수진 씨가 5개월간 생리가 없어서 왔다.

[활력징후]

- 혈압 : 130/75mmHg
- 맥박 : 90회/분
- 호흡 : 20회/분
- 체온 : 36.7℃

응시자는 이 환자에게

- 증상과 관련된 병력을 청취하고,
- 증상과 관련된 적절한 신체진찰을 시행한 후
- 추정진단과 향후 진단계획 등에 대해 환자와 논의하시오.

해설

※ **감별진단** : 다낭성난소증후군(Polycystic ovarian syndrome, PCOS), 정상 임신

※ **진단계획/치료계획** : 혈중 내 FSH · LH, 소변 hCG, 질식 초음파 / 교육, 경구피임제

- 가임기 여성이 체모가 늘고 월경이 불규칙하다가 무월경이 생긴 것을 주소로 내원하였습니다. 전형적인 다낭성난소증후군(PCOS) 케이스로 보입니다. 그러나 환자가 5개월 전부터 꾸준히 임신 계획을 해왔으므로 정상 임신 역시 r/o 해야합니다.
- PCOS는 약물 치료를 통해 임신이 가능한 병이므로 이를 설명하고 환자를 안심시켜주면 좋습니다.
- 자궁내막증 가족력이 있으므로 임신과 자궁내막증을 동시에 감별하기 위해 질식 초음파, 혈중 내 성호르몬 검사가 필요합니다.

시나리오

Sex/Age	F/34			
Chief Complaint	월경이 없어요			
Present illness	Location	–		
	Onset	5개월 전		
	Situation	–		
	Time	원래 2~3달에 한 번 월경		
	Course	–		
	Experience	처음		
	Character	[월경력] 2년 전부터 월경 불규칙(2~3달에 한 번), 5개월 전부터 무월경 [결혼력] 임신계획 있어서 6개월 전부터 피임하지 않았음. 이전에는 경구 피임약 복용, 임신 테스터기는 음성		
	Factors	스트레스(–), 다이어트/과도한 운동(–/–)		
	Associated symptoms	**다모증/여드름(+/+)**, 안면홍조/얼굴 화끈거림/야간발한(–/–/–), 두근거림/가슴 답답함(–/–), 우울감/성격예민(–/–), **체중증가(+, 2kg/yr)**, 중심성비만(–), 유즙분비(–), 피로(–), 더위 불내성(–), 두통(–), 팔·다리 근력 저하(–), 시야 변화(–), 억지로 구토함(–), 질출혈(–), 멍(–)		
Medical history	약물복용력	피임약(–), 호르몬(–), 정신과 약물(–), 임신 위해 엽산 챙겨먹음		
	과거력	DM/TBc/HTN/간질환(–/–/–/–), 산부인과 질환(–), 비뇨기계 질환(–) 건강검진 직장에서 받았는데 정상		
	외상/수술력	외상(–), 수술력(–)		
	사회력	직장인, 술, 담배 원래 했으나 임신 생각하고 나서부터 끊음		
	가족력	어머니 자궁내막증 앓음		
Menstrual history	산과력	0-0-0-0		
	월경규칙성	불규칙, 초경 중2	월경 주기	2~3달
	월경량	패드 6~7개		
	월경통	보통		
	LMP	5개월 전		
Physical exam	Vital sign	130/75mmHg, 90회/분, 20회/분, 36.7℃		
	Positive findings	결막(–), 이차성징 정상, 갑상샘 정상, 복부 검사 정상, Pelvic exam 정상, DRE 정상		
환자의 질문 또는 기타 특이사항		혹시 제가 불임인가요?		

대표증례-2

상황지침

34세 여자 이빛나 씨가 6개월간 생리가 없어서 왔다.

[활력징후]

• 혈압 : 125/80mmHg	• 맥박 : 80회/분
• 호흡 : 18회/분	• 체온 : 36.6℃

응시자는 이 환자에게
- 증상과 관련된 병력을 청취하고,
- 증상과 관련된 적절한 신체진찰을 시행한 후
- 추정진단과 향후 진단계획 등에 대해 환자와 논의하시오.

해설

※ **감별진단** : 아셔만 증후군(자궁내막유착증), 다낭성난소증후군(PCOS)

※ **진단계획/치료계획** : 자궁경 검사, 난소 초음파 / 자궁경 유착제거술

- 이차성 무월경 증례입니다. 기존 월경이 규칙적이었던 가임기 여성이 무월경을 주소로 내원하였을 때 가장 먼저 r/o해야 하는 것은 물론 임신이겠죠.
- 임신 가능성이 떨어질 때는 갑상선 기능 이상, 쿠싱 증후군 등 기타 내분비계에 문제가 없는지 살펴봐야합니다. 스트레스로 인한 뇌하수체 기능 저하, 다낭성 난소 증후군도 젊은 여성의 무월경의 원인 중 상당수를 차지합니다.
- 해당 증례의 환자의 경우 호소하는 내분비계 증상 또한 특별히 없습니다. 하지만 골반염으로 인한 입원력, 3번의 인공유산(D&C) 과거병력 통해 아셔만 증후군으로 방향을 잡아가는데 큰 어려움은 없었습니다.
- 산부인과의 모든 질환에서 가임기 여성의 경우에는 가임력을 보존해 주는 것이 가장 중요합니다. 환자의 걱정에 공감해주고 앞으로의 임신이 가능하다는 것을 알려주도록 합니다.
- 환자의 경우 여드름 치료력도 있고, 현재 체중도 적게 나가는 편이 아니어서 PCOS, 쿠싱 증후군 등의 내분비 질환 또한 감별해주어야 되었습니다.

시나리오

Sex/Age	F/34			
Chief Complaint	월경이 없어요			
Present illness	Location	–		
	Onset	6개월 전		
	Situation	–		
	Time	월경주기 원래 규칙적		
	Course	3년간 점점 심해짐		
	Experience	처음		
	Character	[월경력] 3년 전부터 불규칙적, 1년 전부터 2~3개월에 한 번씩, 6개월 전부터 무월경		
	Factors	스트레스(–), 다이어트/과도한 운동(–/–)		
	Associated symptoms	다모증/여드름(–/–, 과거 여드름 치료 받음), 안면홍조/얼굴 화끈거림/야간발한(–/–/–), 두근거림/가슴 답답함(–/–), 우울감/성격예민(–/–), 체중증가(–), 중심성비만(–), 유즙분비(–), 피로(–), 추위/더위 불내성(–/–), 두통(–), 팔·다리 근력 저하(–), 시야 흐려짐(–), 억지로 구토함(–), **질분비물(+)**, **하복부 복통(+, 3주 전부터)**		
Medical history	약물복용력	피임약(–), 호르몬(–), 정신과 약물(–)		
	과거력	DM/TBc/HTN/간질환(–/–/–/–), **산부인과 질환(+, 골반염)**, 비뇨기계 질환(–) 건강검진 받아본 적 없음		
	외상/수술력	2년 전 골반염으로 입원치료 받음, 인공유산 3회		
	사회력	가정주부, 술(–), 담배(–)		
	가족력	조기폐경 가족력(–)		
Menstrual history	산과력	0-0-3-0, 인공 유산 3회		
	월경규칙성	현재 불규칙	월경 주기	원래 1달로 규칙적
	월경량	그전까지는 보통		
	월경통	그전까지는 보통		
	LMP	6개월 전, 임신 가능성 없음		
Physical exam	Vital sign	125/80mmHg, 80회/분, 18회/분, 36.6℃		
	Positive findings	갑상샘 정상, 복부 압통/반발압통(–/–), 복부 시진 정상 골반검진 정상, DRE 정상		
환자의 질문 또는 기타 특이사항	결혼해서 임신을 하고 싶은데, 임신이 될 수 있을까요?			

대표증례 – 3

상황지침

36세 여자 김은주 씨가 6개월간 생리가 없어서 왔다.

[활력징후]	
• 혈압 : 130/75mmHg	• 맥박 : 80회/분
• 호흡 : 20회/분	• 체온 : 36.8℃

응시자는 이 환자에게
- 증상과 관련된 병력을 청취하고,
- 증상과 관련된 적절한 신체진찰을 시행한 후
- 추정진단과 향후 진단계획 등에 대해 환자와 논의하시오.

해설

※ **감별진단** : 조기 폐경, 다낭성난소증후군(PCOS)

※ **진단계획/치료계획** : 혈중 FSH · LH · Estradiol / 호르몬 치료

- 가임기 여성이 무월경을 주소로 내원했을 때, 가장 먼저 임신을 r/o해야 합니다.
- 조기 폐경의 가족력 물어보도록 합시다.
- 폐경 증상 모두 있습니다. 밤에 땀나고, 짜증나고, 예민하고, 잘 못 자고, 열나고, 두근거림 등이 있는지 물어보면 됩니다.
- 안심시키면서 말씀드려야 할 것 같습니다. 공감, 위로, 격려 많이 해줍시다.
- 일반적으로 조기 폐경은 50세 이전의 여성이 6개월간 무월경일 때 진단할 수 있습니다. 치료로는 정상적인 폐경 나이인 50세가 될 때까지 여성호르몬을 주입하는 것입니다. 교육 시 이런 식으로 교육을 해주면 좋을 것 같습니다.

시나리오

Sex/Age		F/36		
Chief Complaint		월경이 없어요		
Present illness	Location	–		
	Onset	6개월 전		
	Situation	–		
	Time	월경주기 원래 규칙적		
	Course	점점 심해짐		
	Experience	처음		
	Character	[월경력] 2년 전부터 월경 불규칙(2~3달에 한 번), 6개월 전부터 무월경 [결혼력] 임신 가능성 없음, 안 그래도 임신이 안돼서 요즘 여러 번 임신 키트 검사했는데 음성		
	Factors	스트레스(–), 다이어트/과도한 운동(–/–)		
	Associated symptoms	다모증/여드름(–/–), 안면홍조/**얼굴 화끈거림/야간발한**(–/+/+), **두근거림/가슴 답답함(+/+)**, **우울감/성격예민(+/+)**, **체중증가(+, 2kg)**, 중심성비만(–), 유즙분비(–), 피로(–), 더위 불내성(–), 두통(–), 팔·다리 근력 저하(–), 시야 흐려짐(–), 억지로 구토함(–), 질출혈(–), 멍(–)		
Medical history	약물복용력	피임약(–), 호르몬(–), 정신과 약물(–)		
	과거력	DM/TBc/HTN/간질환(–/–/–/–), 산부인과 질환(–), 비뇨기계 질환(–) 건강검진 받아본 적 없음		
	외상/수술력	5년 전 원치 않는 임신으로 인공유산		
	사회력	은행직원, 술(–), 담배(–)		
	가족력	어머니 조기 폐경		
Menstrual history	산과력	0-0-1-0, 5년 전 원치 않아 유산		
	월경규칙성	현재 불규칙, 초경 중2	월경 주기	원래 1달로 규칙적
	월경량	그전까지는 보통		
	월경통	그전까지는 없었음		
	LMP	6개월 전, 임신 가능성 없음		
Physical exam	Vital sign	130/75mmHg, 80회/분, 20회/분, 36.8℃		
	Positive findings	결막(–), 이차성징 정상, 갑상샘 정상, 복부 검사 정상, Pelvic(–), DRE 정상		
환자의 질문 또는 기타 특이사항				

대표증례-4

상황지침

24세 여자 이서연 씨가 월경이 불규칙해서 병원에 왔다.

[활력징후]

- 혈압 : 124/70mmHg
- 맥박 : 82회/분
- 호흡 : 19회/분
- 체온 : 36.7℃

응시자는 이 환자에게
- 증상과 관련된 병력을 청취하고,
- 증상과 관련된 적절한 신체진찰을 시행한 후
- 추정진단과 향후 진단계획 등에 대해 환자와 논의하시오.

해설

※ **감별진단** : 스트레스에 의한 무월경, 다낭성난소증후군(PCOS)

※ **진단계획/치료계획** : 혈중 FSH · LH · Estradiol, 난소 초음파 / 생활습관 개선, 호르몬 치료

- 가임기 여성이 무월경을 주소로 내원했을 때, 가장 먼저 임신을 r/o해야 합니다.
- 조기 폐경의 가족력 물어보도록 합시다.
- 스트레스와 생활 습관에 대한 부분을 꼼꼼히 잘 물어보시고 걱정하는 부분에 대해 안심시켜 드리는 것이 면담의 핵심입니다.
- 최근의 체중증가로 인해 생리가 늦춰졌을 수도 있으니 생활습관 교정에 대해서도 교육하는 게 좋을 것 같습니다.

시나리오

Sex/Age	F/24	
Chief Complaint	월경이 불규칙해요	
Present illness	Location	–
	Onset	1년 전
	Situation	–
	Time	월경주기 원래 규칙적
	Course	초경 이후 원래 불규칙했으나 최근 심해짐
	Experience	처음
	Character	[월경력] 원래부터 월경이 1~2달 간격으로 불규칙했음, 최근 1년 전부터 2~3개월로 월경 불규칙 증가 [결혼력] 임신 가능성(−)
	Factors	**스트레스(+, 취업 준비하고 있는 대학교 4학년)**
	Associated symptoms	질출혈(−), 멍(−), 다모증/여드름(−/−), 안면홍조/얼굴 화끈거림/야간발한(−/−/−), 두근거림/가슴 답답함(−/−), 우울감/성격예민(−/−), 추위/더위 불내성(−/−), **체중 증가(+, 3개월간 2kg)**, 두통(−), 팔·다리 근력저하(−), 유두 분비물(−), 시야 흐려짐(−), 복시(−), 성교통(−), A/N/V(−), 중심성비만(−), 피로(−), 억지로 구토함(−)
Medical history	약물복용력	피임약(−), 호르몬(−), 정신과 약물(−)
	과거력	DM/TBc/HTN/간질환(−/−/−/−), 산부인과 질환(−), 비뇨기계 질환(−) 건강검진 받아본 적 없음
	외상/수술력	외상(−), 수술력(−)
	사회력	취업 준비생, 술(−), 담배(−), 운동(−), 커피(많이 마심), 음식(패스트푸드를 많이 먹음)
	가족력	어머니/언니(월경 불규칙), 어머니 조기폐경 아님
Menstrual history	산과력	0-0-0-0
	월경규칙성	불규칙, 초경 초6 / 월경 주기: 원래 2~3달 → 3~4달
	월경량	많은 편, 줄거나 하지 않음
	월경통	보통
	LMP	2주 전
Physical exam	Vital sign	124/70mmHg, 82회/분, 19회/분, 36.7℃
	Positive findings	갑상샘 촉진 정상, 복부에 압통/반발통(−/−), 복부 이상소견 없음, 복부의 피부에 이상/자색선조 없음, Pelvic(−), DRE(−)
환자의 질문 또는 기타 특이사항		

대표증례 – 5

상황지침

47세 여자 남성희 씨가 월경량이 많아서 병원에 왔다.

[활력징후]

- 혈압 : 110/68mmHg
- 맥박 : 72회/분
- 호흡 : 18회/분
- 체온 : 36.9℃

응시자는 이 환자에게
- 증상과 관련된 병력을 청취하고,
- 증상과 관련된 적절한 신체진찰을 시행한 후
- 추정진단과 향후 진단계획 등에 대해 환자와 논의하시오.

해설

※ **감별진단** : 자궁근종, 자궁샘근증

※ **진단계획/치료계획** : 질초음파, 자궁경 검사 / 호르몬 치료, 수술적 치료

- 골반 검사에서 motion tenderness와 어른 주먹만한 종괴 소견이 보였습니다. 이걸로 미루어보아 자궁근종, 자궁샘근증을 의심해 볼 수 있습니다.
- 일반적으로 이렇게 자궁에 종양이 있다면 환자 분들은 수술 여부를 가장 걱정하십니다. 그래서 미리 자궁근종, 자궁샘근증의 수술 indication을 공부 하는 게 좋습니다.
- 증례의 환자의 경우 폐경에 의한 증상이 같이 나타나고 있기 때문에 곧 폐경이 될 것으로 예측됩니다. 자궁근종은 폐경 후 크기가 작아질 수 있기 때문에 증상이 경한 경우 경과 관찰을 할 수 있으나 월경통, 비정상 자궁 출혈이 심한 경우에는 호르몬 치료, 수술적 치료 등을 시행할 수 있습니다.

시나리오

<table>
<tr><td>Sex/Age</td><td colspan="4">F/47</td></tr>
<tr><td>Chief Complaint</td><td colspan="4">월경량이 많아요</td></tr>
<tr><td rowspan="9">Present illness</td><td>Location</td><td colspan="3">–</td></tr>
<tr><td>Onset</td><td colspan="3">2년 전</td></tr>
<tr><td>Situation</td><td colspan="3">–</td></tr>
<tr><td>Time</td><td colspan="3">–</td></tr>
<tr><td>Course</td><td colspan="3">점점 월경량이 많아짐</td></tr>
<tr><td>Experience</td><td colspan="3">처음</td></tr>
<tr><td>Character</td><td colspan="3">색(선홍색과 어두운 빨간색이 섞여 있다), 덩어리(+), 패드 10개/day</td></tr>
<tr><td>Factors</td><td colspan="3">스트레스(+, 사춘기 아들 때문에 스트레스), 과도한 운동(–), 다이어트/체중증가(–/–)</td></tr>
<tr><td>Associated symptoms</td><td colspan="3">다모증/여드름(–/–), 안면홍조/얼굴 화끈거림/야간발한(–/+/+), 두근거림/가슴 답답함(+/+), 우울감/성격예민(+/+), 체중증가(+, 2kg), 중심성비만(–), 유즙분비(–), 피로(–), 더위 불내성(–), 억지로 구토함(–), 질출혈(–), 멍(–), 두통(–), 팔·다리 근력 저하(–), 시야 흐려짐(–), 비뇨기계증상(+, 빈뇨), 하복부 통증(–)</td></tr>
<tr><td rowspan="5">Medical history</td><td>약물복용력</td><td colspan="3">피임약(–), 호르몬(–), 정신과 약물(–)</td></tr>
<tr><td>과거력</td><td colspan="3">DM/TBc/HTN/간질환(–/–/–/–), 산부인과 질환(–), 비뇨기계 질환(–)
건강검진 3년 전 정상</td></tr>
<tr><td>외상/수술력</td><td colspan="3">외상(–), 수술력(–)</td></tr>
<tr><td>사회력</td><td colspan="3">주부, 술(–), 담배(–), 운동 거의 안 함, 커피(–)</td></tr>
<tr><td>가족력</td><td colspan="3">없음</td></tr>
<tr><td rowspan="5">Menstrual history</td><td>산과력</td><td colspan="3">1-0 0-1, 자연분만, 임신이나 분만 당시 문제없었음</td></tr>
<tr><td>월경규칙성</td><td>규칙적, 초경 14살</td><td>월경 주기</td><td>30</td></tr>
<tr><td>월경량</td><td colspan="3">많음(10패드/day)</td></tr>
<tr><td>월경통</td><td colspan="3">심함</td></tr>
<tr><td>LMP</td><td colspan="3">1주 전, 임신가능성 없음</td></tr>
<tr><td rowspan="2">Physical exam</td><td>Vital sign</td><td colspan="3">110/68mmHg, 72회/분, 18회/분, 36.9℃</td></tr>
<tr><td>Positive findings</td><td colspan="3">갑상샘 촉진 정상, 복부에 압통/반발통(–/–), 복부 이상소견 없음, 복부의 피부에 이상/지방선소 없음, 골반검진(+, motion tenderness, 어른 주먹만 한 종괴가 발견됨), DRE(–)</td></tr>
<tr><td colspan="2">환자의 질문 또는 기타 특이사항</td><td colspan="3"></td></tr>
</table>

대표증례-6

상황지침

40세 여자 김은숙 씨가 월경량이 많아서 병원에 왔다.

[활력징후]	
• 혈압 : 110/68mmHg	• 맥박 : 72회/분
• 호흡 : 18회/분	• 체온 : 36.9℃

응시자는 이 환자에게
- 증상과 관련된 병력을 청취하고,
- 증상과 관련된 적절한 신체진찰을 시행한 후
- 추정진단과 향후 진단계획 등에 대해 환자와 논의하시오.

해설

※ **감별진단** : 자궁손상에 의한 출혈, 자궁근종, 자궁샘근증

※ **진단계획/치료계획** : 질초음파, 자궁경 검사 / 호르몬 치료, 수술적 치료

- 자궁내 루프 장치가 있고, 인공유산 기왕력이 있기 때문에 자궁 손상을 의심해볼 수 있습니다.
- 일반적으로 이렇게 자궁에 종양이 있다면 환자 분들은 수술 여부를 가장 걱정하십니다. 그래서 미리 자궁근종, 자궁샘근증의 수술 indication을 공부 하는 게 좋습니다.
- 증례의 환자의 경우 폐경에 의한 증상이 같이 나타나고 있기 때문에 곧 폐경이 될 것으로 예측됩니다. 자궁근종은 폐경 후 크기가 작아질 수 있기 때문에 증상이 경한 경우 경과 관찰을 할 수 있으나 월경통, 비정상 자궁 출혈이 심한 경우에는 호르몬 치료, 수술적 치료 등을 시행할 수 있습니다.

시나리오

Sex/Age	F/40			
Chief Complaint	월경량이 많아요			
Present illness	Location	–		
	Onset	6개월 전		
	Situation	–		
	Time	–		
	Course	점점 월경량이 많아짐		
	Experience	처음		
	Character	월경량 패드 10장으로 늘었음. 월경통 최근에 심해짐. 월경 2달에 한번씩 하다가 최근에는 3달에 한번씩 하는중		
	Factors	스트레스(–), 과도한 운동(–), 다이어트(–)		
	Associated symptoms	**성교통(+)**, **체중증가(+, 4~5kg/yr)**, 오심/구토(–/–), **어지럼증(+)**, 호흡곤란(–), 소변량감소(–), 추위불내성(–), **피로(+)**		
Medical history	약물복용력	**피임약(루프)**, 호르몬(–), 정신과 약물(–)		
	과거력	DM/TBc/HTN/간질환(–/–/–/–), 산부인과 질환(–), 비뇨기계 질환(–) 건강검진 정상		
	외상/수술력	첫째 낳기 전 인공유산 1회, 둘째 이후 인공유산 2회		
	사회력	주부, 술(–), 담배(–), 운동 거의 안함, 커피(–)		
	가족력	없음		
Menstrual history	산과력	2-0-3-2, 자연분만, 임신이나 분만 당시 문제없었음		
	월경규칙성	원래 규칙적	월경 주기	60
	월경량	증가(10패드/day)		
	월경통	생김		
	LMP	오늘, 임신가능성 없음		
Physical exam	Vital sign	110/68mmHg, 72회/분, 18회/분, 36.9℃		
	Positive findings	갑상샘 촉진 정상, 복부에 압통/반발통(+/–), 복부의 피부에 이상/자색선조 없음, 골반검진(–), DRE(–)		
환자의 질문 또는 기타 특이사항				

관련증례

28-1 25세 여자가 생리가 없다며 왔다. 최근 6개월 간 생리가 없었고 평소에도 두 달에 한 번 정도로 불규칙하게 생리를 하고 양은 많은 편이라고 하였다. 미혼으로 임신의 가능성은 없다고 하였다. 고등학생 때도 불규칙한 월경으로 산부인과에 간 적이 있다고 하였다. 당시 초음파 검사 상에서 이상은 없었다고 하였다. 고등학생 때 체중이 갑자기 8kg 가량 불었던 적이 있고 최근에도 2kg 정도 쪘다고 하였다. 얼굴에 여드름이 있고 털이 많은 편이나 이외에 특별한 증상은 없다고 하였다. 식사는 잘 하는 편이고 일주일에 3~4일 1시간씩 수영을 한다고 하였다. 가족 중에 조기폐경을 한 사람은 없다고 하였다. 사무직 회사원으로 스트레스를 많이 받는다고 하였다. 술은 한주에 맥주 1병 정도 마시며, 담배는 피지 않는다고 하였다.

활력징후는 혈압 120/78mmHg, 맥박 69회/분, 호흡수 20회/분, 체온 36.7℃이었다. 키 160cm, 몸무게 62kg이었다. 얼굴에 여드름이 있었다. 흉부 진찰 상 이상소견은 없었다. 골반 진찰 상 이상소견은 보이지 않았다.

28-2 33세 여자가 생리통이 심하다며 왔다. 월경 주기에 맞춰 하복부가 쥐어뜯는 것처럼 아프다가 둔하게 지속되는 통증이 반복된다고 하였다. 최근 들어 통증의 강도가 너무 심해서 일생생활에 지장이 있는 정도이며 진통제를 먹어도 통증이 지속된다고 하였다. 평소 월경 주기는 25~35일 정도로 불규칙한 편으로 월경량은 보통이라고 하였다. 초경은 초등학생 때 했는데 처음부터 생리통이 심한 편이었다고 하였다. 배뇨통, 빈뇨, 다뇨 등 비뇨기 증상은 없다고 하였다. 발열, 오한도 없었다. 피임은 하지 않고 임신계획이 있는데 아이가 생기지 않는다고 하였다. 성관계 시에 통증이 있다고 하였다. 수술을 받거나 외상을 입은 적은 없다고 하였다. 어머니와 언니도 월경통이 심했는데 임신하고 아이 낳은 후 호전되었다고 하였다. 사무직 회사원으로 음주는 가끔 하며, 흡연은 하지 않는다고 하였다.

활력징후는 혈압 130/80mmHg, 맥박 72회/분, 호흡수 20회/분, 체온 36.5℃이었다. 골반 검사상 motion tenderness를 호소하였고 자궁 및 자궁 부속기의 운동성이 감소되어 있었다. 난소에는 이상소견 없었다.

28-3 30세 미혼여성이다. 생리가 6개월간 없었고 유방에서 유즙이 나온다고 했다. 평소 건강하였으나 최근 가끔 두통이 있다. 성 경험은 없다. 6개월 전에 월경 주기는 한 달 주기로 있었다. 특별히 아픈 적도 없었다. 키는 163cm, 체중은 55kg이며 대학원 재학중이다.

> 활력징후는 혈압 120/60mmHg, 맥박 65회/분, 호흡수 18회/분, 체온 36.8℃이었다. 골반 진찰은 시행하지 않았고 초음파 검사 결과 자궁과 부속기의 이상소견은 관찰되지 않았다.

Answer | 28-1. 다낭성 난소증후군 28-2. 자궁내막증 28-3. 뇌하수체 선종

Check-list

	병력청취 채점항목	예	아니오
1	무월경이 얼마나 지속되었는지 물어보았다.	☐	☐
2	평소 월경력에 대하여 물어보았다(월경주기, 월경량, 월경통).	☐	☐
3	이차성징을 동반한 초경이 있었는지 물어보았다.	☐	☐
4	산과력을 물어보았다.	☐	☐
5	피임 여부와 피임법에 대하여 물어보았다.	☐	☐
6	동반되는 증상이 있는지 물어보았다.	☐	☐
7	과거력, 현질환력에 대하여 물어보았다.	☐	☐
8	가족력에 대하여 물어보았다(조기폐경, PCOS).	☐	☐
9	정기적인 산부인과 검진을 받은 적 있는지 물어보았다.	☐	☐

	신체진찰 채점항목	제대로 함	제대로 못함	하지 않음
1	복부 진찰을 시행하였다.	☐	☐	☐
2	내진을 포함한 골반 진찰을 시행하였다.	☐	☐	☐
3	초음파 소견을 확인하였다.	☐	☐	☐

	환자교육 채점항목	예	아니오
1	무월경을 일으킬 수 있는 원인에 대하여 설명하였다.	☐	☐
2	의심되는 질환과 필요한 검사에 대하여 설명하였다.	☐	☐
3	치료계획과 생활습관 교정에 대하여 설명하였다.	☐	☐
4	정기적인 산부인과 검진의 중요성을 설명하였다.	☐	☐

	환자의사관계 채점항목	아주우수	우수	보통	미흡
1	효율적으로 잘 물어보았다. - 효율적 질문 : 개방형 질문 사용, 확인, 중간 요약 - 피할 질문 : 유도 질문, 복수 질문	☐	☐	☐	☐
2	나의 말을 잘 들어주었다. - 대꾸하기, 경청 자세, 눈 맞춤 & 말 가로채지 않기	☐	☐	☐	☐
3	나의 입장을 이해하려고 노력하였다. - 공감 표현, 나의 입장 파악	☐	☐	☐	☐
4	환자가 이해하기 쉽게 설명하였다. - 간단명료함, 이해도 점검, 질문 기회 & 쉬운 용어	☐	☐	☐	☐
5	나와 좋은 유대 관계를 형성하려고 했다. - 자기소개, 일상 대화, 존중, 자신감 & 신뢰감	☐	☐	☐	☐

M·E·M·O

29-1 질분비물

대표증례 – 1

상황지침

42세 여자 최명자 씨가 질분비물이 많다고 병원에 왔다.

[활력징후]

- 혈압 : 124/70mmHg
- 맥박 : 80회/분
- 호흡 : 16회/분
- 체온 : 36.5℃

응시자는 이 환자에게
- 증상과 관련된 병력을 청취하고,
- 증상과 관련된 적절한 신체진찰을 시행한 후
- 추정진단과 향후 진단계획 등에 대해 환자와 논의하시오.

해설

※ **감별진단** : 칸디다 질염(Candida vaginitis), 세균성 질염(Bacterial vaginitis)

※ **진단계획/치료계획** : 질분비물 검사, 자궁경부펴바름 검사 / 항생제 치료, 당뇨 조절

- 예전에 진단받은 병 있는지 구체적으로 물어봅시다.
- 칸디다라는 곰팡이에 의해 생긴 질염으로 예전 골반염을 앓았던 경험과 당뇨가 있어서 더 잘 생길 수 있다고 설명합니다. 성 매개 질환이 아니라는 것으로 환자의 부끄러움을 덜어드립시다. 치료는 항진균제로 합니다. 남편은 치료할 필요 없습니다.
- 당뇨 조절의 중요성을 알리고 잘 관리하라고 교육하세요.
- 질세척도 너무 자주 하지 말고, 비누를 이용한 질 세척은 질내 환경을 염기화 시켜 오히려 감염에 취약하게 만든다는 것을 교육하면 좋습니다.

시나리오

Sex/Age	F/42			
Chief Complaint	냉이 많아요			
Present illness	Location	–		
	Onset	1주일 전		
	Situation	–		
	Time	지속적		
	Course	점점 심해짐		
	Experience	처음		
	Character	**멍울져서 나오는 하얀색(우유 찌꺼기 모양)**, 양(처음엔 속옷에 묻는 정도→1주 전부터 팬티라이너 3~4개/일), 냄새(−), 거품(−)		
	Factors	생리주기 관련(−), 성교 관련(−), **질세척(+, 하루 2~3번, 비누)**, 여러 명의 성관계 파트너(−)		
	Associated symptoms	발열/오한(−/−), 구역/구토(−/−), **외음부 작열감/가려움(+/+), 배뇨통(+)**, 빈뇨/다뇨(−/−), **성교통(+)**, **하복부 불편감(+)**, 얼굴 화끈거림(−), 질 건조(−), 밤에 식은땀(−), 불면(−)		
Medical history	약물복용력	당뇨약, 피임약(+), 호르몬(−), 정신과 약물(−)		
	과거력	DM/TBc/HTN/간질환(+/−/−/−), 산부인과 질환(−), 비뇨기계 질환(−) 건강검진 2년 전, 정상		
	외상/수술력	임신중절수술 2번, 외상(−)		
	사회력	주부, 술(−), 담배(−)		
	가족력	남편 배뇨통/분비물(−/−)		
Menstrual history	산과력	2-0-2-2		
	월경규칙성	규칙적	월경 주기	28일
	월경량	보통		
	월경통	없음		
	LMP	2주 전, 임신가능성(−)		
Physical exam	Vital sign	124/70mmHg, 80회/분, 16회/분, 36.5℃		
	Positive findings	복부 T/RT(+, 하복부 통증/−), **골반 진찰(치즈 형태 분비물, cervical motion tenderness(+))**		
환자의 질문 또는 기타 특이사항				

대표증례 – 2

상황지침

55세 여자 김옥자 씨가 질분비물이 많다고 병원에 왔다.

[활력징후]

• 혈압 : 130/75mmHg	• 맥박 : 82회/분
• 호흡 : 19회/분	• 체온 : 36.7℃

응시자는 이 환자에게
- 증상과 관련된 병력을 청취하고,
- 증상과 관련된 적절한 신체진찰을 시행한 후
- 추정진단과 향후 진단계획 등에 대해 환자와 논의하시오.

해설

※ **감별진단** : 위축성 질염(Atrophic vaginitis), 자궁경부염

※ **진단계획/치료계획** : 질분비물 검사, 자궁경부펴바름 검사 / Estrogen 크림, 호르몬대체요법

- 질분비물을 유발하는 대표적인 질염 증례입니다. 실기, 필기시험을 아울러 빈출되는 단골문제이므로 반드시 알아두도록 합시다.
- 폐경 후 위축성 질염 환자에서는 에스트로겐 치료(국소 크림 도포법)나 올바른 질 세척 방법을 숙지해두면 교육할 때 도움이 될 것입니다.
- 위축성 질염 이외에도 현재 환자가 호소하는 폐경 증상들을 치료하기 위해서 호르몬대체요법이 필요합니다. 환자가 호르몬제제의 부작용 등에 대해 걱정하는 경우 유방암 과거력, 심혈관계 질환, 급성기 간질환 등의 금기사항을 제외하고는 큰 부작용을 일으키지 않는다는 것을 안심시키고 치료를 시행하도록 합니다.

시나리오

<table>
<tr><td>Sex/Age</td><td colspan="4">F/55</td></tr>
<tr><td>Chief Complaint</td><td colspan="4">냉이 많아요</td></tr>
<tr><td rowspan="8">Present illness</td><td>Location</td><td colspan="3">–</td></tr>
<tr><td>Onset</td><td colspan="3">3개월 전</td></tr>
<tr><td>Situation</td><td colspan="3">–</td></tr>
<tr><td>Time</td><td colspan="3">지속적</td></tr>
<tr><td>Course</td><td colspan="3">점점 심해짐</td></tr>
<tr><td>Experience</td><td colspan="3">처음</td></tr>
<tr><td>Character</td><td colspan="3">연 노란색 끈적한 분비물, 양(처음 속옷에 조금 묻는 정도→2주 전부터는 팬티 2~3장 갈아입어야 함), 냄새(+, 약간 시큼함), 피(+, 가끔 살짝 비침), 거품(–)</td></tr>
<tr><td>Factors</td><td colspan="3">생리주기 관련(–), 질세척(+, 하루 2~3번, 비누), 여러 명의 성관계 파트너(–)</td></tr>
<tr><td></td><td>Associated symptoms</td><td colspan="3">발열/오한(–/–), 구역/구토(–/–), 외음부 작열감/가려움(+/–), 배뇨통(+), 기타 소변 증상(–), 하복부 통증(+), 성교통(+, 남편은 아무 이상 없음), 얼굴 화끈거림(–, 2년 전 폐경 직후 있었음), 두근거림(+), 홍조(+), 짜증(+)</td></tr>
<tr><td rowspan="5">Medical history</td><td>약물복용력</td><td colspan="3">고혈압약, 당뇨약(잘 먹고 있음), 여성호르몬제(–)</td></tr>
<tr><td>과거력</td><td colspan="3">DM/TBc/HTN/간질환(+/–/+/–), 산부인과 질환(–), 비뇨기계 질환(–)
건강검진 2년 전, 정상</td></tr>
<tr><td>외상/수술력</td><td colspan="3">외상(–), 수술력(–)</td></tr>
<tr><td>사회력</td><td colspan="3">가정주부, 술(1병/1달), 담배(–)</td></tr>
<tr><td>가족력</td><td colspan="3">남편 배뇨통/분비물(–/–)</td></tr>
<tr><td rowspan="5">Menstrual history</td><td>산과력</td><td colspan="3">3-0-0-3, 임신이나 분만 시 문제없었음</td></tr>
<tr><td>월경규칙성</td><td>2년 전 폐경</td><td>월경 주기</td><td>–</td></tr>
<tr><td>월경량</td><td colspan="3">–</td></tr>
<tr><td>월경통</td><td colspan="3">–</td></tr>
<tr><td>LMP</td><td colspan="3">–</td></tr>
<tr><td rowspan="2">Physical exam</td><td>Vital sign</td><td colspan="3">130/75mmHg, 82회/분, 19회/분, 36.7℃</td></tr>
<tr><td>Positive findings</td><td colspan="3">복부 진찰(하복부 촉진 시 불편감), 골반 진찰(노란색 질 분비물이 고여 있고, 질벽이 말라있음), 질경삽입부 출혈</td></tr>
<tr><td colspan="2">환자의 질문 또는 기타 특이사항</td><td colspan="3"></td></tr>
</table>

대표증례-3

상황지침

37세 여자 김수진 씨가 질분비물이 많다고 병원에 왔다.

[활력징후]	
• 혈압 : 110/82mmHg	• 맥박 : 70회/분
• 호흡 : 17회/분	• 체온 : 36.2℃

응시자는 이 환자에게

- 증상과 관련된 병력을 청취하고,
- 증상과 관련된 적절한 신체진찰을 시행한 후
- 추정진단과 향후 진단계획 등에 대해 환자와 논의하시오.

해설

※ **감별진단** : 트리코모나스 질염, 세균성 질염

※ **진단계획/치료계획** : 질분비물 검사, 자궁경부펴바름 검사 / Metronidazole 경구투여, 성관계 파트너 치료

- 트리코모나스 질염은 세균성 질염과는 달리 성관계 파트너도 반드시 치료해야 합니다. 따라서 병력 청취 시 성관계 파트너도 비슷한 증상이 있는지 물어보아야 합니다.
- 질염은 질분비물의 성상, 냄새 등을 통하여 구분할 수 있기 때문에 병력청취 시 질분비물의 색깔, 냄새, 양을 자세히 문진하면 좋을 것 같네요.

시나리오

<table>
<tr><td>Sex/Age</td><td colspan="4">F/37</td></tr>
<tr><td>Chief Complaint</td><td colspan="4">냉이 많아요</td></tr>
<tr><td rowspan="9">Present illness</td><td>Location</td><td colspan="3">–</td></tr>
<tr><td>Onset</td><td colspan="3">2주 전</td></tr>
<tr><td>Situation</td><td colspan="3">–</td></tr>
<tr><td>Time</td><td colspan="3">지속적</td></tr>
<tr><td>Course</td><td colspan="3">점점 심해짐(예전엔 팬티에 묻을 정도 → 지금은 하루에 팬티라이너 3~4개)</td></tr>
<tr><td>Experience</td><td colspan="3">처음</td></tr>
<tr><td>Character</td><td colspan="3">멍울 져서 나오는 노란색, 양(팬티라이너 2개/일), 냄새(+, 고약한 하수구 냄새), 피(+, 가끔 실핏줄이 섞여 나옴), 거품(–)</td></tr>
<tr><td>Factors</td><td colspan="3">월경 주기에 따른 변화(–), 성관계 관련(–), 질세척(+, 하루 2~3번, 비누), 여러 명의 성관계 파트너(–)</td></tr>
<tr><td>Associated symptoms</td><td colspan="3">발열/오한(–/–), 구역/구토(–/–), 외음부 작열감/가려움(+/–), 배뇨통(+), 빈뇨/다뇨(+/–), 야간뇨(+), 하복부 불편감(+), 성교통(+, 7일 전), 얼굴 화끈거림(–), 질 건조(–), 밤에 식은땀(–), 불면(–)</td></tr>
<tr><td rowspan="5">Medical history</td><td>약물복용력</td><td colspan="3">경구혈당강하제, 피임약, IUD(all –)</td></tr>
<tr><td>과거력</td><td colspan="3">DM/TBc/HTN/간질환(+/–/–/–), 2년 전 PID 진단
건강검진 받아본 적 없음</td></tr>
<tr><td>외상/수술력</td><td colspan="3">외상(–), 수술력(–)</td></tr>
<tr><td>사회력</td><td colspan="3">대학원생, 술(–), 담배(–)</td></tr>
<tr><td>가족력</td><td colspan="3">성관계 파트너 증상(모름)</td></tr>
<tr><td rowspan="5">Menstrual history</td><td>산과력</td><td colspan="3">0-0-0-0, 피임(–, 임신 가능성은 낮음)</td></tr>
<tr><td>월경규칙성</td><td>원래 규칙, 최근 불규칙</td><td>월경 주기</td><td>28일</td></tr>
<tr><td>월경량</td><td colspan="3">보통</td></tr>
<tr><td>월경통</td><td colspan="3">심함, 진통제에 의해 호전</td></tr>
<tr><td>LMP</td><td colspan="3">2주 전</td></tr>
<tr><td rowspan="2">Physical exam</td><td>Vital sign</td><td colspan="3">110/82mmHg, 70회/분, 17회/분, 36.2℃</td></tr>
<tr><td>Positive findings</td><td colspan="3">복부 진찰 T/RT(+, 하복부 타진, 촉진 시 통증/–), 골반 진찰(노란색 분비물, strawberry cervix, cervical motion tenderness(–), 자궁경부 미란(+))</td></tr>
<tr><td colspan="2">환자의 질문 또는 기타 특이사항</td><td colspan="3">–</td></tr>
</table>

대표증례 – 4

상황지침

25세 여자 진소율 씨가 질분비물이 많다고 병원에 왔다.

[활력징후]

- 혈압 : 110/82mmHg
- 맥박 : 70회/분
- 호흡 : 17회/분
- 체온 : 36.2℃

응시자는 이 환자에게
- 증상과 관련된 병력을 청취하고,
- 증상과 관련된 적절한 신체진찰을 시행한 후
- 추정진단과 향후 진단계획 등에 대해 환자와 논의하시오.

해설

※ **감별진단** : 세균성 질염, 트리코모나스 질염

※ **진단계획/치료계획** : 질분비물 검사, 자궁경부펴바름 검사 / 항생제 투여

- 질염 의심 환자에서 질세정 여부를 반드시 확인하고 질세정을 너무 자주 하는 경우 가끔씩만 하도록 교육합니다.
- 트리코모나스 질염은 세균성 질염과는 달리 성관계 파트너도 반드시 치료해야 합니다. 따라서 병력청취 시 성관계 파트너도 비슷한 증상이 있는지 물어보아야 합니다.
- 질염은 질분비물의 성상, 냄새 등을 통하여 구분할 수 있기 때문에 병력청취 시 질분비물의 색깔, 냄새, 양을 자세히 문진하면 좋을 것 같네요.

시나리오

Sex/Age		F/25
Chief Complaint		냉이 많아요
Present illness	Location	–
	Onset	1주 전
	Situation	–
	Time	지속적
	Course	점점 심해짐
	Experience	처음
	Character	**음식물 썩는 것 같은 냄새, 회색~진한 노란색, 질부분 가렵고 따가움, 콧물 같이 끈적하나 치즈처럼 꾸덕하지는 않음**, 거품(–)
	Factors	월경 주기에 따른 변화(–), 최근 성관계 10일 전, **질세척(+, 하루 1~2번, 질세정제)**, 여러 명의 성관계 파트너(–)
	Associated symptoms	발열/오한(–/–), 구역/구토(–/–), **외음부 작열감/가려움(+/+)**, **배뇨통(+)**, 빈뇨/다뇨(–/–), 야간뇨(–), 하복부 불편감(–), 성교통(–), 얼굴 화끈거림(–), 질 건조(–), 밤에 식은땀(–), 불면(–)
Medical history	약물복용력	피임약(–)
	과거력	DM/TBc/HTN/간질환(–/–/–/–) 건강검진 받아본 적 없음
	외상/수술력	외상(–), 수술력(–)
	사회력	인터넷쇼핑몰 운영, 술(social), 담배(–)
	가족력	남자친구 증상(–)
Menstrual history	산과력	0-0-1-0, 2년 전 인공유산, 피임은 콘돔 사용
	월경규칙성	규칙적
	월경 주기	28일
	월경량	보통
	월경통	보통
	LMP	3주 전
Physical exam	Vital sign	110/82mmHg, 70회/분, 17회/분, 36.2℃
	Positive findings	복부 진찰 T/RT(–/–), **골반 진찰(회색 & 노란색 분비물, cervical motion tenderness(–), 자궁경부 미란(–))**
환자의 질문 또는 기타 특이사항		–

관련증례

29-1-1 35세 여자가 냉이 많다며 왔다. 3일 전부터 점점 질분비물의 양이 증가하여 현재는 하루에 패드를 3~4개 갈아야 할 정도로 많아졌다고 하였다. 분비물의 색은 회색 같기도 하고 연녹색 같기도 하며 콧물 정도로 끈적하며 음식물 쓰레기 같은 냄새가 난다고 하였다. 아랫배가 불편한 느낌이 있으나 가려움이나 질출혈은 없다고 하였다. 평소 월경 주기는 28일로 규칙적인 편이라고 하였다. 루프로 피임하는 중이며 마지막 성관계는 7일 전에 있었고 질정제를 사용하거나 질세척을 하지는 않는다고 하였다. 성교 후 냉이 더 심해지는 것 같다고 하였다. 남편은 특별한 증상이 없다고 하였다. 아들이 한명 있고 자연분만으로 낳았다고 하였다. 기존에 앓고 있는 질환이나 복용 중인 약물은 없었다. 수술 받은 적은 없다고 하였다. 가정주부로 술은 가끔씩 마시나 담배는 피지 않는다고 하였다.

> 활력징후는 혈압 120/78mmHg, 맥박 69회/분, 호흡수 20회/분, 체온 36.7℃이었다. 골반진찰 상 자궁경부에서 IUD 꼬리가 보였고 cervical motion tenderness가 있었다. 질 점막에 붉은 반점이 보였다.

29-1-2 21세 여자가 질분비물이 있다고 왔다. 외음부의 가려움이나 냄새는 없었다.

> 활력징후는 혈압 120/75mmHg, 맥박 65회/분, 호흡수 18회/분, 체온 36.6℃이었다. 골반진찰에서 자궁경부에 다량의 점액이 관찰되었고 그 외 이상은 없었다.

Answer | 29-1-1. 골반염(PID) 29-1-2. 배란기 점액

Check-list

	병력청취 채점항목	예	아니오
1	질 분비물이 언제부터 심해졌는지 물어보았다.	☐	☐
2	질 분비물의 양상에 대하여 물어보았다(양, 색깔, 냄새, 점액도).	☐	☐
3	성관계 유무와 파트너도 비슷한 증상이 있는지 물어보았다.	☐	☐
4	외음부의 가려움증이나 화끈거림, 소변볼 때 불편감, 질출혈, 복통 등의 동반증상이 있는지 물어보았다.	☐	☐
5	발열, 구역/구토, 식욕저하, 피로 등의 전신증상을 동반하는지 물어보았다.	☐	☐
6	평소 월경력이나 산과력, 피임방법에 대하여 물어보았다.	☐	☐
7	질세정제 사용, 잦은 질세척 등의 손상 요인이 있는지 물어보았다.	☐	☐
8	예전에도 이런 적이 있었는지 물어보았다.	☐	☐
9	산부인과적 질환을 포함한 질병력에 대하여 물어보았다.	☐	☐

	신체진찰 채점항목	제대로 함	제대로 못함	하지 않음
1	신체진찰에 대한 목적과 방법을 설명하고 동의를 구하였다.	☐	☐	☐
2	복부 진찰을 시행하고 하복부 압통을 확인하였다.	☐	☐	☐
3	골반 진찰에 대해 설명하고 동의를 구하였다.	☐	☐	☐
4	골반 진찰 및 내진을 시행하였다.	☐	☐	☐

	환자교육 채점항목	예	아니오
1	정상적인 질 분비물이 아닌 경우 질 분비물 검사를 통해 원인파악이 필요함을 설명하였다.	☐	☐
2	질 분비물 검사결과에 따른 치료원칙을 설명하였다.	☐	☐
3	임산부의 경우 조기파수나 조산의 위험성을 설명하였다.	☐	☐
4	정기적인 자궁경부세포 검사를 권고하였다.	☐	☐

	환자의사관계 채점항목	아주우수	우수	보통	미흡
1	효율적으로 잘 물어보았다. - 효율적 질문 : 개방형 질문 사용, 확인, 중간 요약 - 피할 질문 : 유도 질문, 복수 질문	☐	☐	☐	☐
2	나의 말을 잘 들어주었다. - 대꾸하기, 경청 자세, 눈 맞춤 & 말 가로채지 않기	☐	☐	☐	☐
3	나의 입장을 이해하려고 노력하였다. - 공감 표현, 나의 입장 파악	☐	☐	☐	☐
4	환자가 이해하기 쉽게 설명하였다. - 간단명료함, 이해도 점검, 질문 기회 & 쉬운 용어	☐	☐	☐	☐
5	나와 좋은 유대 관계를 형성하려고 했다. - 자기소개, 일상 대화, 존중, 자신감 & 신뢰감	☐	☐	☐	☐

29-2 질출혈

대표증례 – 1

상황지침

35세 여자 서여진 씨가 질출혈이 있어 병원에 왔다.

[활력징후]

- 혈압 : 120/75mmHg
- 맥박 : 90회/분
- 호흡 : 20회/분
- 체온 : 36.7℃

응시자는 이 환자에게
- 증상과 관련된 병력을 청취하고,
- 증상과 관련된 적절한 신체진찰을 시행한 후
- 추정진단과 향후 진단계획 등에 대해 환자와 논의하시오.

해설

※ **감별진단** : 자궁경부염, 트리코모나스 질염

※ **진단계획/치료계획** : 질분비물 검사, 자궁경부펴바름 검사 / 항생제 투여

- 질분비물과 함께 피가 섞여 나오는 증례입니다. 주소가 질출혈일수도 있고, 질분비물일수도 있으니 둘 중 하나만 호소하여도 다른 하나를 반드시 물어보도록 합니다.
- 트리코모나스 질염은 세균성 질염과는 달리 성관계 파트너도 반드시 치료해야 합니다. 따라서 병력 청취 시 성관계 파트너도 비슷한 증상이 있는지 물어보아야 합니다.

시나리오

Sex/Age	F/35			
Chief Complaint	속옷에 피가 묻어요			
Present illness	Location	–		
	Onset	10일 전		
	Situation	–		
	Time	지속적		
	Course	점점 심해짐		
	Experience	처음		
	Character	**질분비물(+, 음식물 썩는 것 같은 냄새)** 피의 양은 속옷에 살짝 묻는 정도, 분비물에 섞여 나옴		
	Factors	월경 주기에 따른 변화(–), 최근 성관계 한 달 전, 여러 명의 성관계 파트너(–)		
	Associated symptoms	어지러움/호흡곤란/두근거림(–/–/–), 발열/오한(–/–), 구역/구토(–/–), **외음부 작열감/가려움(+/+)**, **배뇨통(+)**, **빈뇨**/다뇨(+/–), 야간뇨(–), **하복부 불편감(+)**, 월경과다/월경통(–/–), **성교통(+)**		
Medical history	약물복용력	피임약(–)		
	과거력	DM/TBc/HTN/간질환(–/–/–/–), 1년 전 골반염 건강검진 받아본 적 없음		
	외상/수술력	외상(–), 수술력(–)		
	사회력	회사원, 술(social), 담배(–)		
	가족력	남편 증상(–)		
Menstrual history	산과력	1-0-1-1, 1년 전 자연유산, 피임은 콘돔 사용		
	월경규칙성	규칙적	월경 주기	28일
	월경량	보통		
	월경통	보통		
	LMP	3주 전		
Physical exam	Vital sign	120/75mmHg, 90회/분, 20회/분, 36.7℃		
	Positive findings	복부 진찰 T/RT(+, 하복부/–), **골반 진찰(노란색 분비물, cervical motion tenderness(–), 자궁경부 빨갛게 부어있음, 소량 출혈)**		
환자의 질문 또는 기타 특이사항				

대표증례-2

상황지침

27세 여자 이지민 씨가 질출혈이 있어 병원에 왔다.

[활력징후]

- 혈압 : 100/65mmHg
- 맥박 : 100회/분
- 호흡 : 20회/분
- 체온 : 36.7℃

응시자는 이 환자에게

- 증상과 관련된 병력을 청취하고,
- 증상과 관련된 적절한 신체진찰을 시행한 후
- 추정진단과 향후 진단계획 등에 대해 환자와 논의하시오.

해설

※ **감별진단** : 자궁외임신, 자궁근종

※ **진단계획/치료계획** : 전혈구검사, 응급 CT / 수액 · 수혈 치료, 응급 복강경수술

- 출혈이 주소인 환자에서는 어지러움/호흡곤란/두근거림을 통해 응급 상황을 감별하는 것이 중요합니다. 이런 경우 응급 검사를 시행할 것이며, 입원이 필요할 수 있음을 교육해야겠죠.
- 질출혈을 주소로 내원한 환자에서 임신가능성을 감별하기 위해 최근 성관계일과 마지막 월경일을 반드시 확인해야합니다.

시나리오

<table>
<tr><td>Sex/Age</td><td colspan="4">F/27</td></tr>
<tr><td>Chief Complaint</td><td colspan="4">질출혈이 있어요</td></tr>
<tr><td rowspan="9">Present illness</td><td>Location</td><td colspan="3">–</td></tr>
<tr><td>Onset</td><td colspan="3">2일 전</td></tr>
<tr><td>Situation</td><td colspan="3">–</td></tr>
<tr><td>Time</td><td colspan="3">지속적</td></tr>
<tr><td>Course</td><td colspan="3">점점 심해짐</td></tr>
<tr><td>Experience</td><td colspan="3">처음</td></tr>
<tr><td>Character</td><td colspan="3">출혈량 하루에 생리대 4개, 피는 선홍색, 분비물(–), 냄새(–)</td></tr>
<tr><td>Factors</td><td colspan="3">최근 성관계 3주 전</td></tr>
<tr><td>Associated symptoms</td><td colspan="3">어지러움/호흡곤란/두근거림(+/–/+), 하복부 통증(+, 왼쪽 아랫배), 월경과다/월경통/성교통/배뇨곤란/혈뇨(–/–/–/–/–)</td></tr>
<tr><td rowspan="5">Medical history</td><td>약물복용력</td><td colspan="3">피임약(–)</td></tr>
<tr><td>과거력</td><td colspan="3">DM/TBc/HTN/간질환(–/–/–/–)
건강검진 받아본 적 없음</td></tr>
<tr><td>외상/수술력</td><td colspan="3">외상(–), 수술력(–)</td></tr>
<tr><td>사회력</td><td colspan="3">회사원, 술(social), 담배(–)</td></tr>
<tr><td>가족력</td><td colspan="3">–</td></tr>
<tr><td rowspan="5">Menstrual history</td><td>산과력</td><td colspan="3">0-0-0-0</td></tr>
<tr><td>월경규칙성</td><td>평소 규칙적</td><td>월경 주기</td><td>28일</td></tr>
<tr><td>월경량</td><td colspan="3">보통</td></tr>
<tr><td>월경통</td><td colspan="3">보통</td></tr>
<tr><td>LMP</td><td colspan="3">40일 전</td></tr>
<tr><td rowspan="2">Physical exam</td><td>Vital sign</td><td colspan="3">100/65mmHg, 100회/분, 20회/분, 36.7℃</td></tr>
<tr><td>Positive findings</td><td colspan="3">복부 진찰 T/RT(+, 왼쪽 하복부/+), 골반 진찰(자궁목 정상, 자궁강 내 출혈 관찰됨)</td></tr>
<tr><td colspan="2">환자의 질문 또는 기타 특이사항</td><td colspan="3">입원해야 하나요?</td></tr>
</table>

대표증례 - 3

상황지침

36세 여자 신지효 씨가 임신 중 질 출혈이 있어 병원에 왔다.

[활력징후]

• 혈압 : 110/70mmHg	• 맥박 : 80회/분
• 호흡 : 18회/분	• 체온 : 36.7℃

응시자는 이 환자에게
- 증상과 관련된 병력을 청취하고,
- 증상과 관련된 적절한 신체진찰을 시행한 후
- 추정진단과 향후 진단계획 등에 대해 환자와 논의하시오.

해설

※ **감별진단** : 전치태반(Placenta previa), 태반 조기 박리

※ **진단계획/치료계획** : 복부 초음파, 태아 안녕 검사(NST) / 수액 · 수혈 치료, 제왕절개술

- 임신 후기에 발생한 질 출혈로 내원한 환자입니다. 임신 초기에 발생하는 질 출혈은 절박유산, 자궁 외 임신, 포상기태를 감별해야 하며 이후 후기에는 태반 조기 박리, 전치태반, 자궁 파열 등을 감별해야 합니다.
- 환자의 경우 무통성 질 출혈이라는 점에서 전치태반이 가장 적합한 것으로 보입니다. 하지만 기존 산전 진찰에서 이상 소견이 없었다는 점에서 전치태반의 가능성이 조금 떨어질 수도 있을 것 같습니다. 전치태반은 초음파 검사 상 90% 이상의 진단율을 보인다고 하네요. 태반 조기 박리의 경우 복부 통증을 동반한 출혈이라는 것이 전치태반과의 큰 감별점입니다.
- 좀 더 적극적인 관찰을 위해 입원 권유를 해도 좋습니다. 대기 치료 후 C/S으로 분만을 진행합니다.
- 외래 관찰 시에는 응급상황에 대한 설명을 하시고 출혈이 다시 있을 때에는 즉시 병원에 내원해야 한다는 교육을 해야 됩니다.

시나리오

<table>
<tr><td>Sex/Age</td><td colspan="4">F/36</td></tr>
<tr><td>Chief Complaint</td><td colspan="4">질출혈이 있어요</td></tr>
<tr><td rowspan="9">Present illness</td><td>Location</td><td colspan="3">–</td></tr>
<tr><td>Onset</td><td colspan="3">1시간 전</td></tr>
<tr><td>Situation</td><td colspan="3">소변 보다가 발견</td></tr>
<tr><td>Time</td><td colspan="3">–</td></tr>
<tr><td>Course</td><td colspan="3">–</td></tr>
<tr><td>Experience</td><td colspan="3">처음</td></tr>
<tr><td>Character</td><td colspan="3">변기에 피가 번짐, 피는 선홍색, 분비물(–), 냄새(–)</td></tr>
<tr><td>Factors</td><td colspan="3">현재 임신 30주</td></tr>
<tr><td>Associated symptoms</td><td colspan="3">어지러움/호흡곤란/두근거림(+/–/–), 하복부 통증(+), 월경과다/월경통/성교통/배뇨곤란/혈뇨(–/–/–/–/–)</td></tr>
<tr><td rowspan="5">Medical history</td><td>약물복용력</td><td colspan="3">피임약(–)</td></tr>
<tr><td>과거력</td><td colspan="3">DM/TBc/HTN/간질환(–/–/–/+, HBV 보균자), 임신관련질환(–)
산전진찰 스케줄 대로 받고 있음</td></tr>
<tr><td>외상/수술력</td><td colspan="3">외상(–), 수술력(–)</td></tr>
<tr><td>사회력</td><td colspan="3">가정주부, 술(–), 담배(–)</td></tr>
<tr><td>가족력</td><td colspan="3">–</td></tr>
<tr><td rowspan="5">Menstrual history</td><td>산과력</td><td colspan="3">2-0-2-2, 두 번 다 제왕절개, 2번 인공유산</td></tr>
<tr><td>월경규칙성</td><td>평소 규칙적</td><td>월경 주기</td><td>28일</td></tr>
<tr><td>월경량</td><td colspan="3">보통</td></tr>
<tr><td>월경통</td><td colspan="3">보통</td></tr>
<tr><td>LMP</td><td colspan="3">2월 15일</td></tr>
<tr><td rowspan="2">Physical exam</td><td>Vital sign</td><td colspan="3">110/70mmHg, 80회/분, 18회/분, 36.7℃</td></tr>
<tr><td>Positive findings</td><td colspan="3">Leopold 정상, 복부검진 정상, 초음파 소견 없음, 전치태반 시 내진 금기여서 외부 생식기 진찰 시행하면 결과지 줌(질, 자궁경부 출혈 소견은 보이지 않고 붉은 피가 굳어 있는 소견), 갑상샘 정상</td></tr>
<tr><td colspan="2">환자의 질문 또는 기타 특이사항</td><td colspan="3"></td></tr>
</table>

관련증례

29-2-1 24세 여자가 질출혈로 왔다. 질출혈은 일주일 전에 시작되었고, 이전에도 비슷한 증상을 경험한 적이 있었다. 출혈량은 소량으로 하루 1개의 생리대를 사용할 정도였고, 다른 동반 증상은 없었다. 평소 월경 주기가 불규칙하였으며, 기간과 양도 일정하지 않은 편이었다. 최종 월경시작일은 50일 전이었다.

> 활력징후는 혈압 120/80mmHg, 맥박 65회/분, 호흡수 20회/분, 체온 36.7℃이었다. 키 158cm, 체중 70kg이었으며, 윗팔, 가슴과 등에 털이 많이 있었다. 성 경험을 부정하여 골반 진찰은 시행하지 않았다.

Answer | 29-2-1. PCOS

Check-list

	병력청취 채점항목	예	아니오
1	질출혈이 언제부터 심해졌는지 물어보았다.	☐	☐
2	질출혈의 양상에 대하여 물어보았다(양, 색깔, 냄새, 분비물동반).	☐	☐
3	외음부의 가려움증이나 화끈거림, 소변볼 때 불편감, 질출혈, 복통 등의 동반증상이 있는지 물어보았다	☐	☐
4	성관계와 관련이 있는지 물어봤다.	☐	☐
5	발열, 구역/구토, 식욕저하, 피로 등의 전신증상을 동반하는지 물어보았다.	☐	☐
6	발생 가능한 응급상황에 대해 물어보았다.	☐	☐
7	평소 월경력이나 산과력, 피임방법, 임신가능성에 대하여 물어보았다.	☐	☐
8	예전에도 이런 적이 있었는지 물어보았다.	☐	☐
9	산부인과적 질환을 포함한 질병력에 대하여 물어보았다.	☐	☐

	신체진찰 채점항목	제대로 함	제대로 못함	하지 않음
1	신체진찰에 대한 목적과 방법을 설명하고 동의를 구하였다.	☐	☐	☐
2	복부 진찰을 시행하고 하복부 압통을 확인하였다.	☐	☐	☐
3	골반 진찰에 대해 설명하고 동의를 구하였다.	☐	☐	☐
4	골반 진찰 및 내진을 시행하였다.	☐	☐	☐

	환자교육 채점항목	예	아니오
1	추가 검사의 필요성에 대해 설명하였다.	☐	☐
2	검사 결과에 따른 치료법이나 수술 가능성에 대해 설명하였다.	☐	☐
3	임산부의 경우 유산, 조산의 위험성을 설명하였다.	☐	☐
4	정기적인 자궁경부세포 검사를 권고하였다.	☐	☐

	환자의사관계 채점항목	아주우수	우수	보통	미흡
1	효율적으로 잘 물어보았다. – 효율적 질문 : 개방형 질문 사용, 확인, 중간 요약 – 피할 질문 : 유도 질문, 복수 질문	☐	☐	☐	☐
2	나의 말을 잘 들어주었다. – 대꾸하기, 경청 자세, 눈 맞춤 & 말 가로채지 않기	☐	☐	☐	☐
3	나의 입장을 이해하려고 노력하였다. – 공감 표현, 나의 입장 파악	☐	☐	☐	☐
4	환자가 이해하기 쉽게 설명하였다. – 간단명료함, 이해도 점검, 질문 기회 & 쉬운 용어	☐	☐	☐	☐
5	나와 좋은 유대 관계를 형성하려고 했다. – 자기소개, 일상 대화, 존중, 자신감 & 신뢰감	☐	☐	☐	☐

30 산전 진찰

대표증례-1

상황지침

34세 여자 최현정 씨가 임신 중 소변 검사에서 당이 나와서 왔다.

[활력징후]

- 혈압 : 120/75mmHg
- 맥박 : 73회/분
- 호흡 : 17회/분
- 체온 : 37.0℃
- 요당 : ++

응시자는 이 환자에게

- 증상과 관련된 병력을 청취하고,
- 분만예정일을 계산하여 알려주고,
- 환자에게 필요한 산전 진찰을 시행한 후,
- 향후 산전 관리와 계획 등에 대해 환자와 논의하시오.

해설

※ **감별진단** : 임신성 당뇨병(Gestational diabetes mellitus), 정상 임신

※ **진단계획/치료계획** : 50g 경구당부하 검사, HbA1c 측정 / 재검, 인슐린 주사치료

- 임신성 당뇨의 합병증, 오늘 할 검사, 앞으로의 산전 진찰 계획을 설명해드리면 됩니다.
- 식사/운동 잘 하도록 교육하는 것이 좋겠죠.

시나리오

<table>
<tr><td>Sex/Age</td><td colspan="4">F/34</td></tr>
<tr><td>Chief Complaint</td><td colspan="4">소변에서 당이 나왔다고 들었어요</td></tr>
<tr><td rowspan="9">Present illness</td><td>Location</td><td colspan="3">–</td></tr>
<tr><td>Onset</td><td colspan="3">4~5일 전(건강검진)</td></tr>
<tr><td>Situation</td><td colspan="3">–</td></tr>
<tr><td>Time</td><td colspan="3">현재 임신 7개월, 출산예정일 12월 27일</td></tr>
<tr><td>Course</td><td colspan="3">–</td></tr>
<tr><td>Experience</td><td colspan="3">처음</td></tr>
<tr><td>Character</td><td colspan="3">키 165cm, 체중 60kg, 남편과 본인 둘 다 Rh+형</td></tr>
<tr><td>Factors</td><td colspan="3">–</td></tr>
<tr><td>Associated symptoms</td><td colspan="3">복통/질출혈/두통/시야장애(–/–/–/–), 태동감소/양막파수/경련/발열(–/–/–/–), 다음/다뇨/빈뇨(+/+/+), 부종(+, 오래 서있으면 다리가 잘 부음), 풍진/B형간염 예방접종(+/+)</td></tr>
<tr><td rowspan="5">Medical history</td><td>약물복용력</td><td colspan="3">임신 이후 4개월까지 엽산 복용, 현재 철분 복용 중</td></tr>
<tr><td>과거력</td><td colspan="3">DM/TBc/HTN/간질환(–/–/–/–), 산부인과질환(–)
5개월까지는 산전 진찰 꾸준히 받았고 이상 소견(–), 이후 바빠서 산전 진찰 못 받음</td></tr>
<tr><td>외상/수술력</td><td colspan="3">외상(–), 수술력(–)</td></tr>
<tr><td>사회력</td><td colspan="3">휴직, 술·담배(–), 커피(–)</td></tr>
<tr><td>가족력</td><td colspan="3">어머니 2년 전 당뇨, 가족 중에 유전병 없음</td></tr>
<tr><td rowspan="5">Menstrual history</td><td>산과력</td><td colspan="3">0-0-0-0</td></tr>
<tr><td>월경규칙성</td><td>규칙적</td><td>월경 주기</td><td>28일</td></tr>
<tr><td>월경량</td><td colspan="3">보통</td></tr>
<tr><td>월경통</td><td colspan="3">보통</td></tr>
<tr><td>LMP</td><td colspan="3">3월 20일</td></tr>
<tr><td rowspan="2">Physical exam</td><td>Vital sign</td><td colspan="3">120/75mmHg, 73회/분, 17회/분, 37.0℃</td></tr>
<tr><td>Positive findings</td><td colspan="3">레오폴드, 내진 모두 정상, 초음파 검사를 하고 왔는데 정상이라고 했음, 갑상샘 정상</td></tr>
<tr><td colspan="2">환자의 질문 또는 기타 특이사항</td><td colspan="3"></td></tr>
</table>

대표증례-2

상황지침

30세 여자 김다현씨가 임신 중 질분비물이 흘러 내원하였다.

[활력징후]

• 혈압 : 120/70mmHg	• 맥박 : 90회/분
• 호흡 : 18회/분	• 체온 : 36.8℃

응시자는 이 환자에게

- 증상과 관련된 병력을 청취하고,
- 분만예정일을 계산하여 알려주고,
- 환자에게 필요한 산전 진찰을 시행한 후,
- 향후 산전 관리와 계획 등에 대해 환자와 논의하시오.

해설

※ **감별진단** : 조기 양막 파수(PPROM), 태아 감염

※ **진단계획/치료계획** : Nitrazine test, 질 초음파 / Corticosteroid, 예방적 항생제

- 임신 후기에 질에서 맑은 분비물이 나와서 내원한 환자입니다. 양막이 조기에 파열되어 양수가 새어나오는 조기 양막 파수가 발생했을 가능성을 고려해야 합니다. 특히 이 환자 같은 경우는 posterior fornix에 액체가 고여 있기 때문에 이미 양수가 새어나왔을 가능성이 높습니다. 이를 감별해내기 위해 Nitrazine test를 실시하고 혹시라도 태아에 문제는 없는지 확인하기 위해 태아 안녕 검사, 초음파 검사를 시행하면 되겠습니다. 또한 이전에 PID(Pelvic inflammatory disease) history가 있었기 때문에 태아 감염도 완전히 배제할 수는 없습니다.
- PPROM 환자의 경우 일반적으로 입원을 한 후에 자궁수축 및 태아의 움직임의 주의 깊은 관찰을 요합니다. 또한 임신 30주에는 태아의 폐성숙이 덜 이루어졌기 때문에 폐 성숙이 이루어진 다음인 34주 이후의 분만을 목표로 잡아야 합니다. 동시에 폐성숙을 촉진하는 corticosteroid를 투여합니다. 또한 양막이 파수되면 사슬알균 등의 감염을 통해 융모양막염(Chorioamnionitis)같은 감염이 발생하기 쉬우므로 예방을 위해 예방적 항생제를 투여하는 것도 잊지 말아야 합니다.

시나리오

<table>
<tr><td>Sex/Age</td><td colspan="4">F/30</td></tr>
<tr><td>Chief Complaint</td><td colspan="4">질에서 맑은 분비물이 나와요</td></tr>
<tr><td rowspan="10">Present illness</td><td>Location</td><td colspan="3">–</td></tr>
<tr><td>Onset</td><td colspan="3">3시간 전(새벽 6시)</td></tr>
<tr><td>Situation</td><td colspan="3">–</td></tr>
<tr><td>Time</td><td colspan="3">현재 임신 28주, 출산예정일 11월 10일(확실하진 않다고 함)</td></tr>
<tr><td>Course</td><td colspan="3">–</td></tr>
<tr><td>Experience</td><td colspan="3">처음</td></tr>
<tr><td>Character</td><td colspan="3">키 160cm, 체중 58kg
Rh+O형(남편 B형), 계획된 임신</td></tr>
<tr><td>Factors</td><td colspan="3">–</td></tr>
<tr><td>Associated symptoms</td><td colspan="3">예방접종(all +), 식욕저하/구역/구토(–/–/–), 하복부 불편감(–), 하지부종(–), 발열/오한(–/–), 호흡곤란(–), 체중변화(–), 질출혈/분비물(–/+, 물 같은 액체), 두통/시야장애(–/–), 다음/다뇨/거품뇨(–/–/–)</td></tr>
<tr><td colspan="4"></td></tr>
<tr><td rowspan="5">Medical history</td><td>약물복용력</td><td colspan="3">엽산, 철분 잘 복용하였음, 비타민제도 먹음</td></tr>
<tr><td>과거력</td><td colspan="3">DM/TBc/HTN/간질환(–/–/–/–), 산부인과질환(+, 임신 전 PID 있었고 지금은 모두 치료), 갑상샘 질환(–), 선천기형/유전질환(–/–)
지난 달 전까지 꾸준히 산전 진찰 받음, 정상</td></tr>
<tr><td>외상/수술력</td><td colspan="3">외상(–), 수술력(–)</td></tr>
<tr><td>사회력</td><td colspan="3">가정주부, 술(–), 담배(–)</td></tr>
<tr><td>가족력</td><td colspan="3">어머니 자궁근종으로 치료받고 있음</td></tr>
<tr><td rowspan="5">Menstrual history</td><td>산과력</td><td colspan="3">1-0-0-1, 첫째 아이 자연분만, 지금이 두 번째 임신</td></tr>
<tr><td>월경규칙성</td><td>규칙적</td><td>월경 주기</td><td>28일</td></tr>
<tr><td>월경량</td><td colspan="3">보통</td></tr>
<tr><td>월경통</td><td colspan="3">보통</td></tr>
<tr><td>LMP</td><td colspan="3">2월 말</td></tr>
<tr><td rowspan="2">Physical exam</td><td>Vital sign</td><td colspan="3">120/75mmHg, 90회/분, 20회/분, 36.7℃</td></tr>
<tr><td>Positive findings</td><td colspan="3">Leopold 정상, 복부검진 정상, 초음파 소견 없음, 골반 내진(자궁경부에서 맑은 물이 흐르고 또한 맑은 액체가 posterior fornix에 고여있음, 기침하면 경부에서 물 흐르는 것이 보임), 갑상샘 정상</td></tr>
<tr><td colspan="2">환자의 질문 또는 기타 특이사항</td><td colspan="3">아이한테 이상이 생긴 것 아닌가요?</td></tr>
</table>

대표증례 – 3

상황지침

32세 여자 박혜리 씨가 임신 중 혈압이 높고 소변 알부민이 나와서 왔다.

[활력징후]

- 혈압 : 150/100mmHg
- 맥박 : 77회/분
- 호흡 : 18회/분
- 체온 : 36.5℃

응시자는 이 환자에게

- 증상과 관련된 병력을 청취하고,
- 분만예정일을 계산하여 알려주고,
- 환자에게 필요한 산전 진찰을 시행한 후,
- 향후 산전 관리와 계획 등에 대해 환자와 논의하시오.

해설

※ **감별진단** : 전자간증, 임신성 고혈압

※ **진단계획/치료계획** : 복부 초음파, 소변 검사 / 교육

- 임신 중 산전 진찰에서 고혈압이 발견되어 온 case입니다. 우선 임신 중 생길 수 있는 고혈압의 종류와 각각의 정의를 확실히 알고 계셔야 합니다.
- 산전 진찰 시마다 검사할 항목, 임신 주수에 맞는 검사 방법 역시 시행하였는지를 물어보아야 합니다.
- 임신 중 언제라도 두통, 시야장애, 질출혈, 양막파수로 인하여 질에서 물 같은 액체가 나오거나 태동의 감소가 있다면 즉시 병원을 찾아오라고 교육하는 것도 중요합니다.

시나리오

<table>
<tr><td>Sex/Age</td><td colspan="4">F/32</td></tr>
<tr><td>Chief Complaint</td><td colspan="4">검진에서 혈압이 높고 소변 알부민이 나왔어요</td></tr>
<tr><td rowspan="10">Present illness</td><td>Location</td><td colspan="3">–</td></tr>
<tr><td>Onset</td><td colspan="3">2일 전 산전 진찰</td></tr>
<tr><td>Situation</td><td colspan="3">–</td></tr>
<tr><td>Time</td><td colspan="3">현재 임신 30주, 출산예정일 12월 30일</td></tr>
<tr><td>Course</td><td colspan="3">–</td></tr>
<tr><td>Experience</td><td colspan="3">처음</td></tr>
<tr><td>Character</td><td colspan="3">키 158cm, 체중 58kg(임신 전보다 10kg 증가), 남편과 본인 둘 다 Rh+형</td></tr>
<tr><td>Factors</td><td colspan="3">–</td></tr>
<tr><td>Associated symptoms</td><td colspan="3">출혈/두통/시야장애(–/–/–), 예방접종 다 맞음, 태동감소/양막파수/경련/발열(–/–/–/–), 호흡기 증상(–), 다음/다뇨/빈뇨(–/–/–), 부종(+, 오래 서 있으면 다리가 잘 부음)</td></tr>
<tr><td style="display:none"></td></tr>
<tr><td rowspan="5">Medical history</td><td>약물복용력</td><td colspan="3">임신 4개월까지 엽산, 지금은 철분제 복용 중</td></tr>
<tr><td>과거력</td><td colspan="3">DM/TBc/HTN/간질환(–/–/+/–), 둘째 임신 시 고혈압(+, 출산 후 1주 내에 정상화), 산부인과 병력(–), 태아질환(–), 유전질환/선천기형(–/–), 갑상샘 질환(–)
4개월까지는 산전 진찰 꾸준히 받았고 이상(–), 이후로 일이 바빠서 검사 못 받음, 2일 전 산전진찰에서 고혈압과 요중 알부민</td></tr>
<tr><td>외상/수술력</td><td colspan="3">외상(–), 수술력(–)</td></tr>
<tr><td>사회력</td><td colspan="3">가정주부, 술(–), 담배(–)</td></tr>
<tr><td>가족력</td><td colspan="3">–</td></tr>
<tr><td rowspan="5">Menstrual history</td><td>산과력</td><td colspan="3">2-1-0-2</td></tr>
<tr><td>월경규칙성</td><td>규칙적</td><td>월경 주기</td><td>28일</td></tr>
<tr><td>월경량</td><td colspan="3">보통</td></tr>
<tr><td>월경통</td><td colspan="3">보통</td></tr>
<tr><td>LMP</td><td colspan="3">3월 23일</td></tr>
<tr><td rowspan="2">Physical exam</td><td>Vital sign</td><td colspan="3">150/100mmHg, 77회/분, 18회/분, 36.5℃</td></tr>
<tr><td>Positive findings</td><td colspan="3">레오폴드 내진 모두 정상, 갑상샘 정상, 초음파 검사를 하고 왔는데 정상이라고 했음, 안저 검사 정상, 골반내진(자궁 개대/소실/양막파수(–/–/–), 하강도 –2)</td></tr>
<tr><td colspan="2">환자의 질문 또는 기타 특이사항</td><td colspan="3"></td></tr>
</table>

대표증례 - 4

상황지침

32세 여자 박아영 씨가 산전 진찰을 위해 병원에 왔다.

[활력징후]

• 혈압 : 114/72mmHg	• 맥박 : 86회/분
• 호흡 : 18회/분	• 체온 : 36.2℃

응시자는 이 환자에게

- 병력을 청취하고,
- 분만예정일을 계산하여 알려주고,
- 환자에게 필요한 산전 진찰을 시행한 후,
- 향후 산전 관리와 계획 등에 대해 환자와 논의하시오.

해설

※ **감별진단** : 정상 임신

※ **진단계획/치료계획** : 일반 혈액 검사, 소변 검사, 자궁 경부 펴바름 검사, 복부 초음파

- GA 5주 산모가 병원에 처음 온 case입니다. 이상이 있어서 오신 case분들도 많지만 위와 같이 정기적인 산전 진찰을 위해 오신 분들도 많습니다. 특히 임신 5주로 초기이므로 교육할 때 주수마다 어떤 검사가 진행될 것이며 언제마다 한 번씩 병원에 와야 되는지 등을 상세히 알려드려야 합니다.
- 위 환자분은 예전에 절박유산을 한 분으로 유산에 대한 두려움이 크십니다. 그래서 교육 시에 유산에 대한 안심 및 추가적인 설명을 덧붙여 해드리면 PPI를 쌓는 데 도움이 되겠죠?
- 추가적인 검사뿐 아니라 임신 중에 시야장애, 두통, 복통, 질 출혈이나 질에서 물 같은 액체가 나오거나 태동의 감소 등의 증상이 있다면 지체 말고 병원에 찾아오시라고 하는 것이 좋을 것 같습니다.
- 위의 case는 임신 초기이므로 레오폴드 수기는 필요하지 않습니다.
- CPX에서 환자의사관계인 PPI를 제외한 병력청취, 신체진찰, 환자교육에 대한 배점은 주제마다 다 다릅니다. 위의 산전 진찰은 교육이 중요하기 때문에 본 책의 해설이나 다른 산과 참고도서를 이용하여 충분히 내용숙지를 하시는 것이 좋을 것 같습니다.

시나리오

Sex/Age	F/32	
Chief Complaint	임신 키트 보고 병원에 내원함	
Present illness	Location	–
	Onset	4일 전 임신 소변 키트로 확인
	Situation	–
	Time	현재 임신 30주, 출산예정일 12월 30일
	Course	–
	Experience	유산 이후 처음
	Character	키 164cm, 체중 53kg Rh+O형(남편 AB형), 계획된 임신
	Factors	식이 평범, 운동(–)
	Associated symptoms	예방접종(all +), 식욕저하/구역/구토(–/–/–), 하복통(–), 하지부종(–), 발열/오한(–/–), 체중변화(–), 질출혈/두통/시야장애(–/–/–), 비뇨기계 증상(–)
Medical history	약물복용력	먹는 약 전혀 없음(엽산도 안 먹음)
	과거력	DM/TBc/HTN/간질환(–/–/–/–), 산부인과질환(–), 갑상샘 질환(–), 간질(–), 선천기형/유전질환(–/–)
	외상/수술력	**유산(+, 2년 전 임신 때 임신 8주경에 유산)**
	사회력	소설작가, 술(–), 담배(–)
	가족력	당뇨/고혈압/갑상샘질환/간질(–/–/–/–), 선천기형/유전질환(–/–)
Menstrual history	산과력	0-0-1-0, 두 번째 임신이며 과거 임신 8주에 유산, 오늘 처음 검사
	월경규칙성	규칙적 | 월경 주기 | 28일
	월경량	보통
	월경통	보통
	LMP	3월 23일
Physical exam	Vital sign	114/72mmHg, 86회/분, 18회/분, 36.2℃
	Positive findings	초음파, 골반 검사 모두 정상, DRE(–), 갑상샘 정상, 사지부종(–)
환자의 질문 또는 기타 특이사항	제가 예전에 유산했었는데 또 유산하면 어떻게 하죠?	

대표증례 – 5

상황지침

31세 여자 임시현 씨가 배가 아파서 병원에 왔다.

[활력징후]

- 혈압 : 110/70mmHg
- 맥박 : 90회/분
- 호흡 : 18회/분
- 체온 : 36.2℃

응시자는 이 환자에게
- 병력을 청취하고,
- 분만예정일을 계산하여 알려주고,
- 환자에게 필요한 산전 진찰을 시행한 후,
- 향후 산전 관리와 계획 등에 대해 환자와 논의하시오.

해설

※ **감별진단** : 정상 임신

※ **진단계획/치료계획** : Nitrazine test, 복부 초음파 / 정상 분만

- GA 38주 산모이고, 규칙적인 복부 통증과 맑은 질분비물을 호소하고 있습니다. 골반 내진상 자궁경부 3~4cm 개대 상태이므로 분만실에 입원하여 정상 분만 진행하면 되겠습니다.
- 추가적인 검사뿐 아니라 임신 중에 시야장애, 두통, 복통, 질 출혈이나 태동의 감소 등의 증상이 있다면 지체 말고 병원에 알리라고 하는 것이 중요합니다.

시나리오

<table>
<tr><td>Sex/Age</td><td colspan="4">F/31</td></tr>
<tr><td>Chief Complaint</td><td colspan="4">배가 아파요</td></tr>
<tr><td rowspan="10">Present illness</td><td>Location</td><td colspan="3">–</td></tr>
<tr><td>Onset</td><td colspan="3">3일 전부터</td></tr>
<tr><td>Situation</td><td colspan="3">–</td></tr>
<tr><td>Time</td><td colspan="3">현재 임신 38주, 출산예정일 9월 20일, 복통 10분에 한 번 30초 지속</td></tr>
<tr><td>Course</td><td colspan="3">복통 간격 짧아지고 더 심해짐</td></tr>
<tr><td>Experience</td><td colspan="3">첫 임신</td></tr>
<tr><td>Character</td><td colspan="3">키 161cm, 체중 68kg, 임신하고 총 13kg 증가
복부 통증 VAS 3점, 계획된 임신</td></tr>
<tr><td>Factors</td><td colspan="3">식이 평범, 운동(–)</td></tr>
<tr><td>Associated symptoms</td><td colspan="3">예방접종(all +), 식욕저하/구역/구토(–/–/–), 하복통(–), 하지부종(–), 발열/오한(–/–), 체중변화(–), 질출혈/두통/시야장애(–/–/–), 비뇨기계 증상(–), 질분비물(맑고 투명, 묻어나옴)</td></tr>
<tr><td>약물복용력</td><td colspan="3">철분제(+), 엽산(+, 임신 4개월까지)</td></tr>
<tr><td rowspan="5">Medical history</td><td>과거력</td><td colspan="3">DM/TBc/HTN/간질환(–/–/–/–), 산부인과질환(–), 갑상샘 질환(–), 간질(–), 선천기형/유전질환(–/–)
이전 산전진찰 주기적, 정상(마지막 진찰 저번 주)</td></tr>
<tr><td>외상/수술력</td><td colspan="3">10년 전 맹장 수술</td></tr>
<tr><td>사회력</td><td colspan="3">가정주부, 술(–), 담배(–)</td></tr>
<tr><td>가족력</td><td colspan="3">당뇨/고혈압/갑상샘질환/간질(–/+, 아버지/–/–), 선천기형/유전질환(–/–)</td></tr>
<tr><td>산과력</td><td colspan="3">0-0-0-0</td></tr>
<tr><td rowspan="4">Menstrual history</td><td>월경규칙성</td><td>규칙적</td><td>월경 주기</td><td>28일</td></tr>
<tr><td>월경량</td><td colspan="3">보통</td></tr>
<tr><td>월경통</td><td colspan="3">보통</td></tr>
<tr><td>LMP</td><td colspan="3">작년 12월 초</td></tr>
<tr><td rowspan="2">Physical exam</td><td>Vital sign</td><td colspan="3">110/70mmHg, 90회/분, 18회/분, 36.2℃</td></tr>
<tr><td>Positive findings</td><td colspan="3">초음파 정상, 골반 내진 상 자궁경부 3~4cm 개대, 자궁경부에서 맑은 물이 흘러나오고 있음, DRE(–), 갑상샘 정상, 사지부종(–)</td></tr>
<tr><td colspan="2">환자의 질문 또는 기타 특이사항</td><td colspan="3"></td></tr>
</table>

대표증례-6

상황지침

32세 여자 진수정씨가 산전진찰을 받으러 병원에 왔다.

[활력징후]

• 혈압 : 160/110mmHg	• 맥박 : 70회/분
• 호흡 : 18회/분	• 체온 : 36.2℃

응시자는 이 환자에게
- 병력을 청취하고,
- 분만예정일을 계산하여 알려주고,
- 환자에게 필요한 산전 진찰을 시행한 후,
- 향후 산전 관리와 계획 등에 대해 환자와 논의하시오.

해설

※ **감별진단** : 전자간증

※ **진단계획/치료계획** : 혈압 재검, 소변 검사, 간기능검사, 비수축검사, 복부초음파 / 항고혈압제 or 분만

- GA 34주 산모가 정기적 진찰로 온 case입니다. 이상이 있어서 오신 case분들도 많지만 위와 같이 정기적인 산전 진찰을 위해 오신 분들도 많습니다. 시험관 아기로 어렵게 얻은 아이이므로 검사의 필요성과 결과에 대해 자세하게 설명하고 안심시키는 것이 PPI에 중요하겠습니다.
- 혈압이 160/100mmHg으로, 중증 전자간증에 해당하는 환자입니다. 다만, 이전 산전진찰에서 정상이었으므로 혈압 측정에 오류가 있었을 가능성을 생각해 혈압 검사 재검이 필요하겠습니다. 만약 중증 전자간증에 해당하는 경우 즉시 분만하거나 항고혈압제 사용을 고려할 수 있습니다.
- 추가적인 검사뿐 아니라 임신 중에 시야장애, 두통, 복통, 질 출혈이나 질에서 물 같은 액체가 나오거나 태동의 감소 등의 증상이 있다면 지체 말고 병원에 찾아오시라고 하는 것이 좋을 것 같습니다.

시나리오

Sex/Age		F/32		
Chief Complaint		산전진찰 받으러 왔어요		
Present illness	Location	–		
	Onset	–		
	Situation	–		
	Time	현재 임신 34주, 출산예정일 12월 12일		
	Course	–		
	Experience	첫 임신		
	Character	계획된 임신		
	Factors	식이 평범, 운동(–)		
	Associated symptoms	예방접종(all +), 식욕저하/구역/구토(–/–/–), 하복통(–), **하지부종(+)**, 발열/오한(–/–), 체중변화(–), 질출혈/**두통**/시야장애(–/**+**/–), 비뇨기계 증상(–), **태동감소(+)**		
Medical history	약물복용력	철분제(+), 엽산제(+)		
	과거력	DM/TBc/HTN/간질환(–/–/–/–), 산부인과질환(–), 갑상샘 질환(–), 간질(–), 선천기형/유전질환(–/–) 이전 산전진찰 주기적, 정상(마지막 진찰 저번 주)		
	외상/수술력	외상(–)/수술력(–)		
	사회력	가정주부, 술(–), 담배(–)		
	가족력	당뇨/고혈압/갑상샘질환/간질(–/–/–/–), 선천기형/유전질환(–/–)		
Menstrual history	산과력	0-0-0-0		
	월경규칙성	규치저	월경 주기	28일
	월경량	보통		
	월경통	보통		
	LMP	3월 초		
Physical exam	Vital sign	**160/100mmHg**, 70회/분, 18회/분, 36.2℃		
	Positive findings	골반 내진 정상, DRE(–)		
환자의 질문 또는 기타 특이사항		아이는 괜찮은가요?		

관련증례

30-1 30세 여자가 배가 아프다며 왔다. 현재 임신 30주이며 1일 전 밤 10시부터 아랫배가 주기적으로 아팠다 안 아팠다 한다고 하였다. 잠이 들었다가 새벽 5시에 아파서 깨어났다고 하였다. 10초 정도 아팠다 10분 정도 안 아프고 아랫배가 전체적으로 아프다고 하였다. 특별히 평소와 다른 음식을 먹지 않았다고 하였다. 팬티에 소량의 출혈이 묻어 나왔으나 배뇨통이나 불편한 소변증상은 없었다. 구역, 구토, 설사, 변비, 혈변은 없었다. 작년에 골반감염으로 입원하여 치료한 적이 있다고 하였다. 이번이 첫 임신으로 엽산과 철분제를 복용 중이며 산전 진찰 상 산모와 아기 모두 이상이 없다 들었다고 하였다. 고등학교 영어교사로 술·담배는 안 한다고 하였다.

활력징후는 혈압 120/78mmHg, 맥박 69회/분, 호흡수 20회/분, 체온 36.7℃이었다. 골반내진 시 자궁 경부 1cm 개대되어 있고 80% 소실되어 있으며 양막은 파수되지 않았다. Station은 −2였다. 초음파 소견은 정상이었다.

Answer | 30-1. 조기진통

Check-list

	병력청취 채점항목	예	아니오
1	마지막 월경일과 임신반응 검사를 확인하였다.	☐	☐
2	분만예정일을 계산하였다.	☐	☐
3	산모의 내/외과적 질환력에 대하여 물어보았다.	☐	☐
4	산과력 및 이전 분만방법을 확인하였다.	☐	☐
5	현재 동반되는 증상이 있는지 물어보았다(두통, 부종, 복통, 질분비물/질출혈 등).	☐	☐
6	복용중인 약물(철분제, 엽산제 포함)에 대하여 물어보았다.	☐	☐
7	가족력을 확인하였다.	☐	☐

	신체진찰 채점항목	제대로 함	제대로 못함	하지 않음
1	임신 주수에 맞는 검사를 시행하였다.	☐	☐	☐
2	출혈, 질 분비물의 유무를 확인하였다.	☐	☐	☐
3	복부 진찰 및 골반 진찰(내진)을 시행하였다(레오폴드 maneuver).	☐	☐	☐
4	도플러를 사용해 태아의 심박수를 확인하였다.	☐	☐	☐
5	복부/질 초음파를 시행하였다.	☐	☐	☐

	환자교육 채점항목	예	아니오
1	임신 주수 및 진찰 결과를 설명하였다.	☐	☐
2	정기적인 산전 진찰의 중요성과 주기 및 계획을 설명하였다.	☐	☐
3	임신 중 필요한 영양섭취 및 관리에 대하여 교육하였다.	☐	☐
4	즉시 내원해야 할 위험증상/징후에 대하여 설명하였다.	☐	☐

	환자의사관계 채점항목	아주우수	우수	보통	미흡
1	효율적으로 잘 물어보았다. - 효율적 질문 : 개방형 질문 사용, 확인, 중간 요약 - 피할 질문 : 유도 질문, 복수 질문	☐	☐	☐	☐
2	나의 말을 잘 들어주었다. - 대꾸하기, 경청 자세, 눈 맞춤 & 말 가로채지 않기	☐	☐	☐	☐
3	나의 입장을 이해하려고 노력하였다. - 공감 표현, 나의 입장 파악	☐	☐	☐	☐
4	환자가 이해하기 쉽게 설명하였다. - 간단명료함, 이해도 점검, 질문 기회 & 쉬운 용어	☐	☐	☐	☐
5	나와 좋은 유대 관계를 형성하려고 했다. - 자기소개, 일상 대화, 존중, 자신감 & 신뢰감	☐	☐	☐	☐

31-1 성장 지연

대표증례-1

상황지침

14세 남아 정율우의 엄마가 아이가 키가 작아서 병원에 왔다.

[활력징후]

• 혈압 : 100/60mmHg	• 맥박 : 90회/분
• 호흡 : 26회/분	• 체온 : 36.7℃

응시자는 이 환자에게
- 증상과 관련된 병력을 청취하고,
- 성장발달곡선을 이용하여 체중과 신장을 평가하고,
- 육아상담을 실시하시오.

해설

※ **감별진단** : 체질성 성장지연, 가족성 저신장
※ **진단계획/치료계획** : 손목 X-ray, 혈중 성장 호르몬 농도 / 안심, 교육

• 청소년 주제도 나올 수 있다는 것을 생각해두세요. 병력청취에서도 14세의 나이에 맞게 교우관계, 골연령, 이차성징 여부, 키나 몸무게의 성장속도 등을 물어 보는 것이 좋을 것 같습니다.
• 어머니와 아버지의 키를 통하여 예상키를 도출해내는 식을 미리 암기해가면 교육 시 좋겠죠? 식은 남자 : (아버지 키 + 어머니 키 + 13) / 2, 여자 : (아버지 키 + 어머니 키 − 13) / 2입니다. 예상키를 말씀드리면서 예상키는 절대적인 것이 아니라 주변 환경이나 영양 상태에 따라 변할 수도 있음을 항상 말씀드려야 합니다.
• 환자분이 호르몬 치료를 언급하십니다. 이때 환자분에게 가족성 저신장이나 체질성 성장지연은 호르몬 부족으로 생기는 것이 아님을 알려드리고 호르몬 치료가 불필요함을 친절하게 설명해 드리면 좋겠습니다.

시나리오

<table>
<tr><td>Sex/Age</td><td colspan="2">M/14</td></tr>
<tr><td>Chief Complaint</td><td colspan="2">또래보다 키가 작아요</td></tr>
<tr><td rowspan="10">Present illness</td><td>생년월일</td><td>만 14세</td></tr>
<tr><td>Location</td><td>–</td></tr>
<tr><td>Onset</td><td>어렸을 때부터</td></tr>
<tr><td>Situation</td><td>–</td></tr>
<tr><td>Time</td><td>–</td></tr>
<tr><td>Course/
Experience</td><td>지속적으로 키가 작음</td></tr>
<tr><td>Character</td><td>[출생시] 38주, 3.2kg, 47cm, 자연분만
[현 재] 키 145cm(3p), 몸무게 51kg(50p), 성장속도(1년에 5cm 이상씩 자람), 골연령(14세보다 낮음), 이차성징 여부 잘 알지 못함(목소리 굵어짐)</td></tr>
<tr><td>Factors</td><td>–</td></tr>
<tr><td>Associated
symptoms</td><td>부모님 저신장/이차성징 늦음(–/+)
이유 없는 골절/황달/지능저하/난산 병력(–/–/–/–)</td></tr>
<tr><td colspan="2"></td></tr>
<tr><td rowspan="5">Medical history</td><td>약물복용력</td><td>–</td></tr>
<tr><td>과거력</td><td>DM/TBc/HTN/간질환(–/–/–/–), 갑상샘질환(–)
자라오면서 조대, 미세, 언어, 사회적 영역에서 잘 발달하였음</td></tr>
<tr><td>외상/수술력</td><td>외상(–), 수술력(–)</td></tr>
<tr><td>사회력</td><td>중학생, 의미 없는 소리나 행동 반복(–), 주위에 관심 있음
실외 활동 좋아하고 친구들과의 관계 좋음</td></tr>
<tr><td>가족력</td><td>아버지, 어머니(178cm, 160cm)
아버지가 키가 작다가 고등학교때 지금 키가 됨, 예상키(175.5cm)</td></tr>
<tr><td rowspan="2">Physical exam</td><td>Vital sign</td><td>120/70mmHg, 82회/분, 17회/분, 36.5℃</td></tr>
<tr><td>Positive findings</td><td>시행하지 않음</td></tr>
<tr><td colspan="2">환자의 질문 또는 기타 특이사항</td><td>호르몬 치료는 효과가 있을까요?</td></tr>
</table>

대표증례－2

상황지침

12개월 남아 박찬호의 엄마가 아이가 몸무게가 적어서 내원하였다.

[활력징후]	
• 혈압 : 100/60mmHg	• 맥박 : 90회/분
• 호흡 : 26회/분	• 체온 : 36.7℃

응시자는 이 환자에게
- 증상과 관련된 병력을 청취하고,
- 성장발달곡선을 이용하여 체중과 신장을 평가하고,
- 영유아 정상발달표를 보면서 육아상담을 실시하시오.

해설

※ **감별진단** : 영양 섭취 부족으로 인한 저체중, 바이러스성 간염
※ **진단계획/치료계획** : 간기능 검사, 복부 초음파, 갑상샘기능검사 / 영양 상담

• 태어났을 때부터 저체중이 있었던 환아로 선천성 대사이상 장애나 발달 장애는 없고 체중 증가가 늦습니다. 하지만 출생 시부터 체중이 적고 해당 성장 곡선에서 떨어지지는 않았기 때문에 정상 성장으로 보는 의견이 있었습니다.
• 두위, 신장은 정상인 것에 비해 체중만 떨어지는 경우로는 열량 섭취부족을 생각할 수 있습니다. 게다가 환아는 먹는 양이 또래보다 적으므로 단순히 열량 섭취가 부족해서 체중이 적다고 생각할 수도 있습니다.
• 보호자가 현재 환아의 피부가 다시 노래지고 있다고 말했었고, 몇 달 전에 생긴 감기 증상을 생각했을 때, 간염으로 인한 간 손상으로 황달이 왔을 가능성을 생각해 볼 수 있습니다. 하지만 담도 폐쇄 등의 기질적 원인의 여부를 꼭 감별해야 되기 때문에 추가적인 영상 검사가 필요할 것으로 생각됩니다.
• 보호자의 걱정을 잘 해결해 주는 것이 중요합니다. 만 1세 때부터는 이유식의 완료가 이루어져야 하며 무리하게 강요하여 먹이지 않고, 정해진 시각에 정해진 장소에서 먹이는 등 올바른 이유식에 대한 정보 전달을 해주는 것이 좋습니다.

시나리오

Sex/Age		M/12개월
Chief Complaint		몸무게가 적게 나가요
Present illness	생년월일	12개월
	Location	–
	Onset	8개월 이후
	Situation	8개월 때 열감기로 입원 후 체중이 늘지 않음
	Time	–
	Course/ Experience	지속적으로 키가 작음
	Character	[출생시] 38주 자연분만, 키 50cm(25~50p), 몸무게 2.7kg(5p) [현　재] 키 75cm(25~50p), 몸무게 8.3kg(5~10p) [발달력] 전 영역 정상
	Factors	이유식(+, 6개월부터 모유 수유와 병행), **섭취 감소(+)**, 계란/콩/우유 알레르기(+)
	Associated symptoms	부모님 저신장/이차성징 늦음(–/–) 이유 없는 골절/**황달**/지능저하/난산 병력(–/**+**/–/–)
Medical history	약물복용력	–
	과거력	[산모] 철분(+), 엽산(+), 임신당시 술/담배/약물(–/–/–) [출산] 조기 양막파수/분비물/출혈(–), 조산(–) [생후] **황달(+, 신생아 황달로 입원치료)**, 8개월 때 열감기로 입원치료, 대사질환(–), 선천 갑상샘 질환(–) [예방접종] 모두 맞음
	외상/수술력	외상(–), 수술력(–)
	사회력	엄마가 양육, 가족 분위기 화목
	가족력	성장, 발달 지연이었던 사람 없음
Physical exam	Vital sign	100/60mmHg, 90회/분, 26회/분, 36.7℃
	Positive findings	시행하지 않음
환자의 질문 또는 기타 특이사항		어떻게 먹여야 할까요?

대표증례－3

상황지침

6세 여아 김수정의 엄마가 아이가 키가 작아서 내원하였다.

[활력징후]

• 혈압 : 100/60mmHg	• 맥박 : 90회/분
• 호흡 : 26회/분	• 체온 : 36.7℃

응시자는 이 환자에게
- 증상과 관련된 병력을 청취하고,
- 성장발달곡선을 이용하여 체중과 신장을 평가하고,
- 영유아 정상발달표를 보면서 육아상담을 실시하시오.

해설

※ **감별진단** : 체질성 성장지연, 가족성 저신장
※ **진단계획/치료계획** : 손목 X-ray, 혈중 성장 호르몬 농도 / 안심, 교육

- 6세 아이이므로 발달 여부에 대해서 개월 단위로 자세하게 물어볼 필요는 없습니다. 병력청취에서도 6세의 나이에 맞게 교우관계, 골연령, 키나 몸무게의 성장속도 등을 물어 보는 것이 좋을 것 같습니다.
- 어머니와 아버지의 키를 통하여 예상키를 도출해내는 식을 미리 암기해가면 교육 시 좋겠죠? 식은 남자 : (아버지 키 + 어머니 키 + 13) / 2, 여자 : (아버지 키 + 어머니 키 − 13) / 2입니다. 예상키를 말씀드리면서 예상키는 절대적인 것이 아니라 주변 환경이나 영양 상태에 따라 변할 수도 있음을 항상 말씀드려야 합니다.

시나리오

Sex/Age	F/6세	
Chief Complaint	키가 안 크는 것 같아요	
Present illness	생년월일	10월 25일(만 6세)
	Location	–
	Onset	어렸을 때부터
	Situation	–
	Time	–
	Course/ Experience	점점 더 또래보다 작은 편이 되는 것 같다
	Character	[출생시] 40주 자연분만, 키/몸무게 10백분위수 [현　재] 키 107cm(10p), 몸무게 17.8kg(10p) [발달력] 전 영역 정상
	Factors	운동 평범한 수준, 잠 잘 잠, 골고루 잘 먹음
	Associated symptoms	부모님 저신장/이차성징 늦음(–/–) 이유 없는 골절/황달/지능저하/난산 병력(–/–/–/–)
Medical history	약물복용력	–
	과거력	[산모] 철분(+), 엽산(+), 임신당시 술/담배/약물(–/–/–) [출산] 조기 양막파수/분비물/출혈(–), 조산(–) [생후] 신생아 병력 없음, 황달(–), 대사질환(–), 선천 갑상샘 질환(–), 5살에 B형 독감 앓은적 있는거 빼고는 특이사항 없음 [예방접종] 모두 맞음
	외상/수술력	외상(–), 수술력(–)
	사회력	엄마가 양육, 가족 분위기 화목, 외동
	가족력	**엄마키 155cm, 아빠키 170cm, 아빠가 고3때 늦게 컸다고 함**
Physical exam	Vital sign	100/60mmHg, 90회/분, 26회/분, 36.7℃
	Positive findings	시행하지 않음
환자의 질문 또는 기타 특이사항		키가 안 커서 너무 걱정돼요

관련증례

31-1-1 만 6세 남아가 키가 작아서 왔다. 키는 105cm, 몸무게는 25kg, 머리둘레는 52cm였다. 발달은 또래와 비슷하였다. 출생 시의 키는 50cm, 몸무게는 3.2kg였다. 지난 1년간 평균 3.5cm의 성장을 하였다. 부모의 키는 아빠 175cm, 엄마 165cm이었다. 출생 중 둔위분만의 병력이 있다. 현재 앓고 있는 병이나 먹고 있는 약은 없다. 평소 잘 먹는 편이며, 10시에 잠들어 7시에 일어난다고 하였다. 기형이나 특징적 외모는 관찰되지 않았다. 갑상샘은 정상적으로 촉진되었고 골격과 피부의 이상은 없다.

Answer | 31-1-1. 성장호르몬 결핍

Check-list

	병력청취 채점항목	예	아니오
1	성장/발달 지연 여부를 확인하였는가?("왜 느리다고 생각하세요?" → 성장 or 운동/언어/사회성)	☐	☐
2	발달 지연이 발견된 시기를 질문하였다.	☐	☐
3	발달 지연의 진행 패턴에 대하여 질문하였다(처음부터/진행/퇴행).	☐	☐
4	환아의 키/체중/머리둘레를 측정하고 백분위수를 확인하였다.	☐	☐
5	환아의 언어발달 정도를 물어보았다.	☐	☐
6	환아의 운동(조대운동, 미세운동 둘 다)을 4, 7, 10, 12개월마다 정도를 물어보았다.	☐	☐
7	환아의 사회성 발달 정도를 물어보았다.	☐	☐
8	출생시 체중, 제태 주수를 물어보았다.	☐	☐
9	임신 중 산모의 특이사항에 대하여 물어보았다(흡연/음주/약물/외상).	☐	☐
10	주산기적 문제에 대하여 질문하였다(출생당시, 신생아).	☐	☐
11	가족 중에 성장/발달이 늦은 사람이 있는지 물어보았다.	☐	☐
12	양육 방식과 식사, 영양상태를 확인하였다.	☐	☐
13	예방접종 여부에 대하여 물어보았다.	☐	☐

	환자교육 채점항목	예	아니오
1	발달지연 여부를 알려주고, 있다면 범위와 정도를 설명하였다.	☐	☐
2	가능한 원인과 추정진단에 대하여 설명하였다.	☐	☐
3	필요한 검사/치료원칙을 설명하였다.	☐	☐
4	치료나 중재에 도움을 받을 수 있는 방법을 소개하였다.	☐	☐

	환자의사관계 채점항목	아주우수	우수	보통	미흡
1	효율적으로 잘 물어보았다. - 효율적 질문 : 개방형 질문 사용, 확인, 중간 요약 - 피할 질문 : 유도 질문, 복수 질문	☐	☐	☐	☐
2	나의 말을 잘 들어주었다. - 대꾸하기, 경청 자세, 눈 맞춤 & 말 가로채지 않기	☐	☐	☐	☐
3	나의 입장을 이해하려고 노력하였다. - 공감 표현, 나의 입장 파악	☐	☐	☐	☐
4	환자가 이해하기 쉽게 설명하였다. - 간단명료함, 이해도 점검, 질문 기회 & 쉬운 용어	☐	☐	☐	☐
5	나와 좋은 유대 관계를 형성하려고 했다. - 자기소개, 일상 대화, 존중, 자신감 & 신뢰감	☐	☐	☐	☐

31-2 발달 지연

대표증례-1

상황지침

16개월 남아 김가빈의 엄마가 아이가 말이 느리다고 왔다.

[활력징후]

- 혈압 : 100/60mmHg
- 맥박 : 82회/분
- 호흡 : 27회/분
- 체온 : 36.7℃

응시자는 이 환자에게

- 증상과 관련된 병력을 청취하고,
- 성장발달곡선을 이용하여 체중과 신장을 평가하고,
- 영유아 정상발달표를 보면서 육아상담을 실시하시오.

해설

※ **감별진단** : 청력장애, 중이염 및 중추신경계 합병증

※ **진단계획/치료계획** : 유전자 검사, 대사 검사, 뇌 MRI 재검 / 재활치료

- 발달표 보면서 다시 한 번 잘 확인하고 물어보세요.
- 언어는 재활치료하면 따라잡을 수 있어서 걱정하지 않아도 되고 단지 청력이 어떤지 궁금하다고 다음에 내원 시 애기를 데려오라고 덧붙이는 것도 PPI나 진료 진행에 도움이 될 것입니다.

시나리오

<table>
<tr><td>Sex/Age</td><td colspan="2">M/16개월</td></tr>
<tr><td>Chief Complaint</td><td colspan="2">말이 느려요</td></tr>
<tr><td rowspan="9">Present illness</td><td>생년월일</td><td>16개월</td></tr>
<tr><td>Location</td><td>–</td></tr>
<tr><td>Onset</td><td>정확히 모름</td></tr>
<tr><td>Situation</td><td>–</td></tr>
<tr><td>Time</td><td>–</td></tr>
<tr><td>Course/
Experience</td><td>지속적</td></tr>
<tr><td>Character</td><td>[출생시] 분만 당시 정상 주수, 정상 체중, 자연 분만
[현 재] 성장 키, 몸무게 30백분위
[운 동] 정상 발달(현재 손잡고 계단 오름), 머리 가눔(4개월), 배밀이(7개월), 혼자 일어나 앉음(10개월), 혼자 일어서서 걸음(12개월)
[언 어] 현재 마마, 빠빠 정도 하는 수준(12개월 발달 수준)
[사 회] 엄마 눈 잘 마주침, 또래랑 잘 놈, 심부름도 잘 함(정상 발달)
의미 없는 말이나 소리 반복(–), 행동반복(–)</td></tr>
<tr><td>Factors</td><td>–</td></tr>
<tr><td>Associated
symptoms</td><td>선천기형/황달/지능저하/난산 병력(–/–/–/–), 소리 반응(–), 뒤에서 부르면 잘 못 돌아보고 눈치껏 움직임</td></tr>
<tr><td rowspan="5">Medical history</td><td>약물복용력</td><td>–</td></tr>
<tr><td>과거력</td><td>[산모] 철분(+), 엽산(+), 임신당시 술/담배/약물(–/–/–)
[출산] 조기 양막파수/분비물/출혈(–), 조산(–)
[생후] 신생아 병력 없음, 황달(–), 대사질환(–), 선천 갑상샘 질환(–)
10개월에 발진성 질환, 12개월, 15개월에 중이염으로 항생제 치료
[예방접종] 모두 맞음</td></tr>
<tr><td>외상/수술력</td><td>외상(–), 수술력(–)</td></tr>
<tr><td>사회력</td><td>친정 엄마가 돌봄, 가족 분위기 화목함, 가족들이 먹는 밥 먹음</td></tr>
<tr><td>가족력</td><td>발달 지연이었던 사람 없었음</td></tr>
<tr><td rowspan="2">Physical exam</td><td>Vital sign</td><td>100/60mmHg, 82회/분, 27회/분, 36.7℃</td></tr>
<tr><td>Positive findings</td><td>시행하지 않음</td></tr>
<tr><td colspan="2">환자의 질문 또는 기타 특이사항</td><td>말 잘할 수 있을까요?</td></tr>
</table>

대표증례 - 2

상황지침

3세 남아 육민기의 엄마가 아이가 발달이 느리다고 왔다.

[활력징후]

• 혈압 : 100/60mmHg	• 맥박 : 82회/분
• 호흡 : 27회/분	• 체온 : 36.7℃

응시자는 이 환자에게
- 증상과 관련된 병력을 청취하고,
- 성장발달곡선을 이용하여 체중과 신장을 평가하고,
- 영유아 정상발달표를 보면서 육아상담을 실시하시오.

해설

※ **감별진단** : 지체장애(Mental retardation), 자폐 스펙트럼 장애(ASD)

※ **진단계획/치료계획** : 유전자 검사, 대사 검사, 뇌 MRI 검사 / 재활치료

- 성장/발달지연은 아이의 정상 성장 발달에 대한 기본적 지식이 있어야 진료하기 수월합니다. 시험장에는 진료 책상에 정상발달표가 있습니다만, 그 외에도 대표적인 정상 발달을 개월별로 몇 가지 알아두시면 시간도 절약하고 쉬울 것입니다. 외우기 어렵거나 생각나지 않으시면 그냥 표를 보면서 맞춰서 말씀하시면 됩니다. 또한 어느 한 개월 수에 해당하는 운동이나 언어발달만을 물어보는 것이 아니라 key 연령, 가령 4, 7, 12개월의 운동, 언어발달을 모두 물어보아야 합니다.
- 산과력, 출생력, 육아환경(음식, 양육방식, 주로 돌보는 사람) 등 물어볼 것이 많기 때문에 효과적으로 시간 배분하는 연습을 해야 합니다.
- 다운증후군에서 특징적인 얼굴이나 성기이상 등 신체부위에 특별한 점이 있는지 물어보는 것도 중요한 감별포인트가 될 수 있습니다.
- 발달 지연에 대해 보호자가 죄의식을 갖기 않도록 배려하도록 합시다. 부모 잘못이 아니라고 달래주세요. 아이의 지연에 대해 선입견이나 편견을 갖지 않고 진료하는 것이 중요합니다.

시나리오

Sex/Age	M/3세	
Chief Complaint	애들보다 느려요	
Present illness	생년월일	만 3세
	Location	-
	Onset	처음부터
	Situation	-
	Time	-
	Course/ Experience	지속적, 퇴행 아님
	Character	[출생시] 40주, 3.5kg, 50cm [현 재] 키, 몸무게 50백분위수 [운 동] 느림, 목 가눔(5개월), 뒤집기(8개월), 걷기(2살), 지금 뒤뚱뒤뚱 걸음, 난간 잡고 층계는 오르나 난간 안 잡고는 못 오름 [언 어] 엄마, 아빠, 맘마(3단어), 반복되는 자음 발음을 15개월에 시작 [사 회] **엄마를 봐도 웃지 않고 낯가림도 없음, 눈 맞춤은 안 됨, 장난감을 쭉 나열하며 놈, 유치원 선생님께서 아이가 다른 아이들과 어울리지 못하고 혼자 논다고 하심** [적 응] 숟가락질은 서툴지만 함
	Factors	-
	Associated symptoms	선천기형/황달/지능저하/난산 병력(-/-/-/-) **소리 반응(+), 특이행동(+, 갑자기 몸에 힘줌, 혼자 박수침, 흥분하면 자기 머리를 때리고 얼굴이 시뻘개질 때까지 숨을 참음)**
Medical history	약물복용력	-
	과거력	[산모] 입덧(+), 엽산(+), 임신당시 술/담배/약물(-/ /) [출산] 조기 양막파수/분비물/출혈(+, 분비물 나왔으나 이상 없었음), 조산(-) [생후] 황달(-), 대사질환(-), 선천 갑상샘 질환(-), 3개월 열성경련 [예방접종] 모두 맞음
	외상/수술력	외상(-), 수술력(-)
	사회력	엄마가 주로 돌봄, 집안 분위기 화목함, 이유식 제 시기에 했고, 편식하지 않음
	가족력	발달 지연이었던 사람 없었음
Physical exam	Vital sign	110/60mmHg, 90회/분, 28회/분, 36.8℃
	Positive findings	시행하지 않음
환자의 질문 또는 기타 특이사항		

대표증례 – 3

상황지침

5세 남아 신승기의 엄마가 아이가 발달이 느린 것 같다고 병원에 왔다.

[활력징후]	
• 혈압 : 100/60mmHg	• 맥박 : 82회/분
• 호흡 : 27회/분	• 체온 : 36.7℃

응시자는 이 환자에게

– 증상과 관련된 병력을 청취하고,
– 성장발달곡선을 이용하여 체중과 신장을 평가하고,
– 영유아 정상발달표를 보면서 육아상담을 실시하시오.

해설

※ **감별진단** : 정상 발달, 유뇨증(야뇨증)

※ **진단계획/치료계획** : 소변검사 / 약물치료, 야뇨경보기

• 야간뇨 외의 발달 이상이 없는, 발달이 느리다는 주소에서 예상하기 힘든 case입니다. 대소변 가리기의 정상 범위에 대해 미리 알아두고 갑시다.

• 야뇨증은 대부분 자연호전되나, 약물치료나 야뇨경보기 등으로 조절이 가능합니다. 아이에게 기질적 원인이 있지 않은지 먼저 검사를 한 뒤 치료 계획을 고려합니다.

시나리오

Sex/Age	M/5세	
Chief Complaint	발달이 느려요	
Present illness	생년월일	만 5세
	Location	-
	Onset	3개월
	Situation	-
	Time	-
	Course/ Experience	최근 심해짐
	Character	[출생시] 만삭 질식분만, 정상범위 [현 재] 키, 몸무게 75백분위 [운동/언어/사회/적응] 정상 **낮소변 3살부터 가리고 밤소변은 1달에 1~2번 못가렸으나 최근 1주에 3번 수준으로 증가**
	Factors	-
	Associated symptoms	선천기형/황달/지능저하/난산 병력(-/-/-/-), 소리 반응(+)
Medical history	약물복용력	-
	과거력	[산모] 철분(+), 엽산(+), 임신당시 술/담배/약물(-/-/-) [출산] 조기 양막파수/분비물/출혈(-/-/-), 조산(-) [생후] 황달(-), 대사질환(-), 선천 갑상샘 질환(-), 돌 때 독감으로 입원 [예방접종] 모두 맞음
	외상/수술력	외상(-), 수술력(-)
	사회력	엄마가 주로 돌봄, 집안분위기 화목함, 외동, 이유식 제 시기에 했고 고기 좋아함, 자기 전에 우유 마심
	가족력	환모 여동생이 초2때까지 잘 못 가렸으나 저절로 나음
Physical exam	Vital sign	110/60mmHg, 90회/분, 28회/분, 36.8℃
	Positive findings	시행하지 않음
환자의 질문 또는 기타 특이사항		

관련증례

31-2-1 20개월 된 여아가 말이 느리다며 왔다. 아이는 돌 즈음에 “마마, 빠빠” 정도를 말할 수 있었고 지금은 엄마, 아빠 이외에 단어는 말하지 못한다고 하였다. 걷기는 잘하며 간혹 뛰기도 한다고 하였고 또래 아이들과 어울려 놀기도 한다고 하였다. 가족력에서는 아빠가 어릴 때 말이 느린 편이었다.

31-2-2 5개월 된 영아가 아직 엄마와 눈도 못 맞추고 목을 가누지 못한다고 병원에 왔다. 출생체중은 3.3kg이었으며 현재 체중은 5.8kg이다. 모유는 잘 먹는다고 한다. 눈이 약간 처졌으며 혀가 크고 배꼽탈장이 있었다.

31-2-3 이제 막 돌이 지난 여아가 아직 서지도 못하고 다리가 뻣뻣하다고 부모가 데려왔다. 출생체중 1.2kg, 재태기간 31주에 태어난 미숙아였으며 출생 직후 미숙아 호흡곤란증으로 기계호흡 치료를 받았다. 신생아 집중치료실에서 입원 중 시행한 뇌초음파에서 뇌실주위백질연화증이 있었다고 하였다.

Answer | 31-2-1. 체질지연 31-2-2. 갑상샘기능저하 31-2-3. 뇌성마비

Check-list

	병력청취 채점항목	예	아니오
1	성장/발달 지연 여부를 확인하였는가?("왜 느리다고 생각하세요?" → 성장 or 운동/언어/사회성)	☐	☐
2	발달 지연이 발견된 시기를 질문하였다.	☐	☐
3	발달 지연의 진행 패턴에 대하여 질문하였다(처음부터/진행/퇴행).	☐	☐
4	환아의 키/체중/머리둘레를 측정하고 백분위수를 확인하였다.	☐	☐
5	환아의 언어발달 정도를 물어보았다.	☐	☐
6	환아의 운동(조대운동, 미세운동 둘 다)을 4, 7, 10, 12개월마다 정도를 물어보았다.	☐	☐
7	환아의 사회성 발달 정도를 물어보았다.	☐	☐
8	출생시 체중, 제태 주수를 물어보았다.	☐	☐
9	임신 중 산모의 특이사항에 대하여 물어보았다(흡연/음주/약물/외상).	☐	☐
10	주산기적 문제에 대하여 질문하였다(출생당시, 신생아).	☐	☐
11	가족 중에 성장/발달이 늦은 사람이 있는지 물어보았다.	☐	☐
12	양육 방식과 식사, 영양상태를 확인하였다.	☐	☐
13	예방접종 여부에 대하여 물어보았다.	☐	☐

	환자교육 채점항목	예	아니오
1	발달지연 여부를 알려주고, 있다면 범위와 정도를 설명하였다.	☐	☐
2	가능한 원인과 추정진단에 대하여 설명하였다.	☐	☐
3	필요한 검사/치료원칙을 설명하였다.	☐	☐
4	치료나 중재에 도움을 받을 수 있는 방법을 소개하였다.	☐	☐

	환자의사관계 채점항목	아주우수	우수	보통	미흡
1	효율적으로 잘 물어보았다. - 효율적 질문 : 개방형 질문 사용, 확인, 중간 요약 - 피할 질문 : 유도 질문, 복수 질문	☐	☐	☐	☐
2	나의 말을 잘 들어주었다. - 대꾸하기, 경청 자세, 눈 맞춤 & 말 가로채지 않기	☐	☐	☐	☐
3	나의 입장을 이해하려고 노력하였다. - 공감 표현, 나의 입장 파악	☐	☐	☐	☐
4	환자가 이해하기 쉽게 설명하였다. - 간단명료함, 이해도 점검, 질문 기회 & 쉬운 용어	☐	☐	☐	☐
5	나와 좋은 유대 관계를 형성하려고 했다. - 자기소개, 일상 대화, 존중, 자신감 & 신뢰감	☐	☐	☐	☐

32 예방접종

대표증례 – 1

상황지침

18개월 된 여아의 보호자가 아이의 예방접종을 상담하기 위해 외래에 왔다.
(오늘은 10월 16일)

[활력징후]

• 혈압 : 100/58mmHg	• 맥박 : 110회/분
• 호흡 : 30회/분	• 체온 : 36.5℃

응시자는 이 환자에게(※ 신체진찰은 시행하지 마시오.)
- 예방접종 수첩을 확인하고,
- 필요한 병력을 청취하고,
- 환자에게 필요한 예방접종을 상담하시오.

해설

※ **맞아야하는 예방접종** : MMR, 수두, PCV, Hib, A형간염, 인플루엔자, 일본뇌염

- 수첩을 보면 왼쪽 열에 예방접종 종류가 써있고 행으로는 그냥 빈칸입니다. 이미 맞은 접종은 다른 의사 이름으로 몇 월 며칠에 예방접종을 해줬는지 쓰여 있습니다.
- 예방접종 수첩에 싸인해야 하는 것 잊어버리지 마세요.
- MMR, 수두, 일본뇌염(생백신) 나눠 맞아야 하고 사백신은 한방에 다 맞을 수 있는데 어떻게 하겠냐 했더니 나눠 맞겠다고 해서 수두, Hib, PCV, 독감/MMR, DTaP, A형간염/일본뇌염 이렇게 나눠서 맞자고 했습니다.
- 중요한 것은 오늘 맞아야 할 것과 다음에 맞아야 할 것을 나눈 다음, 오늘 맞아야 할 것은 무엇이며 정확히 어떤 방식(근주, 피내, 피하)인지를 정확히 분류해서 말해줘야 합니다. 이것도 알아두세요!

시나리오

<table>
<tr><td>Sex/Age</td><td colspan="2">F/18개월</td></tr>
<tr><td>Chief Complaint</td><td colspan="2">예방접종 상담하러 왔어요</td></tr>
<tr><td rowspan="10">Present illness</td><td>생년월일</td><td>–</td></tr>
<tr><td>Location</td><td>–</td></tr>
<tr><td>Onset</td><td>–</td></tr>
<tr><td>Situation</td><td>–</td></tr>
<tr><td>Time</td><td>–</td></tr>
<tr><td>Course/ Experience</td><td>6개월까지는 예방접종 완료함, 이전 백신 접종 후 이상반응(+, 12개월 접종 시 미열)</td></tr>
<tr><td>Character</td><td>현재 아픈 곳 없음</td></tr>
<tr><td>Factors</td><td>–</td></tr>
<tr><td>Associated symptoms</td><td>면역결핍질환/백혈병/암(–/–/–), 경련/신경계 질환(–/–), 젤라틴/네오마이신/달걀 알러지(–/–/–)</td></tr>
<tr><td colspan="2"></td></tr>
<tr><td rowspan="5">Medical history</td><td>약물복용력</td><td>스테로이드/수혈/면역억제제/IVIG(–/–/–/–)</td></tr>
<tr><td>과거력</td><td>[출생력] 40주에 3.5kg 자연분만
[성　장] 정상성장, 키/몸무게 80cm/11kg
[발　달] 주수에 맞는 조대/미세/언어 잘 발달함
선천성 질환(–)
최근 1개월 내 홍역/볼거리/수두/풍진(–/–/–/–), 돌발진(+, 1개월 전), 최근 입원한 적(–)</td></tr>
<tr><td>외상/수술력</td><td>외상(–), 수술력(–)</td></tr>
<tr><td>사회력</td><td>친정 엄마가 돌봄, 가족 분위기 화목함, 6개월에 적절히 이유식 넘어갔고 돌 넘어서 성상 식이함</td></tr>
<tr><td>가족력</td><td>경련(–), 면역 결핍자(–), 예방접종 후 이상반응(–)</td></tr>
<tr><td rowspan="2">Physical exam</td><td>Vital sign</td><td>100/58mmHg, 110회/분, 30회/분, 36.5℃</td></tr>
<tr><td>Positive findings</td><td>시행하지 않음</td></tr>
<tr><td colspan="2">환자의 질문 또는 기타 특이사항</td><td>돌발진이었는데 맞아도 되나요?
접종표는 책상 위에 있음(수첩에 싸인해 줘야 합니다)</td></tr>
</table>

대표증례 – 2

상황지침

6세 여아의 보호자가 아이의 예방접종을 상담하기 위해 외래에 왔다.
(오늘은 5월 10일)

[활력징후]

• 혈압 : 110/68mmHg	• 맥박 : 84회/분
• 호흡 : 19회/분	• 체온 : 36.5℃

응시자는 이 환자에게

– 예방접종 수첩을 확인하고, 필요한 병력을 청취한 뒤,

– 환자에게 필요한 예방접종을 상담 후 해당 노트에 접종 날짜와 의원 명을 기입하시오.

해설

※ **맞아야하는 예방접종** : DTap, MMR, Polio, 일본뇌염 사백신

- 예방접종 CPX의 경우 환자가 제시된 예방접종 수첩 확인과 함께 책상에 주어져 있는 국가 지정예방 접종 스케줄을 확인해야 합니다. 개월 별로 맞아야하는 백신이 표시되어 있으니 굳이 예방접종표를 전부 외워 갈 필요는 없습니다.
- 예방접종 수첩에 접종한 백신을 체크하시고 날짜, 의원명, 생/사백신 여부를 쓰시면 됩니다.
- 스테로이드 및 IVIG를 투여한 환자이나 이미 1년이 지난 관계로 생백신 접종에는 문제가 없음을 알리고 안심시킵시다.
- 예방접종 항목에서 소아의 정상 성장/발달을 물어본 경우가 있습니다. 성장/발달 방에는 표가 제시되어 있어 암기가 필요 없으나 예방접종 방에는 정상 성장/발달표가 없는 관계로 나이에 맞는 정상치를 대략적으로는 익혀 가시는 것이 큰 도움이 됩니다.
- 시간적인 여유가 있는 CPX 항목입니다. 백신 접종 시의 부작용, 유의사항, 접종 방법, 추후 스케줄 등에 대해서도 설명해주세요!

시나리오

Sex/Age	F/6	
Chief Complaint	학교에 가기 전에 예방접종 맞고 싶어요	
Present illness	생년월일	-
	Location	-
	Onset	-
	Situation	-
	Time	-
	Course/ Experience	6세 전까지 맞출 예방접종은 나이대로 완료함, 예방접종 후 이상반응(-)
	Character	현재 아픈 곳 없음
	Factors	-
	Associated symptoms	면역결핍질환/백혈병/암(-/-/-), 경련/신경계 질환(-/-), 젤라틴/네오마이신/달걀 알러지(-/-/-)
Medical history	약물복용력	**스테로이드**/수혈/**면역글로불린**(**+**/-/**+**)
	과거력	[출생력] 39주에 3.2kg 자연분만, 당시 이상 없었음 [성　장] 정상성장, 키/몸무게 115cm/22kg [발　달] 주수에 맞는 조대/미세/언어 잘 발달함 선천성 질환(-) 최근 1개월 내 홍역/볼거리/수두/풍진(-/-/-/-) **1년 전 ITP로 입원치료 받음, IVIG 투여 받음**
	외상/수술력	1년 전 ITP로 입원
	사회력	유치원에서 학우들과 잘 지냄, 적당한 식이 함
	가족력	경련(-), 면역 결핍자(-), 예방접종 후 이상반응(-)
Physical exam	Vital sign	110/68mmHg, 84회/분, 19회/분, 36.5℃
	Positive findings	시행하지 않음
환자의 질문 또는 기타 특이사항		ITP 치료 받았는데 생백신 맞아도 괜찮은가요?

대표증례－3

상황지침

52세의 남자 박상민 씨가 예방접종을 상담하기 위해 외래에 왔다.
(오늘은 8월 3일이다)

[활력징후]

• 혈압 : 110/68mmHg	• 맥박 : 84회/분
• 호흡 : 19회/분	• 체온 : 36.5℃

응시자는 이 환자에게(※ 신체진찰은 시행하지 마시오.)
- 필요한 병력을 청취하고,
- 환자에게 필요한 예방접종을 상담하시오.

해설

※ **맞아야하는 예방접종** : 독감 인플루엔자, 폐렴구균

• 성인 예방접종은 소아와는 차이가 있습니다. 필요한 예방접종으로는 폐렴 사슬알균, Tdap, 인플루엔자, A,B형 간염, HPV, 수두, MMR이 있습니다.

시나리오

Sex/Age	M/52	
Chief Complaint	가능한 예방접종 맞고 싶어요	
Present illness	생년월일	−
	Location	−
	Onset	7일 전 예방접종 받으라는 친구의 말을 듣고 찾아옴
	Situation	−
	Time	−
	Course/ Experience	마지막 예방접종(18개월 전, 독감 예방접종) 이외에는 소아 때 예방접종이 전부, 예방접종 후 이상반응(−)
	Character	**어제부터 미열/근육통(+/+)**
	Factors	−
	Associated symptoms	면역결핍질환/백혈병/암(−/−/−), 경련/신경계 질환(−/−), 젤라틴/네오마이신/달걀 알러지(−/−/−), 수혈(−)
Medical history	약물복용력	경구혈당강하제(+, 7년 전에 진단 받은 후 복용 시작)
	과거력	출생력(정상 만삭아로 건강하게 태어남), 분만 당시 문제(−), 출생 후 큰 질환(−) 건강검진 4년 전에 받음, 정상
	외상/수술력	외상(−)/수술력(−)
	사회력	여행력(−)
	가족력	경련(−), 면역 결핍자(−), 예방접종 후 이상반응(−)
Physical exam	Vital sign	110/70mmHg, 85회/분, 18회/분, 36.2℃
	Positive findings	시행하지 않음
환자의 질문 또는 기타 특이사항		

대표증례-4

상황지침

15개월 남아의 보호자가 아이의 예방접종을 상담하기 위해 왔다.
(오늘은 8월 18일)

[활력징후]

- 혈압 : 110/68mmHg
- 맥박 : 84회/분
- 호흡 : 19회/분
- 체온 : 36.5℃

응시자는 이 환자에게
- 예방접종 수첩을 확인하고, 필요한 병력을 청취한 뒤,
- 환자에게 필요한 예방접종을 상담 후 해당 노트에 접종 날짜와 의원 명을 기입하시오.

해설

※ **맞아야하는 예방접종** : DTap, 인플루엔자

- 예방접종 CPX의 경우 환자가 제시된 예방접종 수첩 확인과 함께 책상에 주어져 있는 국가 지정예방접종 스케줄을 확인해야 합니다. 개월 별로 맞아야하는 백신이 표시되어 있으니 굳이 예방접종표를 전부 외워 갈 필요는 없습니다.
- 예방접종 수첩에 접종한 백신을 체크하시고 날짜, 의원명, 생/사백신 여부를 쓰시면 됩니다.
- 시간적인 여유가 있는 CPX 항목입니다. 백신 접종 시의 부작용, 유의사항, 접종 방법, 추후 스케줄 등에 대해서도 설명해주세요!

시나리오

Sex/Age	M/15개월	
Chief Complaint	학교에 가기 전에 예방접종 맞고 싶어요	
Present illness	생년월일	
	Location	−
	Onset	−
	Situation	−
	Time	−
	Course/ Experience	6세 전까지 맞출 예방접종은 나이대로 완료함, 예방접종 후 이상반응(−)
	Character	현재 아픈 곳 없음
	Factors	−
	Associated symptoms	면역결핍질환/백혈병/암(−/−/−), 경련/신경계 질환(−/−), 젤라틴/네오마이신/달걀 알러지(−/−/−)
Medical history	약물복용력	**스테로이드**/수혈/**면역글로불린**(**+**/−/**+**)
	과거력	[출생력] 39주에 3.2kg 자연분만, 당시 이상 없었음 [성 장] 정상성장, 키/몸무게 115cm/22kg [발 달] 주수에 맞는 조대/미세/언어 잘 발달함 선천성 질환(−) 최근 1개월 내 홍역/볼거리/수두/풍진(−/−/−/−) **1년 전 ITP로 입원치료 받음, IVIG 투여 받음**
	외상/수술력	1년 전 ITP로 입원
	사회력	유치원에서 학우들과 잘 지냄, 적절한 식이 함
	가족력	경련(−), 면역 결핍자(−), 예방접종 후 이상반응(−)
Physical exam	Vital sign	110/68mmHg, 84회/분, 19회/분, 36.5℃
	Positive findings	시행하지 않음
환자의 질문 또는 기타 특이사항		ITP 치료 받았는데 생백신 맞아도 괜찮은가요?

관련증례

32-1 12개월 된 남아가 예방접종을 하기 위해 외래로 왔다. 2개월 전 고열과 피부발진으로 내원하여 가와사끼병으로 진단받고 입원 치료하였다. 입원 당시 고용량 면역글로불린 주사를 맞고 좋아졌으며, 지난주까지 아스피린을 복용하였다고 한다. 그 전까지 예방접종은 모두 완료하였다.

32-2 7세 여아가 3세 이전까지 기본 예방접종은 모두 완료하였으나 이후 예방접종은 받지 않았다. 내년에 초등학교에 입학하기 전 필요한 예방접종을 하러 외래에 왔다. 현재 건강상태는 양호하다고 한다.

Answer | 32-1. 수두, MMR 백신을 9개월 뒤에 접종 32-2. DTP, 소아마비, MMR 백신 접종

Check-list

	병력청취 채점항목	예	아니오
1	환자의 예방접종력을 확인하였다.	☐	☐
2	예전에 접종 후 특별한 증상이 있었는지 확인하였다.	☐	☐
3	환자의 현재 신체상태를 확인하였다.	☐	☐
4	환자의 최근 병력 및 증상(감염력, 발열/오한, 보챔, 간질 발작, 설사 등)을 확인하였다.	☐	☐
5	과거 병력(가와사끼, 면역글로불린, 항압요법 등)을 확인하였다.	☐	☐
6	복용중인 약물이 있는지 확인하였다.	☐	☐
7	알레르기력에 대하여 물어보았다.	☐	☐
	환자교육 채점항목	**예**	**아니오**
1	오늘 접종할 백신에 대하여 설명하였다.	☐	☐
2	생백신과 사백신을 구분하고, 동시 접종한 것들과 접종 간격을 설명하였다.	☐	☐
3	접종 부위(피하, 근주, 피내)에 대하여 설명하였다.	☐	☐
4	접종 후 나타날 수 있는 증상에 대하여 설명하였다.	☐	☐
5	접종 후 유의사항에 대하여 설명하였다.	☐	☐

	환자의사관계 채점항목	아주우수	우수	보통	미흡
1	효율적으로 잘 물어보았다. – 효율적 질문 : 개방형 질문 사용, 확인, 중간 요약 – 피할 질문 : 유도 질문, 복수 질문	☐	☐	☐	☐
2	나의 말을 잘 들어주었다. – 대꾸하기, 경청 자세, 눈 맞춤 & 말 가로채지 않기	☐	☐	☐	☐
3	나의 입장을 이해하려고 노력하였다. – 공감 표현, 나의 입장 파악	☐	☐	☐	☐
4	환자가 이해하기 쉽게 설명하였다. – 간단명료함, 이해도 점검, 질문 기회 & 쉬운 용어	☐	☐	☐	☐
5	나와 좋은 유대 관계를 형성하려고 했다. – 자기소개, 일상 대화, 존중, 자신감 & 신뢰감	☐	☐	☐	☐

CLINICAL PERFORMANCE EXAMINATION

08

CHAPTER

신 경

33 어지럼

대표증례 - 1

상황지침

53세 여자 주현숙 씨가 지속되는 어지러움을 호소하며 병원에 왔다.

[활력징후]	
• 혈압 : 120/80mmHg	• 맥박 : 80회/분
• 호흡 : 20회/분	• 체온 : 36.5℃

응시자는 이 환자에게
- 증상과 관련된 병력을 청취하고,
- 증상과 관련된 적절한 신체진찰을 시행한 후,
- 추정진단과 향후 진단계획 등에 대해 환자와 논의하시오.

해설

※ **감별진단** : 양성돌발체위현훈(BPPV)

※ **진단계획/치료계획** : Dix-Hallpike test / 이석치환술

- BPPV는 흔한 어지럼증의 원인으로, 내이 속에 모인 이석 부스러기에 의해 유발되는 것으로 알려져 있습니다.
- BPPV는 환자를 안심시키는 것이 중요하며, 원인에 대한 설명과 교육이 중요합니다.
- 50세 이하에서 BPPV의 가장 흔한 원인은 두부손상이라고 알려져 있지만 편두통과 동반되는 경우도 있습니다. 나이가 들수록 BPPV 유병률은 증가합니다.

시나리오

Sex/Age	F/53	
Chief Complaint	어지러워요	
Present illness	Location	−
	Onset	어제 아침
	Situation	침대에서 일어나면서 발생
	Time	3~4분
	Course	그대로
	Experience	처음
	Character	[양상] 빙빙 도는 느낌(+), 아찔한 느낌(−)
	Factors	**자세(+, 자세를 바꿀 때)**, 운동(−), 스트레스(−), 감기(−), 계절성/주기성(−/−)
	Associated symptoms	두통(−), 난청(−), 이명(−), N/V(−/−), 이통/이충만감(−/−), 기침/가래/콧물(−/−/−), 불안장애/호흡곤란(−/−), 평소 빈혈(−), 근력·감각감소(−), 보행장애(−), 손 떨림(−), 두근거림(−), 호흡곤란(−)
Medical history	약물복용력	항고혈압제(+), 항생제(−), 스테로이드(−)
	과거력	DM/TBc/HTN/간질환(−/−/+/−) 건강검진(+, 3YA 고혈압 외 특이사항 없음)
	외상/수술력	두부 외상(−), 수술력(−)
	사회력	자영업, 술(−), 담배(−)
	가족력	특이사항 없음
	여성력	3년 전 폐경
Physical exam	Vital sign	120/80mmHg, 80회/분, 20회/분, 36.5℃
	Positive findings	소뇌기능 검사 정상, 근력 검사 정상, 안저 검사 정상, Head thrust test에서 어지럽긴 한데 안진은 없었다, Dix hallpike test 시행시 양쪽에서 다 어지럽다고 하심, 청력 검사(−)
환자의 질문 또는 기타 특이사항	저염식 때문에도 발생할 수 있나요?	

대표증례－2

상황지침

40세 여자 박수현 씨가 지속되는 어지러움을 호소하며 병원에 왔다.

[활력징후]

- 혈압 : 120/80mmHg
- 맥박 : 85회/분
- 호흡 : 22회/분
- 체온 : 36.5℃

응시자는 이 환자에게
- 증상과 관련된 병력을 청취하고,
- 증상과 관련된 적절한 신체진찰을 시행한 후,
- 추정진단과 향후 진단계획 등에 대해 환자와 논의하시오.

해설

※ **감별진단** : 소뇌경색

※ **진단계획/치료계획** : Brain CT, Brain MRI / 혈전용해제, 뇌감압술

- 갑자기 발생한 어지러움, 지속적인 어지러움, 그리고 계속 쓰러진다는 부분에서 뇌의 이상을 염두에 둘 수 있습니다. 그래서 소뇌의 경색, 소뇌의 출혈, vertebrobasilar insufficiency를 의심할 수 있습니다.

시나리오

Sex/Age	F/40	
Chief Complaint	어지러워요	
Present illness	Location	–
	Onset	어젯밤
	Situation	술 한 잔 하고 밤에 자려고 눕는데 생김
	Time	계속 지속됨
	Course	계속 어지러운데, 지금은 좀 호전됨
	Experience	처음
	Character	[양상] 빙빙 도는 느낌(+), 아찔한 느낌(–) 자꾸 균형을 못잡고 쓰러짐
	Factors	악화 : **눕거나 앉고 있다가 일어나면 심해짐, 움직이면 심해짐** 완화 : **가만히 있으면 조금 나아짐** 운동(–), 스트레스(–), 감기(–), 계절성/주기성(–/–)
	Associated symptoms	두통(–), 난청(–), 이명(–), N/V(–/–), 이통/이충만감(–/–), 기침/가래/콧물(–/–/–), 의식소실(–), 불안장애/호흡곤란(–/–), 평소 빈혈(–), 근력·감각감소(–), **보행장애(+, 균형잡기 힘듦)**, 손 떨림(–), 두근거림(–), 호흡곤란(–)
Medical history	약물복용력	항고혈압제(+, 5년 전), 항생제(–), 스테로이드(–), 고지혈증약(+)
	과거력	DM/TBc/HTN/간질환(–/–/+/–), 고지혈증(+) 건강검진(+, 3YA 고혈압 외 특이사항 없음)
	외상/수술력	두부 외상(–), 수술력(–)
	사회력	자영업, 술(social), 담배(15PY)
	가족력	특이사항 없음
	여성력	특이사항 없음
Physical exam	Vital sign	120/80mmHg, 85회/분, 22회/분, 36.5℃
	Positive findings	소뇌기능검사에서 비정상, Tandem gait 시 균형 못잡음 Head impulse test 시 안진 관찰됨 근력 검사 정상, 안저 검사 정상 Dix hallpike test 정상
환자의 질문 또는 기타 특이사항		큰 병이 아닐까 걱정돼요

대표증례-3

상황지침

30세 여자 이정화 씨가 어지러움을 호소하며 내원하였다.

[활력징후]

• 혈압 : 120/80mmHg	• 맥박 : 80회/분
• 호흡 : 18회/분	• 체온 : 36.5℃

응시자는 이 환자에게
- 증상과 관련된 병력을 청취하고,
- 증상과 관련된 적절한 신체진찰을 시행한 후,
- 추정진단과 향후 진단계획 등에 대해 환자와 논의하시오.

해설

※ **감별진단** : 메니에르병

※ **진단계획/치료계획** : 청력검사, 전정기능검사 / Thiazide

- 의식장애와 더불어 응시생들이 평소 친숙하지 않은 질환과 감별진단 때문에 어려워하는 항목입니다.
- 신체진찰 시 Dix-Hallpike test뿐만 아니라 소뇌기능 평가도 시행해야 하기 때문에 시간이 매우 빠듯합니다. 소소한 것까지 다 하려면 제 시간에 절대 끝내지 못하니 꼭 봐야할 것만 정확하고 간결하게 하는 것이 중요합니다. 병력청취와 신체진찰을 동시에 하는 것도 하나의 방법입니다.
- 어지럼증에 대한 현병력 청취 후 바로 Dix-Hallpike를 시행하여 결과지를 확인하고, 동반증상이나 기타 병력을 청취하며 다른 질환 감별이 필요하다고 판단되면 소뇌기능 검사를 하는 등 효율적인 시간 배분이 필요하겠습니다.

시나리오

Sex/Age		F/30
Chief Complaint		어지러워요
Present illness	Location	–
	Onset	어제 저녁
	Situation	부엌에서 밥 하다가 갑자기 삐–하는 소리가 들리더니 어지러움
	Time	계속 지속됨
	Course	발병 당시보다는 좀 낫다
	Experience	처음
	Character	[양상] 빙빙 도는 느낌(+), 아찔한 느낌(–) [정도] 일상생활이 힘들다
	Factors	**자세(움직이면 더 힘들지만 특정 자세에 따르지는 않는다)**, 감기(–), **눈감고 쉬고 있으면 좀 나아짐**, 스트레스(–), 계절성/주기성(–/–)
	Associated symptoms	**좌측 이통(+)**, **이명(+)**, **이충만감(+)**, 이루(–), 난청(–), 의식소실(–), **구역(+)**, **구토(+)**, 불안장애/호흡곤란(–/–), 평소 빈혈(–), 근력·감각감소(–), 두통(–), **보행장애(걷기 힘들다)**, 손떨림(–), 기침/가래/콧물(–/–/–), 두근거림(–), 호흡곤란(–)
Medical history	약물복용력	(–)
	과거력	DM/TBc/HTN/간질환(–/–/–/–) 건강검진(+, 올해 초 문제 없었음)
	외상/수술력	두부 외상(–), 수술력(–)
	사회력	중학교 교사(요새 애들이 말을 안 들어서 스트레스 받음) 술(–), 담배(–)
	가족력	특이사항 없음
	여성력	2-0-0-2, LMP 2주 전, 월경주기 28일로 규칙적
Physical exam	Vital sign	120/80mmHg, 80회/분, 18회/분, 36.5℃
	Positive findings	CNE(–), 이경(–), 안저(–), 근력·감각 저하(–), Dix hallpike 검사 : 어지러우나 안진은 없음, Romberg(+), 소뇌 검사 정상, gait normal, weber test/rinne test(–/–)
환자의 질문 또는 기타 특이사항		어지러워서 불편해요

대표증례 – 4

상황지침

53세 남자 김지훈 씨가 지속되는 어지러움을 호소하며 병원에 왔다.

[활력징후]

- 혈압 : 120/80mmHg
- 맥박 : 80회/분
- 호흡 : 20회/분
- 체온 : 36.5℃

응시자는 이 환자에게

– 증상과 관련된 병력을 청취하고,

– 증상과 관련된 적절한 신체진찰을 시행한 후,

– 추정진단과 향후 진단계획 등에 대해 환자와 논의하시오.

해설

※ **감별진단** : 양성돌발체위현훈(BPPV)

※ **진단계획/치료계획** : Dix-Hallpike test / 이석치환술

- BPPV는 흔한 어지럼증의 원인으로, 내이 속에 모인 이석 부스러기에 의해 유발되는 것으로 알려져 있습니다.
- BPPV는 환자를 안심시키는 것이 중요하며, 원인에 대한 설명과 교육이 중요합니다.
- 50세 이하에서 BPPV의 가장 흔한 원인은 두부손상이라고 알려져 있지만 편두통과 동반되는 경우도 있습니다. 나이가 들수록 BPPV 유병률은 증가합니다.

시나리오

Sex/Age	M/53	
Chief Complaint	어지러워요	
Present illness	Location	–
	Onset	오늘 아침 7시(현재시간 오전 10시)
	Situation	일어나자마자 어지러웠어요
	Time	2~3분
	Course	쉬고 나아져서 병원에 옴
	Experience	처음
	Character	[양상] 빙빙 도는 느낌(+), 아찔한 느낌(–)
	Factors	**자세(+, 자세를 바꿀 때), 휴식을 취할 때 완화**
	Associated symptoms	두통(–), 난청(–), 이명(–), **N/V(+/+, 2회)**, 이통/이충만감(–/–), 기침/가래/콧물(–/–/–),불안장애/호흡곤란(–/–), 평소 빈혈(–), 근력·감각 감소(–), **보행장애(+, 걸을 때 넘어질 것 같음)**, 손 떨림(–), 두근거림(–), 호흡곤란(–)
Medical history	약물복용력	(–)
	과거력	DM/TBc/HTN/간질환(–/–/–/–) 건강검진(–)
	외상/수술력	두부 외상(–), 수술력(–)
	사회력	술(–), 담배(–)
	가족력	특이사항 없음
	여성력	–
Physical exam	Vital sign	120/80mmHg, 80회/분, 20회/분, 36.5℃
	Positive findings	소뇌기능 검사 정상, 근력 검사 정상, 안저 검사 정상, Head thrust test에서 어지럽긴 한데 안진은 없었다, Dix hallpike test 시행시 양쪽에서 다 어지럽다고 하심, 청력 검사(–)
환자의 질문 또는 기타 특이사항		

대표증례 – 5

상황지침

58세 남자 이재호 씨가 어지러움을 호소하며 내원하였다.

[활력징후]	
• 혈압 : 140/80mmHg	• 맥박 : 80회/분
• 호흡 : 18회/분	• 체온 : 36.5℃

응시자는 이 환자에게

- 증상과 관련된 병력을 청취하고,
- 증상과 관련된 적절한 신체진찰을 시행한 후,
- 추정진단과 향후 진단계획 등에 대해 환자와 논의하시오.

해설

※ **감별진단** : 메니에르병

※ **진단계획/치료계획** : 청력검사, 전정기능검사 / Thiazide

- 환자가 고혈압, 고지혈증을 진단받았으나 약을 복용하고 있지 않으며 혈압이 약간 높으므로 이에 대한 교육이 필요합니다.
- 신체진찰 시 Dix-Hallpike test뿐만 아니라 소뇌기능 평가도 시행해야 하기 때문에 시간이 매우 빠듯합니다. 소소한 것까지 다 하려면 제 시간에 절대 끝내지 못하니 꼭 봐야할 것만 정확하고 간결하게 하는 것이 중요합니다. 병력청취와 신체진찰을 동시에 하는 것도 하나의 방법입니다.
- 어지럼증에 대한 현병력 청취 후 바로 Dix-Hallpike를 시행하여 결과지를 확인하고, 동반증상이나 기타 병력을 청취하며 다른 질환 감별이 필요하다고 판단되면 소뇌기능 검사를 하는 등 효율적인 시간 배분이 필요하겠습니다.

시나리오

<table>
<tr><td>Sex/Age</td><td colspan="2">M/58</td></tr>
<tr><td>Chief Complaint</td><td colspan="2">어지러워요</td></tr>
<tr><td rowspan="9">Present illness</td><td>Location</td><td>–</td></tr>
<tr><td>Onset</td><td>어제 아침</td></tr>
<tr><td>Situation</td><td>침대에서 일어나다가 어지러워 바닥에 주저 앉음</td></tr>
<tr><td>Time</td><td>어제부터 계속</td></tr>
<tr><td>Course</td><td>점점 괜찮아짐</td></tr>
<tr><td>Experience</td><td>처음</td></tr>
<tr><td>Character</td><td>[양상] 빙빙 도는 느낌(+), 아찔한 느낌(–)
[정도] 일상생활이 힘들다.</td></tr>
<tr><td>Factors</td><td>자세(움직일 때랑 자세에 따라 좀 더 어지러움), 감기(–), 스트레스(–), 계절성/주기성(–/–)</td></tr>
<tr><td>Associated symptoms</td><td>좌측 이통(+, 귀 뒤쪽에 쿡쿡 쑤시는 느낌), 이명(+), 이충만감(+), 이루(–), 난청(–), 의식소실(–), 구역(+), 구토(+, 어제 아침), 불안장애/호흡곤란(–/–), 평소 빈혈(–), 근력·감각감소(–), 두통(+), 보행장애(–), 손떨림(–), 기침/가래/콧물(–/–/–), 두근거림(–), 호흡곤란(–)</td></tr>
<tr><td rowspan="6">Medical history</td><td>약물복용력</td><td>(–) 고혈압, 고지혈증 약은 복용하지 않음</td></tr>
<tr><td>과거력</td><td>DM/TBc/HTN/간질환(–/–/+/–), 고지혈증(+)
건강검진(+, 올해 초 고혈압, 고지혈증이라고 들었음)</td></tr>
<tr><td>외상/수술력</td><td>두부 외상(–), 수술력(–)</td></tr>
<tr><td>사회력</td><td>한식당 운영, 술(+, 맥주 1~2잔/1달), 담배(+, 20PY)</td></tr>
<tr><td>가족력</td><td>아버지 뇌경색, 어머니 관절염</td></tr>
<tr><td>여성력</td><td>–</td></tr>
<tr><td rowspan="2">Physical exam</td><td>Vital sign</td><td>140/80mmHg, 80회/분, 18회/분, 36.5℃</td></tr>
<tr><td>Positive findings</td><td>CNE(–), 이경(–), 안저(–), 근력·감각 저하(–), Dix-hallpike 검사 : 어지러우나 안진은 없음, Romberg(–), 소뇌 검사 정상, gait normal, weber test/rinne test(–/–)</td></tr>
<tr><td colspan="2">환자의 질문 또는 기타 특이사항</td><td>환자 대답이 느려 시간이 조금 부족할 수 있습니다.</td></tr>
</table>

관련증례

33-1 35세 여자가 어지럼증으로 왔다. 어지럼증은 3년 전부터 한 달에 3~4회 정도 주위가 빙빙 도는 양상으로 발생했다. 어지럼증은 4시간 정도 지속되었고, 거의 언제나 오심, 구토를 동반하였다. 환자는 과거력에서 20대 초반에 편두통으로 진단받고 2년간 약물 치료를 실시한 병력이 있었다.

활력징후는 혈압 120/80mmHg, 맥박 72회/분, 호흡수 16회/분, 체온 36.5℃이었다. 신경학적 검사에서 뇌신경 검사, 소뇌기능 검사, 안구운동 검사는 모두 정상이었다.

Answer | 33-1. 편두통성 어지럼증

Check-list

	병력청취 채점항목	예	아니오
1	어지럼증이 언제부터 나타났는지 물어보았다.	☐	☐
2	어지럼증의 양상에 대하여 물어보았다.	☐	☐
3	동반증상(두통, 청력저하, 이명, 구역/구토, 실신, 의식장애 등)이 있는지 물어보았다.	☐	☐
4	어지럼증의 지속시간과 발생 빈도, 횟수에 대하여 물어보았다.	☐	☐
5	과거질환력 및 최근 감염질환력, 신경과적 질환 등에 대하여 파악하였다.	☐	☐
6	현재 복용하고 있는 약물이 있는지 물어보았다.	☐	☐
7	두부 외상/수술력에 대하여 물어보았다.	☐	☐

	신체진찰 채점항목	제대로 함	제대로 못함	하지 않음
1	환자의 전반적인 신체균형 및 평형 상태를 확인하였다.	☐	☐	☐
2	Dix-hallpike 검사를 시행하였다.	☐	☐	☐
3	두위안진과 안진의 방향을 확인하였다.	☐	☐	☐
4	뇌신경 검사를 시행하였다.	☐	☐	☐
5	청각 검사 및 소뇌기능 검사를 시행하였다.	☐	☐	☐
6	직립반사 및 편위 검사에서 치우침을 확인하였다.	☐	☐	☐

	환자교육 채점항목	예	아니오
1	의심되는 질환과 원인에 대하여 설명하였다.	☐	☐
2	진단에 필요한 검사를 설명하고 동의를 구하였다.	☐	☐
3	검사 결과에 따른 치료계획을 설명하였다.	☐	☐
4	치료에 따른 경과와 주의사항 등에 대하여 설명하였다.	☐	☐

	환자의사관계 채점항목	아주우수	우수	보통	미흡
1	효율적으로 잘 물어보았다. - 효율적 질문 : 개방형 질문 사용, 확인, 중간 요약 - 피할 질문 : 유도 질문, 복수 질문	☐	☐	☐	☐
2	나의 말을 잘 들어주었다. - 대꾸하기, 경청 자세, 눈 맞춤 & 말 가로채지 않기	☐	☐	☐	☐
3	나의 입장을 이해하려고 노력하였다. - 공감 표현, 나의 입장 파악	☐	☐	☐	☐
4	환자가 이해하기 쉽게 설명하였다. - 간단명료함, 이해도 점검, 질문 기회 & 쉬운 용어	☐	☐	☐	☐
5	나와 좋은 유대 관계를 형성하려고 했다. - 자기소개, 일상 대화, 존중, 자신감 & 신뢰감	☐	☐	☐	☐

34 두 통

대표증례 – 1

상황지침

45세 여자 김수미 씨가 두통이 심하여 병원에 왔다.

[활력징후]

- 혈압 : 160/100mmHg
- 맥박 : 80회/분
- 호흡 : 18회/분
- 체온 : 36.5℃

응시자는 이 환자에게

- 증상과 관련된 병력을 청취하고,
- 증상과 관련된 적절한 신체진찰을 시행한 후,
- 추정진단과 향후 진단계획 등에 대해 환자와 논의하시오.

해설

※ **감별진단** : 고혈압성 뇌내출혈

※ **진단계획/치료계획** : Brain CT, MRI / Mannitol, 산소공급, 혈압강하제(Beta-blocker, CCB)

- 일정기간 동안 지속된 통증, 그리고 한쪽에만 국한되어 심해지는 증상, 팔다리 감각저하, 고혈압으로 미루어보아 고혈압성 뇌내 출혈이 가장 의심됩니다. 이런 경우에는 혈압 조절을 해주는 것이 중요합니다.
- 점점 심해지는 오른쪽 두통, 왼쪽의 감각과 근력 저하로 미루어 보아 뇌종양도 의심해 볼 수 있습니다.
- 고혈압성뇌내출혈이 생겼을 때는 신경학적 검진을 빠짐없이 하는 것이 중요합니다.

시나리오

Sex/Age	F/45	
Chief Complaint	머리가 아파요	
Present illness	Location	머리 전체, 특히 오른쪽이 더 아픔
	Onset	2달 전
	Situation	–
	Time	하루 종일 지속됨
	Course	2달 전부터 점점 심해짐
	Experience	처음
	Character	[양상] 무겁게 짓누르는 느낌 [정도] NRS 8
	Factors	기침하거나 고개를 휙 돌리면 더 아픔
	Associated symptoms	아지랑이(–), 반짝거림(–), 어지러움(–), 구토(–), **구역감(+), 팔다리 근력·감각 저하(+, 왼쪽 팔이 저릿하고 힘이 잘 들어가지 않음)**, 시야장애(–), 이명(–), 어눌해짐(–), 발열(–), 오한(–), 눈물/안구충혈(–/–), 뺨에 저릿한 느낌(–), 체중감소(–), 목뻣뻣(–), 이전 감기증상(–)
Medical history	약물복용력	두통약(–), 진통제(–), 고혈압약 먹고 있음
	과거력	DM/TBc/HTN/간질환(–/–/+/–) 건강검진(+, 1YA 정상)
	외상/수술력	외상(–), 수술력(–)
	사회력	술(social), 담배(–)
	가족력	고혈압(+, 어머니), 뇌혈관 질환(+, 아버지), 심혈관 질환(–)
	여성력	특이사항 없음
Physical exam	Vital sign	160/100mmHg, 80회/분, 18회/분, 36.5℃
	Positive findings	뇌신경 검사 모두 정상, 팔다리 근력 저하 및 감각 저하가 왼쪽에 있는 것 같음, Kernig/Brudzinski(–/–), 안저 검사(–), 관자동맥촉진(–), 안구충혈/눈물(–/–)
환자의 질문 또는 기타 특이사항		

대표증례－2

상황지침

45세 남자 권순도 씨가 두통이 심하여 병원에 왔다.

[활력징후]	
• 혈압 : 120/70mmHg	• 맥박 : 75회/분
• 호흡 : 19회/분	• 체온 : 36.8℃

응시자는 이 환자에게
- 증상과 관련된 병력을 청취하고,
- 증상과 관련된 적절한 신체진찰을 시행한 후,
- 추정진단과 향후 진단계획 등에 대해 환자와 논의하시오.

해설

※ **감별진단** : 삼차신경통

※ **진단계획/치료계획** : Brain CT, MRI / 항경련제

- 두통을 주소로 내원하신 분으로 오른쪽 귀 뒷부분이 1시간에도 몇 번씩 송곳을 찌르듯이 아프다는 것을 주소로 왔습니다. 주로 편측으로 나타나고, 전기가 찌르듯이 온다면 좀 더 명확할 수 있었겠지만, 1시간에 여러 번 나타난다는 것을 보아서도 삼차신경통을 예상할 수 있습니다. 얼굴 감각의 저하와 함께 씹기 근육의 약화도 같이 나타난다면 더 쉽게 진단을 내릴 수 있었을 것입니다.
- 보통 삼차신경에 병적인 변화가 생겨 얼굴의 감각이상과 함께 씹기 근육의 근력 약화 등의 증상이 나타나는데 이를 삼차신경병증이라고 하며, 통증이 주된 증상일 때에는 삼차신경통이라고 합니다. 이런 경우에 진단에는 MRI가 가장 유용하며, 치료로는 항경련제를 사용합니다.

시나리오

Sex/Age	M/45	
Chief Complaint	머리가 아파요	
Present illness	Location	오른쪽 귀 뒷부분
	Onset	5일 전
	Situation	-
	Time	1시간에도 여러 번, 갑자기 시작됨
	Course	점점 심해짐
	Experience	처음
	Character	[양상] 송곳으로 찌르는 느낌 [정도] NRS 8~9
	Factors	스트레스(-), 낮밤차이(-), 시끄러운 곳(-)
	Associated symptoms	어지러움(-), 구토(-), 아지랑이(-), 반짝거림(-), 시야장애(-), 광선/소리공포증(-/-), 이명(-), 어눌해짐(-), 사지근력변화(-), 발열(-), 오한(-), 뒷목 뻣뻣(-), 어지러움(-), 생리와의 관계(-), 눈물/안구충혈(-/-), 뺨이 저릿한 느낌(-), 체중감소(-), 이전 감기증상(-)
Medical history	약물복용력	(-)
	과거력	DM/TBc/HTN/간질환(-/-/-/-) 건강검진(+, 1YA 정상)
	외상/수술력	외상(-), 수술력(-)
	사회력	회사원, 술(social), 담배(+, 20PY)
	가족력	편두통(-), 뇌혈관질환(-), 뇌전증(-)
	여성력	-
Physical exam	Vital sign	120/75mmHg, 70회/분, 19회/분, 36.8℃
	Positive findings	안구충혈/눈물/시야 검사(-/-/-), 관자동맥 촉진(-), 안저 검사 정상, Neck stiffness(-), CN exam all negative, Kernig/Brudzinski(-/-), 사지 검사(-)
환자의 질문 또는 기타 특이사항		

대표증례-3

상황지침

53세 여자 김관희 씨가 두통이 심하여 병원에 왔다.

[활력징후]

- 혈압 : 180/110mmHg
- 맥박 : 80회/분
- 호흡 : 18회/분
- 체온 : 36.5℃

응시자는 이 환자에게

- 증상과 관련된 병력을 청취하고,
- 증상과 관련된 적절한 신체진찰을 시행한 후,
- 추정진단과 향후 진단계획 등에 대해 환자와 논의하시오.

해설

※ **감별진단** : 거미막하출혈, 고혈압성 뇌내출혈

※ **진단계획/치료계획** : Brain CT, MRI / Mannitol, 혈압강하제(Beta-blocker, CCB)

- 갑자기 발생한 극심한 두통과 ICP 상승소견(신경학성 이상, 구토 등), 고혈압력과 흡연/음주력이 있는 환자에서는 뇌출혈을 의심해야 합니다. 응급질환이라는 것을 명심하고 입원에 대한 설명을 해주어야 합니다.
- ‘깨질 듯한 두통’, ‘도끼로 찍는 듯한 두통’이란 서술을 듣자마자 SAH를 떠올리도록 합시다.
- 출혈성 뇌질환에서는 혈압이 너무 높아도, 너무 떨어져도 안 됩니다. 3H Therapy를 기억합시다(Hypertension/Hypervolemia/Hemodilution).

시나리오

Sex/Age	F/53	
Chief Complaint	머리가 아파요	
Present illness	Location	머리 전체
	Onset	1시간 전
	Situation	쇼핑하고 집에 돌아왔는데 문 앞에서 갑자기 깨질 것 같은 두통이 있었고, 앉아서 쉬었는데도 나아지지 않음
	Time	1시간 동안 지속적
	Course	1시간 전보다는 괜찮음
	Experience	예전에 뒷목이 뻐근한 적은 있음 이렇게 아픈 적은 처음
	Character	[양상] 깨질 것 같은 느낌 [정도] NRS 9
	Factors	고개 움직이기만 해도 아픔, 기침/재채기 할 때 심해지는 것은 모르겠음
	Associated symptoms	아지랑이(−), 반짝거림(−), **어지러움(+)**, **구토(+, 머리 아프고 나서 한번 구토)**, 팔다리 근력·감각 저하(−), 쓰러지지 않음, 시야장애(−), 이명(−), 어눌해짐(−), 발열(−), 오한(−), 눈물/안구충혈(−/−), 뺨에 저릿한 느낌(−), 체중감소(−), 목뻣뻣(−), 이전 감기증상(−)
Medical history	약물복용력	(−)
	과거력	DM/TBc/HTN/간질환(−/−/−/−) 건강검진(+, 3YA 정상)
	외상/수술력	외상(−), 수술력(−)
	사회력	술(social), 담배(−)
	가족력	고혈압(+, 어머니), 뇌혈관 질환, 심혈관 실환(−)
	여성력	2-1-0-3, 2년 전 폐경
Physical exam	Vital sign	180/110mmHg, 80회/분, 18회/분, 36.5℃
	Positive findings	뇌신경 검사 상 얼굴 미는 게 안 됨, 팔다리 근력 저하 모두 있는 것 같음, 감각은 모두 느껴진다고 함, Kernig/Brudzinski(−/−), 안저 검사(−), 관자 동맥촉진(−), 안구충혈/눈물(−/−)
환자의 질문 또는 기타 특이사항		

대표증례－4

상황지침

54세 여자 신경미 씨가 두통이 심하여 병원에 왔다.

[활력징후]

- 혈압 : 120/80mmHg
- 맥박 : 80회/분
- 호흡 : 20회/분
- 체온 : 36.5℃

응시자는 이 환자에게

- 증상과 관련된 병력을 청취하고,
- 증상과 관련된 적절한 신체진찰을 시행한 후,
- 추정진단과 향후 진단계획 등에 대해 환자와 논의하시오.

해설

※ **감별진단** : 편두통

※ **진단계획/치료계획** : Brain CT, MRI / NSAID, Triptan, 생활습관교정

- 두통을 주소로 내원한 환자는 우선 활력징후를 체크하여 혈압이 높은지부터 확인합니다. 뇌졸중과 같은 응급질환을 우선적으로 배제한 후에 다른 신경과적 질환을 감별해야겠습니다.
- 본 케이스는 전형적인 편두통 환자이며, 편두통에서 나타나는 양상과 전조증상 등을 순서대로 물어보시면 무난히 통과할 수 있는 문항입니다. 아들 때문에 걱정이 많은 환자로 자식 교육 등에 공감해드리면서 생활습관 교정을 권해드리면 되겠습니다.

시나리오

Sex/Age	F/54	
Chief Complaint	머리가 아파요	
Present illness	Location	머리 전체, 앞쪽이 더 아픔
	Onset	어제 저녁
	Situation	집에서 쉬고 있는데 갑자기 아파짐
	Time	1~2일
	Course	어제 저녁보다 괜찮음
	Experience	1달에 한두 번씩 그랬음 10년 전부터 2~3달에 한 번
	Character	[양상] 욱신거림 [정도] NRS 3~8
	Factors	스트레스에 의해 악화(+, 애가 국제중에 다니는데 특목고 준비하느라 스트레스 많음)
	Associated symptoms	**어지러움(+), 구토(+, 1회)**, 아지랑이(−), 반짝거림(−), 시야장애(−), 광선/소리공포증(−/−), 이명(−), 어눌해짐(−), 사지근력변화(−), 발열(−), 오한(−), 뒷목 뻣뻣(−), 어지러움(−), 생리와의 관계(−), 눈물/안구충혈(−/−), 뺨에 저릿한 느낌(−), 체중감소(−), 이전 감기증상(−)
Medical history	약물복용력	진통제(+, 써 봤는데 조금 좋아짐)
	과거력	DM/TBc/HTN/간질환(−/−/−/−) 건강검진(+, 1YA 정상)
	외상/수술력	외상(−), 수술력(−)
	사회력	가정주부, 술(social), 담배(−), 커피(2~3잔)
	가족력	어머니가 젊을 때 머리가 아팠는데 세월이 흐른 후 치료 없이 괜찮아짐
	여성력	2-0-0-2, 2년 전 폐경
Physical exam	Vital sign	120/80mmHg, 80회/분, 20회/분, 36.5℃
	Positive findings	CN exam all negative, Kernig/Brudzinski(−/−), Neck stiffness(−), 안저검사 정상, 안구충혈/눈물(−/−), 관자동맥 촉진(−)
환자의 질문 또는 기타 특이사항		큰병인가 해서 걱정돼요

대표증례-5

상황지침

45세 여자 임미르 씨가 두통이 심하여 병원에 왔다.

[활력징후]

- 혈압 : 110/70mmHg
- 맥박 : 70회/분
- 호흡 : 19회/분
- 체온 : 36.2℃

응시자는 이 환자에게
- 증상과 관련된 병력을 청취하고,
- 증상과 관련된 적절한 신체진찰을 시행한 후,
- 추정진단과 향후 진단계획 등에 대해 환자와 논의하시오.

해설

※ **감별진단** : 긴장성 두통

※ **진단계획/치료계획** : Brain CT, MRI / 행동요법, 근이완제, NSAID

- 두통을 주소로 내원하신 분으로 주말엔 괜찮고 주중엔 심한 두통을 호소하십니다. 직장 생활로 스트레스 많이 받으시고 저녁때 더 심해지는 등의 증상으로 보아 긴장성 두통을 의심해 볼 수 있겠습니다.
- 긴장성 두통의 원인은 원인이 뚜렷하지 않은 특발성인 것, 구하악 기능장애(oromandibular dyskinesia), 심인성으로 요약할 수 있습니다. 또, 키보드 작업을 하는 컴퓨터 종사자에서 흔히 보이는 근육 스트레스 및 두통에 대한 약물과용이 있습니다. 대부분 운동부족이나 근육의 부적절한 사용, 불량한 자세 등으로 인하여 머리 주위 근육이 지나치게 긴장하기 때문인데, 목주위 마사지를 하거나 필요시 근이완제를 통하여 긴장성 두통을 줄일 수 있습니다.

시나리오

Sex/Age	F/45	
Chief Complaint	머리가 아파요	
Present illness	Location	머리 전체
	Onset	5개월 전
	Situation	(−)
	Time	한번 아프면 계속 아픔
	Course	어제 저녁보다 괜찮음
	Experience	1달에 한두 번씩 그랬음 10년 전부터 2~3달에 한 번
	Character	[양상] 조이는 듯, 누르는 듯한 통증 [정도] NRS 4~5
	Factors	스트레스로 악화 저녁 때 더 아픔, 주말보다 주중에 더 아픔
	Associated symptoms	어지러움(−), 구토(−), 아지랑이(−), 반짝거림(−), 시야장애(−), 광선/소리공포증(−/−), 이명(−), 어눌해짐(−), 사지근력변화(−), 발열(−), 오한(−), 뒷목 뻣뻣(−), 어지러움(−), 생리와의 관계(−), 눈물/안구충혈(−/−), 빰이 저릿한 느낌(−), 체중감소(−), 이전 감기증상(−)
Medical history	약물복용력	타이레놀 먹었고 처음엔 효과 있었으나 지금은 효과 없음
	과거력	DM/TBc/HTN/간질환(−/−/−/−) 건강검진(+, 1YA 정상)
	외상/수술력	외상(−), 수술력(−)
	사회력	은행원, 술(social), 담배(−)
	가족력	편두통(−), 뇌혈관질환(−), 간질(−)
	여성력	3-0-0-3, 특이사항 없음
Physical exam	Vital sign	110/70mmHg, 70회/분, 19회/분, 36.2℃
	Positive findings	안구충혈/눈물/시야 검사(−/−/−), 관자동맥 촉진(−), 안저 검사 정상, Neck stiffness(−), CN exam all negative, Kernig/Brudzinski(−/−), 사지 검사(−)
환자의 질문 또는 기타 특이사항		큰병인가 해서 걱정돼요

대표증례-6

상황지침

45세 여자 서혜림 씨가 두통이 심하여 병원에 왔다.

[활력징후]

• 혈압 : 120/80mmHg	• 맥박 : 80회/분
• 호흡 : 20회/분	• 체온 : 36.5℃

응시자는 이 환자에게

- 증상과 관련된 병력을 청취하고,
- 증상과 관련된 적절한 신체진찰을 시행한 후,
- 추정진단과 향후 진단계획 등에 대해 환자와 논의하시오.

해설

※ **감별진단** : 편두통

※ **진단계획/치료계획** : Brain CT, MRI / NSAID, Triptan, 생활습관교정

- 두통을 주소로 내원한 환자는 우선 활력징후를 체크하여 혈압이 높은지부터 확인합니다. 뇌졸중과 같은 응급질환을 우선적으로 배제한 후에 다른 신경과적 질환을 감별해야겠습니다.
- 본 케이스는 전형적인 편두통 환자이며, 편두통에서 나타나는 양상과 전조증상 등을 순서대로 물어보시면 무난히 통과할 수 있는 문항입니다. 커피를 많이 마시고, 머리가 아프면 커피를 더 마신다고 하는데, 커피가 두통을 악화시킬 수 있으므로 생활습관 교정이 필요합니다.

시나리오

Sex/Age	F/45	
Chief Complaint	머리가 아파요	
Present illness	Location	머리 양쪽, 앞과 옆이 더 심함
	Onset	6개월 전, 1개월 전부터 심해짐
	Situation	두통이 생기기 한 달 전 이사하면서 스트레스 받음
	Time	하루 종일, 요즘 들어는 매일 아픔
	Course	비슷한 정도
	Experience	고등학교 때도 좀 아픔
	Character	[양상] 욱신거림, 어디로 뻗치지는 않는다 [정도] NRS 7점
	Factors	스트레스(+, 이사 스트레스) 빛(+), 주기성(−), 월경과 관련(−), 자세(−), 운동(−)
	Associated symptoms	어지러움(−), **구토(+, 1회)**, 아지랑이(−), 반짝거림(−), 시야장애(−), 광선/소리공포증(−/−), 이명(−), 어눌해짐(−), 사지근력변화(−), 발열(−), 오한(−), 뒷목 뻣뻣(−), 어지러움(−), 생리와의 관계(−), 눈물/안구충혈(−/−), 뺨에 저릿한 느낌(−), 체중감소(−), 이전 감기증상(−)
Medical history	약물복용력	진통제(+, 시중 진통제 써봤는데 머리 아프기 시작하자 먹으면 좀 낫고 아니면 효과 없음)
	과거력	DM/TBc/HTN/간질환(−/−/−/−) 건강검진(−)
	외상/수술력	외상(−), 수술력(−)
	사회력	가정주부, 술(social), 담배(−), 커피(1~2잔, 머리 아프면 한 잔 더 마심)
	가족력	어머니도 젊을 때 두통. 진단은 모르나 나이 들고 괜찮아짐
	여성력	규칙적, 특이사항 없음
Physical exam	Vital sign	120/80mmHg, 80회/분, 20회/분, 36.5℃
	Positive findings	CN exam all negative, Kernig/Brudzinski(−/−), Neck stiffness(−), 안저검사 정상, 안구충혈/눈물(−/−), 관자동맥 촉진(−)
환자의 질문 또는 기타 특이사항		아파서 빨리 해결해주세요 뇌 문제는 아닐까 걱정돼요

관련증례

34-1 30세 남자가 심한 두통으로 왔다. 환자는 2년 전부터 반복적으로 머리가 심하게 아팠고, 항상 봄에 두통이 발생했다. 욱신거리는 양상의 두통과 함께 충혈, 콧물이 동반되었으며 특히 밤에 두통이 발생하였다. 약국에서 진통제를 구해 복용하였으나 효과는 없었다.

> 활력징후는 혈압 130/80mmHg, 맥박 72회/분, 호흡수 18회/분, 체온 36.5℃이었다. 신경학적 검사는 정상이었다.

Answer | 34-1. 군발성 두통

Check-list

	병력청취 채점항목	예	아니오
1	두통이 언제부터 시작되었는지 물어보았다.	☐	☐
2	두통의 부위와 양상에 대하여 자세히 문진하였다.	☐	☐
3	두통이 발생한 상황이나 계기가 있는지 물어보았다.	☐	☐
4	시야장애, 목의 경직, 구역/구토, 눈 충혈/눈물, 콧물 등의 동반증상에 대하여 물어보았다.	☐	☐
5	두통이 발생하기 전 조짐이 있는지 물어보았다.	☐	☐
6	가족 중에 비슷한 두통을 앓은 사람이 있는지 물어보았다.	☐	☐
7	복용하고 있는 약물에 대하여 물어보았다.	☐	☐
8	머리를 다친 적이 있거나 수술한 적이 있는지 물어보았다.	☐	☐

	신체진찰 채점항목	제대로 함	제대로 못함	하지 않음
1	활력징후를 확인하였다.	☐	☐	☐
2	두부를 시/촉진하여 압통이 있는지 확인하였다.	☐	☐	☐
3	결막을 시진하여 창백한지 살펴보았다.	☐	☐	☐
4	사지 근력과 감각을 확인하였다.	☐	☐	☐
5	환자를 눕히고, 수막자극징후 여부를 확인하였다.	☐	☐	☐
6	병적 반사 유무를 확인하였다.	☐	☐	☐

	환자교육 채점항목	예	아니오
1	두통을 유발할 수 있는 원인과 질환에 대하여 설명하였다.	☐	☐
2	필요한 검사를 설명하고 동의를 구하였다.	☐	☐
3	치료의 필요성과 방법에 대하여 설명하였다.	☐	☐
4	두통을 악화시킬 수 있는 요인이나 주의사항에 대하여 설명하였다.	☐	☐

	환자의사관계 채점항목	아주우수	우수	보통	미흡
1	효율적으로 잘 물어보았다. - 효율적 질문 : 개방형 질문 사용, 확인, 중간 요약 - 피할 질문 : 유도 질문, 복수 질문	☐	☐	☐	☐
2	나의 말을 잘 들어주었다. - 대꾸하기, 경청 자세, 눈 맞춤 & 말 가로채지 않기	☐	☐	☐	☐
3	나의 입장을 이해하려고 노력하였다. - 공감 표현, 나의 입장 파악	☐	☐	☐	☐
4	환자가 이해하기 쉽게 설명하였다. - 간단명료함, 이해도 점검, 질문 기회 & 쉬운 용어	☐	☐	☐	☐
5	나와 좋은 유대 관계를 형성하려고 했다. - 자기소개, 일상 대화, 존중, 자신감 & 신뢰감	☐	☐	☐	☐

35 실 신

대표증례 – 1

상황지침

58세 남자 정민수 씨가 갑자기 기절했다며 병원에 왔다.
(현재 오후 3시)

[활력징후]

• 혈압 : 80/58mmHg	• 맥박 : 115회/분
• 호흡 : 19회/분	• 체온 : 36.8℃

응시자는 이 환자에게
- 증상과 관련된 병력을 청취하고,
- 증상과 관련된 적절한 신체진찰을 시행한 후,
- 추정진단과 향후 진단계획 등에 대해 환자와 논의하시오.

해설

※ **감별진단** : 위장관 출혈에 의한 저혈량증, 기립성 저혈압
※ **진단계획/치료계획** : 상부위장관 내시경, CBC, 체위에 따른 혈압 측정 / 지혈(내시경), 수액정주

• 위장관계 출혈로 인해 실신이 발생할 수 있음을 염두에 두고, associated symptom에서 소화기계를 잊지 않고 질문해야합니다. 더불어, 복부 진찰에서 epigastric pain을 호소하였으므로 처음에 방향을 맞게 잡았다면 어렵지 않게 풀 수 있는 문제였습니다.
• 5년 전 궤양을 진단 받고 치료하다가 자가로 중단하였기 때문에 일단 궤양 치료를 계속 하는 것을 교육하셔야 합니다.

시나리오

Sex/Age	M/58	
Chief Complaint	갑자기 기절했어요	
Present illness	Location	쓰러지면서 외상(−)
	Onset	2시간 전(현재 오후 3시)
	Situation	집에서 앉아서 쉬다가 일어나는 순간
	Time	3분
	Course	최근 앉았다 일어날 때 어지러운 것이 점점 심해지다 이번에는 쓰러짐
	Experience	처음
	Character	[실신 전] 전조증상(+, 눈이 아찔해지고 속이 울렁거림) [실신 중] 목격자(+, 그냥 누워 있었음) [실신 후] 의식 회복 후 피로감
	Factors	앉았다 일어날 때(+)
	Associated symptoms	두통(−), 탈수(−), A/N/V/D/C(−/−/−/−/−), 회복 후 팔다리에 힘이 잘 안 들어감, 실신시 팔다리경직(−), 눈 돌아감(−), 고개 돌아감(−), 요/변 실금(−), 침흘림(−), 흉통(−), 숨참(−), 쓰러지면서 외상(−), **속쓰림(+)**, **흑변(+)**, 혈변(−), 소화불량(−), 복통(−)
Medical history	약물복용력	없음
	과거력	DM/TBc/HTN/간질환(−/−/−/−) 5년 전 십이지장 궤양 진단받고 3주간 치료 후 자가 중단 건강검진(5YA, 십이지장 궤양)
	외상/수술력	외상(−), 수술력(−)
	사회력	스트레스(−), 술(−), 담배(−)
	가족력	실신(−), 심장질환(−), 뇌혈관질환(−)
	여성력	−
Physical exam	Vital sign	80/58mmHg, 115회/분, 19회/분, 36.8℃
	Positive findings	심음 정상, 호흡음 정상, 안저 검사 정상, 뇌신경 검사(−), 근력/감각(−/−), DTR(−), 결막(+, 빈혈), 복부(Epigastric DT/RT(+/−)), 목동맥 청진 정상, 피부긴장도 정상, DRE(+, 흑변)
환자의 질문 또는 기타 특이사항		쓰러진 게 십이지장 궤양하고 연관이 있나요?

대표증례 - 2

상황지침

25세 남자 이재환 씨가 실신했다며 병원에 왔다.

[활력징후]	
• 혈압 : 110/70mmHg	• 맥박 : 80회/분
• 호흡 : 18회/분	• 체온 : 36.6℃

응시자는 이 환자에게
- 증상과 관련된 병력을 청취하고,
- 증상과 관련된 적절한 신체진찰을 시행한 후,
- 추정진단과 향후 진단계획 등에 대해 환자와 논의하시오.

해설

※ **감별진단** : 혈관미주신경성 실신(Vasovagal syncope), 기립성 저혈압

※ **진단계획/치료계획** : 머리 기울임 검사(Head up tilt test), 체위에 따른 혈압 측정 / 실신 유발상황 회피

- 뇌혈관질환이나 심장질환 등 생명이 위급할 수 있는 질환이 아닌지 먼저 감별하기 위해 활력징후를 우선 확인할 수 있도록 합니다. 환자에게 지금 몸상태에 대해 가볍게 묻고 진료를 시작해도 좋은 접근이 될 것입니다.
- 의식소실이 단순한 실신인지 간질발작에 의한 것인지 알기 위한 감별점과 핵심 질문 몇 가지 정도는 숙지해두셔야 간질 주제에 관한 진료문항에서도 헷갈리지 않고 병력청취를 진행할 수 있습니다.
- 어떤 상황에서 실신이 유발되었는지 물어보면 미주신경성인지 기립성 저혈압에 의한 실신인지 감별하기 쉬울 것입니다. 가령 사람이 많은 복잡한 지하철 같은 곳에서 오래 서 있다가 의식을 잃었는지, 누워 있다가 일어날 때 머리가 핑 돌면서 의식을 잃었는지 등으로 질문할 수 있어야 합니다.
- 시험 기간이라 잠을 잘 못자거나, 피로, 영양섭취 부족, 스트레스 등에 인해서도 미주신경성 실신이 유발될 수 있으므로 이에 대한 충분한 교육 및 스트레스 관리에 관한 사항을 알려주어야 합니다.

시나리오

Sex/Age	M/25	
Chief Complaint	쓰러졌어요	
Present illness	Location	쓰러지면서 외상(-)
	Onset	어제
	Situation	사람 많은 지하철에서 오래 서있다가
	Time	10초 이내
	Course	4번 모두 10초 이내로 쓰러졌다가 깸
	Experience	초등학교 4학년 조회 중 실신, 이후로 4번 더 있었음
	Character	[실신 전] 전조증상(+, 어질어질하고 눈 앞이 아득해짐) [실신 중] 목격자(+, 스르륵 쓰러짐, 이 외 특이사항 없음) [실신 후] (-)
	Factors	앉았다 일어날 때(+)
	Associated symptoms	두통(-), 탈수(-), A/**N**/V/D/C(-/**+**/-/-/-), 팔다리 힘빠짐(-), 흉통(-), 숨참(-), 속쓰림(-), 흑변(-), 혈변(-), 소화불량(-), 복통(-)
Medical history	약물복용력	없음
	과거력	DM/TBc/HTN/간질환(-/-/-/-) 간질 병력이나 뇌질환 없음 건강검진(-)
	외상/수술력	외상(-), 수술력(+, 초등학교 때 맹장수술)
	사회력	스트레스(+, 대학생으로 최근 중간고사로 인해 스트레스 받음) 술(+, 소주 1병/1주), 담배(+, 2PY)
	가족력	실신(-), 심장질환(-), 뇌혈관질환(-)
	여성력	-
Physical exam	Vital sign	110/70mmHg, 80회/분, 18회/분, 36.6℃
	Positive findings	목동맥 청진 정상, 심박동 정상, 호흡음 정상, 뇌신경 검사(-), 근력/감각(-/-), DTR(-), 복부검진 정상, DRE(-)
환자의 질문 또는 기타 특이사항		

대표증례-3

상황지침

57세 여자 최명숙 씨가 실신했다며 병원에 왔다.
(현재 오전 10시)

[활력징후]	
• 혈압 : 140/80mmHg	• 맥박 : 87회/분
• 호흡 : 18회/분	• 체온 : 36.5℃

응시자는 이 환자에게
- 증상과 관련된 병력을 청취하고,
- 증상과 관련된 적절한 신체진찰을 시행한 후,
- 추정진단과 향후 진단계획 등에 대해 환자와 논의하시오.

해설

※ **감별진단 :** 고혈압약에 의한 기립성 저혈압, 혈관미주신경성 실신, 상황실신
※ **진단계획/치료계획** : 체위에 따른 혈압 측정, 고혈압약 조절, 머리 기울임 검사 / 약제 조절

- 실신을 유발할 수 있는 질환에는 혈관계, 신경계, 심장문제 등 다양한 원인이 있고, 이 중 심장 질환과 연관된 실신은 사망위험이 높으므로 유의해서 보도록 합시다.
- 실신 과정 중에 신체 균형이 무너지며 주변 사물에 머리를 부딪쳐 크게 다칠 수 있으므로 이에 대한 질문과 염려를 표현한다면 환자의사관계에서 좋은 점수를 받으실 수 있으실 것입니다.
- 환자교육 시 실신이 일어날 것 같은 느낌이 들 때는 자세를 낮추고 바닥이 푹신한 곳으로 가도록 얘기하시면 됩니다. 가족 및 가까운 사람들에게도 환자가 실신했을 때는 몸을 바로 일으키지 말고 누운 자세에서 심장쪽으로 혈액이 갈 수 있도록 다리 마사지를 하거나 다리를 약간 들어주는 자세를 취하도록 교육해야 합니다.
- 평소에 앉거나 누웠다 일어날 때 어지러움을 느끼는 사람에게는 급하게 일어나지 않도록 주의하는 것이 필요합니다.

시나리오

Sex/Age	F/57	
Chief Complaint	쓰러졌어요	
Present illness	Location	쓰러지면서 외상(−)
	Onset	2시간 전(현재 오전 10시)
	Situation	소변 보고 나오다가 갑자기 쓰러짐
	Time	30초 이내
	Course	−
	Experience	처음
	Character	[실신 전] 전조증상(+, 어질어질하고 눈 앞이 캄캄해짐) [실신 중] 목격자(+, 특이사항 없음) [실신 후] 팔다리에 힘이 잘 안들어감
	Factors	장시간 서있기(−)
	Associated symptoms	두통(−), 탈수(−), A/**N**/V/D/C(−/**+**/−/−/−), 팔다리 힘빠짐(−), 흉통(−), 숨참(−), 속쓰림(−), 흑변(−), 혈변(−), 소화불량(−), 복통(−)
Medical history	약물복용력	당뇨약(5년 전) 고혈압약(1주일 전 약 복용 시작함)
	과거력	DM/TBc/HTN/간질환(+/−/+/−) 간질 병력이나 뇌질환 없음 건강검진(+, 1주일 전 고혈압 외 이상 못 들었음)
	외상/수술력	외상(−), 수술력(−)
	사회력	남편과 부동산 업무, 스트레스(+, 일이 잘 안돼서 스트레스) 술(−), 담배(−)
	가족력	아버지 고혈압, 뇌출혈로 사망, 어머니 고혈압
	여성력	폐경(5YA)
Physical exam	Vital sign	140/80mmHg, 87회/분, 18회/분, 36.5℃
	Positive findings	목동맥 청진 정상, 심음 정상, 호흡음 정상, 안저 검사 정상, 뇌신경 검사(−), 근력/감각(−/−), DTR(−), 복부검진 정상
환자의 질문 또는 기타 특이사항		"큰 병인가요? 진단명이 뭐에요?"

대표증례-4

상황지침

21세 여자 이인해 씨가 실신했다며 병원에 왔다.

[활력징후]	
• 혈압 : 100/75mmHg	• 맥박 : 80회/분
• 호흡 : 18회/분	• 체온 : 36.5℃

응시자는 이 환자에게
- 증상과 관련된 병력을 청취하고,
- 증상과 관련된 적절한 신체진찰을 시행한 후,
- 추정진단과 향후 진단계획 등에 대해 환자와 논의하시오.

해설

※ **감별진단** : 혈관미주신경성 실신(Vasovagal syncope), 기립성 저혈압

※ **진단계획/치료계획** : 머리 기울임 검사(Head up tilt test), 체위에 따른 혈압 측정 / 실신 유발상황 회피

• 뇌혈관질환이나 심장질환 등 생명이 위급할 수 있는 질환이 아닌지 먼저 감별하기 위해 활력징후를 우선 확인할 수 있도록 합니다. 환자에게 지금 몸상태에 대해 가볍게 묻고 진료를 시작해도 좋은 접근이 될 것입니다.

• 어떤 상황에서 실신이 유발되었는지 물어보면 미주신경성인지 기립성 저혈압에 의한 실신인지 감별하기 쉬울 것입니다. 가령 사람이 많은 복잡한 지하철 같은 곳에서 오래 서 있다가 의식을 잃었는지, 누워 있다가 일어날 때 머리가 핑 돌면서 의식을 잃었는지 등으로 질문할 수 있어야 합니다.

• 시험 기간이라 잠을 잘 못자거나, 피로, 영양섭취 부족, 스트레스 등에 인해서도 미주신경성 실신이 유발될 수 있으므로 이에 대한 충분한 교육 및 스트레스 관리에 관한 사항을 알려주어야 합니다.

시나리오

Sex/Age	F/21	
Chief Complaint	쓰러질 뻔 했어요	
Present illness	Location	쓰러지면서 외상(−)
	Onset	오늘 아침
	Situation	사람 많은 지하철에 낑겨서 10분 정도 가다가 쓰러질 것 같았음
	Time	5~6분
	Course	비슷함
	Experience	고등학교 운동회 폐회식 때 서있다가 쓰러짐, 오늘 아침까지 총 2회 중학교 때부터 앉았다 일어날 때 어지러운 증상
	Character	[실신 전] 전조증상(+, 메스꺼움, 눈 앞 깜깜함) [실신 중] 안구편위(−), 침흘림(−), 요실금/변실금(−/−) [실신 후] 피로(+), 힘빠짐(+, 앉아서 쉬니 괜찮아짐)
	Factors	−
	Associated symptoms	두통(−), 탈수(−), A/N/V/D/C(−/−/−/−/−), 팔다리 힘빠짐(−), 흉통(−), 숨참(−), 속쓰림(−), 흑변(−), 혈변(−), 소화불량(−), 복통(−)
Medical history	약물복용력	생리통으로 타이레놀 복용 중
	과거력	DM/TBc/HTN/간질환(−/−/−/−) 건강검진(+, 올해 초에 정상)
	외상/수술력	외상(−), 수술력(−)
	사회력	스트레스(+, 시험과 과제로 잠을 잘 못잠. 어제 1시간 수면, 식사도 최근 잘 못함) 술(+, social), 담배(−), 커피(2~3잔)
	가족력	실신(−), 심장질환(−), 뇌혈관질환(−)
	여성력	월경량 많은 편(중형으로 5장), 주기는 규칙적
Physical exam	Vital sign	100/75mmHg, 80회/분, 18회/분, 36.5℃
	Positive findings	목동맥 청진 정상, 심박동 정상, 심음 정상, 호흡음 정상, 뇌신경 검사(−), 근력/감각(−/−), DTR(−), 복부검진 정상, DRE(−)
환자의 질문 또는 기타 특이사항		젊고 협조적인 여성 환자

대표증례-5

상황지침

52세 여자 최미옥 씨가 실신했다며 병원에 왔다.

[활력징후]	
• 혈압 : 120/80mmHg	• 맥박 : 87회/분
• 호흡 : 17회/분	• 체온 : 36.5℃

응시자는 이 환자에게

- 증상과 관련된 병력을 청취하고,
- 증상과 관련된 적절한 신체진찰을 시행한 후,
- 추정진단과 향후 진단계획 등에 대해 환자와 논의하시오.

해설

※ **감별진단** : 부정맥, 혈관미주신경성 실신

※ **진단계획/치료계획** : 심전도, 머리 기울임 검사 / 부정맥 약제, 실신 유발 상황 회피

- 실신을 유발할 수 있는 질환에는 혈관계, 신경계, 심장문제 등 다양한 원인이 있고, 이 중 심장 질환과 연관된 실신은 사망위험이 높으므로 유의해서 보도록 합시다. 2달 전부터 두근거림이 있었다고 하여 부정맥에 의한 실신도 배제할 수 없으므로 심전도 검사를 시행할 수 있습니다.
- 실신 과정 중에 신체 균형이 무너지며 주변 사물에 머리를 부딪쳐 크게 다칠 수 있으므로 이에 대한 질문과 염려를 표현한다면 환자의사관계에서 좋은 점수를 받으실 수 있으실 것입니다.
- 환자교육 시 실신이 일어날 것 같은 느낌이 들 때는 자세를 낮추고 바닥이 푹신한 곳으로 가도록 얘기하시면 됩니다. 가족 및 가까운 사람들에게도 환자가 실신했을 때는 몸을 바로 일으키지 말고 누운 자세에서 심장쪽으로 혈액이 갈 수 있도록 다리 마사지를 하거나 다리를 약간 들어주는 자세를 취하도록 교육해야 합니다.

시나리오

Sex/Age	F/52	
Chief Complaint	쓰러졌어요	
Present illness	Location	쓰러지면서 외상(−)
	Onset	어제 오후 2시 경
	Situation	회사에서 서서 발표하던 중에 동료들 앞에서 쓰러짐
	Time	30초
	Course	−
	Experience	쓰러진 건 처음 쓰러질 것 같은 느낌은 지난 2달 동안 두근거리면서 아찔한 느낌이 3~4회 있었음
	Character	[실신 전] 전조증상(+, 가슴이 두근거리고 눈 앞이 캄캄해짐) [실신 중] 목격자(+, 특이사항 없음) [실신 후] 의식 완전히 회복됨
	Factors	장시간 서있기(−), 앉았다 일어서기(−)
	Associated symptoms	두통(−), 탈수(−), A/N/V/D/C(−/−/−/−/−), 팔다리 힘빠짐(−), 흉통(−), **두근거림(+)**, 숨참(−), 속쓰림(−), 흑변(−), 혈변(−), 소화불량(−), 복통(−)
Medical history	약물복용력	종합비타민
	과거력	DM/TBc/HTN/간질환(−/−/−/−) 건강검진(+, 2YA 내시경과 심전도도 함)
	외상/수술력	외상(−), 수술력(−)
	사회력	스트레스(+, 남편과 최근 다툼) 술(social), 담배(10PY, 18년 전 끊음)
	가족력	심장질환(−), 뇌혈관질환(−)
	여성력	특이사항 없음
Physical exam	Vital sign	120/80mmHg, 87회/분, 17회/분, 36.5℃
	Positive findings	목동맥 청진 정상, 심음 정상, 호흡음 정상, 안저 검사 정상, 뇌신경 검사(−), 근력/감각(−/−), DTR(−), 복부검진 정상
환자의 질문 또는 기타 특이사항		

관련증례

35-1 23세 여자가 학교에서 실습을 하다가 쓰러져서 왔다. 환자는 현재 간호대학교 재학 중으로 학교 실습으로 정맥혈 채혈 연습을 위해 학생들끼리 서로 채혈을 하는 도중에 눈앞이 깜깜해지고 구역감이 들면서 정신을 잃었다고 한다. 쓰러진 후 10초 이내에 다시 정신이 들었으며 안정을 취하고 회복되었다. 회복 후에 잠시 동안 팔다리에 힘이 빠진다고 하였으나 곧 회복되었으며 걷는 데는 문제가 없다고 하였다. 실신 중에 팔다리 경직, 안구편위, 요/변실금 등의 증상은 모두 부인하였으며 실신한 적도 처음이라고 하였다. 복용중인 약물은 없었고, 술과 담배는 하지 않는다고 하였다.

활력징후는 혈압 105/75mmHg, 맥박 70회/분, 호흡수 21회/분, 체온 36.6℃이었다. 결막에 빈혈소견은 없었고, 입안에서 혀를 깨문 흔적도 없었다. 피부 긴장도는 정상이었고, 심장음과 호흡음도 모두 정상이었다. 의식은 명료하였으며 신경학적 검진도 모두 정상이었다.

35-2 20세 남자가 의식을 잃고 쓰러졌다고 병원에 왔다. 아침에 소변을 보고 나오다가 약 5초간 의식을 잃었다고 하였으며 쓰러지기 직전에 정신이 아뜩해지는 느낌이었다고 하였다. 실신 상황시 쿵하는 소리를 듣고 찾아온 어머니에 의해 발견되었으며 쓰러지고 나서 곧 정신을 차리는 동안 근육 경직이나 떨림, 안구 편위, 혀를 깨문 흔적, 요실금, 변실금은 없었다고 한다. 정신을 차리고 10초 정도 정신이 혼동되는 양상을 보였다고 했으나 곧 회복되었으며 다른 문제는 없었다고 한다. 최근 열이나 감기 증상, 흉통, 복통 등은 없었으며, 최근 1년간 소변볼 때와 대변을 보기 위해 배에 힘을 줄 때에 정신이 아뜩해지는 느낌이 2번 정도 들었다고 하였다. 이전에 다른 질병을 앓거나 먹는 약은 없었으며, 대학생으로 술과 담배는 하지 않는다고 하였다.

활력징후는 혈압 115/70mmHg, 맥박 65회/분, 호흡수 18회/분, 체온 36.6℃이었다. 결막에 빈혈소견은 없었고, 입안에서 혀를 깨문 흔적도 없었다. 피부 긴장도는 정상이었고, 심장음과 호흡음도 모두 정상이었다. 의식은 명료하였으며 신경학적 검진도 모두 정상이었다.

35-3 57세 남자가 오전부터 가슴이 답답하다고 호소하다가 갑자기 의식을 잃어 응급실로 방문하였다. 병원에 도착 시에는 의식은 있었으나 가슴 앞쪽에 조여오는 듯한 통증과 왼쪽 어깨로 뻗쳐나가는 방사통이 있었다고 하였으며, 숨쉬기가 힘들다고 하였다. 의식을 잃었을 때 팔다리를 떨거나 근육이 뻣뻣한 느낌은 없었으며 안구가 돌아가 있거나 요/변실금이 있지는 않았다고 한다. 5년 전부터 고혈압으로 진단받아 고혈압약을 복용 중이었으며, 2년 전에는 당뇨를 진단받아 당뇨약도 함께 복용 중이었다. 사무직 회사원으로 술은 일주일에 2병 정도, 담배는 하루 한 갑씩 30년간 피웠다고 하였다.

> 활력징후는 혈압 140/90mmHg, 맥박 120회/분, 호흡수 22회/분, 체온 36.7℃이었다. 결막은 정상적이었으며 심장음은 정상이었다. 호흡음에서 양쪽 폐아래 뒤쪽 부위에서 거품소리가 들렸으며, 피부가 축축하고 차가운 편이었다. 신경학적 검사는 정상이었다.

08 CHAPTER

Answer | 35-1. 미주신경성실신 35-2. 상황실신 35-3. 심근경색증에 의한 실신

Check-list

	병력청취 채점항목	예	아니오
1	실신의 발생시간, 상황, 의식을 잃은 시간에 대해서 물어보았다.	☐	☐
2	실신이 발생하기 전에 전조증상(어질어질, 아득해지는 느낌, 빛이 번쩍임, 구역감, 구토 등)에 대해서 물어보았다.	☐	☐
3	실신 발생시 동반증상(팔다리 떨림, 근육강직, 혀깨뭄, 안구편위, 요실금, 변실금 등)에 대하여 물어보았다.	☐	☐
4	의식을 회복한 후 두통, 어지럼증, 오심, 구토, 의식 혼동 기간에 대하여 물어보았다.	☐	☐
5	실신 전후로 가슴 불편감, 두통, 팔다리의 힘이 빠지거나 말이 어눌해지는 등 신경학적 증상에 대하여 물어보았다.	☐	☐
6	이전 실신 병력이나 복용 약물, 앓고 있는 질병에 대하여 물어보았다.	☐	☐
7	최근 탈수나 출혈의 가능성에 대하여 물어보았다.	☐	☐

	신체진찰 채점항목	제대로 함	제대로 못함	하지 않음
1	환자의 의식 명료 정도와 외상 여부를 확인하였는가?	☐	☐	☐
2	뇌신경 검사, 팔다리 근력/감각, 발음 정상 여부를 확인하였는가?	☐	☐	☐
3	결막 시진, 목동맥 촉진과 청진을 수행하였는가?	☐	☐	☐
4	혀 깨뭄 여부와 피부긴장도를 촉진하여 탈수를 확인하였는가?	☐	☐	☐
5	심음을 청진하여 빈맥/서맥, 심장 잡음 여부를 확인하였는가?	☐	☐	☐

	환자교육 채점항목	예	아니오
1	실신의 원인에 대하여 설명하였는가?	☐	☐
2	필요한 진단 방법과 치료방법을 설명하고 동의를 구하였는가?	☐	☐
3	전조 증상이 나타날 때 취해야 할 조치를 설명하였는가?	☐	☐
4	위험요인을 줄이기 위한 생활환경의 변화 방법을 교육하였는가?	☐	☐

	환자의사관계 채점항목	아주우수	우수	보통	미흡
1	효율적으로 잘 물어보았다. - 효율적 질문 : 개방형 질문 사용, 확인, 중간 요약 - 피할 질문 : 유도 질문, 복수 질문	☐	☐	☐	☐
2	나의 말을 잘 들어주었다. - 대꾸하기, 경청 자세, 눈 맞춤 & 말 가로채지 않기	☐	☐	☐	☐
3	나의 입장을 이해하려고 노력하였다. - 공감 표현, 나의 입장 파악	☐	☐	☐	☐
4	환자가 이해하기 쉽게 설명하였다. - 간단명료함, 이해도 점검, 질문 기회 & 쉬운 용어	☐	☐	☐	☐
5	나와 좋은 유대 관계를 형성하려고 했다. - 자기소개, 일상 대화, 존중, 자신감 & 신뢰감	☐	☐	☐	☐

M·E·M·O

36 경 련

대표증례 – 1

상황지침

46세 남자 이성규 씨가 경련을 했다면서 응급실로 내원하였다.

[활력징후]

- 혈압 : 120/80mmHg
- 맥박 : 80회/분
- 호흡 : 18회/분
- 체온 : 37.8℃

응시자는 이 환자에게
- 증상과 관련된 병력을 청취하고,
- 증상과 관련된 적절한 신체진찰을 시행한 후,
- 추정진단과 향후 진단계획 등에 대해 환자와 논의하시오.

해설

※ **감별진단** : 뇌수막염

※ **진단계획/치료계획** : 뇌척수액 검사, Brain CT / 항생제

- 최근 감염력이 있고, 신체진찰 시 뚜렷한 뇌막자극징후가 나타나는 환자입니다.
- 경련과 같이 병력청취와 신체진찰에서 중요한 항목이 많은 파트에서는 주소로 내원한 증상에 대하여 자세히 물어야 합니다. factor나 동반증상에 대하여 물은 뒤 바로 감별진단에 대한 신체진찰을 하는 것을 추천합니다.
- 신체검진을 하고나면 의심되는 진단명이 한두 개로 좁혀지기 때문에 재빨리 판단하고, 사회력, 약물력 등에 대하여 추가적인 질문을 하는 것도 잊지 마세요.

시나리오

Sex/Age	M/46	
Chief Complaint	동료들이 제가 경련을 했대요	
Present illness	Location	경련 중 외상(−)
	Onset	1시간 전
	Situation	직장에 있다가 경련함
	Time	5~10분
	Course	−
	Experience	처음
	Character	[경련 전] 전조증상(+, 며칠 동안 구역감, 구토 있었음) [경련 중] 의식소실(+) 팔다리를 부르르 떨다가 경직 침흘림(+), 안구편위(+, 위쪽), 요실금/변실금(−/−), 자동증(−) [경련 후] 기운 없음, 팔다리 힘빠짐(−)
	Factors	[악화] 수면부족(−), 피곤(−), 과다호흡(−), 빛(−), 음주(−), **스트레스(+)**
	Associated symptoms	**열/오한(+/+, 2주 전)**, **두통(+)**, **1주 전 경부 강직(+)**, **기침/가래**/콧물(**+/+**/−), 발음 어눌(−), 대소변지림(−), 복시(−), 시야장애(−)
Medical history	약물복용력	(−)
	과거력	DM/TBc/HTN/간질환(−/−/−/−) 열성경련(−), 출생시 이상(−), 뇌질환(−) 건강검진(−)
	외상/수술력	**두부 외상(+, 축구하다 다쳤는데 병원에서 CT 찍고 정상으로 들음)** **수술(−)**, 외상(−), 수술력(−)
	사회력	건설회사 소장. 한 달 간 회사일로 과로, 수면부족, 최근 공사 마무리로 스트레스 많음 술(+, 2~3회/주 소주 한 병씩), 담배(15PY)
	가족력	열성경련/간질(−/−), 뇌질환(−)
	여성력	−
Physical exam	Vital sign	120/80mHg, 80회/분, 18회/분, 37.8℃
	Positive findings	팔다리 감각, 운동 검사 정상, 뇌신경 검사 정상, Kernig/Brudzinski sign(+/+), Babinski sign(−/−), 경부강직(+), 걸음걸이 정상
환자의 질문 또는 기타 특이사항	회사 일이 많아서 잠시 다녀본 후에 입원할 수 있을까요?	

대표증례-2

상황지침

40세 남자 김공경 씨가 경련을 했다면서 응급실로 내원했다.

[활력징후]

- 혈압 : 120/80mmHg
- 맥박 : 85회/분
- 호흡 : 18회/분
- 체온 : 36.5℃

응시자는 이 환자에게
- 증상과 관련된 병력을 청취하고,
- 증상과 관련된 적절한 신체진찰을 시행한 후,
- 추정진단과 향후 진단계획 등에 대해 환자와 논의하시오.

해설

※ **감별진단** : 전신강직간대발작(Generalized tonic clonic seizure)

※ **진단계획/치료계획** : EEG, 뇌 CT, 뇌 MRI / 항경련제(Valporate, Carbamazepine)

- 전신발작 중 가장 흔히 볼 수 있는 발작 형태로 일반적으로 거리나 지하철 등에서 가장 많이 목격하였을 전신긴장간대발작을 가장 의심할 수 있습니다(정신 잃고, 호흡곤란, 청색증, 고함 등이 나타나면서 전신이 뻣뻣해지고 눈동자, 고개 한 쪽으로 돌아가는 강직 현상).
- 측두엽 발작 등이 있을 수 있으므로, 뇌의 CT와 MRI를 찍어보는 것이 좋으며 일단은 항경련제를 통해 치료하면서 외래로 관찰하는 것도 좋습니다.
- 경련의 발생과 같은 경우에는 경련의 발생 요인을 회피하는 것도 좋습니다. 과로하거나 무리하지 않고 식사를 제때하며, 금주하고 적절한 수면을 취하는 것이 좋습니다.
- 경련이 발생할 시에는 안전한 곳, 바닥이 딱딱한 곳에 눕히고 머리를 보호하면서 기도에 이물질이 들어가지 않도록 고개를 옆으로 돌리는 것이 중요합니다. 또한, 추가적으로 기도확보를 통해 적절한 호흡을 할 수 있도록 하는 것이 중요하며, 경련이 10분 이상 지속되는 경우에는 응급실에 내원하도록 합니다.

시나리오

<table>
<tr><td>Sex/Age</td><td colspan="2">M/40</td></tr>
<tr><td>Chief Complaint</td><td colspan="2">경련을 했어요</td></tr>
<tr><td rowspan="10">Present illness</td><td>Location</td><td>경련 중 외상(−)</td></tr>
<tr><td>Onset</td><td>3시간 전</td></tr>
<tr><td>Situation</td><td>회사에서 퇴근하는 버스 기다리는 중에 경련함</td></tr>
<tr><td>Time</td><td>3~5분</td></tr>
<tr><td>Course</td><td>−</td></tr>
<tr><td>Experience</td><td>처음</td></tr>
<tr><td>Character</td><td>[경련 전] 전조증상(+, 왼쪽에 알록달록한 빛)
[경련 중] 의식소실(−)
팔다리를 흔들며 전신이 경련, 왼쪽으로 고개 돌아가고 부르르 떠는 양상
침흘림(+), 안구편위(+, 위쪽), 요실금/변실금(−/−), 자동증(−)
[경련 후] 머리 아프고 피곤함</td></tr>
<tr><td>Factors</td><td>[악화] 수면부족(−), 피곤(−), 과다호흡(−), 빛(−), 음주(−), 스트레스(+)</td></tr>
<tr><td>Associated symptoms</td><td>최근 감염력(−), N/V(−/−), 두통/어지러움(−/−), 복시/시야장애(−/−), 우울/피로(−/+), 말 어눌함/보행장애(−/−)</td></tr>
<tr><td colspan="2"></td></tr>
<tr><td rowspan="6">Medical history</td><td>약물복용력</td><td>(−)</td></tr>
<tr><td>과거력</td><td>DM/TBc/HTN/간질환(−/−/−/−)
열성경련(−), 출생시 이상(−), 뇌질환(−)
건강검진(−)</td></tr>
<tr><td>외상/수술력</td><td>두부 외상(+, 축구하다 다쳤는데 병원에서 CT 찍고 정상으로 들음)
수술(−)</td></tr>
<tr><td>사회력</td><td>회사원, 회사에서 스트레스 많음
술(social), 담배(−)</td></tr>
<tr><td>가족력</td><td>열성경련/간질(−/−), 뇌질환(−)</td></tr>
<tr><td>여성력</td><td>−</td></tr>
<tr><td rowspan="2">Physical exam</td><td>Vital sign</td><td>120/80mmHg, 85회/분, 18회/분, 36.5℃</td></tr>
<tr><td>Positive findings</td><td>Kernig, Brudzinski, 바빈스키(−), 하지·상지 신경학적 검사(−), 동공반사(−), 경부강직(−), 안저 검사 정상, 운동 검사 정상
Visual field defect(+, left)</td></tr>
<tr><td colspan="2">환자의 질문 또는 기타 특이사항</td><td></td></tr>
</table>

대표증례 - 3

상황지침

20세 남자 고진욱 씨가 경련을 했다면서 응급실로 내원했다.

[활력징후]

- 혈압 : 120/80mmHg
- 맥박 : 80회/분
- 호흡 : 20회/분
- 체온 : 36.5℃

응시자는 이 환자에게

- 증상과 관련된 병력을 청취하고,
- 증상과 관련된 적절한 신체진찰을 시행한 후,
- 추정진단과 향후 진단계획 등에 대해 환자와 논의하시오.

해설

※ **감별진단** : 청소년 근육간대경련

※ **진단계획/치료계획** : EEG / 항경련제(Valporate)

- 경련으로 내원시 일시적인 것인지 간질성 발작인지 감별이 중요합니다. 두 번 이상의 경련이 있었기 때문에 간질에 해당하며, 열성경련의 과거력은 간질의 중요한 risk factor입니다.
- 젊은 나이의 환자가 경련발작을 했다며 왔을 때는 Juvenile myoclonic epilepsy를 떠올립시다. 최근 시험기간이라고 무리를 했거나 음주, 스트레스 등의 요인이 동반되어 잘 나타납니다.
- 발작시 응급대처법에 대하여 상세히 교육해주는 것이 중요합니다.
- 신경과 질환이고, 발작하면서 두부외상 등의 가능성을 항상 염두하고 신체진찰을 합시다.
- EEG의 특징적인 소견으로 진단할 수 있고, 평소 음주, 피로/수면부족 등으로 유발될 수 있기 때문에 이에 대한 관리가 필요합니다. 항간질약을 꾸준히 복용하며 정기적으로 내원하는 것도 중요하겠죠.

시나리오

Sex/Age	M/20	
Chief Complaint	경련했어요	
Present illness	Location	경련 중 외상(−)
	Onset	오늘 새벽 6시(현재 오후 2시)
	Situation	자고 있었는데 아버지가 발견하심
	Time	5~10분
	Course	−
	Experience	오늘이 myoclonic seizure는 3번째(몇 주 전과 1달 전에 같은 양상으로 똑같이 자다가 경련), 중학교때 absence seizure, myoclonic seizure 몇 번 있음, 1살쯤 열성경련 자주함
	Character	[경련 전] 전조증상(−, 자고 있어서 모름) [경련 중] 의식소실(+) 전신이 경련 침흘림(+), 안구편위(+, 위쪽), 요실금/변실금(+/−), 자동증(−) [경련 후] 머리 아프고 피곤함
	Factors	[악화] **수면부족(+)**, 피곤(−), 과다호흡(−), 빛(−), 음주(−)
	Associated symptoms	최근 감염력(−), N/V(−/−), 두통/어지러움(−/−), 복시/시야장애(−/−), 우울/**피로**(−/**+**), 말 어눌함/보행장애(−/−)
Medical history	약물복용력	(−)
	과거력	DM/TBc/HTN/간질환(−/−/−/−) 열성경련(+, 1세 쯤 자주 함), 출생시 이상(−), 뇌질환(−) 건강검진(−)
	외상/수술력	두부 외상(−), 수술(−)
	사회력	대학생. 술(−), 담배(−)
	가족력	열성경련/간질(−/−), 뇌질환(−)
	여성력	−
Physical exam	Vital sign	120/80mmHg, 80회/분, 20회/분, 36.5℃
	Positive findings	Kernig, Brudzinski, 바빈스키(−), 하지·상지 신경학적 검사(−), 동공반사(−), 경부강직(−), 안저 검사 정상, 운동 검사 정상
환자의 질문 또는 기타 특이사항		

대표증례 – 4

상황지침

45세 여자 고진영 씨가 경련을 했다면서 응급실로 내원했다.

[활력징후]

- 혈압 : 144/90mmHg
- 맥박 : 80회/분
- 호흡 : 20회/분
- 체온 : 36.5℃

응시자는 이 환자에게

- 증상과 관련된 병력을 청취하고,
- 증상과 관련된 적절한 신체진찰을 시행한 후,
- 추정진단과 향후 진단계획 등에 대해 환자와 논의하시오.

해설

※ **감별진단** : 과호흡증후군

※ **진단계획/치료계획** : ABGA / 환자 안심

- 과호흡에 의해 유발된 경련의 가능성이 높아 보이는 환자로, 이 환자처럼 정신적인 원인이 의심되는 경우 신체질환에 의한 것이 아님과 과호흡 자체가 증상을 유발할 수 있다는 사실을 알려주는 것만으로도 증상이 호전될 수 있습니다.
- 환자 스스로 봉지를 이용해 코에 대고 자신이 내 쉰 숨을 다시 들이마시게 하는 등의 치료는 저산소증, 사망의 위험 때문에 추천되지 않습니다. 심호흡 등으로 증상을 조절할 수 있도록 교육합니다.

시나리오

Sex/Age	F/45	
Chief Complaint	경련했어요	
Present illness	Location	경련 중 외상(−)
	Onset	1시간 전(현재 저녁 9시)
	Situation	남편이랑 싸우고 침대에 누워있었는데 경련을 함
	Time	5~10분
	Course	−
	Experience	경련은 아니고 실신−고3 때 운동장에서 운동하다가, 대학교 4학년 때 취업 준비하면서 스트레스 받았을 때
	Character	[경련 전] 전조증상(+, 가슴 답답하고 팔이 저릿저릿함) [경련 중] 의식소실(−, 아들도 보여서 부름) 팔다리 뻣뻣해짐 침흘림(−), 안구편위(−), 요실금/변실금(+/−), 자동증(−) [경련 후] 두통(−), 피로(+)
	Factors	[악화] 수면부족(−), 피곤(−), **과다호흡(+)**, 빛(−), 음주(−)
	Associated symptoms	최근 감염력(−), N/V(−/−), 두통/어지러움(−/−), 복시/시야장애(−/−), 우울/피로(−/−), 말 어눌함/보행장애(−/−)
Medical history	약물복용력	(−)
	과거력	DM/TBc/HTN/간질환(−/−/−/−) 열성경련(−), 출생시 이상(−), 뇌질환(−) 건강검진(−)
	외상/수술력	두부 외상(−), 수술(−)
	사회력	주부, 술(social), 담배(−), 커피(1~2잔) 스트레스(+, 시부모님이 아파서 최근 간병하느라 스트레스 많음)
	가족력	열성경련/간질(−/−), 뇌질환(−)
	여성력	−
Physical exam	Vital sign	144/90mmHg, 80회/분, 20회/분, 36.5℃
	Positive findings	Kernig, Brudzinski, 바빈스키(−), 하지·상지 신경학적 검사(−), 동공반사(−), 경부강직(−), 안저 검사 정상, 운동 검사 정상
환자의 질문 또는 기타 특이사항		

대표증례－5

상황지침

22세 남자 손기수 씨가 경련을 했다면서 응급실로 내원하였다.

[활력징후]

• 혈압 : 120/80mmHg	• 맥박 : 75회/분
• 호흡 : 18회/분	• 체온 : 37.8℃

응시자는 이 환자에게
- 증상과 관련된 병력을 청취하고,
- 증상과 관련된 적절한 신체진찰을 시행한 후,
- 추정진단과 향후 진단계획 등에 대해 환자와 논의하시오.

해설

※ **감별진단** : 청소년 근육간대경련

※ **진단계획/치료계획** : EEG / 항경련제(Valporate)

• 환자의 임상증상과 환자의 나이를 보면 쉽게 판단이 가능합니다. 또한, 환자의 경우 술을 마시고 다음 날 아침에 일어날 때 발생한 것으로 보아 청소년 근육간대경련발작을 의심할 수 있습니다.
• 경련과 같이 병력청취와 신체진찰에서 중요한 항목이 많은 세션에서는 주소로 내원한 증상에 대하여 묻고, factor나 동반증상에 대하여 물은 뒤 바로 감별진단에 대한 신체진찰을 하는 것을 추천합니다.
• 이 환자와 같은 경우에는 valproic acid를 이용해서 평생 치료를 해야 합니다. 그렇지 않으면 재발할 수 있습니다. 또한, 수면박탈, 스트레스, 음주, 피로를 회피하면 재발을 막는 데 도움을 줄 수 있습니다.

시나리오

Sex/Age	M/22	
Chief Complaint	아버지가 제가 경련했대요	
Present illness	Location	경련 중 외상(−)
	Onset	8시간 전
	Situation	전날 술을 마시고 자다가 발생
	Time	5~10분
	Course	−
	Experience	2번(2달 전과 1달 전에 둘 다 술 마시고, 그 다음 날 아침에 일어나서)
	Character	[경련 전] 전조증상(−, 자고 있어서 모름) [경련 중] 의식소실(+) 아버지가 목격, 양쪽 팔을 뻣뻣하게 폈다 접었다 반복 침흘림(+), 안구편위(+, 위쪽), 요실금/변실금(−/−), 자동증(−) [경련 후] 팔다리 힘이 안들어가고 피로함
	Factors	[악화] **수면부족(+)**, 피곤(−), 과다호흡(−), 빛(−), 음주(−)
	Associated symptoms	최근 감염력(−), N/V(−/−), 두통/어지러움(−/−), 복시/시야장애(−/−), 우울/**피로**(−/**+**), 말 어눌함/보행장애(−/−)
Medical history	약물복용력	(−)
	과거력	DM/TBc/HTN/간질환(−/−/−/−) 열성경련(+), 출생시 이상(−), 뇌질환(−) 건강검진(−)
	외상/수술력	두부 외상(−), 수술(−)
	사회력	대학생, 술(2~3회/주, 소주 한 병씩), 담배(−)
	가족력	열성경련/간질(−/−), 뇌질환(−)
	여성력	−
Physical exam	Vital sign	120/80mmHg, 75회/분, 18회/분, 37.8℃
	Positive findings	팔다리 감각, 운동 검사 정상, 뇌신경 검사 정상, Kernig/Brudzinski sign(−/−), Babinski sign(−/−), 경부강직(−), 걸음걸이 정상
환자의 질문 또는 기타 특이사항		

대표증례-6

상황지침

8개월 여아 김하은 씨가 경련을 했다면서 응급실로 내원하였다.

[활력징후]	
• 혈압 : 80/60mmHg	• 맥박 : 105회/분
• 호흡 : 32회/분	• 체온 : 36.8℃

응시자는 이 환자에게

- 증상과 관련된 병력을 청취하고,
- 증상과 관련된 적절한 신체진찰을 시행한 후,
- 추정진단과 향후 진단계획 등에 대해 환자와 논의하시오.

해설

※ **감별진단** : 영아연축(Infantile spasm)

※ **진단계획/치료계획** : EEG, Brain MRI / ACTH

- 기존의 기출과는 달리 영아연축이란 새로운 감별진단이 나왔습니다. 따라서 기존의 경련의 병력청취와 더불어 성장과 발달의 병력청취도 추가적으로 하셔야 합니다.
- 영아연축은 열성경련과 달리 예후가 좋지 않습니다. 또한 30%의 경우에서 원인 미상입니다. 따라서 교육할 때 예후를 말하면서 나쁜 소식 말하기처럼 하면 좋을 것 같습니다.

시나리오

Sex/Age	F/8개월	
Chief Complaint	제 딸이 자다가 경련을 해요	
Present illness	Location	경련 중 외상(−)
	Onset	2주 전
	Situation	잠들 무렵 팔다리를 쭉 뻗으며 경련함
	Time	1~2분 정도, 15번 정도
	Course	빈도가 잦아짐
	Experience	처음
	Character	[경련 전] 전조증상(−) [경련 중] 팔다리를 쭉 뻗는 양상(양측) 잠들 무렵 근수축 혀깨물기/거품(−/−), 안구편위(−), 자동증(−)
	Factors	[악화] 수면부족(−), 과다호흡(−), 빛(−)
	Associated symptoms	열/오한(−/−), 두통(−), 경부 강직(−), 기침/가래/콧물(−/−/−), 머리 외상(−), 복시(−), 시야장애(−), 경련 후 증상(−), 오심(−)
Medical history	약물복용력	(−)
	과거력	태어나고 4일 뒤 황달로 광선치료 열성경련(−) 39주에 태어남, 분만당시 3.1kg, 질식분만, 엄마 산부인과 질환(−) 예방접종 주수에 맞게 시행함
	외상/수술력	두부 외상(−), 수술(−)
	사회력	엄마가 직접 육아 이유식 잘 먹음
	가족력	간질(−), 뇌질환(−), 열성경련(−), 선천기형/유전대사질환(−/−)
	여성력	−
Physical exam	Vital sign	80/60mmHg, 105회/분, 32회/분, 36.8℃
	Positive findings	−
환자의 질문 또는 기타 특이사항		

관련증례

36-1 17세 여학생이 아침 조회 도중 갑자기 의식을 잃고 쓰러져서 응급실로 왔다. 의식소실은 이번이 처음이었고, 의식소실 전 눈앞이 캄캄해졌다고 한다. 약 1분 후 환자는 의식을 회복하였다고 하며, 사지의 강직이나, 몸을 떠는 증상은 없었다고 한다.

> 활력징후는 혈압 90/60mmHg, 맥박 100회/분, 호흡수 17회/분, 체온 36.5℃이었다. 신체검사와 신경학적 검사는 정상이었다.

36-2 3세 남아가 갑자기 고열이 발생한 후 의식을 잃어 응급실로 왔다. 응급실 도착 당시에는 이미 의식은 회복한 상태였고, 의식을 잃었을 당시 몸 전체가 뻣뻣해지면서 사지를 떠는 증상이 2~3분간 있었다고 한다. 남아는 3일 전부터 콧물, 기침의 증세를 보여 감기약을 복용 중이었다.

> 활력징후는 혈압 100/60mmHg, 맥박 110회/분, 호흡수 24회/분, 체온 38.6℃이었다. 신경학적 검사는 정상이었으나 인후부 발적이 관찰되었다.

36-3 10세 소아가 갑작스런 의식소실과 함께 온몸을 떤다고 응급실로 왔다. 응급실 도착 후에도 의식소실과 전신근육의 긴장의 형태로 전신이 뻣뻣해지고 이후 반복적인 굴신운동이 관찰되었다. 입에선 침과 거품이 나오고 호흡곤란으로 입술이 창백해지면서 팬티는 소변으로 젖어 있었다.

> 활력징후는 혈압 90/60mmHg, 맥박 130회/분, 호흡수 28회/분, 체온 40.5℃이었다. 피부에는 점상 출혈성 자반이 관찰되었고 뇌척수액 도말 검사에서 그람양성구균이 확인되었다. 그 외 다른 신경학적 검사는 정상이었다.

Answer | 36-1. 실신(비간질성 발작) 36-2. 열성경련 36-3. 세균성 뇌수막염

Check-list

	병력청취 채점항목	예	아니오
1	경련시기와 발생상황에 대하여 물어보았다.	☐	☐
2	경련의 양상에 대하여 물어보았다(지속시간, 빈도, 의식소실, 전신경련/부분경련, 대소변지림, 안구편위, 자동증, 거품/청색증).	☐	☐
3	동반증상에 대하여 물어보았다(열/식은땀, 구역/구토/복통/설사/변비, 두통/어지러움/시야장애, 피로, 팔다리 힘빠짐 등).	☐	☐
4	유발인자에 대하여 물어보았다(수면부족, 피곤, 음주, 과호흡, 빛이나 깜박거림).	☐	☐
5	앓고 있는 질환력과 최근 감염력, 두부 외상력, 신경과적 질환에 대하여 물어보았다.	☐	☐
6	가족 중에 간질을 비롯한 신경과적 질환이 있는지 물어보았다.	☐	☐
7	복용중인 약물이 있는지 물어보았다.	☐	☐

	신체진찰 채점항목	제대로 함	제대로 못함	하지 않음
1	의식상태 및 정신상태를 확인하였다.	☐	☐	☐
2	두부와 얼굴을 비롯한 외상의 흔적을 확인하였다.	☐	☐	☐
3	안저 검사를 시행하였다.	☐	☐	☐
4	신경학적 검사를 시행하였다.	☐	☐	☐
5	운동기능 검사를 시행하였다.	☐	☐	☐

	환자교육 채점항목	예	아니오
1	경련의 원인과 간질성 발작의 가능성에 대하여 설명하였다.	☐	☐
2	일상생활에서 주의해야 할 사항에 대하여 교육하였다.	☐	☐
3	발작시 응급대처법을 교육하였다.	☐	☐
4	여성의 경우 임신/육아, 특정직업군에게 유의사항을 교육하였다.	☐	☐

	환자의사관계 채점항목	아주우수	우수	보통	미흡
1	효율적으로 잘 물어보았다. - 효율적 질문 : 개방형 질문 사용, 확인, 중간 요약 - 피할 질문 : 유도 질문, 복수 질문	☐	☐	☐	☐
2	나의 말을 잘 들어주었다. - 대꾸하기, 경청 자세, 눈 맞춤 & 말 가로채지 않기	☐	☐	☐	☐
3	나의 입장을 이해하려고 노력하였다. - 공감 표현, 나의 입장 파악	☐	☐	☐	☐
4	환자가 이해하기 쉽게 설명하였다. - 간단명료함, 이해도 점검, 질문 기회 & 쉬운 용어	☐	☐	☐	☐
5	나와 좋은 유대 관계를 형성하려고 했다. - 자기소개, 일상 대화, 존중, 자신감 & 신뢰감	☐	☐	☐	☐

37 의식장애

대표증례－1

상황지침

54세 남자 조득우 씨가 쓰러져서 보호자(아내)와 함께 응급실로 내원하였다.

[활력징후]

- 혈압 : 170/90mmHg
- 맥박 : 110회/분
- 호흡 : 24회/분
- 체온 : 37.2℃

응시자는 이 환자에게
- 증상과 관련된 병력을 청취하고,
- 증상과 관련된 적절한 신체진찰을 시행한 후,
- 추정진단과 향후 진단계획 등에 대해 보호자와 논의하시오.

해설

※ **감별진단** : 고혈압성 뇌내출혈, 거미막밑출혈

※ **진단계획/치료계획** : Brain CT, Brain MRI, Brain angiography / 산소공급, IV mannitol, 혈압강하제(B-blocker, CCB)

- 환자의 기본적인 V/S, ABC, 의식수준(GCS) 평가 후 본격적인 문진을 시작합니다.
- 보호자가 매우 걱정하는 상황이기 때문에 진단과 치료를 위해 적극적인 모습을 보여주고 협조 부탁드리면 될 것입니다.
- 급성 출혈을 감별하기 위해 CT를 찍어야 하고, 만성적인 출혈이나 혈관이 막힌 것을 확인하기 위해 MRI도 함께 찍어야 한다고 잘 설명합시다.
- 고혈압성 뇌출혈의 경우 혈압과 ICP 조절이 필수이지만, 뇌경색의 경우 적절한 Cerebral perfusion을 유지해야 하므로 상황을 잘 따져보고 신중히 고려하여 혈압강하제/승압제를 사용하는 것이 중요합니다.

시나리오

항목	세부	내용
Sex/Age		M/54(보호자 : 부인)
Chief Complaint		오늘 아침에 보니 의식이 없네요
환자상태평가		쓰러지면서 외상(−) GCS 7점
Present illness	Location	−
	Onset	1시간 전(11시에 잠들었을 때는 괜찮았음)
	Situation	자다가 일어나보니 남편이 쓰러져 있었어요 약병, 술병(−)
	Time	1시간
	Course	계속 의식이 없었음
	Experience	처음
	Character	자듯이 누워있는 자세 Decorticate(−), Decerebrate(−) 요실금/변실금(−/−), 침흘림(−), 안구 편위(−)
	Factors	−
	Associated symptoms	**두통(+)**, **구토(+)**, 어지러움(−), 발열/오한(−/−), 호흡곤란(−), 목뻣뻣(−), 우울(−), 입안냄새(−), 점상 출혈(−), 팔다리 감각이상 호소(모르겠음), 기침/가래/콧물(−/−/−), 피로(−), 근력저하(−), **말 어눌(+)**, 시야장애(모름), 이명(−), 복수/황달(−/−), 동공 축소(−)
Medical history	약물복용력	고혈압 진단 받았으나 약은 잘 안먹음 인슐린/수면제/항우울제(−/−/−)
	과거력	DM/TBc/HTN/간질환(−/−/+, 6MA/−) 건강검진(+, 6MA에 고혈압 외 이상소견 없었음)
	외상/수술력	두부 외상력(−), 수술력(−)
	사회력	직업 방송사, 스트레스(−) 술(많이), 담배(30갑·년), 운동 안함
	가족력	고혈압(+, 시아버지), 뇌혈관 질환(+, 시아버지 뇌출혈)
	여성력	−
Physical exam	Vital sign	170/90mmHg, 110회/분, 24회/분, 37.2℃
	Positive findings	경동맥(−), DTR(반응이 없음), Babinski 양쪽에서 다(+, 양쪽), 안저 검사(−), 심음 및 호흡음 정상, 뇌신경 검사, 팔다리 근력 검사는 시행할 수 없었음, Brudzinski/Kernig(−/−), 경부강직(+)
환자의 질문 또는 기타 특이사항		침대에 누워있는 환자와 보호자가 함께 있음, 보호자가 굉장히 걱정스러워함

대표증례-2

상황지침

52세 남자 도지태 씨가 갑자기 쓰러져서 보호자(아내)와 같이 내원하였다.

[활력징후]

- 혈압 : 150/80mmHg
- 맥박 : 60회/분
- 호흡 : 22회/분
- 체온 : 36.5℃

응시자는 이 환자에게

- 증상과 관련된 병력을 청취하고,
- 증상과 관련된 적절한 신체진찰을 시행한 후,
- 추정진단과 향후 진단계획 등에 대해 보호자와 논의하시오.

해설

※ **감별진단** : 알코올성 진정섬망(Delirium tremens), 간성혼수

※ **진단계획/치료계획** : Brain CT, Spinal tapping, LFT / Mannitol, 산소공급, Thiamine, Vit.B_{12}

- 의식장애는 우선 응급상황을 배제하는 것이 급선무입니다. 신속하게 Glasgow coma scale로 의식수준을 평가합니다.
- 병력청취는 대개 보호자를 통해 듣고, 감별해야 할 진단을 써내려가고 해당 질환의 증상을 물어보면서 그 계열의 신체진찰을 같이 하는 것이 좋습니다. 필요한 신체진찰이 생각보다 많기 때문에 잊지 않도록 함이고, 그 중에서도 GCS, 동공반사, 안저 검사, DTR, Pathologic reflex, Neck stiffness sign은 반드시 하도록 합시다.
- 술을 5~15년간 드시던 분이 음주를 중단하시고 나서 보통 1~3일 후부터 증상이 시작되며 4~5일에 가장 심해지는 것이 알코올성 진정섬망입니다. 보통 불안, 초조, 식욕부진, 공포에 의한 수면부족, 경련, 지남력 장애와 같은 일이 생깁니다.

시나리오

Sex/Age	M/52(보호자 : 부인)	
Chief Complaint	의식이 소실된 채로 발견함	
환자상태평가	쓰러지면서 외상(－) GCS 8점 E3V2M3(환자는 부르면 눈을 뜨고 '으어어' 소리를 냄. 통증을 회피해서 굴곡함)	
Present illness	Location	－
	Onset	1시간 전(현재 오후 3시)
	Situation	집 침대에 누워있었음. 자는 줄 알았는데 깨워도 일어나지 않아 내원
	Time	1시간 전 발견 오전 7시에 봤을 땐 정상이었음. 아침에 밥 먹는 것 보고 나감
	Course	계속 의식이 없었음
	Experience	처음
	Character	자듯이 누워있는 자세, Decorticate(－), Decerebrate(－), 요실금/변실금(－/－), 침흘림(－), 안구 편위(－)
	Factors	－
	Associated symptoms	기침/가래/콧물(－/－/－), 열(－), 두통(－), 구토(－), **피로(＋)**, 근력저하(－), 말 어눌(－), 시야장애(－), 이명(－), 감각이상(보호자라 모르겠다함), 입안냄새(－), **우울(＋, 최근 약간 우울해 함)**, 복수/황달(－/－), 동공 축소(－)
Medical history	약물복용력	인슐린(－), 수면제/항우울제(＋/－) 진통제(＋, 뭔지는 모르나 허리 때문에 복용) 2일 전부터 감기약 복용
	과거력	DM/TBc/HTN/간질환(－/－/－/－) 뇌혈관질환(－), 정신과적 질환(－) 일주일 전 감기(＋) 건강검진(－)
	외상/수술력	두부 외상력(－), 수술력(＋, 5년 전 허리 다쳐서)
	사회력	직업 목수(허리 다친 후 일 못함) 술(3~4병/1회, 주 5회, 3일 전부터 감기 때문에 술 못마심), 담배(－)
	가족력	뇌혈관질환(－), 고혈압(－), 당뇨(－)
	여성력	－
Physical exam	Vital sign	150/80mmHg, 60회/분, 22회/분, 36.5℃
	Positive findings	동공반사(양측 대칭적), 공막 황달(－), DTR 정상, 근력/감각(시행 불가), Brudzinski/Kernig(－/－), Babinski(－), 경부강직(－), Ankle clonus(－), 복부 진찰 정상, flapping tremor(－)
환자의 질문 또는 기타 특이사항	움직이지 않고 누워있는 환자와 보호자가 함께 있음	

대표증례-3

상황지침

52세 여자 남우희 씨가 쓰러져서 보호자(딸)와 함께 응급실로 내원하였다.

[활력징후]

- 혈압 : 180/120mmHg
- 맥박 : 70회/분
- 호흡 : 24회/분
- 체온 : 37.1℃

응시자는 이 환자에게

- 증상과 관련된 병력을 청취하고,
- 증상과 관련된 적절한 신체진찰을 시행한 후,
- 추정진단과 향후 진단계획 등에 대해 보호자와 논의하시오.

해설

※ **감별진단** : 뇌수막염, 뇌출혈, 뇌경색

※ **진단계획/치료계획** : Brain CT, Spinal tapping / 산소공급, Mannitol

- 응시생들이 가장 기피하는 문항 중 하나입니다. 가뜩이나 짧은 진료시간에 다른 문항보다 할 건 많고, 환자는 의사소통 안 되고 신체도 움직일 수 없는 상황이기 때문에 패닉에 빠질 가능성이 높습니다.
- 의식장애는 우선 응급상황을 배제하는 것이 급선무입니다. 들어가자마자 신속히 Glasgow coma scale로 의식수준을 평가합니다.
- 병력청취는 대개 보호자를 통해 듣고, 감별해야 할 진단을 써내려가고 해당 질환의 증상을 물어보면서 그 계열의 신체진찰을 같이 하는 것이 좋습니다. 필요한 신체진찰이 생각보다 많기 때문에 잊지 않도록 함이고, 그 중에서도 GCS, 동공반사, 안저 검사, DTR, Pathologic reflex, Neck stiffness sign은 반드시 하도록 합시다.

시나리오

Sex/Age	F/52(보호자 : 딸)	
Chief Complaint	의식이 떨어졌어요	
환자상태평가	쓰러지면서 외상(−) GCS 7점 E4V2M1(환자는 눈을 뜨고 있고 '으어어' 소리를 냄, 전혀 움직이지 못함)	
Present illness	Location	−
	Onset	1시간 전
	Situation	보호자가 전화했는데 받지 않아 집에 가보니 쓰러져있었음 술병, 약병(−)
	Time	1시간 전 발견 (7시간 전 보호자가 나갈 때 까지는 정상이었음)
	Course	계속 의식이 없었음
	Experience	처음
	Character	자듯이 누워있는 자세, Decorticate(−), Decerebrate(−), 요실금/변실금(−/−), 침흘림(−), 안구 편위(−)
	Factors	−
	Associated symptoms	기침/가래/콧물(−/−/−), **열(+, 1주 전)**, **두통(+, 1주 전)**, **구토(+, 1회, 8시간 전)**, **피로(+)**, 근력저하(−), 말 어눌(−), 시야장애(−), 이명(−), 감각이상(보호자라 모르겠다 함), 입안냄새(−), 우울(−), 복수/황달(−/−), 동공 축소(−)
Medical history	약물복용력	인슐린(−), 수면제/항우울제(−/−)
	과거력	DM/TBc/HTN/간질환(−/−/−/−) 뇌혈관질환(−), 정신과적 질환(−) 일주일 전 감기(+) 건강검진(+, 3YA 정상)
	외상/수술력	두부 외상력(−), 수술력(−)
	사회력	가사도우미(일주일에 2번), 술(−), 담배(−)
	가족력	뇌혈관질환(−), 고혈압(−), 당뇨(−)
	여성력	2년 전 폐경
Physical exam	Vital sign	180/120mmHg, 70회/분, 24회/분, 37.1℃
	Positive findings	동공반사(양측 대칭적), 공막 황달(−), DTR 정상, 근력/감각(시행 불가), Brudzinski/Kernig(+/+), Babinski(−), 경부강직(+), Ankle clonus(+), 복부 진찰 정상, flapping tremor(−)
환자의 질문 또는 기타 특이사항		움직이지 않고 누워있는 환자와 보호자가 함께 있음

대표증례 - 4

상황지침

68세 남자 신일우 씨가 쓰러져서 보호자(아들)와 함께 응급실로 내원하였다.

[활력징후]

- 혈압 : 130/80mmHg
- 맥박 : 107회/분
- 호흡 : 22회/분
- 체온 : 36.2℃

응시자는 이 환자에게
- 증상과 관련된 병력을 청취하고,
- 증상과 관련된 적절한 신체진찰을 시행한 후,
- 추정진단과 향후 진단계획 등에 대해 보호자와 논의하시오.

해설

※ **감별진단** : 간성혼수

※ **진단계획/치료계획** : CBC, 복부초음파 / Lactulose, 혈액투석

- 간성혼수로 의식장애가 온 case입니다. 간성혼수를 직접적으로 떠올리지 않으면 진단하기 힘든 case였습니다. 일반적으로 의식 장애에서 복부 진찰을 자세히 하지 않지만 이 case의 경우에는 간성혼수가 명확하기 때문에 필히 복부 진찰을 자세히 하여야 합니다. 더불어서 황달과 거미 혈관종의 여부도 살펴보아야 합니다.
- 시간이 부족하기 때문에 병력청취에서 빠르게 필요한 것만 병력 청취하고 빨리 신체진찰 해야 합니다.
- 의식장애는 항상 감별진단을 머리에 넣어두어야 병력청취와 진단을 쉽게 내릴 수 있습니다.

시나리오

Sex/Age		M/68(보호자 : 아들)
Chief Complaint		의식이 떨어졌어요
환자상태평가		쓰러지면서 외상(-) GCS 4점 E1V2M1(환자는 통증에도 눈을 뜨지 않고 '으으' 소리를 냄. 전혀 움직이지 못함)
Present illness	Location	-
	Onset	2시간 전
	Situation	아침에 깨우러 가보니 의식이 떨어진 상태였음 술병, 약병(-)
	Time	자기 전까지는 의식이 있었음
	Course	계속 의식이 없었음
	Experience	처음
	Character	자듯이 누워있는 자세, Decorticate(-), Decerebrate(-), 요실금/변실금(-/-), 침흘림(-), 안구 편위(-)
	Factors	-
	Associated symptoms	기침/가래/콧물(-/-/-), 열(-), 두통(-), 구토(-), 피로(-), 걸음걸이 이상(-), 근력저하(-), 말 어눌(-), 시야장애(-), 이명(-), 감각이상 호소(-), 입안냄새(-), **황달(+)**, 호흡곤란(-), **소변색 변화 호소(+)**, **대변색 변화 호소(+)**, **복부팽만(+)**
Medical history	약물복용력	인슐린(-), 수면제/항우울제(+/-)
	과거력	DM/TBc/HTN/간질환(-/-/-/+, HBV 보균자, 6개월 전 간경화 진단받고 3개월 전 복수천자 시행함) 뇌혈관질환(-), 정신과적 질환(-)
	외상/수술력	두부 외상력(-), 수술력(-)
	사회력	정년퇴임, 술(6개월 전 금주, 그전 1주일에 6번 소주 3병), 담배(-)
	가족력	간질환(-), 고혈압(-), 당뇨(-), 뇌혈관질환(-)
	여성력	-
Physical exam	Vital sign	130/80mmHg, 107회/분, 22회/분, 36.2℃
	Positive findings	동공반사(양측 대칭적), 공막(+, 황달), 피부(+, 황달), DTR 정상, 근력/감각(실행 불가능), 병적반사(-), 뇌막자극징후(-), 복부진찰(+, 간비비대, 이동둔탁음), flapping tremor(실행 불가능), 거미혈관종(+)
환자의 질문 또는 기타 특이사항		움직이지 않고 누워있는 환자와 보호자가 함께 있음

대표증례-5

상황지침

33세 여자 임영주 씨가 쓰러져서 보호자(남편)와 함께 응급실로 내원하였다.

[활력징후]	
• 혈압 : 180/120mmHg	• 맥박 : 70회/분
• 호흡 : 19회/분	• 체온 : 38.1℃

응시자는 이 환자에게
- 증상과 관련된 병력을 청취하고,
- 증상과 관련된 적절한 신체진찰을 시행한 후,
- 추정진단과 향후 진단계획 등에 대해 보호자와 논의하시오.

해설

※ **감별진단** : 뇌수막염, 뇌출혈, 뇌경색

※ **진단계획/치료계획** : Brain CT, Spinal tapping / 산소공급, Mannitol

- 발열이 있고, 입 주변 수포가 잘보였기 때문에 뇌수막염을 쉽게 의심할 수 있습니다. 보호자에게 효율적으로 질문하여 원하는 항목을 확인하는 것이 중요합니다.
- 의식장애는 우선 응급상황을 배제하는 것이 급선무입니다. 들어가자마자 신속히 Glasgow coma scale로 의식수준을 평가합니다.
- 병력청취는 대개 보호자를 통해 듣고, 감별해야 할 진단을 써내려가고 해당 질환의 증상을 물어보면서 그 계열의 신체진찰을 같이 하는 것이 좋습니다. 필요한 신체진찰이 생각보다 많기 때문에 잊지 않도록 함이고, 그 중에서도 GCS, 동공반사, 안저 검사, DTR, Pathologic reflex, Neck stiffness sign은 반드시 하도록 합시다.

시나리오

Sex/Age	F/33(보호자 : 남편)	
Chief Complaint	의식이 떨어졌어요	
환자상태평가	쓰러지면서 외상(−) GCS 15점 눈을 뜨고 누워있으며, 간단한 질문에 적절히 대답, 가끔 보호자에게 '아이 유치원 보내야한다, 빨래해야 한다' 등 반복적으로 말함, 지시에 따라 행동 가능	
Present illness	Location	−
	Onset	오늘 아침(내원 1시간 전, 현재는 아침 9시)
	Situation	3일 전 아버지가 돌아가신 후 충격으로 식사도 잘 못함 술병, 약병(−)
	Time	1시간
	Course	비슷함
	Experience	처음
	Character	누워있음, Decorticate(−), Decerebrate(−), 요실금/변실금(−/−), 침흘림(−), 안구 편위(−)
	Factors	−
	Associated symptoms	기침/가래/콧물(−/−/−), **열(+)**, **두통(+, 3일 전, 내원 전일 악화)**, **구토(+, 내원 전일 1회)**, **피로(+)**, 근력저하(−), 말 어눌(−), 시야장애(−), 이명(−), 감각이상(−), 입안냄새(−), 우울(−), 복통(+), **식욕저하(+)**, 복수/황달(−/−), 동공 축소(−)
Medical history	약물복용력	(−)
	과거력	DM/TBc/HTN/간질환(−/−/−/−) 일주일 전 감기(+) 건강검진(−)
	외상/수술력	두부 외상력(−), 수술력(−)
	사회력	주부, 술(+, 맥주 1~2캔), 담배(−), 커피(+, 1~2잔)
	가족력	아버지가 3일 전 뇌출혈로 사망
	여성력	특이사항 없음
Physical exam	Vital sign	180/120mmHg, 70회/분, 19회/분, 38.1℃
	Positive findings	동공반사(양측 대칭적), 공막 황달(−), DTR 정상, 근력/감각(시행 불가), Brudzinski/Kernig(+/+), Babinski(+), 경부강직(+), Ankle clonus(+), 복부 진찰 정상, flapping tremor(−), 소뇌검사 비정상, 입 주변에 수포 있음
환자의 질문 또는 기타 특이사항		환자가 누워있으며, 옆에 보호자가 앉아있음

대표증례-6

상황지침

68세 남자 이장훈씨가 갑자기 쓰러져서 보호자(아내)와 같이 내원하였다.

[활력징후]	
• 혈압 : 150/80mmHg	• 맥박 : 60회/분
• 호흡 : 20회/분	• 체온 : 36.5℃

응시자는 이 환자에게

- 증상과 관련된 병력을 청취하고,
- 증상과 관련된 적절한 신체진찰을 시행한 후,
- 추정진단과 향후 진단계획 등에 대해 보호자와 논의하시오.

해설

※ **감별진단** : 알코올성 진정섬망(Delirium tremens), 간성혼수

※ **진단계획/치료계획** : Brain CT, Spinal tapping, LFT / Mannitol, 산소공급, Thiamine, Vit.B_{12}

- 의식장애는 우선 응급상황을 배제하는 것이 급선무입니다. 신속하게 Glasgow coma scale로 의식수준을 평가합니다.
- 병력청취는 대개 보호자를 통해 듣고, 감별해야 할 진단을 써내려가고 해당 질환의 증상을 물어보면서 그 계열의 신체진찰을 같이 하는 것이 좋습니다. 필요한 신체진찰이 생각보다 많기 때문에 잊지 않도록 함이고, 그 중에서도 GCS, 동공반사, 안저 검사, DTR, Pathologic reflex, Neck stiffness sign은 반드시 하도록 합시다.
- 술을 5~15년간 드시던 분이 음주를 중단하시고 나서 보통 1~3일 후부터 증상이 시작되며 4~5일에 가장 심해지는 것이 알코올성 진정섬망입니다. 보통 불안, 초조, 식욕부진, 공포에 의한 수면부족, 경련, 지남력 장애와 같은 일이 생깁니다.

시나리오

Sex/Age		M/68(보호자 : 부인)
Chief Complaint		의식이 소실된 채로 발견함
환자상태평가		쓰러지면서 외상(－) GCS 7점 E2V2M3(환자는 통증 주면 눈을 뜨고 '으어어' 소리를 냄, 통증을 회피해서 굴곡함)
Present illness	Location	－
	Onset	1시간 전(현재 오후 8시)
	Situation	오전 6시면 일어나야 하는데 안 일어나길래 가서 확인했는데 깨지 않음
	Time	1시간 전 발견 어제 밤에 잠들 때는 정상인 것 확인
	Course	계속 의식이 없었음
	Experience	처음
	Character	자듯이 누워있는 자세, Decorticate(－), Decerebrate(－), 요실금/변실금(－/－), 침흘림(－), 안구 편위(－)
	Factors	－
	Associated symptoms	기침/가래/콧물(－/－/－), 열(－), 두통(－), **구토(＋, 어제 저녁 3차례. 거의 식사 못함)**, **피로(＋)**, 근력저하(－), 말 어눌(－), 시야장애(－), 이명(－), 감각이상(보호자라 모르겠다함), 입안냄새(－), 우울(－), 복수/황달(－/－), 동공 축소(－)
Medical history	약물복용력	고혈압약, 혈압 조절은 잘 됨
	과거력	DM/TBc/HTN/간질환(－/－/＋/－) 건강검진(＋, 1YA 고혈압 외 정상, 혈압조절 잘 됨)
	외상/수술력	두부 외상력(－), 수술력(＋, 5년 전 허리 다쳐서)
	사회력	퇴직한지 10년 술(소주 2~3병/1회, 주 3회, 4일 전 회식에서 과음 후 며칠 안마심) 담배(－)
	가족력	뇌혈관질환(－), 고혈압(－), 당뇨(－)
	여성력	－
Physical exam	Vital sign	150/80mmHg, 60회/분, 20회/분, 36.5℃
	Positive findings	동공반사(양측 대칭적), 공막 황달(－), DTR 정상, 근력/감각(시행 불가), Brudzinski/Kernig(－/－), Babinski(－), 경부강직(－), Ankle clonus(－), 복부 진찰 정상, flapping tremor(－)
환자의 질문 또는 기타 특이사항		깨어나지 않을까 봐 걱정돼요

관련증례

37-1 61세 여자가 의식을 잃고 쓰러진 채로 발견되어 병원에 왔다. 환자는 당뇨병으로 인해 3년 전부터 인슐린 주사로 치료 중이였으며, 최근 식사를 잘 못했다고 한다. 환자는 식은땀을 흘리는 상태였으며, 흉부 청진은 정상이었고 호흡은 가쁜 상태였다.

활력징후는 혈압 140/90mmHg, 맥박 80회/분, 호흡수 26회/분, 체온 37.0℃이었다. GCS 점수는 10점이었고, 뇌신경 검사는 정상이었다. 뇌막자극징후나 병적반사는 관찰되지 않았다.

37-2 60세 여자가 의식저하로 발견되어 왔다. 환자는 1개월 전 폐암 말기로 진단되어 항암치료 중으로 척추전이로 인한 심한 통증으로 힘들어했다. 내원 일주일 전부터는 진통제의 용량을 두 배로 올린 상태다. 환자는 금일 아침 불러도 깨어나지 않는 것을 가족이 발견하였다.

활력징후는 혈압 130/80mmHg, 맥박 90회/분, 호흡수 18회/분, 체온 37.0℃이었다. GCS 점수는 8점이었다. 숨소리가 약하게 들렸으나 흉부 청진에서 이상소견은 없었다. 양측 동공은 축소되어 있었고, 빛 반사는 약하게 반응하였다. 뇌막자극징후와 병적반사는 관찰되지 않았다.

Answer | 37-1. 저혈당성 혼수 37-2. 약물중독(opioid)

Check-list

	병력청취 채점항목	예	아니오
1	의식장애 발생시점 혹은 마지막으로 의식이 정상이었던 시점이 언제인지 물어보았다.	☐	☐
2	발생/발견 당시 상황에 대하여 물어보았다.	☐	☐
3	의식장애가 발생하고 나서 경과에 대하여 물어보았다.	☐	☐
4	동반된 다른 증상에 대하여 물어보았다.	☐	☐
5	당뇨, 정신과적 질환을 포함한 과거병력에 대해 물어보았다.	☐	☐
6	알코올, 약물복용에 대하여 물어보았다.	☐	☐
7	두부외상 및 수술력에 대하여 물어보았다.	☐	☐

	신체진찰 채점항목	제대로 함	제대로 못함	하지 않음
1	활력징후를 확인하고 필요한 응급 조치(ABC)를 시행하였다.	☐	☐	☐
2	의식수준을 평가하였다(GCS).	☐	☐	☐
3	신경학적 검사를 시행하였다.	☐	☐	☐
4	경부 경직 및 뇌막자극 검사를 시행하였다.	☐	☐	☐
5	피부긴장도와 호흡 수, 숨냄새를 확인하였다.	☐	☐	☐
6	외상부위가 있는지 확인하였다.	☐	☐	☐

	환자교육 채점항목	예	아니오
1	의식장애를 유발할 수 있는 원인에 대하여 설명하였다.	☐	☐
2	진단에 필요한 검사를 설명하고 동의를 구하였다.	☐	☐
3	의심되는 질환의 위험성에 대하여 설명하였다.	☐	☐
4	치료계획에 대해 설명하였다.	☐	☐

	환자의사관계 채점항목	아주우수	우수	보통	미흡
1	효율적으로 잘 물어보았다. - 효율적 질문 : 개방형 질문 사용, 확인, 중간 요약 - 피할 질문 : 유도 질문, 복수 질문	☐	☐	☐	☐
2	나의 말을 잘 들어주었다. - 대꾸하기, 경청 자세, 눈 맞춤 & 말 가로채지 않기	☐	☐	☐	☐
3	나의 입장을 이해하려고 노력하였다. - 공감 표현, 나의 입장 파악	☐	☐	☐	☐
4	환자가 이해하기 쉽게 설명하였다. - 간단명료함, 이해도 점검, 질문 기회 & 쉬운 용어	☐	☐	☐	☐
5	나와 좋은 유대 관계를 형성하려고 했다. - 자기소개, 일상 대화, 존중, 자신감 & 신뢰감	☐	☐	☐	☐

38 떨림 · 운동이상

대표증례 – 1

상황지침

40세 여자 안지영 씨가 손이 자꾸 떨린다며 병원에 왔다.

[활력징후]

• 혈압 : 120/80mmHg	• 맥박 : 80회/분
• 호흡 : 20회/분	• 체온 : 36.5℃

응시자는 이 환자에게
- 증상과 관련된 병력을 청취하고,
- 증상과 관련된 적절한 신체진찰을 시행한 후,
- 추정진단과 향후 진단계획 등에 대해 환자와 논의하시오.

해설

※ **감별진단** : 본태성 떨림

※ **진단계획/치료계획** : 갑상샘기능검사, 뇌 MRI / Beta-blocker

- 기저질환이나 의심될 만한 병력이 전혀 없는데 뇌졸중의 가족력이 있는 환자입니다.
- 우선 환자를 안심시켜 드리는 것이 좋습니다. 본태성 진전은 생각보다 흔한 질환이며, 손떨림의 양상으로 보아 본태성 진전일 가능성이 높다. 다만 가족력이 있으니 뇌 사진 한번 찍어보는 것이 좋겠다. 하지만 음주/흡연력도 없고 손떨림 외에 증상이 깨끗하기 때문에 걱정하시지 말라고 얘기하면 되겠죠?
- 스트레스가 손 떨림의 악화요인이 될 수 있다는 것을 설명합시다.

시나리오

Sex/Age	F/40	
Chief Complaint	손이 떨려요	
Present illness	Location	양손(오른손이 좀 더 심함)
	Onset	6년 전
	Situation	바느질 할 때 떨림, 젓가락질도 불편하고 글씨도 잘 못 씀
	Time	하루 종일
	Course	점점 심해짐
	Experience	처음
	Character	[양상] 불규칙하게 떨림 [정도] 일상생활에 지장(+)
	Factors	[악화] 바느질같이 뭔가 집중하면 떨림, 스트레스(−), 피로/긴장(−/−) [완화] 술마시면 좀 나아지는 것 같기도 함
	Associated symptoms	몸이 느려짐(−), 걸음걸이 장애(−), 기억력 장애(−), 배뇨장애(−), 두통(−), 체중변화(−), 감각이상(−), 운동이상(−), 발열(−), 우울(−), 말이 어눌해짐(−), 팔다리 힘빠짐(−), 성격변화(−), 시야장애(−)
Medical history	약물복용력	(−)
	과거력	DM/Tb/HTN/간질환(−/−/−/−) 뇌질환(−), 정신과 질환(−) 건강검진(−)
	외상/수술력	외상(−), 수술력(−)
	사회력	가정주부, 술(social), 흡연(−), 커피(−)
	가족력	아버지가 손을 떨었고, 술을 자주 먹음, 아버지 뇌졸중으로 돌아가심
	여성력	2-0-0-2, LMP 2주 전, 월경 주기 규칙적
Physical exam	Vital sign	120/80mmHg, 80회/분, 20회/분, 36.5℃
	Positive findings	소뇌 기능 검사 정상, 얼굴 감각/운동 정상, Tandem gait 정상, 글씨 쓸 때 떨림, 그 외 떨림 없음
환자의 질문 또는 기타 특이사항	다른 사람들이 볼까봐 두렵고 저도 뇌졸중 초기 증상이 아닐까 두려워요	

대표증례-2

상황지침

60세 여자 한미숙 씨가 손이 자꾸 떨린다고 병원에 왔다.

[활력징후]

• 혈압 : 120/80mmHg	• 맥박 : 80회/분
• 호흡 : 18회/분	• 체온 : 36.5℃

응시자는 이 환자에게
- 증상과 관련된 병력을 청취하고,
- 증상과 관련된 적절한 신체진찰을 시행한 후,
- 추정진단과 향후 진단계획 등에 대해 환자와 논의하시오.

해설

※ **감별진단** : 파킨슨병, 파킨슨증후군

※ **진단계획/치료계획** : Brain PET / Levodopa, 일상생활에서 예상되는 기능장애를 대비하고 훈련에 대해 설명

- 손떨림을 유발할 수 있는 질환은 굉장히 다양하고 많습니다. 하지만 출제자 입장에서 봤을 때 손떨림을 주소로 내원한 환자에게서 내분비질환을 내기에는 적합성이 떨어집니다. 즉, 신경과적으로 가장 중요한 문제가 나올 가능성이 높고, 따라서 이 문항에서 감별해야 할 가장 중요한 질환은 파킨슨병과 본태성 진전입니다.
- 가장 중요한 질환은 파킨슨병와 본태성 진전이지만, 그 외 심인성이나 알코올에 의한 진전, 뇌경색 등도 감별진단으로 반드시 배제해야겠습니다.
- Tremor에 종류에 따라 감별진단이 달라지므로 자세한 병력청취와 진전에 대한 정확한 신체진찰이 필요합니다.
- 근력 및 감각 검사에서 대체로 손떨림이 있는 쪽이 떨어지는 소견을 보이지만 판단하기 애매한 정도로 수행하는 SP도 있습니다. 이런 경우 당황하지 마시고 손떨림의 정확한 감별을 위한 신체진찰과 뇌신경, 소뇌기능 검사 등을 하시면 충분히 감별진단을 세울 수 있습니다.

시나리오

Sex/Age	F/60	
Chief Complaint	손이 떨려요	
Present illness	Location	오른쪽
	Onset	6개월 전
	Situation	가만히 있을 때나, 긴장했을 때 오른손이 떨림
	Time	떨렸다 안떨렸다 함
	Course	1달 전부터 거의 항상 비슷하게 떠는 것 같음
	Experience	처음
	Character	[양상] 규칙적인지 불규칙적인지는 잘 모르겠다고 함 [정도] 일상생활에 지장(+, 약간 불편함)
	Factors	[악화] 가만히 있으면 더 떨림, 스트레스(−), 피로/긴장(−/+) [완화] 무언가 가리킬 때나 글씨 쓸 때는 안 떨림
	Associated symptoms	**몸이 느려짐(+, 느려지고 뻣뻣해짐)**, **걸음걸이 장애(+)**, 기억력 장애(−), **수면장애(+, 잠꼬대 심하고 발로 차기도 함)**, 배뇨장애(−), 두통(−), 체중변화(−), 감각이상(−), 운동이상(−), 발열(−), 우울(−), 말이 어눌해짐(−), 팔다리 힘빠짐(−), 성격변화(−), 시야장애(−)
Medical history	약물복용력	(−)
	과거력	DM/Tb/HTN/간질환(−/−/−/−) 뇌질환(−), 정신과 질환(−) 건강검진(+, 5YA 정상)
	외상/수술력	외상(−), 수술력(+, 20YA 자궁근종으로 자궁절제술)
	사회력	주부, 술/담배(−/−), 커피(1~2잔, 이것 때문은 아님)
	가족력	10년 전 아버지 뇌졸중, 10년 전부터 어머니가 치매약을 먹고 있음
	여성력	2-0-0-2, 폐경
Physical exam	Vital sign	120/80mmHg, 80회/분, 18회/분, 36.5℃
	Positive findings	bradykinesia(+, 오른쪽), motor weakness(right hand and arm), rigidity (+, right hand), 원그리기 할 때 손이 떨림, 이름 써보라고 하니 덜덜 떠시면서 쓰셨지만 글씨가 작아진다거나 하지는 않음, 손을 무릎 위에 가만히 놓고 있을 때 오른손만 떨림, 손을 쭉 뻗고 있어도 오른손 떨림, 소뇌 기능 검사 정상, 보행검사 정상
환자의 질문 또는 기타 특이사항		

대표증례－3

상황지침

52세 남자 김욱 씨가 손이 자꾸 떨린다며 병원에 왔다.

[활력징후]

- 혈압 : 116/78mmHg
- 맥박 : 90회/분
- 호흡 : 18회/분
- 체온 : 36.2℃

응시자는 이 환자에게

- 증상과 관련된 병력을 청취하고,
- 증상과 관련된 적절한 신체진찰을 시행한 후,
- 추정진단과 향후 진단계획 등에 대해 환자와 논의하시오.

해설

※ **감별진단** : 약물에 의한 떨림, 본태성 떨림

※ **진단계획/치료계획** : 뇌 MRI, 근전도 검사 / 약제 조정

- 이 case는 무언가를 하려고 할 때 떨림이 보이는 Action tremor입니다. 일단 환자분은 우울증과 불면으로 인하여 신경안정제와 수면제를 드십니다. 신경안정제는 일반적으로 떨림을 일으킬 수가 있습니다. 그래서 병력 청취하실 때 약물 복용력에 대하여 묻는 것을 잊지 마세요.
- 모든 신경계 주제에서 마찬가지지만 이 부분 역시 신체진찰이 복잡하고 오래 걸리기 때문에 시간을 잘 맞춰야합니다.

시나리오

Sex/Age	M/52	
Chief Complaint	손이 떨려요	
Present illness	Location	양손
	Onset	2개월 전
	Situation	칼질할 때 떨린다
	Time	하루 종일
	Course	점점 심해짐
	Experience	처음
	Character	[양상] 규칙적 떨림 [정도] 일상생활에 지장(+)
	Factors	[악화] 스트레스(−), 긴장(−), 특별한 자세(−) [완화] 술에 의해 좋아짐(−)
	Associated symptoms	몸이 느려짐(−), 걸음걸이 장애(−), 기억력 장애(−), 배뇨장애(−), 두통(−), 체중변화(−), 감각이상(−), 운동이상(−), 말이 어눌해짐(−), 팔다리 힘빠짐(−), 표정 굳어짐(−), 발열/식은땀(−/−), **우울(+)**, 성격변화(−), 시야장애(−)
Medical history	약물복용력	신경안정제, 수면제를 4개월 전부터 복용
	과거력	DM/Tb/HTN/간질환(−/−/−/−) 뇌질환(−), 정신과 질환(+, 우울하고 불면증으로 진료받아 약처방) 건강검진(+, 2YA 정상)
	외상/수술력	외상(−), 수술력(−)
	사회력	요리사, 술(social), 담배(−), 커피(−)
	가족력	뇌질환(−), 떨림(−)
	여성력	−
Physical exam	Vital sign	116/78mmHg, 90회/분, 18회/분, 36.2℃
	Positive findings	소뇌 기능 검사 정상, 얼굴 감각/운동 정상, Tandem gait 정상, 갑상샘 정상, action tremor(+), intention tremor(−)
환자의 질문 또는 기타 특이사항		

대표증례 – 4

상황지침

45세 여자 신도미 씨가 손이 자꾸 떨린다고 병원에 왔다.

[활력징후]

• 혈압 : 120/80mmHg	• 맥박 : 80회/분
• 호흡 : 18회/분	• 체온 : 36.5℃

응시자는 이 환자에게
- 증상과 관련된 병력을 청취하고,
- 증상과 관련된 적절한 신체진찰을 시행한 후,
- 추정진단과 향후 진단계획 등에 대해 환자와 논의하시오.

해설

※ **감별진단** : 갑상샘기능항진증

※ **진단계획/치료계획** : TFT / 항갑상선제, Beta-blocker

- 이 환자의 경우에는 체중감소, 더위 불내성, 갑상샘 촉진과 같은 부분 때문에 쉽게 갑상선기능항진증을 쉽게 예측할 수 있습니다. 또한, 무언가를 할 때 손떨림증이 생긴다는 부분에서 본태성 떨림을, 커피를 과하게 먹는다는 부분에서 커피에 의한 생리적 떨림을 생각할 수 있습니다.
- Tremor에 종류에 따라 감별진단이 달라지므로 자세한 병력청취와 진전에 대한 정확한 신체진찰이 필요합니다.

시나리오

Sex/Age	F/45	
Chief Complaint	손이 떨려요	
Present illness	Location	양손
	Onset	6개월 전
	Situation	글씨를 쓰거나 컵을 들거나 할 때
	Time	떨렸다 안떨렸다 함
	Course	비슷함
	Experience	처음
	Character	[양상] 대칭적인지 잘 모르겠음 [정도] 일상생활에 지장(+)
	Factors	[악화] 스트레스(−), 긴장(−), 특별한 자세(−) [완화] 술에 의해 좋아짐(−)
	Associated symptoms	발열(−), 어지러움(−), **설사(+)**, **더위 불내성(+)**, **체중변화(+)**, 보행장애(−), 배뇨장애(−), 성격변화(−), **두통(+)**, 우울감(−), 시야장애(−), 팔다리 감각저하(−)
Medical history	약물복용력	종합비타민
	과거력	DM/Tb/HTN/간질환(−/−/−/−) 뇌질환(−), 정신과 질환(−) 건강검진(−)
	외상/수술력	외상(−), 수술력(−)
	사회력	주부, 술/담배(+/−), 커피(3~4잔)
	가족력	뇌질환(−), 떨림(−)
	여성력	LMP 1달 전, 특이사항 없음
Physical exam	Vital sign	120/80mmHg, 80회/분, 18회/분, 36.5℃
	Positive findings	bradykinesia(−), motor weakness(−), rigidity(−), 소뇌 기능 검사 정상, 보행검사 정상, 갑상선에 뭔가 만져짐
환자의 질문 또는 기타 특이사항		

대표증례－5

상황지침

48세 여자 임하영 씨가 손이 자꾸 떨린다며 병원에 왔다.

[활력징후]

- 혈압 : 120/80mmHg
- 맥박 : 80회/분
- 호흡 : 20회/분
- 체온 : 36.5℃

응시자는 이 환자에게

- 증상과 관련된 병력을 청취하고,
- 증상과 관련된 적절한 신체진찰을 시행한 후,
- 추정진단과 향후 진단계획 등에 대해 환자와 논의하시오.

해설

※ **감별진단** : 본태성 떨림

※ **진단계획/치료계획** : 갑상샘기능검사, 뇌 MRI / Beta-blocker

- 기저질환이나 의심될 만한 병력이 전혀 없는데 뇌졸중의 가족력이 있는 환자입니다.
- 우선 환자를 안심시켜 드리는 것이 좋습니다. 본태성 진전은 생각보다 흔한 질환이며, 손떨림의 양상으로 보아 본태성 진전일 가능성이 높다. 다만 가족력이 있으니 뇌 사진 한번 찍어보는 것이 좋겠다. 하지만 음주/흡연력도 없고 손떨림 외에 증상이 깨끗하기 때문에 걱정하시지 말라고 얘기하면 되겠죠?
- 커피를 줄이도록 하고, 스트레스가 손 떨림의 악화요인이 될 수 있다는 것을 설명합시다.

시나리오

Sex/Age	F/48	
Chief Complaint	손이 떨려요	
Present illness	Location	양손
	Onset	2년 전
	Situation	젓가락질도 불편하고 글씨도 잘 못 씀
	Time	잘 모르겠음
	Course	점점 심해짐
	Experience	처음
	Character	[양상] 규칙적으로 떨림 [정도] 일상생활에 지장(+, 칠판에 글씨 쓸 때 힘이 든다)
	Factors	[악화] 스트레스(−), 피로/긴장(−/−) [완화] 술마시면 좀 나아지는 것 같기도 함
	Associated symptoms	몸이 느려짐(−), 걸음걸이 장애(−), 기억력 장애(−), 배뇨장애(−), 두통(−), 체중변화(−), 감각이상(−), 운동이상(−), 발열(−), 우울(−), 말이 어눌해짐(−), 팔다리 힘빠짐(−), 성격변화(−), 시야장애(−)
Medical history	약물복용력	(−)
	과거력	DM/Tb/HTN/간질환(−/−/−/−) 뇌질환(−), 정신과 질환(−) 건강검진(−)
	외상/수술력	외상(+, 버스에서 교통사고로 머리 부딪힘, CT 상 이상 없다고 들음), 수술력(−)
	사회력	고등학교 국어선생님 술(social), 흡연(−), 커피(+, 4~5잔에서 2~3잔으로 줄임)
	가족력	아버지가 손을 떨었고, 술을 자주 먹었다, 아버지 뇌졸중으로 돌아가심
	여성력	6년 전 폐경
Physical exam	Vital sign	120/80mmHg, 80회/분, 20회/분, 36.5℃
	Positive findings	CNE 정상, 소뇌 기능 검사 정상, 얼굴 감각/운동 정상, Tandem gait 정상, 글씨 쓸 때 떨림, 그 외 떨림 없음
환자의 질문 또는 기타 특이사항		

대표증례-6

상황지침

54세 여자 정지희 씨가 손이 자꾸 떨린다며 병원에 왔다.

[활력징후]

- 혈압 : 116/78mmHg
- 맥박 : 80회/분
- 호흡 : 18회/분
- 체온 : 36.2℃

응시자는 이 환자에게
- 증상과 관련된 병력을 청취하고,
- 증상과 관련된 적절한 신체진찰을 시행한 후,
- 추정진단과 향후 진단계획 등에 대해 환자와 논의하시오.

해설

※ **감별진단** : 약물에 의한 떨림, 본태성 떨림
※ **진단계획/치료계획** : 뇌 MRI, 근전도 검사 / 약제 조정

- 환자분은 우울증과 불면으로 인하여 정신과에서 약을 먹고 있다고 합니다. 환자가 약이 정확히 무엇인지는 모른다고 하였으나 신경안정제와 수면제를 의심해볼 수 있습니다. 신경안정제는 일반적으로 떨림을 일으킬 수가 있습니다. 그래서 병력 청취하실 때 약물 복용력에 대하여 묻는 것을 잊지 마세요.
- 모든 신경계 주제에서 마찬가지지만 이 부분 역시 신체진찰이 복잡하고 오래 걸리기 때문에 시간을 잘 맞춰야합니다.

시나리오

Sex/Age	F/54	
Chief Complaint	손이 떨려요	
Present illness	Location	양손
	Onset	1개월 전
	Situation	컵 잡을 때, 숟가락질할 때 떨린다
	Time	하루 종일
	Course	점점 심해짐
	Experience	처음
	Character	[양상] 규칙적 떨림 [정도] 일상생활에 지장(+)
	Factors	[악화] 스트레스(−), 긴장(−), 특별한 자세(−) [완화] 술에 의해 좋아짐(−)
	Associated symptoms	몸이 느려짐(−), 걸음걸이 장애(−), 기억력 장애(−), 배뇨장애(−), 두통(−), 체중변화(−), 감각이상(−), 운동이상(−), 말이 어눌해짐(−), 팔다리 힘빠짐(−), 표정 굳어짐(−), 발열/식은땀(−/−), **우울(+)**, 성격변화(−), 시야장애(−)
Medical history	약물복용력	정신과에서 약 받아서 먹고 있는데 뭔지는 잘 모르겠음
	과거력	DM/Tb/HTN/간질환(−/−/−/−) 뇌질환(−), 정신과 질환(+, 경기가 안좋아지면서 힘들어져 우울, 불면, 불안 등으로 진료 받고 있음)
	외상/수술력	외상(−), 수술력(−)
	사회력	회사원, 술(−, 5년 전 끊음), 담배(−), 커피(+, 1잔)
	가족력	뇌질환(−), 떨림(−)
	여성력	−
Physical exam	Vital sign	116/78mmHg, 80회/분, 18회/분, 36.2℃
	Positive findings	소뇌 기능 검사 정상, 얼굴 감각/운동 정상, Tandem gait 정상, 갑상샘 정상 손 앞으로 쭉 뻗을 때, 원 그리기, 연필 잡기 할 때 손떨림
환자의 질문 또는 기타 특이사항		

관련증례

38-1 59세 남자가 손 떨림으로 왔다. 떨림은 더 심해지지 않은 상태로 지속되었고, 주로 젓가락을 이용하여 반찬을 집거나 물건을 잡을 때 발생하였다. 환자는 2개월 뇌경색을 진단받고 치료 중이었다.

> 활력징후는 혈압 140/90mmHg, 맥박 78회/분, 호흡수 18회/분, 체온 36.6℃이었다. 손과 함께 머리와 몸도 같이 떨림이 있었고, 떨림은 느린 속도로 불규칙했다. 떨림은 다른 자세에서는 관찰되지 않았으나 finger to nose test시 잘 관찰되었다.

38-2 23세 남자가 손 떨림으로 왔다. 떨림은 6개월 전부터 시작하였다. 떨림은 더 심해지지 않았고, 신체 다른 부위가 함께 떨리지는 않았다고 했다. 떨림은 주로 운동 후에 발생한다고 했고, 가족 중에 비슷한 증상이 있는 구성원은 없었다.

> 활력징후는 혈압 120/80mmHg, 맥박 75회/분, 호흡수 18회/분, 체온 36.5℃이었다. 양손을 무릎 위에 놓은 자세에서 떨림은 관찰되지 않았고, 원 그리기를 할 때나 손을 들어 올린 자세에서도 관찰되지 않았다. 사지의 경직도 없었고, 걸음걸이도 정상이었다.

Answer | 38-1. 소뇌질환(뇌졸중) 38-2. 생리적 떨림

Check-list

	병력청취 채점항목	예	아니오
1	손떨림이 언제부터 시작되었는지 물어보았다.	☐	☐
2	손떨림의 양상에 대하여 구체적으로 물어보았다.	☐	☐
3	손떨림의 악화/완화요인이 있는지 물어보았다(술, 피로/스트레스, 집중할 때 등).	☐	☐
4	동반증상에 대해 물어보았다.	☐	☐
5	카페인, 흡연 및 음주력에 대하여 물어보았다.	☐	☐
6	현재 앓고 있는 질환과 과거력에 대하여 물어보았다.	☐	☐
7	복용 중인 약물이 있는지 확인하였다.	☐	☐

	신체진찰 채점항목	제대로 함	제대로 못함	하지 않음
1	손씻기를 시행하였다.	☐	☐	☐
2	병측 손을 확인하고 손떨림을 진찰하였다.	☐	☐	☐
3	맥박을 확인하였다.	☐	☐	☐
4	갑상샘을 진찰하였다.	☐	☐	☐
5	운동기능 검사와 소뇌기능 검사를 시행하였다(보행장애, 걸음걸이).	☐	☐	☐
6	근력반사 및 병적반사, 감각 검사를 시행하였다.	☐	☐	☐

	환자교육 채점항목	예	아니오
1	손떨림의 원인과 질환에 대하여 설명하였다.	☐	☐
2	필요한 검사를 설명하고 동의를 구하였다.	☐	☐
3	검사 결과에 따른 치료원칙을 설명하였다.	☐	☐
4	손떨림을 완화시킬 수 있는 방법과 생활습관 교정에 대해 교육하였다.	☐	☐

	환자의사관계 채점항목	아주우수	우수	보통	미흡
1	효율적으로 질 물어보았다. – 효율적 질문 : 개방형 질문 사용, 확인, 중간 요약 – 피할 질문 : 유도 질문, 복수 질문	☐	☐	☐	☐
2	나의 말을 잘 들어주었다. – 대꾸하기, 경청 자세, 눈 맞춤 & 말 가로채지 않기	☐	☐	☐	☐
3	나의 입장을 이해하려고 노력하였다. – 공감 표현, 나의 입장 파악	☐	☐	☐	☐
4	환자가 이해하기 쉽게 설명하였다. – 간단명료함, 이해도 점검, 질문 기회 & 쉬운 용어	☐	☐	☐	☐
5	나와 좋은 유대 관계를 형성하려고 했다. – 자기소개, 일상 대화, 존중, 자신감 & 신뢰감	☐	☐	☐	☐

39 근력 · 감각이상

대표증례 - 1

상황지침

65세 남자 한얼광 씨가 왼쪽 손목에 힘이 빠진다며 병원에 왔다.

[활력징후]

- 혈압 : 120/80mmHg
- 맥박 : 80회/분
- 호흡 : 18회/분
- 체온 : 36.5℃

응시자는 이 환자에게

- 증상과 관련된 병력을 청취하고,
- 증상과 관련된 적절한 신체진찰을 시행한 후,
- 추정진단과 향후 진단계획 등에 대해 환자와 논의하시오.

해설

※ **감별진단** : 일과성허혈발작(TIA)

※ **진단계획/치료계획** : 뇌CT, MRI, 뇌혈관조영술 / 항응고제, 항혈소판제

- 며칠 전에도 그런 적이 있으며, 20분간만 지속되는 점으로 미루어보아 일과성허혈발작일 가능성이 높습니다. 또한, 왼쪽만 그런 것으로 보아, 오른쪽 뇌에 문제가 생겼음을 예측할 수 있습니다. 일과성허혈발작은 증상이 생기고 24시간 안에 좋아지는 경우가 많습니다.
- 일과성허혈발작의 경우에는 필요하면 항응고제, 항혈소판제, 항혈전제를 투여할 수 있습니다. 약을 투여하는 경우에는 항응고제 투여의 금기증이 있는지 확인하는 것이 필요합니다.
- 생활습관의 경우에는 당뇨 조절과 함께 금연, 금주를 하는 것이 중요함을 일깨워주는 것이 중요합니다. 뇌졸중이나 뇌경색으로 진행하지 않도록 예방하기 위해서는 생활습관조정을 통한 자기관리가 필수적입니다.

시나리오

Sex/Age	M/65	
Chief Complaint	왼쪽 팔다리 힘이 빠져요	
Present illness	Location	왼쪽 팔, 다리, 얼굴
	Onset	오늘 아침(4시간 전)
	Situation	갑자기 서있다가 넘어짐
	Time	20분
	Course	20분 지나고는 좋아진 상태로 유지
	Experience	며칠 전에도 힘이 잠깐 빠졌다가 20분 뒤에 돌아옴
	Character	[양상] 팔다리 힘이 빠지면서 넘어짐
	Factors	운동(−), 최근 감기(−), 과다 손목 이용(−)
	Associated symptoms	**왼쪽 손목 근력 저하/왼쪽 엄지손가락 근력 저하, 오른쪽 손등 감각이상(+), 말 어눌(+)**, 발열/오한(−/−), N/V(−/−), 두통/복시/시야장애/얼굴마비(−/−/−/−), 눈꺼풀 처짐(−), 체중변화(−), 피로/우울(−/−), 대소변 장애(−)
Medical history	약물복용력	당뇨약 복용 중
	과거력	DM/Tb/HTN/간질환(+, 3YA, 안과, 신경과 검진 꾸준히 받고 있음/−/−/−) 건강검진(+, 2YA 당뇨 외 특이사항 없음)
	외상/수술력	외상(−), 수술력(−)
	사회력	전직 야구선수, 술(맥주1~2병), 담배(25갑·년, 3년 전 금연)
	가족력	뇌혈관질환(+, 아버지가 뇌출혈로 사망), 심장질환(−)
	여성력	−
Physical exam	Vital sign	120/80mmHg, 80회/분, 18회/분, 36.5℃
	Positive findings	facial palsy(−), 말 어눌(−), CNE(−), Meningeal irritation sign(−), Phalen/Tinnel(−/−), 바빈스키(−), DTR(−), 호프만(−)
환자의 질문 또는 기타 특이사항		

대표증례-2

상황지침

60세 남자 이순호 씨가 왼쪽 팔다리에 힘이 빠져서 내원하였다.

[활력징후]	
• 혈압 : 160/110mmHg	• 맥박 : 80회/분
• 호흡 : 20회/분	• 체온 : 36.4℃

응시자는 이 환자에게

- 증상과 관련된 병력을 청취하고,
- 증상과 관련된 적절한 신체진찰을 시행한 후,
- 추정진단과 향후 진단계획 등에 대해 환자와 논의하시오.

해설

※ **감별진단** : 고혈압성 뇌출혈

※ **진단계획/치료계획** : Brain CT, MRI / IV mannitol, 혈압강하제

- 활력징후만 봐도 혈압이 높습니다. 실제 진료에서도 고혈압이 있는 환자입니다. 평소 고혈압약을 잘 복용하고 있는지 꼭 물어봐야하고, 다른 질병력에 대해서도 물어보는 것이 좋습니다.
- 식습관, 음주/흡연력 등의 생활습관을 물어보는 것이 중요합니다. 이 케이스처럼 교정이 필요한 경우 환자교육에서 교육해주시면 좋습니다.
- 근력저하를 주소로 내원하였기 때문에 팔다리 근력이나 감각, 반사를 확인하는 신체진찰은 반드시 시행해야 합니다. 각 관절별로 굴곡과 신전을 확인하고 주요 DTR과 병적반사 정도를 제대로 수행하는 것이 효율적입니다.

시나리오

Sex/Age	M/60	
Chief Complaint	왼쪽 팔다리 힘이 빠져요	
Present illness	Location	왼쪽 팔다리
	Onset	어제 저녁
	Situation	어제 저녁 아들과 식사하던 중 힘이 빠지고 밥먹기가 힘들어짐
	Time	어제 저녁부터 계속
	Course	일정하게 계속 힘이 없음
	Experience	처음
	Character	[양상] 힘이 안들어감 [정도] 일상생활에 불편(+)
	Factors	운동(−), 최근 감기(−), 과다 손목 이용(−)
	Associated symptoms	**왼쪽 팔다리 감각·운동 이상(+), lt. facial palsy(+), 말 어눌(+), 두통(+), 어지러움(+), N/V(+/+),** 복시(−), 눈꺼풀 내려앉음(−), 호흡곤란(−)
Medical history	약물복용력	고혈압약 잘 복용중이지만 혈압조절 잘 안됨 아스피린(−), 플라빅스(−), 와파린(−)
	과거력	DM/Tb/HTN/간질환(−/−/+, 10년 전/−) 건강검진(+, 2YA 혈압조절 하라고 들은 얘기 외 특이사항 없음)
	외상/수술력	외상(−), 수술력(−)
	사회력	건물관리자, 술(1병/1주), 담배(35갑·년) 고기, 특히 삼겹살 위주로 자주 먹음 운동은 2개월에 한 번 등산
	가족력	아버지 20년 전 중풍으로 돌아가심, 동생 고혈압
	여성력	−
Physical exam	Vital sign	160/110mmHg, 80회/분, 20회/분, 36.4℃
	Positive findings	왼쪽 팔다리 얼굴 근력 감각이상, 바빈스키 정상, 볼에 바람 불기/눈 세게 감기/이마주름(+/+/+, lt. facial palsy 보임), DTR(Lt. 항진), 심음정상, 경동맥 청진 정상, 안저검사(유두부종)
환자의 질문 또는 기타 특이사항		

대표증례 – 3

상황지침

55세 여자 이숙자 씨가 오른쪽 손목에 힘이 빠진다며 병원에 왔다.

[활력징후]

- 혈압 : 115/75mmHg
- 맥박 : 78회/분
- 호흡 : 17회/분
- 체온 : 36.3℃

응시자는 이 환자에게
- 증상과 관련된 병력을 청취하고,
- 증상과 관련된 적절한 신체진찰을 시행한 후,
- 추정진단과 향후 진단계획 등에 대해 환자와 논의하시오.

해설

※ **감별진단** : 손목터널증후군

※ **진단계획/치료계획** : 신경전도검사(NCS), 근전도검사(EMG) / 팔목보호대, 보존적 치료

- 손의 원위부(중지, 약지, 새끼)의 감각이상을 주소로 내원한 55세 여자 환자입니다.
- 위치와 character을 물어보실 때 자세히 물어보셔야 합니다. monoplegia, hemiplegia, paraplegia, tetraplegia인지에 따라서 진단 자체가 달라 질 수 있습니다.
- 또한 신체진찰을 할 때 다른 신경계 주제와는 달리 팔다리 근력저하 및 감각저하에서는 감각 검사를 할 때 촉감, 통각, 온도감각, 진동감각, 위치감각을 하나하나 다 검사를 하셔야 합니다. 물론 한 쪽만 검사하는 게 아니라 양쪽을 대칭적으로 검사해야 합니다.
- 교육은 수근관증후군이 생기는 이유와 앞으로 집안일 줄이시라는 등의 교육을 하면 좋습니다. 필요하면 수술할 수도 있다는 것을 알려주시면 좋겠습니다.

시나리오

Sex/Age	F/55	
Chief Complaint	오른쪽 손이 저려요	
Present illness	Location	오른쪽 손, 원위부(중지, 약지, 새끼)
	Onset	3개월 전
	Situation	-
	Time	-
	Course	점점 심해짐
	Experience	처음
	Character	[양상] 힘이 빠짐, 내 살 같지 않은 느낌 [정도] 일상생활에 불편(+)
	Factors	잘 때 잘못된 자세(-), 운동(-), 최근 감기(-), 과다이용(+, 집안일 하느라 손을 많이 사용함)
	Associated symptoms	운동/**감각저하**(-/**+**), 발열/오한(-/-), N/V(-/-), 두통/복시/시야장애/얼굴마비(-/-/-/-), 말 어눌/눈꺼풀 처짐(-/-), 체중변화(-), 피로/우울(-/-), 대소변장애(-)
Medical history	약물복용력	당뇨약 복용 중
	과거력	DM/Tb/HTN/간질환(+/-/-/-) 건강검진(+, 2YA 정상)
	외상/수술력	외상(-), 수술력(-)
	사회력	자영업 술(-), 담배(-)
	가족력	뇌질환(-)
	여성력	2-0-0-2, 5년 전 폐경
Physical exam	Vital sign	115/75mmHg, 78회/분, 17회/분, 36.3℃
	Positive findings	근력 저하/감각이상(-/+, 쥐가 나듯 저릿한 느낌), facial palsy(-), 말 어눌(-), CNE(-), Meningeal irritation sign(-), 뇌막자극징후(-), Phalen/Tinnel(+/+), 바빈스키 정상, DTR 정상, 호프만(-), 경동맥청진(-), 시야/안구운동/안저 검사(-/-/-)
환자의 질문 또는 기타 특이사항		

대표증례 - 4

상황지침

49세 여자 최순자 씨가 왼쪽 손목에 힘이 빠진다며 병원에 왔다.

[활력징후]

- 혈압 : 120/80mmHg
- 맥박 : 80회/분
- 호흡 : 20회/분
- 체온 : 36.5℃

응시자는 이 환자에게

- 증상과 관련된 병력을 청취하고,
- 증상과 관련된 적절한 신체진찰을 시행한 후,
- 추정진단과 향후 진단계획 등에 대해 환자와 논의하시오.

해설

※ **감별진단** : 요골신경마비(Radial nerve palsy)

※ **진단계획/치료계획** : 신경전도검사(NCS), 근전도검사(EMG) / 물리치료

- 근력저하, 마비 등을 주소로 내원하는 환자에서는 우선 근골격계/신경계/혈관계 중 어느 계열의 문제인지 파악하고, 신경계의 경우 중추성/말초성을 감별하는 것이 중요합니다. 감별진단에 따라 시행해야 할 검사와 치료가 매우 달라지기 때문입니다.

시나리오

Sex/Age	F/49	
Chief Complaint	왼쪽 손목 힘이 빠져요	
Present illness	Location	왼쪽 손목
	Onset	오늘 아침
	Situation	어젯밤 과음 후 소파에서 불편하게 잠을 잔 후 시작됨
	Time	오늘 아침부터 계속
	Course	일정하게 계속 힘이 없음
	Experience	처음
	Character	[양상] 힘이 빠짐, 손목을 드는 것이 특히 힘듦 [정도] 일상생활에 불편(+)
	Factors	운동(−), 최근 감기(−), 과다 손목 이용(−)
	Associated symptoms	**오른쪽 손목 근력 저하/오른쪽 엄지손가락 근력 저하, 오른쪽 손등 감각이상(+)**, 말 어눌(−), 발열/오한(−/−), N/V(−/−), 두통/복시/시야장애/얼굴마비(−/−/−/−), 눈꺼풀 처짐(−), 체중변화(−), 피로/우울(−/−), 대소변 장애(−)
Medical history	약물복용력	당뇨약 복용 중
	과거력	DM/Tb/HTN/간질환(+/−/−/−) 건강검진(+, 3YA 당뇨 진단받음. 그 외 특이사항 없음)
	외상/수술력	외상(−), 수술력(−)
	사회력	사무용품 제조업, 술(+, 맥주 1~2병), 담배(25PY, 3년 전 금연)
	가족력	뇌혈관질환(−), 심장질환(−)
	여성력	특이사항 없음
Physical exam	Vital sign	120/80mmHg, 80회/분, 20회/분, 36.5℃
	Positive findings	왼쪽 손목 근력 저하/왼쪽 엄지손가락, 왼쪽 손등 감각이상(+), 왼쪽 3번째 손가락까지 감각저하, facial palsy(−), 말 어눌(−), CNE(−), Meningeal irritation sign(−), Phalen/Tinnel(−/−), 바빈스키(−), DTR(−), 호프만(−)
환자의 질문 또는 기타 특이사항		

대표증례-5

상황지침

50세 여자 이시호 씨가 왼쪽 팔다리에 힘이 빠져서 내원하였다.

[활력징후]	
• 혈압 : 150/90mmHg	• 맥박 : 80회/분
• 호흡 : 20회/분	• 체온 : 36.4℃

응시자는 이 환자에게
- 증상과 관련된 병력을 청취하고,
- 증상과 관련된 적절한 신체진찰을 시행한 후,
- 추정진단과 향후 진단계획 등에 대해 환자와 논의하시오.

해설

※ **감별진단** : 뇌경색, 뇌출혈

※ **진단계획/치료계획** : Brain CT, MRI / 혈전용해제

• 뇌출혈과 뇌경색 가능성이 모두 있으므로 CT를 찍어 감별이 필요하고, 두 질환 모두 응급임을 알려 입원이 필요하다는 사실을 알려야합니다.

• 식습관, 음주/흡연력 등의 생활습관을 물어보는 것이 중요합니다. 이 케이스처럼 교정이 필요한 경우 환자교육에서 교육해주시면 좋습니다.

• 근력저하를 주소로 내원하였기 때문에 팔다리 근력이나 감각, 반사를 확인하는 신체진찰은 반드시 시행해야 합니다. 각 관절별로 굴곡과 신전을 확인하고 주요 DTR과 병적반사 정도를 제대로 수행하는 것이 효율적입니다.

시나리오

Sex/Age	F/50	
Chief Complaint	손에 힘이 빠져요	
Present illness	Location	왼손
	Onset	오늘 아침(7시)
	Situation	특별한 이유 없이 갑자기 시작됨
	Time	오늘 아침부터 계속
	Course	더 심해지는 것 같기도 함
	Experience	처음
	Character	[양상] 힘이 안들어감 [정도] 일상생활에 불편(+)
	Factors	운동(-), 최근 감기(-), 과다 손목 이용(-)
	Associated symptoms	**왼쪽 팔다리 감각·운동 이상(+)**, lt. facial palsy(-), **말 어눌(+)**, **두통(+)**, **어지러움(+)**, **N/V(+/+)**, 복시(-), 눈꺼풀 내려앉음(-), 호흡곤란(-)
Medical history	약물복용력	고혈압약 잘 복용중이지만 혈압조절 잘 안됨 아스피린(-), 플라빅스(-), 와파린(-)
	과거력	DM/Tb/HTN/간질환(-/-/+/-), 고지혈증(+) 건강검진(-)
	외상/수술력	외상(+, 10일 전 넘어져 다침. 뇌영상 정상이라고 들음), 수술력(-)
	사회력	주부, 술(social), 담배(-)
	가족력	어머니 3년 전 중풍으로 돌아가심
	여성력	특이사항 없음
Physical exam	Vital sign	150/90mmHg, 80회/분, 20회/분, 36.4℃
	Positive findings	왼쪽 팔다리 근력 감각이상, 바빈스키 정상, DTR(Lt. 항진), 심음정상, 경동맥 청진 정상
환자의 질문 또는 기타 특이사항		

관련증례

39-1 66세 여자가 1일 전 발생한 오른쪽 반마비로 내원하였다. 고혈압과 당뇨병으로 치료 중이었다. 행동이 느리고 멍청하게 앞만 보고 묻는 말에 대답은 거의 하지 않았다. 가벼운 발음장애가 있었고, 팔보다 다리가 더 심했다.

활력징후는 혈압 120/80mmHg, 맥박 65회/분, 호흡수 23회/분, 체온 37.2℃이었다.

39-2 평상시 비만과 고혈압이 있었던 52세 남자가 왼쪽 팔다리 운동부전마비를 주소로 내원하였다. 부부싸움 중 언성을 높이다가 갑자기 의식을 잃고 쓰러졌다고 하며 병원 도착 당시 의식은 반혼수 상태였다.

활력징후는 혈압 190/120mmHg, 맥박 77회/분, 호흡수 15회/분, 체온 36.8℃이었다.

Answer | 39-1. 뇌경색(ACA territory infarction) 39-2. 뇌출혈

Check-list

	병력청취 채점항목	예	아니오
1	근력 약화의 발생시기를 물어보았다.	☐	☐
2	근력 약화의 양상과 정도, 진행상태를 물어보았다.	☐	☐
3	근력 약화의 부위를 물어보았다.	☐	☐
4	동반되는 증상을 물어보았다.	☐	☐
5	질병력에 대하여 물어보았다(두부외상, 뇌질환 포함).	☐	☐
6	가족력에 대하여 물어보았다.	☐	☐
7	음주/흡연력에 대하여 물어보았다.	☐	☐

	신체진찰 채점항목	제대로 함	제대로 못함	하지 않음
1	호소하는 병측 및 정상측의 근력을 평가하였다.	☐	☐	☐
2	감각 변화 및 운동능력을 평가하였다.	☐	☐	☐
3	신경학적 검사를 시행하였다.	☐	☐	☐
4	심부건반사 및 병적 반사를 확인하였다.	☐	☐	☐
5	보행 및 운동장애, 소뇌기능 검사를 시행하였다.	☐	☐	☐
6	양측 경동맥 잡음을 시/촉진/청진하였다.	☐	☐	☐

	환자교육 채점항목	예	아니오
1	팔다리 근력약화를 일으킬 수 있는 원인과 위험인자에 대하여 설명하였다.	☐	☐
2	필요한 검사에 대해 설명하고 동의를 구하였다.	☐	☐
3	일차적인 치료와 앞으로의 치료계획을 설명하였다.	☐	☐
4	금주 및 금연교육	☐	☐

	환자의사관계 채점항목	아주우수	우수	보통	미흡
1	효율적으로 잘 물어보았다. – 효율적 질문 : 개방형 질문 사용, 확인, 중간 요약 – 피할 질문 : 유도 질문, 복수 질문	☐	☐	☐	☐
2	나의 말을 잘 들어주었다. – 대꾸하기, 경청 자세, 눈 맞춤 & 말 가로채지 않기	☐	☐	☐	☐
3	나의 입장을 이해하려고 노력하였다. – 공감 표현, 나의 입장 파악	☐	☐	☐	☐
4	환자가 이해하기 쉽게 설명하였다. – 간단명료함, 이해도 점검, 질문 기회 & 쉬운 용어	☐	☐	☐	☐
5	나와 좋은 유대 관계를 형성하려고 했다. – 자기소개, 일상 대화, 존중, 자신감 & 신뢰감	☐	☐	☐	☐

CLINICAL PERFORMANCE EXAMINATION

09

CHAPTER

정 신

40 기분변화

대표증례-1

상황지침

26세 여자 김선희 씨가 기분이 우울하여 병원에 왔다.

[활력징후]	
• 혈압 : 120/86mmHg	• 맥박 : 70회/분
• 호흡 : 17회/분	• 체온 : 36.5℃

응시자는 이 환자에게
- 증상과 관련된 병력을 청취하고,
- 추정진단과 향후 진단계획 등에 대해 환자와 논의하시오.
- 신체진찰은 시행하지 않음

해설

※ **감별진단** : 산후 우울증, 주요 우울장애

※ **진단계획/치료계획** : 혈액검사(TFT), BDI 우울척도 검사 / 항우울제

- 출산 후 극심한 우울감에 빠지는 산후 우울증 증례입니다. 실제 환자들은 말이 매우 느려서 시간이 부족해질 수 있습니다. 평소 연습 시 말을 과도하게 천천히 하는 환자로 연습을 해보는 것도 좋습니다.
- 자살사고가 있었으므로, 환자 본인과 아이의 건강을 위해 입원치료를 하는 것이 좋겠다고 권유합니다. 친정어머니와 남편이 협조적이니 잘 헤쳐나갈 수 있을 것이라 격려해주면 좋습니다.

시나리오

Sex/Age		F/26		
Chief Complaint		기분이 우울해요		
Present illness	Location	−		
	Onset	3주 전		
	Situation	−		
	Time	−		
	Course	점점 심해짐		
	Experience	처음		
	Character	**하루 종일 우울함(+), 의욕 없음(+), 체중감소(+), 불면(+), 피로(+), 불안(+), 죄책감(+), 기억력저하(+ ; 깜빡깜빡 함), 자살 사고**/계획/시도(+/−/−), 살면서 기분 과도하게 들뜬 적(−)		
	Factors	**1달 전 아이 출산함** − 출산 후 육아에 대한 부담과 스트레스가 큼 − 기분이 우울하여 환자 본인은 아이에게 신경을 쓰지 못하고, 거의 친정어머니가 돌봐주심 − 남편이 병원에 가보라고 해서 병원에 옴		
	Associated symptoms	환시/환청(−/−), 추위 불내성(−), 변비(−), 피부 건조(−)		
Medical history	약물복용력	없음		
	과거력	DM/TBc/HTN/간질환(−/−/−/−) 건강검진 시행한 적 없음		
	외상/수술력	외상(−), 수술(−)		
	사회력	주부, 음주(−), 흡연(−) 남편, 본인, 아이 이렇게 셋이서 살고 있었으나 요즘은 친정어머니도 올라와 함께 살고 있음		
	가족력	**언니가 첫 아이 낳고 나서 우울증으로 치료**받은 적 있음		
Menstrual history (여성만 해당)	산과력	1-0-0-1		
	월경규칙성	규칙적	월경 주기	28
	월경량	보통		
	월경통	보통		
	LMP	출산 후 아직 월경 시작 안함		
Physical exam	Vital sign	120/86mmHg, 70회/분, 17회/분, 36.5℃		
	Positive findings	신체진찰 시행하지 않음		
환자의 질문 또는 기타 특이사항		−		

대표증례-2

상황지침

36세 여자 김민혜 씨가 기분이 우울하여 병원에 왔다.

[활력징후]

• 혈압 : 120/80mmHg	• 맥박 : 70회/분
• 호흡 : 17회/분	• 체온 : 36.5℃

응시자는 이 환자에게

- 증상과 관련된 병력을 청취하고,
- 추정진단과 향후 진단계획 등에 대해 환자와 논의하시오.
- 신체진찰은 시행하지 않음

해설

※ **감별진단** : 월경 전 우울증, 순환기분장애(cyclothymia), 갑상샘기능저하증

※ **진단계획/치료계획** : 혈액검사(TFT), BDI 우울척도 검사 / 항우울제, 피임약

- 병력청취를 자세히 해야지만 정확한 진단을 내릴 수 있는 문제였습니다. 1년 전부터 우울증이 있었지만, 우울증이 1년 내내 지속된 것은 아니며 월경주기와 맞물려서 우울증이 있었다는 것에 주목한다면 쉽게 풀어나갈 수 있는 문제였습니다. 여자의 경우에는 꼭 산과력을 확인해야 함을 다시 한 번 깨달을 수 있는 문제였습니다.
- 치료 방법으로는 우울증의 일반적인 치료인 SSRI와 함께 인지행동치료를 할 수 있습니다. 우울증에 대해서는 상황에 맞춰서 폭넓게 생각할 수 있어야 하며, 조울증과의 구분도 중요합니다.

시나리오

<table>
<tr><td>Sex/Age</td><td colspan="2">F/36</td></tr>
<tr><td>Chief Complaint</td><td colspan="2">기분이 우울해요</td></tr>
<tr><td rowspan="9">Present illness</td><td>Location</td><td>–</td></tr>
<tr><td>Onset</td><td>1년 전</td></tr>
<tr><td>Situation</td><td>–</td></tr>
<tr><td>Time</td><td>한 달 중 1주일 정도 연속해서 기분이 우울함</td></tr>
<tr><td>Course</td><td>점점 심해짐</td></tr>
<tr><td>Experience</td><td>처음</td></tr>
<tr><td>Character</td><td>하루 종일 우울함(+), 의욕 없음(+), 식욕 증가(+), 체중감소(+), 불면(+), 피로(+), 불안(+), 죄책감(+), 기억력저하(+ ; 깜빡깜빡 함), 자살 사고/계획/시도(–/–/–)
기분 과도하게 들뜬 적(–)</td></tr>
<tr><td>Factors</td><td>특별한 스트레스(–), 최근 출산력(–), 계절에 따른 변화(–)
월경 주기에 따른 변화(+, 월경이 우울함의 유발 인자)</td></tr>
<tr><td>Associated symptoms</td><td>환시/환청(–/–), 추위 불내성(–), 변비(–), 피부 건조(–)</td></tr>
<tr><td rowspan="7">Medical history</td><td>약물복용력</td><td>없음</td></tr>
<tr><td>과거력</td><td>DM/TBc/HTN/간질환(–/–/–/–)
건강검진 시행한 적 없음</td></tr>
<tr><td>외상/수술력</td><td>외상(–), 수술(–)</td></tr>
<tr><td>사회력</td><td>은행원, 음주(social), 흡연(–)</td></tr>
<tr><td>가족력</td><td>엄마가 산후 우울증 앓음</td></tr>
<tr><td>여성력</td><td>[월경력] 규칙적, 월경량 보통, 월경통 보통, LMP 2주 전
[산과력] 0-0-0-0</td></tr>
<tr><td rowspan="2">Physical exam</td><td>Vital sign</td><td>120/80mmHg, 70회/분, 17회/분, 36.5℃</td></tr>
<tr><td>Positive findings</td><td>신체진찰 시행하지 않음</td></tr>
<tr><td colspan="2">환자의 질문 또는 기타 특이사항</td><td>–</td></tr>
</table>

대표증례-3

상황지침

52세 남자 김현원 씨가 기분이 우울하다고 병원에 왔다.

[활력징후]

• 혈압 : 120/80mmHg	• 맥박 : 80회/분
• 호흡 : 18회/분	• 체온 : 36.5℃

응시자는 이 환자에게
- 증상과 관련된 병력을 청취하고,
- 추정진단과 향후 진단계획 등에 대해 환자와 논의하시오.

해설

※ **감별진단** : 지속성 우울장애, 주요우울장애, 갑상샘기능저하증

※ **진단계획/치료계획** : 혈액검사(TFT), BDI 우울척도 검사 / 항우울제(SSRI), 인지행동치료

- 상기 환자의 경우는 우울삽화 기준에는 완전히 만족하지 못하지만 우울한 기분이 20년 이상 지속되었으므로 지속성 우울장애를 생각할 수 있습니다. 당시 무슨 일이 있었는지 물어보는 것을 잊지 맙시다(생각보다 많은 학생들이 빠트림).
- 우울한 환자에서는 정상적인 애도 반응은 아닌지, 기질적인 원인에 의해 기분장애가 생긴 것은 아닌지 반드시 감별해야 합니다. 또한 조현병이나 강박장애 같은 질환에서도 초기에 우울한 기분이 선행될 수 있으니 이들을 감별할 수 있는 질문도 몇 가지 하는 것이 좋습니다.
- 자살 사고에 대해서는 '자살'이라는 단어를 확실히 사용하여 명확하게 물어보는 것이 중요합니다. 어떻게 자살할지 계획을 짜거나 행동실천 여부에 대해서도 물어봐야 합니다. 자살 생각과 더불어 행동 실천까지 했다면 반드시 교육할 때 입원을 시켜야 함을 잊지 맙시다.
- 신체진찰보다는 치료/교육과 PPI가 훨씬 중요한 문항입니다. 아직까지도 정신과 상담, 치료약물에 대한 편견을 가지고 있는 분들이 많기 때문에 치료 기간, 안정성, 부작용 등에 대해 잘 설명하고 안심시켜 드리면 교육과 PPI에서 좋은 점수를 받을 수 있을 것입니다.

시나리오

Sex/Age		M/52
Chief Complaint		기분이 안 좋아요
Present illness	Location	–
	Onset	20년 전
	Situation	–
	Time	매일, 하루 종일 우울함
	Course	비슷함(20년 전에 가장 심했고 그 후로 유사함)
	Experience	처음
	Character	[양상] **하루 종일 우울함(+, 그냥 처짐)**, 의욕 없음(–), 식욕, 체중 변화(–), 불면(–), **피로(+)**, 불안(–), 죄책감(–), 집중력저하(–), **자살사고**/계획/시도(**20YA +**/–/–, 지금은 –/–/–), 기분 과도하게 들뜬 적(–) [정도] 일은 다 함, 밥도 잘 먹음
	Factors	특별한 스트레스(–), 계절에 따른 변화(–)
	Associated symptoms	환시/환청(–/–), 추위 불내성(–), 변비(–), 피부 건조(–)
Medical history	약물복용력	없음
	과거력	DM/TBc/HTN/간질환(–/–/–/–), 정신과 질환(–) 2년 전 건강검진 시행함(결과는 정상)
	외상/수술력	외상(–), 수술(–)
	사회력	사무직, 음주(소주 1~2병/달), 흡연(+, 20갑·년)
	가족력	아버지가 우울함
	여성력	–
Physical exam	Vital sign	120/80mmHg, 80회/분, 18회/분, 36.5℃
	Positive findings	신체진찰 하라는 말 없었음
환자의 질문 또는 기타 특이사항		"약으로 치료가 되나요?"

대표증례 – 4

상황지침

27세 여자 유은아 씨가 기분이 우울하다고 병원에 왔다.

[활력징후]	
• 혈압 : 120/80mmHg	• 맥박 : 80회/분
• 호흡 : 20회/분	• 체온 : 36.5℃

응시자는 이 환자에게
- 증상과 관련된 병력을 청취하고,
- 추정진단과 향후 진단계획 등에 대해 환자와 논의하시오.

해설

※ **감별진단** : 양극성 장애, 순환성 기분장애

※ **진단계획/치료계획** : 혈액검사(TFT, LFT) / 기분조절제(Lithium, valproate), 인지행동치료

- 우울한 부분에만 치중하지 말고 반대로 기분이 매우 좋거나 들떴던 적이 있는지 반드시 물어봐야 합니다. 있다면 얼마나 지속되었는지, 당시에 어떤 행동(뭐든지 할 수 있을 것 같은 자신감, 말이 많아지고 잠이 오지 않는 것, 충동구매, 지나치게 활발한 성활동, 감당할 수 없을 정도의 일을 벌리는 등)을 했는지, 이런 적이 지금까지 몇 번이나 있었는지 등을 물어보고 양극성장애 Ⅰ/Ⅱ형을 감별합니다.
- 상황제시에 신체진찰을 하라는 말이 빠져있지만, 반대로 생각하면 하지 말라는 말도 없기 때문에 기질적인 원인 감별에 필수적인 것만 간단히 하고 넘어가는 것도 좋습니다.
- 환자의 고통을 공감하고, 약물과 심리치료를 꾸준히 하면 좋아질 수 있을 것이라고 희망을 주도록 합시다.
- 양극성 장애 역시 우울증과 마찬가지로 약물에 의한 치료가 주요 치료이므로 약물치료가 꼭 필요함을 교육하시고 부작용, 복용기간, 주의할 점을 말씀 드리면 좋겠습니다. 예후에 대해서도 말하는 게 좋을 것 같습니다. 참고로 우울증보다 양극성장애의 예후가 나쁩니다.

시나리오

Sex/Age	F/27	
Chief Complaint	기분이 우울해요	
Present illness	Location	–
	Onset	1개월 전
	Situation	–
	Time	매일, 하루 종일 우울함
	Course	1달간 점차 심해짐
	Experience	처음
	Character	[양상] **하루 종일 우울함(+), 의욕 없음(+), 식욕 부진(+), 체중감소(+), 수면장애(+, 입면 장애와 수면 분할), 피로(+), 불안(+)**, 죄책감(–), **집중력저하(+), 자살 사고**/계획/시도(**+**/–/–), **기분 과도하게 들뜬 적(+, 6개월 전 2~3주간 기분 좋아 쇼핑도 많이 하고, 말도 많아지고, 일도 많이 벌리던 때가 있음)** [정도] 직장 생활에 어려움 느낌
	Factors	스트레스(+, 과장님이 저만 특별히 일을 많이 시키시는 느낌) 최근 출산력(–), 계절에 따른 변화(–)
	Associated symptoms	환시/환청(–/–), 추위 불내성(–), 변비(–), 피부 건조(–)
Medical history	약물복용력	없음
	과거력	DM/TBc/HTN/간질환(–/–/–/–), 정신과 질환(–) 건강검진 시행한 적 없음
	외상/수술력	외상(–), 수술(–)
	사회력	사무직, 음주(social), 흡연(–), 커피(하루 2~3잔)
	가족력	이모가 우울증으로 사살함
	여성력	[월경력] 규칙적, 월경량 보통, 월경통 보통, LMP 1주 전 [산과력] 0-0-0-0
Physical exam	Vital sign	120/80mmHg, 80회/분, 20회/분, 36.5℃
	Positive findings	신체진찰 하란 말 없었음
환자의 질문 또는 기타 특이사항		–

대표증례-5

상황지침

32세 남자 최은국 씨가 기분이 우울하다고 병원에 왔다.

[활력징후]	
• 혈압 : 110/70mmHg	• 맥박 : 65회/분
• 호흡 : 19회/분	• 체온 : 36.2℃

응시자는 이 환자에게
- 증상과 관련된 병력을 청취하고,
- 추정진단과 향후 진단계획 등에 대해 환자와 논의하시오.

해설

※ **감별진단** : 정상 애도반응, 적응 장애

※ **진단계획/치료계획** : 혈액 검사(TFT), BDI 우울척도검사 / 야외 활동 및 취미생활, 정신과 상담

• 위 환자의 경우는 하루에 3~4시간 정도 우울한 것 외에는 우울삽화 기준에 만족하는 것이 없습니다. 뿐만 아니라 조증삽화 기준에도 만족하는 것이 없습니다. 따라서 이러한 우울증을 야기할만한 특별한 계기가 있는지 자세하게 살펴보아야 합니다.

• 일상생활에는 큰 지장이 없고 5주 전보다는 점점 괜찮아진다고 하시니 취미생활이나 바깥에서 하는 운동 등을 권유해 드리는 것이 좋을 것 같습니다.

시나리오

Sex/Age	M/32	
Chief Complaint	기분이 우울해요	
Present illness	Location	-
	Onset	5주 전
	Situation	**어머니가 5주 전 돌아가고 나신 뒤부터 시작된 우울감**
	Time	하루 3시간씩
	Course	처음보다는 좋아졌으나 여전히 우울함
	Experience	처음
	Character	[양상] **하루 종일 우울함(+, 그냥 처짐)**, 의욕 없음(-), 식욕, 체중 변화(-), 불면(-), 피로(-), 불안(-), 죄책감(-), 집중력저하(-), 자살사고/계획/시도(-/-/-), 기분 과도하게 들뜬 적(-) [정도] 일상생활에 지장은 없음
	Factors	5주 전 어머니가 교통사고로 돌아가심
	Associated symptoms	환시/환청(-/-), 추위 불내성(-), 변비(-), 피부 건조(-)
Medical history	약물복용력	없음
	과거력	DM/TBc/HTN/간질환(-/-/-/-), 정신과 질환(-) 건강검진 받아본 적 없음
	외상/수술력	외상(-), 수술(-)
	사회력	자영업, 음주(소주 1~2병/달), 흡연(-)
	가족력	정신과 질환(-), 내분비 질환(-)
	여성력	-
Physical exam	Vital sign	110/70mmHg, 65회/문, 19회/분, 36.2℃
	Positive findings	신체진찰 하라는 말 없었음
환자의 질문 또는 기타 특이사항		-

대표증례-6

상황지침

30세 여자 최은정 씨가 기분이 우울하다고 병원에 왔다.

[활력징후]

• 혈압 : 120/80mmHg	• 맥박 : 70회/분
• 호흡 : 17회/분	• 체온 : 36.5℃

응시자는 이 환자에게
- 증상과 관련된 병력을 청취하고,
- 증상과 관련된 적절한 신체진찰을 시행한 후,
- 추정진단과 향후 진단계획 등에 대해 환자와 논의하시오.

해설

※ **감별진단** : 주요우울장애, 계절성정동장애, 갑상샘기능저하증

※ **진단계획/치료계획** : 혈액 검사(TFT), BDI 우울척도검사 / 항우울제(SSRI)

- 상기 환자의 경우 우울삽화 기준을 만족하므로 주요우울장애로 진단을 내릴 수 있으며, 환자가 식욕과 체중이 증가하고 과수면을 하는 비전형적 우울증의 양상을 보이므로 조증삽화 기준을 만족하지는 않는지, 조증 관련 증상을 잊지 말고 물어보는 것이 중요합니다.
- 해당 환자의 경우, 가을에 특히 증상이 심해지며 주기적인 양상을 보이므로 계절성정동장애를 의심해 볼 수도 있습니다.
- 환자가 우울한 증상을 호소하며 특히 여성 환자인 경우, 갑상샘기능저하에 의해 증상이 발생하는 것은 아닌지 감별하기 위해 TFT 검사 정도는 시행해보는 것이 좋습니다.

시나리오

Sex/Age	F/30	
Chief Complaint	기분이 우울해요	
Present illness	Location	–
	Onset	3개월 전
	Situation	–
	Time	지속적으로 우울함
	Course	점점 심해짐
	Experience	고등학교 때 수능 볼 당시 잠시 우울했었고, 3~4년 정도 전부터는 주기적으로 우울했음. 이번에는 우울함이 더 심해서 내원
	Character	**하루 종일 우울함(+), 의욕 없음(+), 식욕 증가(+), 체중증가(+), 과수면(+), 피로(+)**, 불안(–), 죄책감(–), **집중력저하(+)**, 자살 사고/계획/시도(–/–/–), 기분 과도하게 들뜬 적(–)
	Factors	이별/사별(–), 최근 출산력(–), 월경 주기와 관련성(–) **계절에 따른 변화(+, 날씨가 추우면 우울한 거 같아요)**
	Associated symptoms	환시/환청(–/–), 추위 불내성(+ –), 변비(–), 피부 건조(–)
Medical history	약물복용력	없음
	과거력	DM/TBc/HTN/간질환(–/–/–/–) 건강검진 시행한 적 없음
	외상/수술력	외상(–), 수술(–)
	사회력	초등학교 교사, 음주(–), 흡연(–)
	가족력	**어머니가 과거 우울증** 치료 받으심(약물 치료 후 호전됨)
	여성력	[월경력] 규칙적, 월경량 보통, 월경통 보통, LMP 1주 전 [산과력] 0-0-0-0
Physical exam	Vital sign	120/80mmHg, 70회/분, 17회/분, 36.5℃
	Positive findings	결막/공막(–/–), 갑상선 정상, 사지근력 정상
환자의 질문 또는 기타 특이사항		"원인을 모르게 우울해져서 걱정이에요" 환자 말이 다소 느린 편

관련증례

40-1 46세 여자가 우울하여 왔다. 1년 전부터 기분이 저하되고 기력이 떨어졌다. 원래는 활발한 성격이었는데, 요즘은 별로 즐거운 일도 없고 만사가 귀찮아졌으며 쉽게 피로를 느껴 좋아하던 운동도 중단하였다. 식욕은 변화가 없었으나 체중이 5kg 정도 증가하였고 피부가 거칠어져 친구들로부터 어디가 아프냐는 소리를 들었다.

> 혈압 100/70mmHg, 맥박수 60회/분, 호흡수14회/분, 체온 36.0℃이었다. 신체진찰에서 갑상샘이 전반적으로 커져 있었으나 만져지는 종괴는 없었다.

40-2 40세 여자가 우울하여 왔다. 3개월 전부터 특별한 이유 없이 우울하고, 만사 귀찮으며 식욕도 저하되고 밤에 잠도 쉽게 들지 못했으며 체중은 지난 3개월 사이 6kg 감소하였다. 최근 2~3주 사이에는 더 심해져 '이렇게 살아서 뭐하나'하는 생각을 하게 되었다. 현재 치료 중인 질병은 없으며, 지난 6개월 사이 속이 쓰려 동네 내과에서 위염치료를 간간히 받은 일이 있다. 초등학교 5학년인 딸이 하나 있으며, 출산 후 두드러지는 기분변화는 없었다. 가족력상 특이소견 없었다.

> 활력징후는 혈압 120/80mmHg, 맥박 74회/분, 호흡수 16회/분, 체온 36.4℃이었다. 신체진찰에서 특이소견은 없었다.

Answer | 40-1. 갑상샘기능저하증 40-2. 주요우울장애

Check-list

	병력청취 채점항목	예	아니오
1	기분변화의 발생시기와 어떤 양상으로 나타났는지 물어보았다.	☐	☐
2	기분변화의 심한 정도와 일상생활에 끼치는 영향을 물어보았다.	☐	☐
3	동반되어 나타나는 증상에 대하여 물어보았다(삶의 의욕저하, 사고/집중력 저하, 수면장애, 식욕변화, 체중변화, 자살사고 및 시도, 추위 불내성/변비, 환청/환시/환각, 불안 등).	☐	☐
4	기분변화의 계기나 스트레스가 될만한 사건에 대하여 물어보았다.	☐	☐
5	가족 및 친구 등 대인 관계에 문제가 있는지 물어보았다	☐	☐
6	정신과적 질환의 가족력을 물어보았다.	☐	☐
7	과거 앓았던 질환에 대하여 물어보았다(기저질환, 조증/경조증 삽화, 물질 오남용여부).	☐	☐
8	현재 복용 중인 약물에 대하여 물어보았다.	☐	☐
9	음주력에 대해 물어보았다.	☐	☐

	신체진찰 채점항목	제대로 함	제대로 못함	하지 않음
1	환자의 정신상태를 Alertness, Mood, Affect로 구분하여 확인하였다.	☐	☐	☐
2	피부긴장도, 함요부종, 갑상샘 촉진을 시행하였다.	☐	☐	☐

	환자교육 채점항목	예	아니오
1	기분변화를 일으킬 수 있는 다양한 원인에 대해 설명하였다.	☐	☐
2	원인을 감별하기 위해 필요한 검사에 대해 설명하고 동의를 구하였다.	☐	☐
3	치료의 필요성과 치료계획에 대하여 설명하였다.	☐	☐
4	자살사고나 응급상황에서 입원치료를 권유하였다.	☐	☐

	환자의사관계 채점항목	아주우수	우수	보통	미흡
1	효율적으로 잘 물어보았다. – 효율적 질문 : 개방형 질문 사용, 확인, 중간 요약 – 피할 질문 : 유도 질문, 복수 질문	☐	☐	☐	☐
2	나의 말을 잘 들어주었다. – 대꾸하기, 경청 자세, 눈 맞춤 & 말 가로채지 않기	☐	☐	☐	☐
3	나의 입장을 이해하려고 노력하였다. – 공감 표현, 나의 입장 파악	☐	☐	☐	☐
4	환자가 이해하기 쉽게 설명하였다. – 간단명료함, 이해도 점검, 질문 기회 & 쉬운 용어	☐	☐	☐	☐
5	나와 좋은 유대 관계를 형성하려고 했다. – 자기소개, 일상 대화, 존중, 자신감 & 신뢰감	☐	☐	☐	☐

41 불 안

대표증례-1

상황지침

47세 남자 김정혁 씨가 불안하다며 병원에 왔다.

[활력징후]

• 혈압 : 120/86mmHg	• 맥박 : 70회/분
• 호흡 : 17회/분	• 체온 : 36.5℃

응시자는 이 환자에게
- 증상과 관련된 병력을 청취하고,
- 증상과 관련된 적절한 신체진찰을 시행한 후,
- 추정진단과 향후 진단계획 등에 대해 환자와 논의하시오.

해설

※ **감별진단** : 조현병, 범불안장애

※ **진단계획/치료계획** : 혈액 검사(TFT), 심전도 / 항불안제, 항정신병약물

- 스트레스 사건 이후 시작된 불안으로 내원한 환자입니다. 특정 공포증이나 광장공포증, 사회공포증 없이 불안하여 범불안장애라고 생각할 수 있지만, 환청이 들리고 피해망상이 있어 조현병을 감별해야 합니다.
- 환자가 상당히 불안해보이고, 말이 굉장히 느릴 수 있습니다. 긴장하지 마시고 차분히 연습한대로 진행하세요.

시나리오

<table>
<tr><td>Sex/Age</td><td colspan="2">M/47</td></tr>
<tr><td>Chief Complaint</td><td colspan="2">불안해요</td></tr>
<tr><td rowspan="9">Present illness</td><td>Location</td><td>–</td></tr>
<tr><td>Onset</td><td>9달 전</td></tr>
<tr><td>Situation</td><td>10달 전 투자를 하다가 돈을 크게 잃음
이후 대출을 받아 돈을 마련하려고 했는데 사기를 당함</td></tr>
<tr><td>Time</td><td>하루 종일 지속됨</td></tr>
<tr><td>Course</td><td>점점 심해짐</td></tr>
<tr><td>Experience</td><td>처음</td></tr>
<tr><td>Character</td><td>[양상] 두근거리고, 누군가 나를 해칠 거 같은 느낌이 들며 불안함
[정도] 자살 사고(–)</td></tr>
<tr><td>Factors</td><td>사람이 많은 곳에 가기 싫음(–), 특정 공포증(–)
스트레스(+, 투자 하다 돈을 잃고 사기를 당함)</td></tr>
<tr><td>Associated symptoms</td><td>갑자기 죽을 것 같은 느낌(–), 예기 불안(–), 어지럼증(–), 구역/구토(–/–), 피로감(+), 누군가 나를 해치려 한다는 생각(+), 매사에 불안(+), 두근거림(+), 호흡곤란(–), 흉통(–), 두통(–), 더위 불내성(–), 우울(–), 환시/환청(–/+)</td></tr>
<tr><td rowspan="6">Medical history</td><td>약물복용력</td><td>없음</td></tr>
<tr><td>과거력</td><td>DM/TBc/HTN/간질환(–/–/–/–)
건강검진 받아본 적 없음</td></tr>
<tr><td>외상/수술력</td><td>외상(–), 수술(–)</td></tr>
<tr><td>사회력</td><td>무직, 음주(social), 흡연(20갑·년)</td></tr>
<tr><td>가족력</td><td>정신과 질환(–), 내분비 질환(–)</td></tr>
<tr><td>여성력</td><td>–</td></tr>
<tr><td rowspan="2">Physical exam</td><td>Vital sign</td><td>120/86mmHg, 70회/분, 17회/분, 36.5℃</td></tr>
<tr><td>Positive findings</td><td>갑상선(–), 부종(–)
resting/positional/intentional tremor(+/+/+)</td></tr>
<tr><td colspan="2">환자의 질문 또는 기타 특이사항</td><td>면담 내내 상당히 불안해 보이는 모습의 환자</td></tr>
</table>

09 CHAPTER

대표증례 – 2

상황지침

24세 여자 미희숙 씨가 갑자기 시작되는 불안감을 주소로 병원에 내원하였다.

[활력징후]

• 혈압 : 120/80mmHg	• 맥박 : 80회/분
• 호흡 : 18회/분	• 체온 : 36.5℃

응시자는 이 환자에게
- 증상과 관련된 병력을 청취하고,
- 증상과 관련된 적절한 신체진찰을 시행한 후,
- 추정진단과 향후 진단계획 등에 대해 환자와 논의하시오.

해설

※ **감별진단** : 생리적 불안, 갑상샘기능항진증

※ **진단계획/치료계획** : 혈액 검사(TFT), 심리검사 / 항불안제(베타차단제, 벤조디아제핀)

- 시험을 앞두고 불안해하는 것으로 보아, 모든 사람들이 느낄 수 있는 불안감, 혹은 느끼는 불안감일 수 있다는 생각이 듭니다. 따라서 생리적 불안이나 급성스트레스 장애로 생각하면 될 것 같습니다. 환자의 마음을 진정시키고, 많은 이야기를 들어주는 것이 이 문제의 포인트였다고 생각됩니다.
- 환자가 커피를 하루 2~3잔 복용 중인 것 역시 현재의 불안한 증상을 악화시킬 수 있는 요인이므로, 섭취를 줄이시면 도움이 된다는 점을 환자에게 교육해주면 좋을 것 같습니다.

시나리오

Sex/Age	F/24	
Chief Complaint	불안해요	
Present illness	Location	–
	Onset	1달 전
	Situation	시험공부를 할 때 불안함 **2주 뒤가 사법고시 시험인데 시험이 다가올수록 더 불안함**
	Time	지속적
	Course	점점 심해짐
	Experience	2년 전 사법고시 낙방하고도 조금 불안했음 그 때보다 지금 불안한 정도가 더 심함
	Character	[양상] 가슴이 두근거리며 불안함 [정도] 너무 불안해서 공부를 하기가 힘듦 자살 사고/계획/실행(–/–/–)
	Factors	사람이 많은 곳에 가기 싫음(–), 남들 앞에서 발표(–), 특정 공포증(–), **스트레스(+, 시험공부를 할 때 더 불안함)** [성격] 많은 것에 걱정이 많은 편임
	Associated symptoms	갑자기 죽을 것 같은 느낌(–), 예기 불안(–), 식은땀(–), **불면(+, 악몽을 꿈)**, **피로감(+)**, 강박장애(–), **두근거림(+)**, 호흡곤란(–), 흉통(–), 쌕쌕거림(–), 두통(–), 더위 불내성(–), 우울(–), 환시/환청(–/–)
Medical history	약물복용력	홍삼액기스 복용, 그 외에는 없음
	과거력	DM/TBc/HTN/간질환(–/–/–/–), 내분비 질환(–), 정신과 질환(–) 건강검진 받아본 적 없음
	외상/수술력	외상(–), 수술(–)
	사회력	사법고시생, 음주(social), 흡연(–), 커피(하루 2~3잔)
	가족력	정신과 질환(–)
	여성력	[월경력] 규칙적, 월경량 보통, 월경통 보통, LMP 3주 전 [산과력] 0-0-0-0
Physical exam	Vital sign	120/80mmHg, 80회/분, 18회/분, 36.5℃
	Positive findings	안구돌출(–), 결막/공막(–), 갑상샘(–) 심음 청진 정상, 맥박 정상, 복부 촉진 정상
환자의 질문 또는 기타 특이사항		–

대표증례 - 3

상황지침

34세 남자 박수근 씨가 불안감을 주소로 병원에 왔다.

[활력징후]	
• 혈압 : 110/70mmHg	• 맥박 : 74회/분
• 호흡 : 20회/분	• 체온 : 36.7℃

응시자는 이 환자에게
- 증상과 관련된 병력을 청취하고,
- 증상과 관련된 적절한 신체진찰을 시행한 후,
- 추정진단과 향후 치료계획 등에 대해 환자와 논의하시오.

해설

※ **감별진단** : 공황장애, 광장공포증
※ **치료계획** : 항불안제(베타차단제, 벤조디아제핀), 인지행동치료

- 죽을 것 같은 느낌이 들어 내원한 환자의 case입니다. Chief complaint에서 저명하게 감별진단을 유추할 수 있는 case였습니다. 하지만 감별진단을 쉽게 유추할 수 있다고 하여 다른 질환에 대한 질문을 놓쳐서는 안 됩니다. 그리고 언제 시작해서 언제 끝나고 언제쯤 peak를 이루는지 같이 불안함에 대하여 자세히 물어보는 것이 중요합니다.
- 모든 CPX에서 마찬가지이지만 특히 정신과 부분에서는 환자가 느꼈을 감정에 대하여 공감하는 것이 중요합니다. 실제 연습할 때도 공감하는 태도를 연습하는 것이 중요할 것 같네요.

시나리오

Sex/Age		M/34
Chief Complaint		불안해요
Present illness	Location	−
	Onset	2일 전/갑자기
	Situation	**동창회 자리에서 술 먹다가 갑자기 죽을 것 같은 느낌이 들어 내원**
	Time	15분 정도에 peak를 찍고, 40분 정도 지나면 소실
	Course	점점 지속시간이 길어짐
	Experience	이전에도 지하철에서 1번, 대학시절 발표할 때 1번, 시험 보다가 1번 경험한 적 있음
	Character	[양상] 갑자기 죽을 것 같은 느낌이 들며 숨쉬기 어려움 [정도] **자살 사고**/계획/실행(**+**/−/−)
	Factors	**사람이 많은 곳(+), 발표할 때(+)**, 특정 공포증(−), 스트레스(−)
	Associated symptoms	**갑자기 죽을 것 같은 느낌(+)**, 예기 불안(−), **식은땀(+, 불안할 때)**, 불면(−), 피로감(−), 강박장애(−), 매사에 불안(−), **두근거림(+), 호흡곤란(+)**, 흉통(−), 두통(−), 더위 불내성(−), 쌕쌕거림(−), 우울(−), 환시/환청(−/−)
Medical history	약물복용력	없음
	과거력	DM/TBc/HTN/간질환(−/−/−/−), 내분비 질환(−), 정신과질환(−) 건강검진 받아본 적 없음
	외상/수술력	외상(−), 수술(−)
	사회력	공무원, 음주(social), 흡연(−), 커피(−)
	가족력	어머니가 주요 우울장애, 수면장애
	여성력	−
Physical exam	Vital sign	110/70mmHg, 74회/분, 20회/분, 36.7℃
	Positive findings	안구돌출(−), 결막/공막(−/−), 갑상선(−) 심장청진 정상, 맥박 정상, 복부청진 정상
환자의 질문 또는 기타 특이사항		−

대표증례-4

상황지침

28세 남자 김한성 씨가 불안감을 주소로 병원에 왔다.

[활력징후]

• 혈압 : 120/80mmHg	• 맥박 : 80회/분
• 호흡 : 18회/분	• 체온 : 36.5℃

응시자는 이 환자에게
- 증상과 관련된 병력을 청취하고,
- 증상과 관련된 적절한 신체진찰을 시행한 후,
- 추정진단과 향후 치료계획 등에 대해 환자와 논의하시오.

해설

※ **감별진단** : 사회불안장애

※ **치료계획** : 항불안제(베타차단제, 벤조디아제핀), 인지행동치료

- 불안을 주소로 내원한 환자의 경우 대부분 불안장애를 떠올리기 쉽지만 그전에 기질적인 원인이나 약물에 대한 원인을 배제하는 것을 놓치지 않도록 합시다.
- 불안을 호소하는 환자는 기본적으로 평소에도 예민한 편일 수 있지만 모든 일에 전반적인 불안감을 느끼는 범불안장애와 감별하기 위해 불안감이 유발되는 상황이나 계기, 사건 등을 물어보도록 합시다.
- 두근거림이나 복통, 발한이 있을 경우 기질적 원인으로 갈색세포종을 의심해 볼 수도 있겠습니다.
- 해당 환자가 커피를 하루 2~3잔 복용 중인 것 역시 불안한 증상을 악화시킬 수 있는 요인이므로, 섭취를 줄이는 것이 도움이 된다는 점을 환자에게 교육해주면 좋을 것 같습니다.

시나리오

Sex/Age	M/28	
Chief Complaint	불안해요	
Present illness	Location	–
	Onset	1주일 전
	Situation	**회사에서 프레젠테이션을 할 때**
	Time	발표 내내 불안한 기분
	Course	발표 이후에는 불안한 기분 느끼지 않았음
	Experience	초등학교 4학년 때 처음 느낌(+, 반 앞에 나와서 노래 부를 때) 이후에도 셀 수 없을 정도로 많이 경험함
	Character	[양상] 두근거리면서 식은땀이 나며 불안함 [정도] 일상 생활에 지장이 있음 자살 사고/계획/실행(+/–/–)
	Factors	**사람이 많은 곳(+), 발표할 때(+)**, 특정 공포증(–), 스트레스(–)
	Associated symptoms	갑자기 죽을 것 같은 느낌(–), 예기 불안(–), **식은땀(+, 불안할 때), 불면(+)**, 피로감(–), 강박장애(–), 매사에 불안(–), **두근거림(+, 불안할 때)**, 호흡곤란(–), 흉통(–), 두통(–), 더위 불내성(–), 쌕쌕거림(–), 우울(–), 환시/환청(–/–)
Medical history	약물복용력	없음
	과거력	DM/TBc/HTN/간질환(–/–/–/–), 내분비 질환(–), 정신과질환(–) 건강검진 받아본 적 없음
	외상/수술력	외상(–), 수술(–)
	사회력	증권회사 직원, 음주(social), 흡연(–), 커피(2~3잔/day)
	가족력	정신과 질환(–)
	여성력	–
Physical exam	Vital sign	120/80mmHg, 80회/분, 18회/분, 36.5℃
	Positive findings	안구돌출(–), 결막/공막(–/–), 갑상선(–) 심장청진 정상, 맥박 정상, 복부청진 정상
환자의 질문 또는 기타 특이사항	–	

대표증례-5

상황지침

38세 남자 안경훈 씨가 갑자기 시작되는 불안감을 주소로 병원에 내원하였다.

[활력징후]

• 혈압 : 120/80mmHg	• 맥박 : 80회/분
• 호흡 : 20회/분	• 체온 : 36.5℃

응시자는 이 환자에게

- 증상과 관련된 병력을 청취하고,
- 증상과 관련된 적절한 신체진찰을 시행한 후,
- 추정진단과 향후 치료계획 등에 대해 환자와 논의하시오.

해설

※ **감별진단** : 외상 후 스트레스장애(PTSD)

※ **치료계획** : 약물치료(SSRI), 인지행동치료

- 전형적인 PTSD입니다. 급성스트레스장애와 PTSD는 시간적으로 감별해야하는 것에 유의하시고, PTSD의 symptom triad인 회피, 재경험, 과각성을 꼭 물어보도록 합시다.
- 사고/사건과 연관된 요소에 대한 공포증을 물어보는 것도 좋습니다(추락 사고라면 고소공포증, 총기 사고라면 금속에 대한 특이공포증 등).
- 본 케이스의 경우 우울감도 호소하고 있는데 이것이 PTSD로 인한 것인지, 개별적인 기분장애가 있는 것인지도 감별하도록 합시다.
- 정신과 질환은 만성으로 갈수록 고착화되고 예후가 나빠집니다. 따라서 더 늦어지기 전에 치료를 받으러 온 점에 대해서 환자를 칭찬하고 치료에 힘쓰자고 격려해주면 도움이 될 것입니다.

시나리오

Sex/Age	M/38	
Chief Complaint	불안해요	
Present illness	Location	–
	Onset	2개월 전/갑자기
	Situation	**2개월 전, 인부들이랑 일하다가 동료가 떨어지는 것을 목격함** 본인은 다리만 다침
	Time	지속적
	Course	2개월 전 가장 심했으나, 지금도 지속되는 불안감
	Experience	처음
	Character	[양상] **과각성(+)/재경험(악몽)(+)/회피**(+, 마지막에 서류 처리 위해 일하던 공사장에 1주일 전 다시 찾아갔다가 두근거리고 숨차서 죽을 것 같은 느낌을 받음. 다시 공사일 하기 어려울 것 같음) [정도] 자살 사고/계획/실행(–/–/–)
	Factors	사람이 많은 곳(–), 발표할 때(–), 특정 공포증(–), 스트레스(+)
	Associated symptoms	갑자기 죽을 것 같은 느낌(–), 예기 불안(–), **식은땀(+)**, **불면(+)**, **피로감(+)**, 강박장애(–), 매사에 불안(–), **두근거림(+)**, **호흡곤란(+)**, 흉통(–), 두통(–), 더위 불내성(–), 쌕쌕거림(–), **우울(+)**, **의욕저하(+)**, **죄책감(+)**, **집중력저하(+)**, 환시/환청(–/–)
Medical history	약물복용력	없음
	과거력	DM/TBc/HTN/간질환(–/–/–/–), 내분비 질환(–), 정신과질환(–) 건강검진 받아본 적 없음
	외상/수술력	외상(2개월 전 다리 다친 것 이외에 없음), 수술(–)
	사회력	공사장 인부, 음주(social), 흡연(–), 커피(2~3잔/day)
	가족력	정신과 질환(–)
	여성력	–
Physical exam	Vital sign	120/80mmHg, 80회/분, 20회/분, 36.5℃
	Positive findings	안구돌출(–), 결막/공막(–/–), 갑상선(–) 심장청진 정상, 맥박 정상, 복부청진 정상
환자의 질문 또는 기타 특이사항		–

대표증례 – 6

상황지침

28세 여자 김미진 씨가 불안감을 주소로 병원에 내원하였다.

[활력징후]	
• 혈압 : 120/80mmHg	• 맥박 : 70회/분
• 호흡 : 19회/분	• 체온 : 36.5℃

응시자는 이 환자에게
- 증상과 관련된 병력을 청취하고,
- 증상과 관련된 적절한 신체진찰을 시행한 후,
- 추정진단과 향후 치료계획 등에 대해 환자와 논의하시오.

해설

※ **감별진단** : 강박장애

※ **치료계획** : 약물치료(SSRI), 인지행동치료

- 환자가 계속 세균 감염에 대한 강박사고가 있으며 손을 씻어야 해소되는 강박행동 역시 동반되므로 전형적인 강박장애의 케이스입니다. 하지만 환자에게 불안한 증상에 대해 설명해달라고 open question으로 물어보았을 때, 환자가 이런 점들에 대해 자세히 설명해주지 않고 단순히 하루 종일 불안하다고만 이야기한 경우도 있다고 합니다. 그러니 환자가 불안함을 호소할 경우, 다른 질문들과 함께, 강박장애를 감별하기 위해 원치 않는 생각이 계속 떠오르거나, 원치 않는 행동을 계속 하게 되지는 않는지 구체적으로 물어보는 것이 필요합니다.
- 강박장애는 임상적으로 진단을 하게 되지만, 갑상샘기능항진증 등과 기저질환에 의한 이차성 불안을 감별하기 위해 TFT 등을 시행해 볼 수도 있습니다.
- 강박장애의 치료를 위해서는 고농도의 SSRI로 약물치료를 하게 되며, 일반적으로 우울증보다 오래 투약하게 됩니다. 또한 약물치료와 함께 인지행동치료를 병행하게 되며, 환자가 강박사고를 갖게 되는 상황에 노출 시키고 강박행동을 할 수 없게 방지하는 노출 후 반응방지요법을 사용하게 됩니다.

시나리오

Sex/Age	F/28	
Chief Complaint	불안해요	
Present illness	Location	-
	Onset	3년 전
	Situation	-
	Time	하루 종일 지속되는 불안감
	Course	점점 심해짐
	Experience	처음
	Character	[양상] **세균감염이 될까 계속 불안한 기분**이 들며, **손 씻고 샤워하는 것을 반복함**. 하루에 몇 번 씻는지는 모르겠음, 수시로 씻음 [정도] 일상생활에 지장이 있음(2년 전까지는 회사 다녔으나, 증상이 심해져서 지금은 일도 아무것도 못하고 있음)
	Factors	사람이 많은 곳(−), 발표할 때(−), 특정 공포증(−), 스트레스(+, 가족들이 외출 후 돌아와서 손을 안 씻는 것 때문에 다툼)
	Associated symptoms	갑자기 죽을 것 같은 느낌(−), 예기 불안(−), **식은땀(+)**, **불면(+)**, **피로감(+)**, **하지 않으려고 해도 반복되는 생각이나 행동(+)**, 매사에 불안(−), **두근거림(+, 불안할 때)**, **호흡곤란(+, 약간 숨 참)**, 흉통(−), 두통(−), 더위 불내성(−), 쌕쌕거림(−), 우울(−), 환시/환청(−/−)
Medical history	약물복용력	없음
	과거력	DM/TBc/HTN/간질환(−/−/−/−), 내분비 질환(−), 정신과질환(−)
	외상/수술력	외상(−), 수술(−)
	사회력	무직, 음주(−), 흡연(−), 커피(1~2잔/day)
	가족력	어머니가 불안장애(8년 전 진단받음, 현재는 치료받고 괜찮으심)
	여성력	[월경력] 규칙적, 월경량 보통, 월경통 보통, LMP 2주 전 [산과력] 0-0-0-0
Physical exam	Vital sign	120/80mmHg, 70회/분, 19회/분, 36.5℃
	Positive findings	안구돌출(−), 결막/공막(−/−), 갑상선(−) 심장청진 정상, 맥박 정상, 호흡음 정상, 복부청진 정상
환자의 질문 또는 기타 특이사항	-	

관련증례

41-1 56세 여자가 불안하다며 왔다. 최근 큰아들이 결혼한 이후 신경이 예민해지고 잘 놀라고 지나치게 걱정이 많다. 불안은 30대 이후부터 있었는데 늘 쉽게 놀라고 긴장하며, 특별한 이유 없이 매사에 지나치게 걱정이 된다. 뚜렷한 우울 증상은 없으나 불면과 만성적인 피로, 두통, 전신 통증이 있어 여러 병원을 방문하여 보았으나 신경성이라는 말만 들었다.

활력징후는 혈압 120/75mmHg, 맥박 88회/분, 호흡수 20회/분, 체온 36.5℃이었다. 신체 진찰에서 이상은 없었다.

41-2 25세 남자가 불안하다며 왔다. 더러워지는 것을 피해야만 한다는 생각이 늘 들어서 하루에 손씻기를 수십 번 하였고, 과도한 정리정돈을 하였다. 외출한 상태에서 대문이 잠겼는지 혹은 가스 불이 꺼졌는지에 대해 심한 불안을 느껴 급히 집으로 돌아와 여러 번 확인해야 했으며, 어머니가 음식을 식탁에 차리는 데에 있어 58단계의 정교한 의식을 수행하도록 요구하고 환자 자신도 이런 행동이 불합리하다고 생각되었지만 그만둘 수가 없었다.

활력징후는 혈압 120/85mmHg, 맥박 86회/분, 호흡수 20회/분, 체온 36.6℃이었다. 신체 진찰에서 이상은 없었다.

41-3 44세 여자가 불안하다며 왔다. 6개월 전부터 감정기복이 심해지며 불안하였다. 이유 없이 가슴이 두근거렸으며 체중이 7kg 감소하였다.

활력징후는 혈압 125/80mmHg, 맥박 115회/분, 호흡수 20회/분, 체온 36.8℃이었다. 심음은 규칙적이고 잡음은 없었으며, 호흡음은 정상이었다. 갑상샘이 전반적으로 커져 있었으며 눈이 튀어나온 듯 하였다.

Answer | 41-1. 범불안장애 41-2. 강박장애 41-3. 갑상샘기능항진증

Check-list

	병력청취 채점항목	예	아니오
1	불안이 언제 시작되는지, 빈도 및 지속시간에 대하여 물어보았다.	☐	☐
2	불안감이 나타나는 상황이나 요인이 있는지 물어보았다.	☐	☐
3	불안과 동반되는 증상에 대하여 물어보았다.	☐	☐
4	현재(최근) 스트레스나 환경의 변화가 있는지 물어보았다.	☐	☐
5	일상생활이나 신체적인 불편함이 있는지 물어보았다.	☐	☐
6	복용하고 있는 약물, 카페인 섭취량에 대하여 물어보았다.	☐	☐
7	환자의 정신과적, 내/외과적 병력에 대하여 물어보았다.	☐	☐

	신체진찰 채점항목	제대로 함	제대로 못함	하지 않음
1	환자의 정신상태(감정, 기분, 정동)를 확인하였다.	☐	☐	☐
2	안구돌출증이 있는지 확인하였다.	☐	☐	☐
3	맥박 및 호흡수를 확인하였다.	☐	☐	☐
4	경부 검사(갑상샘)을 제대로 시행하였다.	☐	☐	☐
5	복부 종괴가 있는지 확인하였다.	☐	☐	☐

	환자교육 채점항목	예	아니오
1	의심되는 질환에 대하여 설명하였다.	☐	☐
2	질환의 경과와 예후에 대하여 설명하였다.	☐	☐
3	앞으로에 치료계획에 대하여 설명하였다.	☐	☐
4	치료시 주의사항에 대하여 설명하였다.	☐	☐

	환자의사관계 채점항목	아주우수	우수	보통	미흡
1	효율적으로 잘 물어보았다. - 효율적 질문 : 개방형 질문 사용, 확인, 중간 요약 - 피할 질문 : 유도 질문, 복수 질문	☐	☐	☐	☐
2	나의 말을 잘 들어주었다. - 대꾸하기, 경청 자세, 눈 맞춤 & 말 가로채지 않기	☐	☐	☐	☐
3	나의 입장을 이해하려고 노력하였다. - 공감 표현, 나의 입장 파악	☐	☐	☐	☐
4	환자가 이해하기 쉽게 설명하였다. - 간단명료함, 이해도 섬김, 질문 기회 & 쉬운 용어	☐	☐	☐	☐
5	나와 좋은 유대 관계를 형성하려고 했다. - 자기소개, 일상 대화, 존중, 자신감 & 신뢰감	☐	☐	☐	☐

42 수면장애

대표증례-1

상황지침

30세 여자 전연경 씨가 최근에 수면이 부족하다는 증상을 호소하며
외래 진료를 원하여 내원하였다.

[활력징후]

- 혈압 : 120/80mmHg
- 맥박 : 80회/분
- 호흡 : 18회/분
- 체온 : 36.5℃

응시자는 이 환자에게
- 증상과 관련된 병력을 청취하고,
- 추정진단과 향후 치료계획 등에 대해 환자와 논의하시오.

해설

※ **감별진단** : 카페인 섭취에 의한 일과성 수면장애, 일주기 리듬 수면장애
※ **치료계획** : 수면위생 교육, (필요시)수면제

- 기질적인 원인으로 인한 수면장애는 나올 가능성이 매우 적으니 보편적인 증례를 잘 숙지해가는 것이 좋습니다(굳이 감별한다면 여행력과 체체파리를 물어볼 수 있을 것 같네요).
- 수면위생에 대한 내용을 꼭 외워 가시고, 하나하나 설명해주셔야 합니다. 신체진찰이 생략된 문항이므로 교육할 시간은 넉넉합니다.
- 치료에 대한 설명을 할 때 수면제를 언급하면 부작용이나 중독 등에 대해 걱정하는 SP를 볼 수 있습니다. 이럴 때는 꼭 필요할 때 사용하는 것은 문제되지 않으며, 내성이나 중독 역시 드물고, 단기치료에 수면제가 효과가 좋다는 연구가 증명되었다고 설명하며 안심시키도록 합시다.

시나리오

Sex/Age	F/30	
Chief Complaint	잠이 안와요	
Present illness	Location	−
	Onset	3개월 전
	Situation	집에서 취침
	Time	거의 매일, 보통 7시간 정도 누워있으며 잘 자면 5시간 정도 잠
	Course	−
	Experience	이렇게 심한 건 처음
	Character	[양 상] **입면 장애/수면 중 잘 깸/깨면 다시 잠들기 힘듦/낮잠(+/+/+/−, 잘 수 있는 날 자려고 노력하지만 잠이 잘 오지 않음)** [수면위생] 잠자리 주변 환경(**1층에 살아서 소음 심함, 주변 간판 때문에 밤에도 밝음**)/자기 전(커피 섭취 X, 운동 X, TV나 책을 봄) [정 도] 일상생활에 지장 받음, 주간 졸림증 심함
	Factors	**야간근무(+, 간호사 3교대 근무)**, 최근 여행(−), 스트레스(+)
	Associated symptoms	코골이(−), 다리 근질거리는 느낌(−), 더위불내성(−), 두근거림(−), 우울(−), 불안(−), 얼굴 화끈거림(−), 속쓰림/신물(−/−)
Medical history	약물복용력	없음, 수면제(−)
	과거력	DM/TBc/HTN/간질환(−/−/−/−), 천식(−), 정신과질환(−) 건강검진 2년 전 시행, 당시 결과는 정상
	외상/수술력	외상(−), 수술(−)
	사회력	간호사(3교대 근무, 스케줄이 3~4일 주기로 바뀜) 음주(−), 흡연(−), **커피(4~5잔/day, 요즘 더 많이 마심)**
	가족력	정신과 질환(−), 수면장애(−)
	여성력	[월경력] 규칙적, 월경량 보통, 월경통 보통, LMP 2주 전 [산과력] 0-0-0-0
Physical exam	Vital sign	120/80mmHg, 80회/분, 18회/분, 36.5℃
	Positive findings	신체검진 하라는 말 없었음
환자의 질문 또는 기타 특이사항		−

대표증례-2

상황지침

54세 여자 최영혜 씨가 최근에 수면이 부족하다는 증상을 호소하며 외래 진료를 원하여 내원하였다.

[활력징후]

• 혈압 : 120/80mmHg	• 맥박 : 80회/분
• 호흡 : 20회/분	• 체온 : 36.5℃

응시자는 이 환자에게
- 증상과 관련된 병력을 청취하고,
- 증상과 관련된 적절한 신체진찰을 시행한 후,
- 추정진단과 향후 진단계획 등에 대해 환자와 논의하시오.

해설

※ **감별진단** : 하지불안증후군

※ **진단계획/치료계획** : 수면다원검사, 혈중 철분 농도 검사 / 수면위생 교육, 약물치료(Dopamine agonist)

- 중년 이상의 여자 환자가 수면장애로 내원했을 때 반드시 하지불안증후군을 떠올릴 수 있어야 합니다.
- 하지의 불편감을 꼭 물어봐야겠죠? 하지불편이 어떤 양상인지, 언제 시작되는지(입면시/자다가 불편해서 깬다), 어떻게 하면 나아지는지 등 자세히 물어보도록 합시다.
- 일차 치료목표는 하지불안증후군이지만 수면위생에 대한 교육을 잊으시면 안 됩니다.
- 최근에는 교육이 굉장히 중요해지고 있습니다. 적절한 시간배정을 통해 교육을 하는 것이 좋습니다.

시나리오

Sex/Age		F/54
Chief Complaint		잠이 안와요
Present illness	Location	–
	Onset	5년 전
	Situation	집에서 취침
	Time	거의 매일, 하루 4~5시간 정도 밖에 잠을 자지 못함
	Course	5년 전에는 단순한 불면 증상만 있었으나, 1년 전부터는 다리의 불편한 증상도 시작됨
	Experience	처음
	Character	[양 상] **입면 장애/수면 중 잘 깸(+, 다리 불편감 때문/+)** [수면위생] **잠이 오지 않아도 계속 침대에 누워 있음** 저녁을 과식하지는 않음 [정 도] **주간 졸림증(+)**
	Factors	[완화] 다리를 마사지하거나 움직이면 나아짐 야간근무/해외여행(–/–), 스트레스(–)
	Associated symptoms	코골이(–), 악몽(–), **다리에 벌레가 기어 다니는 느낌(+)**, 더위 불내성(–), 두근거림(–), 체중 변화(–), 우울(–), 불안(–), 얼굴 화끈거림(–), 속쓰림/신물(–/–)
Medical history	약물복용력	없음, 수면제(–)
	과거력	DM/TBc/HTN/간질환(–/–/–/–), 내분비 질환(–), 정신과질환(–) 건강검진 3년 전 시행, 당시 결과는 정상
	외상/수술력	외상(–), 수술(–)
	사회력	가정주부, 음주(+, 맥주 1병/week), 흡연(–), 커피(3~4잔/day) 운동(–)
	가족력	정신과 질환(–), 수면장애(–), 내분비 질환(–)
	여성력	[월경력] 3년 전 폐경 [산과력] 2-0-0-2
Physical exam	Vital sign	120/80mmHg, 80회/분, 20회/분, 36.5℃
	Positive findings	비만(–), 공막/결막(–), 갑상선 정상, 목젖/아데노이드 정상 심음/호흡음 정상
환자의 질문 또는 기타 특이사항		–

대표증례-3

상황지침

41세 남자 김진욱 씨가 최근에 낮에 졸리다는 증상을 호소하며 외래 진료를 원하여 내원하였다.

[활력징후]

- 혈압 : 150/100mmHg
- 맥박 : 89회/분
- 호흡 : 20회/분
- 체온 : 36.2℃

응시자는 이 환자에게
- 증상과 관련된 병력을 청취하고,
- 증상과 관련된 적절한 신체진찰을 시행한 후,
- 추정진단과 향후 진단계획 등에 대해 환자와 논의하시오.

해설

※ **감별진단** : 수면무호흡증

※ **진단계획/치료계획** : 수면다원검사 / 체중감량, CPAP

- CPX 주제 중의 하나인 "피곤해요"와 헷갈리게 주증상을 호소하며 오신 SP분입니다. 우선 시험장에 들어서서 문제 확인 시간에 이러한 주제를 보시면 "수면장애"인지 "피곤해요"인지 헷갈리실 수도 있습니다. 하지만, 다행히도 "수면장애"와 "피곤해요"는 만성 피로증후군의 진단기준을 제외하고는 병력 청취가 거의 비슷합니다.
- 일단 이 SP분은 고혈압도 있으시고 비만이시므로 교육할 때 비만이 수면무호흡의 주요한 원인중 하나인 것을 강조하여 체중감소와 운동을 교육하는 것이 중요할 것 같습니다. 이때 비만이 수면무호흡과 어떤 관계가 있는지 설명하면 더 좋겠죠.
- 시간이 된다면 금연과 금주 교육 역시 환자에게 실시하는 것이 좋습니다.

시나리오

Sex/Age		M/41
Chief Complaint		낮에 졸려요
Present illness	Location	–
	Onset	3년 전
	Situation	집에서 취침
	Time	거의 매일, 수면시간(7시간)
	Course	1년 전부터 심해짐
	Experience	3년 전 이외에는 없음
	Character	[양 상] 입면 장애/유지 장애/**낮잠**(–/–/**+, 1시간 정도**) [수면위생] 전반적으로 좋은 편, 주변 소음(–), 자기 전 카페인 섭취나 운동 안함 [정 도] 주간 졸림증(+), 일상생활에 지장 받음
	Factors	야간근무/해외여행(–/–), 환경변화(–), 스트레스(–)
	Associated symptoms	**코골이(+, 따로 거실에서 잘 정도로 심함)**, **수면무호흡(+)**, 다리에 벌레가 기어 다니는 느낌(–), 악몽(–), 더위 불내성(–), 두근거림(–), 체중 변화(–), 우울(–), 불안(–), 속쓰림/신물(–/–)
Medical history	약물복용력	항고혈압제(+), 수면제(–)
	과거력	DM/TBc/**HTN**/간질환(–/–/**+**/–), 정신과질환(–) 건강검진 5년 전 시행, 당시 결과는 정상
	외상/수술력	외상(–), 수술(–)
	사회력	회사원, 음주(+, 주 3회, 소주 3병씩), 흡연(5갑·년), 커피(–) 기름진 음식 좋아함, 운동(거의 안 함)
	가족력	아버지 고혈압/수면장애(–)
	여성력	–
Physical exam	Vital sign	150/100mmHg, 89회/분, 20회/분, 36.2℃
	Positive findings	**비만(+, 170cm, 80kg, BMI 27.68)**, 공막/결막(–), 갑상선 정상, 목젖/아데노이드 정상, 심음/호흡음 정상
환자의 질문 또는 기타 특이사항		–

대표증례-4

상황지침

35세 남자 김민수 씨가 최근에 수면이 부족하다는 증상을 호소하며 외래 진료를 원하여 내원하였다.

[활력징후]

- 혈압 : 120/80mmHg
- 맥박 : 85회/분
- 호흡 : 17회/분
- 체온 : 36.5℃

응시자는 이 환자에게
- 증상과 관련된 병력을 청취하고,
- 추정진단과 향후 진단계획을 설명하고,
- 치료 방법 등에 대해 환자와 논의하시오.

해설

※ **감별진단** : 스트레스에 의한 일과성 수면장애, 커피에 의한 일과성 수면장애

※ **진단계획/치료계획** : 수면다원검사 / 수면위생 교육, (필요시)수면제

- 기질적인 원인으로 인한 수면장애는 나올 가능성이 매우 적으니 보편적인 증례를 잘 숙지해가는 것이 좋습니다(가장 흔한 경우는 생활습관이나 일상생활에서 받는 스트레스 때문에 생기는 일차성 수면장애나 일과성 불면증이 많습니다).
- 수면위생에 대한 내용을 꼭 외워가시고, 하나하나 설명해주셔야 합니다. 신체진찰이 생략된 문항이므로 교육할 시간은 넉넉합니다.
- 지시문을 꼭 잘 읽고 치료계획 뿐만 아니라 진단계획에 대해서도 잘 설명해주어야 합니다. 일부 학생들의 경우 진단계획을 빠뜨린 경우가 있으므로 꼭 설명하는 습관을 가지는 것이 좋습니다.

시나리오

<table>
<tr><td>Sex/Age</td><td colspan="2">M/35</td></tr>
<tr><td>Chief Complaint</td><td colspan="2">잠을 잘 못 자요</td></tr>
<tr><td rowspan="9">Present illness</td><td>Location</td><td>–</td></tr>
<tr><td>Onset</td><td>2주 전</td></tr>
<tr><td>Situation</td><td>–</td></tr>
<tr><td>Time</td><td>거의 매일, 11시에 누워서 7시에 일어남
하지만 요즘은 2~3시간 밖에 못 잠</td></tr>
<tr><td>Course</td><td>5일 전부터는 더 못 자겠다고 함</td></tr>
<tr><td>Experience</td><td>처음</td></tr>
<tr><td>Character</td><td>[양 상] 입면 장애/한 번 깨면 다시 못 잠(+/+)
[수면위생] 자기 전 가끔 책은 읽지만 TV나 핸드폰은 하지 않음. 잠이 안 와서 침대에 누워있는 시간 많음. 야식(–, 술 먹으면 잠드는 데 좋다고 해서 자기 전에 맥주 2~3캔 마시기도 함), 밤에 운동(–)
[정 도] 자고 일어나도 개운하지 않고 매일 졸림. 일상생활에 지장</td></tr>
<tr><td>Factors</td><td>야간근무/해외여행(–/–), 환경변화(–)
스트레스(+. 2주 전 직장 동료와 싸움, 5일 전부터 회사 일 많아짐)</td></tr>
<tr><td>Associated symptoms</td><td>코골이(–), 다리에 벌레가 기어 다니는 느낌(–), 악몽(–), 더위 불내성(–), 두근거림(–), 체중 변화(–), 우울(–), 불안(–), 속쓰림/신물(–/–)</td></tr>
<tr><td rowspan="6">Medical history</td><td>약물복용력</td><td>약국에서 수면제 한 번 먹어 봤음
수면제 먹고는 잠을 잘 잤으나 중독이 무서워서 더 먹지는 않음</td></tr>
<tr><td>과거력</td><td>DM/TBc/HTN/간질환(–/–/–/–), 정신과질환(–)
건강검진 1년 전 시행, 당시 결과는 정상</td></tr>
<tr><td>외상/수술력</td><td>외상(–), 수술(–)</td></tr>
<tr><td>사회력</td><td>병원에서 민원 담당 업무, 음주(1병/주), 흡연(10갑·년), 커피(오전 2~3잔, 오후 2~3잔씩 하루 6잔 마심), 주말에 가끔씩 운동함</td></tr>
<tr><td>가족력</td><td>수면장애(–), 어머니가 예민하셔 잠을 잘 못 주무시기도 함</td></tr>
<tr><td>여성력</td><td>–</td></tr>
<tr><td rowspan="2">Physical exam</td><td>Vital sign</td><td>120/80mmHg, 85회/분, 17회/분, 36.5℃</td></tr>
<tr><td>Positive findings</td><td>신체검진 하라는 말 없었음</td></tr>
<tr><td colspan="2">환자의 질문 또는 기타 특이사항</td><td>–</td></tr>
</table>

대표증례-5

상황지침

54세 여성 김현경 씨가 최근에 잠이 안 온다는 증상을 호소하며 내원하였다.

[활력징후]	
• 혈압 : 120/80mmHg	• 맥박 : 80회/분
• 호흡 : 20회/분	• 체온 : 36.5℃

응시자는 이 환자에게
- 증상과 관련된 병력을 청취하고,
- 증상과 관련된 적절한 신체검진을 시행한 후,
- 추정진단과 향후 진단계획을 설명하고,
- 치료 방법 등에 대해 환자와 논의하시오.

해설

※ **감별진단** : 폐경 증후군

※ **진단계획/치료계획** : 혈중 호르몬 검사(LH, FSH) / 수면 위생 교육, 호르몬 치료(에스트로젠, 프로게스테론)

- 최근 월경 주기가 불규칙해지다 중단된 상태이며, 환자가 예민한 증상을 보이는 것으로 보아 폐경 증후군에 의해 불면증이 이차적으로 발생한 것이 의심되는 환자입니다. 이에 환자에게 치료 계획을 설명할 때 호르몬 치료에 대해 이야기 드리되, 수면 위생 교육도 잊지 말고 시행해주는 것이 중요합니다.
- 골반 내진을 시행할 경우, 시행하기에 앞서 이 과정이 왜 필요한 것인지, 현재 환자의 수면 장애 원인이 폐경 증상에 의한 것은 아닌지 확인하기 위해 시행하고자 한다고 설명해 주는 것이 필요합니다.
- 신체검진 상 환자의 갑상선이 이상 소견을 보이지는 않았지만, 환자가 더위불내성의 증상을 보이므로 TFT를 시행하여 해당 질환을 감별해 주는 것도 좋을 것으로 생각됩니다.

시나리오

Sex/Age	F/54			
Chief Complaint	잠이 안 와요			
Present illness	Location	–		
	Onset	2달 전		
	Situation	–		
	Time	거의 매일, 11시 반쯤 누워서 1시쯤 잠들고 6시에 일어남 하지만 요즘은 2~3시간 밖에 못 잠		
	Course			
	Experience	처음		
	Character	[양 상] **입면 장애/수면 중 잘 깸**/낮잠(**+/+, 3~4번**/–, 낮에 일이 바빠서 못 잠) [수면위생] **잠이 안와서 침대에 누워있는 시간이 김**, 누워서 TV를 보거나 핸드폰을 하지는 않음, **저녁 8시에 운동, 저녁에 커피 마심** [정 도] **주간졸림증(+, 졸려서 커피 섭취량 늘어남)**		
	Factors	야간근무/해외여행(–/–), 환경변화(–), 스트레스(–)		
	Associated symptoms	코골이(–), 다리에 벌레가 기어 다니는 느낌(–), 악몽(–), **더위 불내성(+, 더위 타며 땀이 많이 남)**, 두근거림(–), 체중 변화(–), 우울(–), 불안(–), 안면 화끈거림(–), **짜증(+)**, 속쓰림/신물(–/–)		
Medical history	약물복용력	없음. 수면제(–)		
	과거력	DM/TBc/HTN/간질환(–/–/–/–), 정신과질환(–) 건강검진 특이소견 없음		
	외상/수술력	외상(–), 수술(–)		
	사회력	공무원, 음주(social), 흡연(–), 커피(하루 1~2잔 마시다 요즘은 낮에 졸려서 2~3잔으로 늘었음)		
	가족력	수면장애(–), 어머니가 예민하셔 잠을 잘 못 주무시기도 함		
Menstrual history (여성만 해당)	산과력	1-0-0-1		
	월경규칙성	**불규칙함**	월경 주기	–
	월경량	–		
	월경통	–		
	LMP	**3개월간 월경 안함**		
Physical exam	Vital sign	120/80mmHg, 80회/분, 20회/분, 36.5℃		
	Positive findings	비만(–), 갑상선 정상, 내진 소견 정상		
환자의 질문 또는 기타 특이사항		–		

대표증례-6

상황지침

42세 남자 박창호 씨가 최근에 수면이 부족하다는 증상을 호소하며 내원하였다.

[활력징후]

• 혈압 : 120/80mmHg	• 맥박 : 90회/분
• 호흡 : 18회/분	• 체온 : 36.5℃

응시자는 이 환자에게

- 증상과 관련된 병력을 청취하고,
- 추정진단과 향후 진단계획을 설명하고,
- 치료 방법 등에 대해 환자와 논의하시오.

해설

※ **감별진단** : 불면증 / 허리통증에 의한 불면증

※ **진단계획/치료계획** : 수면다원검사 / 수면위생 교육, (필요시)단기간 수면제, 허리통증 조절

• 충분히 잘 수 있는 기회가 있음에도 입면 장애와 수면 유지 장애가 있으며, 이로 인해 일상생활의 불편함을 호소하고 있으므로 환자를 불면증으로 볼 수 있습니다. 불면증을 일으키는 다른 수면장애가 동반된 것은 아닌지 감별하기 위해 수면다원검사를 시행해볼 수 있습니다.

• 수면위생에 대한 내용을 꼭 외워 가시고, 하나하나 설명해주셔야 합니다. 수면 위생은 불면증 단독 치료로는 부족하지만 전체 치료에 있어서 중요한 부분을 차지하며, 현재 환자의 수면 습관에서 문제가 있는 수면위생에 대해 중점적으로 설명 해주면 좋습니다. 신체진찰이 생략된 문항이므로 교육할 시간은 넉넉합니다.

• 해당 환자의 경우 허리 통증으로 인해 잠이 오지 않는 상황도 배제할 수는 없으므로, 허리통증을 조절해 보는 것 역시 치료 방안이 될 수 있습니다.

시나리오

Sex/Age	M/42	
Chief Complaint	잠을 잘 못 자요	
Present illness	Location	–
	Onset	3개월 전
	Situation	–
	Time	매일, 10시에 침대에 누워서 4시에 잠들고 7~8시에 일어남
	Course	비슷함
	Experience	처음
	Character	[양 상] **입면 장애/수면 중 잘 깸/낮잠(+/+, 3~4번/+, 1~2시간)** [수면위생] **잠 안 오면 계속 침대에 누워서 TV 시청, 자다가 깨면 다시 잠들기 위해 누워있음**, 야식(–), 운동(–) [정 도] **주간졸림증(+), 일상생활에 지장**
	Factors	야간근무/해외여행(–/–), 환경변화(–), 스트레스(–)
	Associated symptoms	코골이(–), 다리에 벌레가 기어 다니는 느낌(–), 악몽(–), 더위 불내성(–), 두근거림(–), 체중 변화(–), 우울(–), 불안(–), 속쓰림/신물(–/–)
Medical history	약물복용력	고혈압약(+), 허리통증 때문에 종종 타이레놀 복용함
	과거력	DM/TBc/HTN/간질환(–/–/+/–), **6개월 전 HIVD 진단**(치료 받아도 통증 조절되지 않아 침 맞고 있음) 건강검진 1년 전 시행, 고혈압 외 특이사항 없음
	외상/수술력	외상(+, 6개월 전 허리 외상), 수술(–)
	사회력	패스트푸드점 운영, 음주(1달에 1회), 흡연(과거 피웠으나 현재 금연), 커피(1~2잔/day), 허리 아파서 운동은 잘 못함
	가족력	수면장애(–), 정신과 질환(–), 누나 관절염
	여성력	–
Physical exam	Vital sign	120/80mmHg, 90회/분, 18회/분, 36.5℃
	Positive findings	신체검진 하라는 말 없었음
환자의 질문 또는 기타 특이사항		–

관련증례

42-1 54세 여자가 잠을 자주 깬다고 왔다. 2년 전 폐경 시작 이후, 안면홍조가 심하고 우울하고 불안하였다. 5~6개월 전부터 안면홍조는 약간 좋아졌는데 사소한 일에도 짜증이 잘나고 불안하기도 하고 괜히 눈물이 나곤 하였다. 3개월 전부터 특별한 이유 없이 우울하고, 만사가 귀찮으며 식욕도 저하되고 밤에 잠도 쉽게 들지 못했다. 밤늦게 뒤척이다 잠이 들었다가도 곧 깨곤 하였다. 현재 치료 중인 질병은 없으며, 폐경기 증상 완화를 위해 달맞이꽃유 성분의 건강보조식품을 복용하고 있다. 환자는 특별히 질병을 앓은 적은 없다.

> 활력징후는 혈압 125/80mmHg, 맥박 80회/분, 호흡수 18회/분, 체온 36.8℃이었다. 신체진찰에서 특이소견은 없었다.

42-2 14세 남학생이 잠이 안온다고 엄마와 함께 왔다. 엄마는 학생이 새벽 2~3시가 되도록 잠을 못 자고 왔다 갔다 한다고 하였다. 11시나 12시부터 자라고 방으로 보내는데 계속 잠이 안 온다고 TV를 보거나 컴퓨터를 켜고 몇 번을 자라고 독촉을 해도 결국 새벽까지 잠을 못 잔다고 한다. 늦게 잠이 드니까 아침에 학생을 깨워서 학교에 보내는 것이 너무 힘들고 지각이 잦다고 한다. 학생은 학교에 가도 아침 시간에는 거의 머리가 맑지 않아서 수업이 어렵고 3교시쯤 되어서야 수업에 집중을 할 수 있다고 한다.

> 활력징후는 혈압 120/80mmHg, 맥박 78회/분, 호흡수 18회/분, 체온 36.4℃이었다. 신체진찰에서 특이소견은 없었다.

Answer | 42-1. 우울증 42-2. 하루주기리듬수면장애

Check-list

	병력청취 채점항목	예	아니오
1	불면증의 발생시기에 대하여 물어보았다.	☐	☐
2	수면시간, 불면의 양상을 파악하였다.	☐	☐
3	평소 수면습관, 수면위생을 잘 지키는지 물어보았다.	☐	☐
4	불면을 유발할 만한 원인(직업/환경변화/스트레스/소음 등)에 대하여 물어보았다.	☐	☐
5	동반증상(코골이/무호흡증, 불안/우울, 하지불안 등)에 대하여 물어보았다.	☐	☐
6	정신과 질환을 포함한 과거 질환력을 확인하였다.	☐	☐
7	복용중인 약물이 있는지 확인하였다.	☐	☐

	신체진찰 채점항목	제대로 함	제대로 못함	하지 않음
1	구강 진찰을 하여 편도, 아데노이드를 확인하였다.	☐	☐	☐
2	갑상샘을 시/촉진하였다.	☐	☐	☐
3	신경학적 검사를 시행하였다.	☐	☐	☐

	환자교육 채점항목	예	아니오
1	정상 수면과 불면을 유발할 수 있는 요인에 대하여 설명하였다.	☐	☐
2	수면다원 검사가 필요할 수 있음을 설명하였다.	☐	☐
3	수면위생에 대하여 교육하였다.	☐	☐
4	불면증 치료의 중요성과 수면제 사용에 대하여 설명하였다.	☐	☐

	환자의사관계 채점항목	아주우수	우수	보통	미흡
1	효율적으로 잘 물어보았다. - 효율적 질문 : 개방형 질문 사용, 확인, 중간 요약 - 피할 질문 : 유도 질문, 복수 질문	☐	☐	☐	☐
2	나의 말을 잘 들어주었다. - 대꾸하기, 경청 자세, 눈 맞춤 & 말 가로채지 않기	☐	☐	☐	☐
3	나의 입장을 이해하려고 노력하였다. - 공감 표현, 나의 입장 파악	☐	☐	☐	☐
4	환자가 이해하기 쉽게 설명하였다. - 간단명료함, 이해도 점검, 질문 기회 & 쉬운 용어	☐	☐	☐	☐
5	나와 좋은 유대 관계를 형성하려고 했다. - 자기소개, 일상 대화, 존중, 자신감 & 신뢰감	☐	☐	☐	☐

43 기억력 저하

대표증례 – 1

상황지침

62세 여자 나경애 씨가 최근 기억력이 떨어진다며 병원에 왔다.

[활력징후]

- 혈압 : 120/80mmHg
- 맥박 : 80회/분
- 호흡 : 18회/분
- 체온 : 36.5℃

응시자는 이 환자에게
- 증상과 관련된 병력을 청취하고,
- 지남력, 기억력, 주의집중, 계산력에 대해서 MMSE을 시행한 후,
- 추정진단과 향후 진단계획 등에 대해 환자와 논의하시오.

해설

※ **감별진단** : 경도인지장애 / 알츠하이머 치매

※ **진단계획/치료계획** : 신경심리검사, 뇌 MRI / (필요 시)인지기능개선제

- 간단한 정신상태 검사(MMSE)를 능숙하게 할 줄 알아야 합니다.
- 치매는 비슷해 보이지만 유발할 수 있는 기질적 원인이 확연히 구분되므로 환자의 나이, 교육 정도, 기억력 저하의 양상 등에 따라 감별해야 할 진단 방법을 숙지하셔야겠습니다.
- 환자 본인, 또는 보호자가 너무 걱정하지 않도록 안심시켜주는 것이 PPI의 포인트입니다.

시나리오

Sex/Age	F/62	
Chief Complaint	기억력이 떨어져요	
Present illness	Location	–
	Onset	2년 전/서서히
	Situation	–
	Time	지속적
	Course	2년 전보다 심해짐
	Experience	처음
	Character	[양상] **최근 기억력 감소(+)**, 길 잃은 적(–) 돈 계산 실수한 적(–), 약속시간 자주 깜빡함 [정도] 일상생활은 잘 영위함
	Factors	스트레스(–)
	Associated symptoms	두통/시야장애(–/–), 사지근력저하(–), 환시/환청(–/–), 보행장애(–), 요실금(–), 성격 변화(–), 우울(–), 수면 장애(–), 발열(–), 체중변화(–), 추위 불내성(–)
Medical history	약물복용력	없음
	과거력	DM/TBc/HTN/간질환(–/–/–/–), 뇌혈관질환(–), 고지혈증(–), 정신과 질환(–), 건강검진 2년 전 시행, 당시 정상이었음
	외상/수술력	두부외상(–), 수술(–)
	사회력	교사였음, 대졸(사범대), 음주(–), 흡연(–)
	가족력	치매(–)
	여성력	[월경력] 폐경 [산과력] 3-0-0-3
Physical exam	Vital sign	120/80mmHg, 80회/분, 18회/분, 36.5℃
	Positive findings	MMSE(18/21) : 시간지남력(+/+/+/+/+), 장소지남력(+/+/+/+/+), 기억력등록(+/+/+), 계산력(+/+/+/+/–), 기억력회상(+/–/–) 안구운동/안면신경(–/–), 갑상샘 정상, DTR 정상, 보행검사 정상
환자의 질문 또는 기타 특이사항		"친구가 치매약 먹어서 걱정돼서 찾아왔어요"

대표증례-2

상황지침

67세 남자 강영호 씨가 보호자(딸)와 함께 최근 기억력이 떨어진다며 병원에 왔다.

[활력징후]	
• 혈압 : 120/80mmHg	• 맥박 : 80회/분
• 호흡 : 18회/분	• 체온 : 36.5℃

응시자는 이 환자에게

- 증상과 관련된 병력을 청취하고,
- 지남력, 기억력, 주의집중, 계산력에 대해서 MMSE을 시행한 후,
- 추정진단과 향후 진단계획 등에 대해 환자와 논의하시오.

해설

※ **감별진단** : 알츠하이머 치매 / 이마관자엽 치매

※ **진단계획/치료계획** : 뇌 MRI, FDG-PET / 인지기능개선제, 인지치료, 심리사회적 치료

- 환자와 보호자의 일상생활에 대한 지장에 대해 생각하는 정도가 다릅니다. 하지만, MMSE 점수가 낮기 때문에 알츠하이머 치매가 더 진단에 맞다고 생각됩니다.
- 알츠하이머 치매의 경우 Donepezil, Rivastigmine(cholinesterase inhibitor), 심리사회적 치료, Memantine(NMDA recetpor antagonist)로 치료할 수 있습니다.
- 이 환자의 경우 성격의 변화까지 있기 때문에 이마관자치매도 생각할 수 있습니다. 하지만, 보통의 경우에 이마관자치매는 성격의 변화가 선행되는 경우가 많습니다.

시나리오

Sex/Age	M/67	
Chief Complaint	기억력이 떨어져요	
Present illness	Location	–
	Onset	2년 전/서서히
	Situation	–
	Time	지속적
	Course	2년 전보다 심해짐
	Experience	처음
	Character	[양상] **최근 기억력 감소(+), 길 잃은 적(+, 익숙한 장소에서 길 잃음), 돈 관리 잘 안 됨, 약속시간 자주 깜빡함** [정도] 일상생활은 잘 영위함(보호자는 지장이 있다고 생각함)
	Factors	스트레스(–)
	Associated symptoms	두통/시야장애(–/–), 사지근력저하(–), 환시/환청(–/–), 보행장애(–), 요실금(–), **성격 변화(+**, 6개월 전부터 성격이 변한 것 같다고 보호자가 말함. 화를 잘 내며, 최근에는 충동구매도 함), 우울(–), 수면 장애(–), 발열(–), 체중변화(–), 추위 불내성(–)
Medical history	약물복용력	없음
	과거력	DM/TBc/HTN/간질환(–/–/–/–), 뇌혈관질환(–), 고지혈증(–), 정신과 질환(–), 건강검진 1년 전 시행, 당시 정상이었음
	외상/수술력	두부외상(–), 수술(–)
	사회력	회사원(10년 전 은퇴), 대졸, 음주(–), 흡연(–)
	가족력	어머니가 알츠하이머 치매
	여성력	–
Physical exam	Vital sign	120/80mmHg, 80회/분, 18회/분, 36.5℃
	Positive findings	MMSE(13/21) : 시간지남력(+/+/–/–/+), 장소지남력(+/+/+/+/–), 기억력등록(+/+/+), 계산력(+/+/–/–/–), 기억력회상(+/–/–) 안구운동/안면신경(–/–), 갑상샘 정상, DTR 정상, 보행검사 정상
환자의 질문 또는 기타 특이사항	신체진찰은 하지 않아도 됨	

09 CHAPTER

대표증례 - 3

상황지침

64세 남자 방호현 씨가 최근 기억력이 떨어진다며 병원에 왔다.

[활력징후]

- 혈압 : 160/100mmHg
- 맥박 : 70회/분
- 호흡 : 19회/분
- 체온 : 36.2℃

응시자는 이 환자에게
- 증상과 관련된 병력을 청취하고,
- 지남력, 기억력, 주의집중, 계산력에 대해서 MMSE을 시행한 후,
- 추정진단과 향후 진단계획 등에 대해 환자와 논의하시오.

해설

※ **감별진단** : 혈관성 치매
※ **진단계획/치료계획** : 뇌 MRI, 뇌혈관조영술 / 항혈소판제, 고혈압과 당뇨 조절

- 환자가 갑자기 시작된 인지저하를 호소하고 있으며, 증상이 계단식으로 나빠지고 있기에 혈관성 치매를 가장 먼저 의심해 볼 수 있습니다. 혈관성 치매의 진단을 위해서는 치매의 증거와 함께 뇌혈관 질환의 증거가 확인되어야 하므로 뇌 MRI, 뇌혈관조영술의 검사가 필요합니다.
- 혈관성 치매 환자의 치료로는 우선적으로 환자 기저의 고혈압, 당뇨를 조절하고, 항혈소판제 또는 항응고제를 사용하는 것이 중요하며, 인지기능개선제도 일부 사용해 볼 수는 있습니다.

시나리오

<table>
<tr><td>Sex/Age</td><td colspan="2">M/64</td></tr>
<tr><td>Chief Complaint</td><td colspan="2">기억력이 떨어졌어요</td></tr>
<tr><td rowspan="10">Present illness</td><td>Location</td><td>–</td></tr>
<tr><td>Onset</td><td>1년 전/갑자기</td></tr>
<tr><td>Situation</td><td>–</td></tr>
<tr><td>Time</td><td>지속적</td></tr>
<tr><td>Course</td><td>계단식 악화(+)</td></tr>
<tr><td>Experience</td><td>처음</td></tr>
<tr><td>Character</td><td>[양상] 최근 기억력 감소(+)
[정도] 약속시간을 자주 깜빡해 일상생활이 불편함</td></tr>
<tr><td>Factors</td><td>스트레스(–)</td></tr>
<tr><td>Associated symptoms</td><td>두통/시야장애(–/–), 사지근력저하(+, 1달 전부터 오른쪽 팔다리 힘 빠짐, 저절로 회복되어 따로 병원 가보지는 않음), 환시/환청(–/–), 보행장애(–), 요실금(–), 성격 변화(–), 우울(–), 수면 장애(–), 발열(–), 체중변화(–), 추위 불내성(–)</td></tr>
<tr><td rowspan="6">Medical history</td><td>약물복용력</td><td>고혈압약, 당뇨약</td></tr>
<tr><td>과거력</td><td>DM/TBc/HTN/간질환(+/–/+/–), 뇌혈관질환(–), 고지혈증(–), 정신과 질환(–), 건강검진 1년 전 시행, DM/HTN 외 특이소견 없음</td></tr>
<tr><td>외상/수술력</td><td>두부외상(–), 수술(–)</td></tr>
<tr><td>사회력</td><td>현재 은퇴한 상태, 대졸, 음주(소주 2~3병/주), 흡연(20PY)</td></tr>
<tr><td>가족력</td><td>어머니 뇌졸중(잘 회복하심)</td></tr>
<tr><td>여성력</td><td>–</td></tr>
<tr><td rowspan="2">Physical exam</td><td>Vital sign</td><td>160/100mmHg, 70회/분, 19회/분, 36.2℃</td></tr>
<tr><td>Positive findings</td><td>MMSE(15/21)
: 시간지남력(+/+/+/+/+), 장소지남력(+/+/+/+/+), 기억력등록(+/+/–), 계산력(+/+/–/–/–), 기억력회상(+/–/–)
안구운동/안면신경(–/–), 사지근력/감각/DTR 정상, 보행검사 정상</td></tr>
<tr><td colspan="2">환자의 질문 또는 기타 특이사항</td><td>–</td></tr>
</table>

09 CHAPTER

대표증례-4

상황지침

68세 여자 이점순 씨가 기억력이 떨어졌다면서 보호자(딸)와 함께 내원하였다.

[활력징후]

• 혈압 : 120/80mmHg	• 맥박 : 80회/분
• 호흡 : 20회/분	• 체온 : 36.5℃

응시자는 이 환자에게
- 증상과 관련된 병력을 청취하고,
- 지남력, 기억력, 주의집중, 계산력에 대해서 MMSE을 시행한 후,
- 추정진단과 향후 진단계획 등에 대해 환자와 논의하시오.

해설

※ **감별진단** : 알츠하이머 치매
※ **진단계획/치료계획** : 뇌 MRI, 뇌혈관조영술 / 인지기능개선제, 인지치료

- 신체진찰 대신 K-MMSE를 시행하시면 됩니다.
- 환자 보호자가 동반 입실한 경우 이후 행동문제 대처를 논의하고, 필요한 경우 우리나라 치매 환자 치료기관에 대한 정보를 제공해 줄 수 있다고 말하면 됩니다.
- 환자교육 : 금연/금주, 머리 많이 쓰기 등

시나리오

Sex/Age	F/68(보호자 : 딸)	
Chief Complaint	기억력이 떨어진다고 딸이 모셔옴	
Present illness	Location	–
	Onset	1년 전/서서히
	Situation	–
	Time	지속적
	Course	점점 심해짐
	Experience	처음
	Character	[양상] **최근 기억력 감소(+), 길 헤맴(+), 가스불 켜놓고 외출(+)**, 돈 계산은 잘 함, **가끔 물건 이름과 사람 이름이 생각 안 남** [정도] 일상생활에 지장 있음
	Factors	스트레스(–)
	Associated symptoms	두통/시야장애(–/–), 사지근력/감각저하(–/–), 환시/환청(–/–), 보행장애(–), 요실금(–), 성격 변화(–), 우울(–), 수면 장애(–), 발열(–), 체중변화(–), 추위 불내성(–)
Medical history	약물복용력	없음
	과거력	DM/TBc/HTN/간질환(–/–/–/–), 뇌혈관질환(–), 고지혈증(–), 정신과 질환(–), 건강검진에서 조기위암으로 진단 받아 수술 받음(딸과, 환자가 건강검진 및 수술 년도를 다르게 알고 있음)
	외상/수술력	두부외상(–), 수술(+, 조기위암 수술)
	사회력	주부, 대졸, 음주(–), 흡연(–)
	가족력	치매(–)
	여성력	[월경력] 20년 전 폐경 [산과력] 2-0-0-2
Physical exam	Vital sign	120/80mmHg, 80회/분, 20회/분, 36.5℃
	Positive findings	MMSE(12/21) : 시간지남력(–/+/+/+/–), 장소지남력(+/–/+/+/–), 기억력등록(+/+/–), 계산력(+/+/+/–/–), 기억력회상(–/+/–) 안구운동/안면신경(–/–), 갑상샘 정상, DTR 정상, 보행검사 정상
환자의 질문 또는 기타 특이사항	신체검사는 하라는 말 대신 MMSE 시행하라는 말 있음	

대표증례－5

상황지침

64세 여자 박경자 씨가 최근 기억력이 떨어진다며 병원에 왔다.

[활력징후]

- 혈압 : 120/80mmHg
- 맥박 : 80회/분
- 호흡 : 18회/분
- 체온 : 36.5℃

응시자는 이 환자에게

- 증상과 관련된 병력을 청취하고,
- 지남력, 기억력, 주의집중, 계산력에 대해서 MMSE을 시행한 후,
- 추정진단과 향후 진단계획 등에 대해 환자와 논의하시오.

해설

※ **감별진단** : 알츠하이머 치매 / 우울증

※ **진단계획/치료계획** : 뇌 MRI, FDG-PET / (필요 시)인지기능개선제, 항우울제, 심리사회적치료

- 환자와 환자가 최근 기억력이 서서히 저하되고 있으며, 혈관성 치매의 증상을 보이지는 않으므로 알츠하이머성 치매가 가장 의심되는 상황입니다.
- 알츠하이머 치매의 경우 Donepezil, Rivastigmine(cholinesterase inhibitor), 심리사회적 치료, Memantine(NMDA recetpor antagonist)로 치료할 수 있습니다.
- 이 환자의 경우 작년 남편과 사별한 시점과 증상이 발생한 시점이 어느 정도 일치하므로 우울증에 의한 가성 치매의 가능성도 고려해야 합니다. 가성 치매의 경우 환자가 MMSE에서 생각해 낼 수 있음에도 일부러 답을 틀리는 등, 본인의 증상의 심각함을 의사에게 알리고 싶어하는 모습을 보일 수 있습니다.

시나리오

Sex/Age		F/64
Chief Complaint		기억력이 떨어졌어요
Present illness	Location	–
	Onset	1년 반 전/서서히
	Situation	–
	Time	지속적
	Course	점차 심해짐, 계단식으로 악화되지는 않음
	Experience	처음
	Character	[양상] **최근 기억력 감소(+), 길 잃은 적(+)**, 돈 계산 실수한 적(–), **약속을 자주 잊으며, 자꾸 되묻는 경우가 생김** [정도] 일상생활이 불편함
	Factors	스트레스(–)
	Associated symptoms	두통/시야장애(–/–), 사지근력저하(–), 환시/환청(–/–), 보행장애(–), 요실금(–), 성격 변화(–), **우울(+**, 작년에 남편과 사별하고 혼자 살아 적적하다), 수면 장애(–), 발열(–), 체중변화(–), 추위 불내성(–)
Medical history	약물복용력	없음
	과거력	DM/TBc/HTN/간질환(–/–/–/–), 뇌혈관질환(–), 정신과질환(–), 건강검진 시행 안 함
	외상/수술력	두부외상(–), 수술(–)
	사회력	주부, 대졸, 음주(–), 흡연(–) 등산회에 가입하여 주 2회 운동을 하러 다녔었으나, 코로나로 작년부터 가지 못함
	가족력	아버지가 알츠하이머 치매
	여성력	[월경력] 폐경 [산과력] 2-0-0-2
Physical exam	Vital sign	120/80mmHg, 80회/분, 18회/분, 36.5℃
	Positive findings	MMSE(15/21) : 시간지남력(+/+/–/–/+), 장소지남력(+/+/+/–/+), 기억력등록(+/+/+), 계산력(+/+/+/+/–), 기억력회상(+/–/–) 안구운동/안면신경(–/–), 갑상샘 정상, DTR 정상, 보행검사 정상
환자의 질문 또는 기타 특이사항		신체진찰은 하지 않아도 됨

09 CHAPTER

대표증례 – 6

상황지침

61세 남자 김갑수 씨가 최근 기억력이 떨어진다며 병원에 왔다.

[활력징후]

- 혈압 : 120/100mmHg
- 맥박 : 80회/분
- 호흡 : 20회/분
- 체온 : 36.5℃

응시자는 이 환자에게

- 증상과 관련된 병력을 청취하고,
- 지남력, 기억력, 주의집중, 계산력에 대해서 MMSE을 시행한 후,
- 추정진단과 향후 진단계획 등에 대해 환자와 논의하시오.

해설

※ **감별진단** : 경도인지장애, 알츠하이머성 치매

※ **진단계획/치료계획** : 뇌 MRI, FDG-PET / (필요시)인지기능개선제, 인지치료, 심리사회적 치료

- 환자가 기억력이 떨어져서 본인이 치매가 아닐지 걱정을 하고 있는 상황입니다. 서서히 최근 기억력이 감소되고 있으며, 여러 기억력 저하 증상을 보이기에 알츠하이머성 치매를 배제할 수는 없지만, 환자가 일상생활을 영위하는데 불편하지 않다고 이야기하고 있으며, MMSE 점수도 양호한 편이므로 우선적으로는 경도인지장애가 의심되는 환자입니다. 경도인지장애는 정상적인 노화현상으로 인해 인지능력이 떨어지는 것임을 설명 드리고, 이게 있다고 반드시 치매가 되는 것은 아니지만, 다른 동년배에 비해 치매가 생길 확률이 높다는 의미이므로 병원에서 정기적으로 평가를 받는 것을 권해 드리며 환자를 안심시켜 드리면 좋을 것 같습니다.
- 하지만 검사를 통해 알츠하이머 치매가 의심된다면 Donepezil, Rivastigmine(cholinesterase inhibitor), 심리사회적 치료, Memantine(NMDA recetpor antagonist)을 사용해 치료해 볼 수 있습니다.
- 이 환자의 경우 성격의 변화도 동반되어 있으므로 이마관자치매도 생각할 수 있습니다. 하지만, 보통의 경우에 이마관자치매는 성격의 변화가 선행되는 경우가 많습니다.

시나리오

Sex/Age	M/61	
Chief Complaint	기억력이 떨어져요	
Present illness	Location	–
	Onset	1년 전/서서히
	Situation	–
	Time	지속적
	Course	점점 심해짐, 계단식 악화(–)
	Experience	처음
	Character	[양상] **최근 기억력 감소(+)**, **길 잃음(+**, 지하철 역에서 집 찾아오는 출구를 자꾸 잊음), 돈 계산 실수(–), **약속을 자주 잊음(+)**, **사물 이름 까먹음(+)** [정도] 일상생활이 불편하지는 않음
	Factors	스트레스(–)
	Associated symptoms	두통/시야장애(–/–), 사지근력저하(–), 환시/환청(–/–), 보행장애(–), 요실금(–), **성격 변화(+**, 아내가 말하길 평소보다 짜증을 잘 낸다고 함), 우울(–), **수면 장애(+**, 자다가 다리에 쥐가 난 듯한 느낌에 깰 때가 있음), 발열(–), 체중변화(–), 추위 불내성(–)
Medical history	약물복용력	없음
	과거력	DM/TBc/HTN/간질환(–/–/–/–), 뇌혈관질환(–), 정신과질환(–) 건강검진 시행 안 함
	외상/수술력	두부외상(–), 수술(–)
	사회력	고졸, 음주(소주 2~3잔, 주 1회), 흡연(20PY, 15년 전 금연) 원래 장사를 했으나 1년 전부터는 아내의 병간호를 하느라 가게를 쉬고 있음. 스트레스 심하지는 않지만 이런 부분이 신경 쓰이긴 함
	가족력	정신과 질환(–), 치매(–), 형이 고혈압
	여성력	–
Physical exam	Vital sign	120/100mmHg, 80회/분, 20회/분, 36.5℃
	Positive findings	MMSE(19/21) : 시간지남력(+/+/+/+/+), 장소지남력(+/+/+/+/+), 기억력등록(+/+/+), 계산력(+/+/+/+/–), 기억력회상(+/+/–) 안구운동/인면신경(–/–), 사지근력/감각/DTR 정상, 보행검사 정상
환자의 질문 또는 기타 특이사항	"치매일까봐 걱정돼요"	

관련증례

43-1 70세 남자가 1개월 전부터 갑자기 말수가 적어지고 기억력이 떨어져 내원하였다. 20년 전부터 고혈압으로 약물을 복용 중이었고, 1년 전부터 말이 어둔해져서 한의원에서 침치료를 받은 적이 있었다.

> 활력징후는 혈압 140/90mmHg, 맥박 75회/분, 호흡수 18회/분, 체온 36.5℃이었다. 신경학적 검사에서 근력은 정상이었으나 우측 상하지에서 심부 건반사가 증가되어 있었고, 우측 다리에서 바빈스키 징후가 관찰되었다. 환자는 걸을 때 우측 다리를 저는 걸음걸이를 보였다.

43-2 67세 남자가 1주 전부터 성격이 변하고 기억력 저하가 있어 내원하였다. 2개월 전 어두운 밤에 발을 헛디뎌서 넘어져 안면부를 바닥에 부딪친 후 의식소실과 안와골 및 코뼈 골절로 입원치료 받은 적이 있다. 당시 의식소실은 2일간 지속되었다고 한다. 그 외 다른 과거력은 없었다.

> 활력징후는 혈압 120/80mmHg, 맥박 75회/분, 호흡수 16회/분, 체온 36.5℃이었다. 신경학적 검사에서는 이상소견은 없었다.

43-3 62세 남자가 3주 전부터 헛것이 보인다고 하고 헛소리를 한다고 보호자와 함께 내원하였다. 6개월 전부터 기억력이 떨어지고 집근처에서 길을 잃는 일이 잦았다. 3주 전부터 방안에 누가 들어와 있다며 허공에 대고 이야기하는 등의 이상 행동을 보였다.

> 활력징후는 혈압 120/80mmHg, 맥박 75회/분, 호흡수 16회/분, 체온 36.5℃이었다. 환자는 몸동작이 느렸고, 보행 시 상체가 숙인 채로 종종걸음을 걸었다. 신경학적 검사에서 안구의 상방주시의 제한이 관찰되었다. 양쪽 상지에서 톱니바퀴경축(Cogwheel rigidity)이 관찰되었다.

Answer | 43-1. 혈관성치매 43-2. 뇌손상치매 43-3. 루이소체치매

Check-list

	병력청취 채점항목	예	아니오
1	언제부터 시작되었는지 물어보았다.	☐	☐
2	기억력 저하의 양상에 대하여 물어보았다(일상생활에서 얼마나 영향을 주는지, 기억력이 떨어지는 특정 분야가 있는지).	☐	☐
3	배뇨장애, 성격변화 등의 동반증상이 있는지 물어보았다.	☐	☐
4	학력, 음주/흡연력에 대하여 물어보았다.	☐	☐
5	현재 앓고 있는 질환에 대하여 물어보았다(정신과, 신경과 포함).	☐	☐
6	두부 외상력과 수술력에 대하여 물어보았다.	☐	☐
7	복용중인 약물에 대하여 물어보았다.	☐	☐

	신체진찰 채점항목	제대로 함	제대로 못함	하지 않음
1	MMSE를 수행하였다.	☐	☐	☐
2	갑상샘 진찰을 수행하였다.	☐	☐	☐
3	흉부 진찰을 시행하였다.	☐	☐	☐
4	운동 검사를 시행하였다(보행, 반사, 감각/근력).	☐	☐	☐
5	신경학적 검사를 시행하였다.	☐	☐	☐

	환자교육 채점항목	예	아니오
1	기억력 저하의 원인에 대하여 설명하였다.	☐	☐
2	질환 감별을 위해 필요한 검사에 대해 설명하였다.	☐	☐
3	기억력 저하의 정도에 따른 관리 원칙에 대해 설명하였다.	☐	☐
4	금연/금주 및 기저질환(고혈압/당뇨) 관리의 필요성에 대해 설명하였다.	☐	☐

	환자의사관계 채점항목	아주우수	우수	보통	미흡
1	효율적으로 잘 물어보았다. - 효율적 질문 : 개방형 질문 사용, 확인, 중간 요약 - 피할 질문 : 유도 질문, 복수 질문	☐	☐	☐	☐
2	나의 말을 잘 들어주었다. - 대꾸하기, 경청 자세, 눈 맞춤 & 말 가로채지 않기	☐	☐	☐	☐
3	나의 입장을 이해하려고 노력하였다. - 공감 표현, 나의 입장 파악	☐	☐	☐	☐
4	환자가 이해하기 쉽게 설명하였다. - 간단명료함, 이해도 점검, 질문 기회 & 쉬운 용어	☐	☐	☐	☐
5	나와 좋은 유대 관계를 형성하려고 했다. - 자기소개, 일상 대화, 존중, 자신감 & 신뢰감	☐	☐	☐	☐

44 자 살

대표증례 – 1

상황지침

45세 남자 이준영 씨가 죽고 싶은 생각이 들어서 왔다.

[활력징후]

- 혈압 : 110/70mmHg
- 맥박 : 65회/분
- 호흡 : 18회/분
- 체온 : 36.1℃

응시자는 이 환자에게
- 증상과 관련된 병력을 청취하고,
- 환자의 자살 위험성에 대해서 평가한 후,
- 향후 치료에 대한 계획을 환자와 논의하시오.

해설

※ **치료계획** : 입원 권유, 항우울제, 가족 치료

- 자살을 하려는 이유를 물어보면 처음에는 잘 대답을 해주지 않습니다. 충분한 PPI가 쌓였다 생각될 때 면담을 진행하도록 합시다.
- 자실 시도가 있던 환자로 반드시 입원 치료가 필요합니다. 이 환자의 경우에는 개인적인 이유로 입원을 거부하고 있으나, 충분한 도움을 드리기 위해서는 가까이서 환자를 지켜볼 필요성이 있음을 강조하면서 설득하고, 현재 자살 사고 및 시도가 환자의 잘못이 아님을 말해주는 것이 도움을 줄 수 있습니다.

시나리오

Sex/Age	M/45	
Chief Complaint	죽고 싶은 생각이 들어서 왔어요	
Present illness	Location	–
	Onset	5일 전
	Situation	운영하던 식당이 위생법에 걸려서 식당 운영이 어려워지며, 그 이후로 자살에 대한 생각이 계속 듦
	Time	하루에 10번 이상 죽고 싶다는 생각이 듦
	Course	점점 심해짐
	Experience	5일 전이 처음
	Character	[자살 시도] **베란다에서 투신자살하려고 난간에 서 있는 걸 우연히 아내가 발견하여 살아남**, 아내의 권유로 병원 내원함
	Factors	스트레스(+, 경제적 스트레스), 이별/사별(–/–), 가족 문제(–, 가족에게 많이 의지함)
	Associated symptoms	**우울(+)**, **의욕 저하(+)**, 체중 변화(–), **불면(+)**, **피로(+)**, **불안(+)**, 죄책감(–), **집중력저하(+)**, **자살사고/계획/시도(+/+/+)**, 조증(–), 환시/환청(–)
Medical history	약물복용력	한약
	과거력	DM/TBc/HTN/간질환(–/–/–/–), 정신과 질환(–), 만성 질환(–) 건강검진 이상 없음
	외상/수술력	외상(–), 수술(–)
	사회력	자영업자, 음주(social), 흡연(25갑·년)
	가족력	정신과질환(–), 신체질환(–)
	여성력	–
Physical exam	Vital sign	110/70mmHg, 65회/분, 18회/분, 36.1℃
	Positive findings	신체진찰 하지 마세요
환자의 질문 또는 기타 특이사항		"저 식당 손님 받아야 합니다. 입원은 다음에 하겠습니다"

대표증례-2

상황지침

18세 여자 진유정 씨가 자살 시도를 하여 응급실을 통해 내원하였다.

[활력징후]

- 혈압 : 120/80mmHg
- 맥박 : 70회/분
- 호흡 : 16회/분
- 체온 : 36.5℃

응시자는 이 환자에게
- 증상과 관련된 병력을 청취하고,
- 환자의 자살 위험성에 대해서 평가한 후,
- 향후 치료에 대한 계획을 환자와 논의하시오.

해설

※ **치료계획** : 입원 권유, 항우울제, 가족 치료

- 자살을 하려는 이유를 물어보면 처음에 잘 대답을 해주지 않습니다. 충분한 PPI를 쌓은 뒤에 면담을 진행하도록 합시다.
- 자살 시도가 있던 환자로 입원 치료가 필요합니다. 입원 권유시 쉽게 받아들이지 못하는 경우, 충분히 도움을 드리기 위해서는 가까이서 환자를 지켜볼 필요성이 있음을 강조하고 현재 자살 사고 및 시도가 환자의 잘못이 아님을 말해주는 것이 도움이 될 수 있습니다.

시나리오

Sex/Age	F/18	
Chief Complaint	자살 시도하여 응급실 통해 내원함	
Present illness	Location	–
	Onset	2달 전
	Situation	좋아하는 남자애가 있다는 것을 친구에게 말했다가 학교에 소문이 나서 따돌림을 당함
	Time	매일 자살 생각이 듬
	Course	점점 심해짐
	Experience	**과거 자살 시도 2회** – 3달 전 옥상에서 투신하려고 올라갔다가 내려옴 – 2달 전 손목 칼로 그었다가 아파서 그만 둠
	Character	[자살 시도] **타이레놀을 한 번에 복용하여 자살 시도**(엄마에게 발견되어 응급실 내원함)
	Factors	**학교 따돌림(+)**, 이별/사별(–/–), 주변에 지지해줄 사람 없음, 가족 관계(아버지와 어색, 어머니는 최근 일이 바빠지며 대화하지 않음, 남동생은 중학교 입학 후 관계가 소원해짐)
	Associated symptoms	**우울(+)**, **흥미 감소(+)**, **식욕 감소(+)**, **수면 감소(+)**, **피로(+)**, 불안(–), **무가치감(+)**, 집중력저하(–), **자살사고/시도(+/+)**, 조증(–), 환시/환청(–)
Medical history	약물복용력	없음
	과거력	정신과 질환(–), 건강검진 받아본 적 없음
	외상/수술력	외상(–), 수술(–)
	사회력	학생, 음주(+, 주 3회 혼자서 마심), 흡연(–)
	가족력	정신과 질환(–), 외삼촌 자살
	여성력	[월경력] 규칙적, 월경량 보통, 월경통 보통, LMP 3주 전 [산과력] 0-0-0-0
Physical exam	Vital sign	120/80mmHg, 70회/분, 16회/분, 36.5℃
	Positive findings	신체진찰 하지 마세요
환자의 질문 또는 기타 특이사항		–

대표증례 – 3

상황지침

40세 여자 김미정 씨가 죽고 싶은 생각이 들어서 왔다.

[활력징후]

- 혈압 : 120/80mmHg
- 맥박 : 70회/분
- 호흡 : 16회/분
- 체온 : 36.5℃

응시자는 이 환자에게

- 증상과 관련된 병력을 청취하고,
- 환자의 자살 위험성에 대해서 평가한 후,
- 향후 치료에 대한 계획을 환자와 논의하시오.

해설

※ **치료계획** : 입원 권유, 항우울제, 가족 치료

- 처음부터 잘 달래드리는 게 중요합니다. 남편과의 사이가 나쁘다고 하므로 가족 상담을 권유하고 자식 걱정을 하시니 자식들을 생각하셔야 한다고 달랠 수 있겠습니다. 가족에게 알리기 싫어하시니 비밀은 꼭 보장해드릴 것을 강조하며 안심시키는 것이 중요합니다.
- 환자의 불편함이 일상생활에 얼마나 영향을 미치는지 물어보고 함께 공감해주는 것이 좋습니다.
- 가족의 지지가 중요하니 가족에게 현재 상황을 얘기하는 것이 어떤지 물어보고, 가족과 서로 위로해주는 것이 많은 도움이 될 것이라고 말해주는 것이 좋겠습니다. 시간이 남으면 환자의 의사를 존중하되 설득해보는 게 좋을 것 같습니다.
- 입원 권유시 놀라시는데 환자분을 위해서라고 하면 쉽게 수긍하실 것입니다.

시나리오

Sex/Age	F/40	
Chief Complaint	죽고 싶은 생각이 들어서 왔어요	
Present illness	Location	-
	Onset	2달 전
	Situation	2개월 전부터 남편 사업이 잘 안 되어 다툼이 심함, 빚이 1억
	Time	횟수를 헤아릴 수 없을 만큼 자주 함
	Course	점점 심해짐
	Experience	**3년 전 수면제 먹고 자살 시도**
	Character	[자살 계획] **목 매달고 죽겠다는 생각은 함** [자살 시도] 이번에 자살 시도는 안 함 얼마 전 남편 넥타이를 보고 이러다가 죽겠다는 생각이 들어 무서워서 옴
	Factors	**사별**(+, 6개월 전 친정어머니가 암으로 돌아가심), **스트레스**(+, 2개월 전부터 남편 사업 문제), 가족 관계(고등학생 딸은 사춘기라 말이 잘 통하지 않으나, 아들과는 많은 말을 함, 아들은 환자가 죽고 싶은 걸 눈치챘을지 모르지만 남편은 환자에게 관심이 없음, 지지해 줄 사람 없음)
	Associated symptoms	**우울(+), 흥미 감소(+), 식욕 감소(+), 수면 감소(+), 피로(+), 불안(+), 죄책감(+), 집중력저하(+), 자살사고/계획/시도(+/+/+)**, 조증(-), 환시/환청(-)
Medical history	약물복용력	없음
	과거력	섬유근통(+, 치료효과 없음), **우울증**(진단 받았으나 치료 안 받음)
	외상/수술력	외상(-), 수술(-), 3년 전 진통제 20알 먹고 자살시도 했을 때 응급실 실려와 정신과 상담 받았으나 치료는 받지 않음
	사회력	주부, 음주(-), 흡연(-)
	가족력	여동생이 우울증으로 입원, 어머니가 암으로 사망
	여성력	[월경력] 규칙적, 월경량 보통, 월경통 보통, LMP 1주 전 [산과력] 0-0-0-0
Physical exam	Vital sign	120/80mmHg, 70회/분, 16회/분, 36.5℃
	Positive findings	신체진찰 하지 마세요
환자의 질문 또는 기타 특이사항		"꼭 입원이 필요한가요?"

대표증례-4

상황지침

65세 남자 김현수 씨가 자살 시도를 한 이후 아내의 권유로 내원하였다.

[활력징후]	
• 혈압 : 120/80mmHg	• 맥박 : 70회/분
• 호흡 : 16회/분	• 체온 : 36.5℃

응시자는 이 환자에게
- 증상과 관련된 병력을 청취하고,
- 환자의 자살 위험성에 대해서 평가한 후,
- 향후 치료에 대한 계획을 환자와 논의하시오.

해설

※ **치료계획** : 입원 권유, 항우울제, 가족 치료

• 자살 시도 후 아내의 권유로 내원한 환자이므로, 환자가 면담에 다소 비협조적일 수 있습니다. 자살 시도에 대해 여쭤보기 전 우선적으로 환자와의 라뽀를 쌓고, 현재 환자의 감정 상태에 대해 충분히 공감을 해드린 이후 질문을 드리도록 합시다.

• 자살 시도를 시행한 환자이므로, 반드시 입원 치료를 시행해야 하는 상황입니다. 환자에게 입원을 권유드리면 놀라실 수도 있지만, 환자 분을 위한 것이라고 설명 드리면 쉽게 수긍하실 것입니다.

• 환자의 지지 기반을 살펴보았을 때 아내와의 관계가 좋으므로, 아내에게 현재의 기분에 상의를 해보거나, 함께 무료함을 해소할 수 있는 활동을 계획해보는 것은 어쩔지 여쭤보면서 가족의 지지가 중요하다는 점을 설명드립니다.

시나리오

Sex/Age	M/65	
Chief Complaint	죽고 싶어요	
Present illness	Location	−
	Onset	어제 밤
	Situation	**어제 밤 살고 싶지 않은 생각에 옷걸이에 목을 매달았으나 옷걸이가 부서져 자살 실패함,** 오늘 아내의 권유로 내원함. 4개월 전 40년간 하던 장사를 주변의 권유로 그만두고 은퇴하였는데, 그 이후 무료한 마음이 들더니 이렇게 살면 뭐하나 싶어 자살을 결심함
	Time	자살생각은 거의 매일 함
	Course	점점 심해짐
	Experience	**3개월 전부터 자살 생각/계획(+/+), 자살 시도는 어제 처음으로 함**
	Character	[자살 계획] 목 매달고 죽으려는 생각에 시장에서 빨랫줄 사 놓음, 이전에 죽으려고 타이레놀을 모아 놓은 적도 있고, 높은 곳에서 떨어지려 장소를 봐 두기도 했음 [자살 시도] 자살 시도는 이번이 처음
	Factors	사별(−), **스트레스**(+, 4개월 전 은퇴 후 무료함), 가족 문제(−, 기혼이며 아내와는 사이 화목함), 친구 관계(친한 친구나 고민 털어놓을 친구 없음)
	Associated symptoms	[병전 성격] 원래 성실한 성격이었으나 은퇴 후 성격 변함, **우울(+, 3개월 전), 의욕 감소(+), 식욕 감소(+), 불면(+), 피로(+), 불안(+), 무가치감(+)**, 집중력저하(−), **자살사고/계획/시도(+/+/+)**, 조증(−), 환시/환청(−)
Medical history	약물복용력	머리 어지러워 약 처방 받음(정확한 약명은 모름)
	과거력	DM/TBc/HTN/간질환(−/−/−/−), 머리가 어지러워 이비인후과 갔으며 진단명은 모름, 5년 전 어머니가 뇌출혈로 돌아가셨을 때 자책감이 심했으며 우울증 진단받아 약 복용하였고 호전됨
	외상/수술력	외상(−), 수술(−)
	사회력	자영업 후 은퇴, 음주(+, 원래 1~2잔씩 먹었으나 요즘은 매일 소주 반 병), 흡연(25PY, 현재는 금연)
	가족력	딸이 산후 우울증, 어머니가 뇌출혈로 돌아가심
	여성력	−
Physical exam	Vital sign	120/80mmHg, 70회/분, 16회/분, 36.5℃
	Positive findings	신체진찰 하지 마세요
환자의 질문 또는 기타 특이사항		환자가 목에 빨간 분장을 하고 있음

09 CHAPTER

대표증례-5

상황지침

23세 여자 이수영 씨가 자살 시도를 하여 응급실 통해 내원하였다.

[활력징후]	
• 혈압 : 120/80mmHg	• 맥박 : 90회/분
• 호흡 : 20회/분	• 체온 : 36.5℃

응시자는 이 환자에게
- 증상과 관련된 병력을 청취하고,
- 환자의 자살 위험성에 대해서 평가한 후,
- 향후 치료에 대한 계획을 환자와 논의하시오.

해설

※ **치료계획** : 입원 권유, 가족 치료

- 다소 충동적으로 자살시도를 한 환자이며, 현재 본인이 자살 시도한 것에 대해 후회를 하고 있고, 그렇기에 지금은 심리적으로 안정된 상태라고 스스로 생각하며 환자가 입원 치료를 거부할 수 있습니다. 하지만 환자 분을 못 믿어서 권유 드리는 것이 아니며, 환자가 이번에 자살 시도한 이후 생길 수 있는 신체적인 문제 등을 더 지켜보기 위해서 입원이 필요한 것이기도 하다고 설명 드리며 환자를 최대한 설득하는 것이 중요합니다.
- 물어보면 환자가 우울증, 조증, 정신증 관련 증상을 보이는 것은 전혀 없으나, 과거 정신과에서 치료 받은 병력이 있으며, 자의로 약물을 중단한 병력도 있으므로 환자가 거짓으로 문진에 응하고 있는 것도 고려해 볼 필요가 있을 것 같습니다.
- 환자 어머니 역시 자살 시도를 하신 적이 있으며, 어머니와 아버지가 부부싸움을 하신 점, 환자가 가족과 따로 사는 점을 고려해 보았을 때 가족 관계가 원만하지 않을 가능성이 높아 보이므로 가족 치료를 고려해볼 필요가 있으며, 가족의 지지가 환자의 상태 개선에 중요하다는 점을 강조해 가족분들에게도 이번 상황에 대해 알리는 것이 어떤지 여쭤보고 환자를 설득해 보는 것이 좋습니다.

시나리오

Sex/Age	F/23	
Chief Complaint	자살 시도 후 응급실로 내원함(응급처치는 다 받은 상황)	
Present illness	Location	–
	Onset	오늘 새벽 2시
	Situation	**어제 남자친구랑 싸우고 남자친구가 헤어지자고 한 뒤 충동적으로 자살 시도함**
	Time	–
	Course	남자친구에게 이별 통보 받고 돌아오는 길에 갑자기 기분이 안 좋아지며 집에서 자살시도를 함, 지금은 자살을 왜 했는지 살짝 후회됨
	Experience	**작년에 부모님과 싸운 뒤 1회 자살시도 한 적 있음**
	Character	[자살 시도] **평소 먹던 게보린을 한움큼 먹고 자살시도함,** 계획을 세우고 한 것이 아니고 충동적인 시도임
	Factors	스트레스(+), 친구 관계(남자친구 외에 친한 친구 없었음), 가족 관계(가족들이랑 같이 안 살고 남자친구와 동거했었음)
	Associated symptoms	[평소 성격] 성격 안 좋다는 소리를 주변에서 많이 들음 우울(–), 흥미 저하(–), 식욕 감소(–), 불면(–), 피로(–), 불안(–), 죄책감(–), 집중력저하(–), 자살사고/계획/**시도**(–/–/**+**), 조증(–), 환시/환청(–)
Medical history	약물복용력	없음
	과거력	DM/TBc/HTN/Liver(–/–/–/–), **정신건강의학과 진료**(**+**, 작년 자살시도 후 치료 받았으나, 3일 만에 임의로 치료 중단함)
	외상/수술력	외상(–), 수술(–)
	사회력	대학생, 음주(남용 수주으로 많이 마심), 흡연(3PY)
	가족력	어머니가 아버지와 부부싸움 이후 자살 시도한 적 있음
	여성력	[월경력] 규칙적, 월경량 보통, 월경통 보통, LMP 2주 전 [산과력] 0-0-0-0
Physical exam	Vital sign	120/80mmHg, 90회/분, 20회/분, 36.5℃
	Positive findings	신체진찰 하지 마세요
환자의 질문 또는 기타 특이사항	–	

대표증례－6

상황지침

62세 남자 박호석 씨가 자살 시도를 하여 응급실 통해 내원하였다.

[활력징후]

- 혈압 : 120/80mmHg
- 맥박 : 87회/분
- 호흡 : 19회/분
- 체온 : 36.5℃

응시자는 이 환자에게

- 증상과 관련된 병력을 청취하고,
- 환자의 자살 위험성에 대해서 평가한 후,
- 향후 치료에 대한 계획을 환자와 논의하시오.

해설

※ **치료계획** : 입원 권유, 항우울제

- 다소 충동적으로 자살시도를 한 환자이며, 현재 본인이 자살 시도한 것에 대해 후회를 하고 있고, 그렇기에 지금은 심리적으로 안정된 상태라고 스스로 생각하며 환자가 입원 치료를 거부할 수 있습니다. 하지만 환자 분을 못 믿어서 권유 드리는 것이 아니며, 환자가 이번에 자살 시도한 이후 생길 수 있는 신체적인 문제 등을 더 지켜보기 위해서 입원이 필요한 것이기도 하다고 설명 드리며 환자를 최대한 설득하는 것이 중요합니다.
- 환자가 본인의 큰 병을 가지고 있는 것은 아닐까 걱정이 많으신 상황이므로, 큰 병이 아닐 것이라고 환자를 안심시켜 드리는 것이 좋을 것 같습니다.
- 환자가 가족과 떨어져서 혼자 살고 있는 상황이며, 직업적으로도 사람을 만날 일이 많이 없을 것으로 생각됩니다. 환자가 우울한 증상을 경감시킬 수 있게끔, 규칙적으로 운동을 하거나, 동호회에 가입하여 규칙적으로 사람들을 만날 수 있게 권해 드리면 좋을 것 같습니다.

시나리오

<table>
<tr><td>Sex/Age</td><td colspan="2">M/62</td></tr>
<tr><td>Chief Complaint</td><td colspan="2">자살 시도 후 응급실로 내원함(응급처치는 다 받은 상황)</td></tr>
<tr><td rowspan="9">Present illness</td><td>Location</td><td>–</td></tr>
<tr><td>Onset</td><td>2시간 전 자살시도
(자살사고는 2~3일 전부터 있었음)</td></tr>
<tr><td>Situation</td><td>얼마 전 위염으로 진단받았는데, 아무래도 더 큰 병인데 병원에서 숨기는 것 같음, 병원에서 배우자가 위암을 진단받았을 때랑 비슷한 식으로 숨겨서 설명을 해주는 것 같음</td></tr>
<tr><td>Time</td><td>지속적</td></tr>
<tr><td>Course</td><td>매사에 흥미가 떨어지고 점점 기분이 안 좋아지는 것이 심해짐</td></tr>
<tr><td>Experience</td><td>이전 자살 사고/계획/시도(–/–/–)</td></tr>
<tr><td>Character</td><td>[자살 시도] 수면제 다량 복용함
미리 계획한 것은 아니었으며 다소 충동적으로 자살 시도함, 현재는 자살 시도한 것에 대해 후회하고 있으며 다시하지는 않을 것 같음, 하지만 아내의 기일이 1주일 뒤라 그때는 어떨지 잘 모르겠음</td></tr>
<tr><td>Factors</td><td>스트레스(–, 위암이 아닐까 걱정되는 것 외의 스트레스는 없음)</td></tr>
<tr><td>Associated symptoms</td><td>[평소 성격] 평소 세심하고 꼼꼼한 성격임
우울(+), 흥미 저하(+), 식욕 감소(–), 불면(+, 주 2회 잠을 잘 못 잠), 피로(+), 불안(+), 죄책감(–), 집중력저하(–), 자살사고/계획/시도(–/–/+), 조증(–), 환시/환청(–)</td></tr>
<tr><td rowspan="6">Medical history</td><td>약물복용력</td><td>이전에 불면증으로 수면제 처방 받음, 1달에 2~3회 정도 복용
그 외의 약물 복용력은 없음</td></tr>
<tr><td>과거력</td><td>DM/TBc/HTN/Liver(–/–/–/–), 정신건강의학과 진료(–)</td></tr>
<tr><td>외상/수술력</td><td>외상(–), 수술(–)</td></tr>
<tr><td>사회력</td><td>상가 경비원, 음주(소주 1병씩, 주 2회), 흡연(20갑·년)
아들은 이민 가 있어, 아내와 사별한 이후로 혼자 살고 있다</td></tr>
<tr><td>가족력</td><td>가족 중 정신과 질환(–)</td></tr>
<tr><td>여성력</td><td>–</td></tr>
<tr><td rowspan="2">Physical exam</td><td>Vital sign</td><td>120/80mmHg, 87회/분, 19회/분, 36.5℃</td></tr>
<tr><td>Positive findings</td><td>신체진찰 하지 마세요</td></tr>
<tr><td colspan="2">환자의 질문 또는 기타 특이사항</td><td>입원 권유하면 처음에 하기 싫어함
"약은 얼마나 오래 먹어야 하나요?"</td></tr>
</table>

09 CHAPTER

관련증례

44-1 54세 기혼 남성이 죽고 싶어 한다며 부인이 병원에 데리고 왔다. 환자는 건축현장 감독관이었으나 6개월 전 경제 불황으로 실직하였다. 3년 전부터 과다한 업무 스트레스로 인한 우울증으로 정신과에서 치료를 받고 있었으나, 6개월 전부터 임의로 약물을 중단하였다. 3개월 전부터 아들의 결혼식 준비 문제로 신경 쓰는 일이 많아졌다. 평소 바쁘다는 핑계로 지인들의 결혼식을 챙기지 못하였음에도 불구하고 자신의 아들 결혼식에 지인을 초대하는 것이 마음에 걸려 부담감을 느껴왔다. 점차 지인들에 대한 미안함과 죄책감이 커졌으며 청첩장을 돌리는 과정에서 실수를 한 것 같다며 걱정을 하였다. 2주 전부터 지인들이 자신에 관해 험담을 하고 자신은 죽어 마땅한 죄인이라는 환청이 들리기 시작하였다. 또한 가족들이 묻는 말에도 한참을 주저하며 느릿한 반응을 보이고 이렇게 힘들게 사느니 죽는 것이 낫겠다는 생각이 들어 목을 매달아 자살할 계획을 세우고 있었다. 이를 걱정한 부인이 환자를 병원에 데리고 왔다. 환자는 대졸, 3남 중 둘째이며, 슬하에 1남 1녀를 두었고, 경제적 수준은 중, 종교는 없었다. 형이 우울증으로 자살하였다.

혈압 120/70mmHg, 맥박 75회/분, 호흡수 20회/분, 체온 36.5℃이었다. 신체진찰에서 특이소견은 없었다.

Answer | 44-1. 진단 : 정신병적 증상을 동반한 주요우울증, 자살의 위험요인 : 아들의 결혼, 실직

Check-list

	병력청취 채점항목	예	아니오
1	자살 사고/실행의 발생시기와 상황에 대해 물어보았다. 어떤 양상으로 나타났는지 물어보았다.	☐	☐
2	자살 사고/계획/시도에 대하여 자세하게 물어보았다.	☐	☐
3	평소 기분변화가 있는지 물어보았다.	☐	☐
4	기분변화가 있는지, 있다면 심한 정도와 일상생활에 끼치는 영향을 물어보았다.	☐	☐
5	기분변화의 계기나 스트레스가 될 만한 사건에 대하여 물어보았다.	☐	☐
6	예전에도 자살하고 싶었던 적이나 자살을 시도했던 적이 있는지 물어보았다.	☐	☐
7	동반되어 나타나는 증상에 대하여 물어보았다(삶의 의욕저하, 사고/집중력 저하, 수면장애, 식욕변화, 체중변화, 자살사고, 추위 불내성/변비, 환청/환시/환각, 불안 등).	☐	☐
8	과거 앓았던 질환에 대하여 물어보았다(기저질환, 조증/경조증 삽화, 물질 오남용 여부).	☐	☐
9	현재 복용 중인 약물에 대하여 물어보았다.	☐	☐
10	정신과적 질환의 가족력을 물어보았다.	☐	☐

	환자교육 채점항목	예	아니오
1	기분변화를 일으킬 수 있는 원인에 대하여 설명하였다.	☐	☐
2	치료계획과 치료의 중요성에 대하여 강조하였다.	☐	☐
3	입원 치료의 적응증을 설명하고 입원을 권유하였다.	☐	☐

	환자의사관계 채점항목	아주우수	우수	보통	미흡
1	효율적으로 잘 물어보았다. - 효율적 질문 : 개방형 질문 사용, 확인, 중간 요약 - 피할 질문 : 유도 질문, 복수 질문	☐	☐	☐	☐
2	나의 말을 잘 들어주었다. - 대꾸하기, 경청 자세, 눈 맞춤 & 말 가로채지 않기	☐	☐	☐	☐
3	나의 입장을 이해하려고 노력하였다. - 공감 표현, 나의 입장 파악	☐	☐	☐	☐
4	환자가 이해하기 쉽게 설명하였다. - 간단명료함, 이해도 점검, 질문 기회 & 쉬운 용어	☐	☐	☐	☐
5	나와 좋은 유대 관계를 형성하려고 했다. - 자기소개, 일상 대화, 존중, 자신감 & 신뢰감	☐	☐	☐	☐

CLINICAL PERFORMANCE EXAMINATION

10 CHAPTER

상 담

45-1 금연 상담

대표증례 – 1

상황지침

42세 남자 김준호 씨가 담배를 끊고 싶다고 병원에 왔다.

[활력징후]

• 혈압 : 120/75mmHg	• 맥박 : 82회/분
• 호흡 : 19회/분	• 체온 : 36.7℃

응시자는 이 환자에게
- 증상과 관련된 병력을 청취하고,
- 환자에게 금연상담과 교육을 하시오.

해설

※ **감별 진단** : 니코틴 의존

※ **상담·교육** : 흡연 관련 물건 치우기, 술자리 피하기, 니코틴 패치, 병원 주기적으로 방문

- 먼저 니코틴 중독 정도를 파악하고 금연자의 준비상태에 따라 교육 및 치료 방향을 결정해야 합니다. 실제로 환자를 설득하는 것이 굉장히 어려워서 많은 학생들이 애를 먹었던 항목입니다. 예를 들면 오늘부터 금연을 하자고 제안해도 끝까지 설득당하지 않고 내일부터 하면 안 되겠냐고 물어봅니다. 혹은 친구들과 같이 금연을 해보면 어떻겠냐고 제안해도 그것도 안 될 것 같다고 합니다. 상당히 시간이 걸릴 수 있지만 지속적으로 열심히 금연을 설득해야 할 것 같습니다. 혹은 흡연으로 인한 부작용이나 환자의 안 좋아진 건강 상태를 더욱 강조하면서 충격 요법 등을 써야할 수도 있겠습니다.
- 고혈압인데 약을 제대로 복용하지 않는 환자입니다. 약 제대로 챙겨 먹고 병원에 주기적으로 내원하시라고 교육하는 것이 중요합니다.

시나리오

Sex/Age	M/42	
Chief Complaint	담배 끊으려고 왔어요	
Present illness	흡연력	대학교 가서부터 담배 피우기 시작, 1갑씩 20년, 주로 술자리에서 많이 피움
	니코틴 의존	아침에 일어나서 첫 담배는 화장실 가면서 5분 이내, 아침 담배 맛이 좋음, 아침에 담배를 다른 때보다 많이 피움, 금연구역에서 참기 힘듦, 몸이 아플 때에도 담배 피움
	금단 증상	불안함, 불면은 없음
	금연 시도	2회(1달, 2주)
	실패 요인	직장 스트레스, 술 때문에 다시 피우기 시작함, 살이 한 달에 6kg이나 쪘음
	금연 동기	1달 전 아버지가 심근경색으로 돌아가신 후 금연 결심
	금연 의지	
	흡연의 위험	건강에 안 좋겠죠
	금연의 이득	흡연에 대해서 부인이 많이 걱정하고 있으므로 금연하면 가족들이 많이 좋아할 것 같음, 건강이 유지될 것 같음
	금연 시작일	미정
Medical history	Asso	**기침(+), 가래(+)**, 객혈(−), 숨참(−)
	약물력	고혈압약(노바스크), 제대로 안 먹는다고 함 몇 년 전 위궤양으로 치료 받음
	과거력	DM/HTN/Tb/간질환(−/+/−/−) 건강검진(−)
	사회력	동대문 옷가게 운영 술 1주일에 1빈, 맥주 1~2겐
	가족력	아버지 고혈압, 어머니 당뇨
Physical exam	Vital sign	120/75mmHg, 82회/분, 19회/분, 36.7℃
	Positive findings	−
환자의 질문 또는 기타 특이사항	내일부터라도 끊고 싶어요	

10 CHAPTER

대표증례 – 2

상황지침

30세 여자 하주연 씨가 담배를 끊고 싶다고 병원에 왔다.

[활력징후]

- 혈압 : 130/80mmHg
- 맥박 : 80회/분
- 호흡 : 20회/분
- 체온 : 36.5℃

응시자는 이 환자에게
- 증상과 관련된 병력을 청취하고,
- 환자에게 금연상담과 교육을 하시오.

해설

※ **감별 진단** : 니코틴 의존

※ **상담·교육** : 금연 선언, 술자리 피하기, 니코틴 패치, 스트레스 요인 줄이기

- 임신 계획이 있는 여성이므로 흡연의 위험성 및 금연의 좋은 점에 대해 설명할 때 곧 태어날 아기와 연관지어 설명하면 금연 의지를 높일 수 있습니다.
- 니코틴 의존도가 아주 높은 환자가 아니기 때문에 적절한 치료와 함께 금연 시도를 하면 금연 성공률이 높다고 하여 환자의 동기를 강화시키면 좋습니다.
- 금연 방해 요인이 술자리와 체중증가이기 때문에 그에 맞게 술자리 피하기 및 적절한 운동을 필요성을 교육하면 환자에게 도움이 될 것입니다.

시나리오

<table>
<tr><td>Sex/Age</td><td colspan="2">F/30</td></tr>
<tr><td>Chief Complaint</td><td colspan="2">담배 끊고 싶어요</td></tr>
<tr><td rowspan="11">Present illness</td><td>흡연력</td><td>5년 전부터 반 갑씩, 친구들이랑 어울려 한두 개피씩 피다가 시작</td></tr>
<tr><td>니코틴 의존</td><td>첫 담배는 일어나서 2시간 안에, 언제 피는 담배가 가장 맛있는지는 잘 모르겠음, 오후에 담배 많이 핌, 금연구역에서 참기 힘듦, 아플 때도 담배 핌(−), 담배 피는 양 증가</td></tr>
<tr><td>금단 증상</td><td>식욕증가, 군것질로 살이 찜</td></tr>
<tr><td>금연 시도</td><td>2회(1년 전, 2개월 전), 살이 쪄서 포기함</td></tr>
<tr><td>실패 요인</td><td>살찌는 것 때문에 다시 피게 됨, 술자리 가면 담배 피게 됨</td></tr>
<tr><td>금연 동기</td><td>곧 결혼 예정이고 임신 계획이 있어서 예비 남편과 함께 금연할 생각이 있음</td></tr>
<tr><td>금연 의지</td><td>강함</td></tr>
<tr><td>흡연의 위험</td><td>건강에 안 좋음</td></tr>
<tr><td>금연의 이득</td><td>건강에 좋음</td></tr>
<tr><td>금연 시작일</td><td>당장이라도 시작하고 싶어요(곧 남자친구 생일인데 그 때 하고 싶음)</td></tr>
<tr><td>Asso</td><td>기침/가래(−/−), 흉통/호흡곤란/두근거림(−/−/−)</td></tr>
<tr><td rowspan="4">Medical history</td><td>약물력</td><td>없음</td></tr>
<tr><td>과거력</td><td>DM/HTN/Tb/간질환(−/−/−/−)
건강검진(−)</td></tr>
<tr><td>사회력</td><td>회사원
술 맥주 조금, 스트레스 약간</td></tr>
<tr><td>가족력</td><td>없음</td></tr>
<tr><td rowspan="2">Physical exam</td><td>Vital sign</td><td>130/80mmHg, 80회/분, 20회/분, 36.5℃</td></tr>
<tr><td>Positive findings</td><td>−</td></tr>
<tr><td colspan="2">환자의 질문 또는 기타 특이사항</td><td></td></tr>
</table>

10 CHAPTER

대표증례-3

상황지침

40세 남자 허상현 씨가 담배를 끊고 싶다고 병원에 왔다.

[활력징후]

- 혈압 : 130/85mmHg
- 맥박 : 80회/분
- 호흡 : 20회/분
- 체온 : 36.5℃

응시자는 이 환자에게
- 증상과 관련된 병력을 청취하고,
- 환자에게 금연상담과 교육을 하시오.

해설

※ **감별 진단** : 니코틴 의존

※ **상담·교육** : 흡연 관련 물건 치우기, 금연 선언, 약물 보조요법, 니코틴 패치, 흉부 X선 촬영

- 담배에 대해서 이것저것 알려드리고, 손이 시릴 수 있는 이유에 대해서 자세히 설명합니다.
- 니코틴 패치 등 약물치료에 대해서 환자분이 원하시면 처방해드리겠다고 하면 좋겠죠.
- 기침, 가래 등 폐에 이상이 생기지 않았는지 확인하고, 교육과 향후 계획에 적절히 반영합니다.
- 과거력을 물어볼 때, 금연하였을 때 체중이 증가하였는지 물어봐야 합니다.

시나리오

<table>
<tr><td>Sex/Age</td><td colspan="2">M/40</td></tr>
<tr><td>Chief Complaint</td><td colspan="2">담배 끊고 싶어요</td></tr>
<tr><td rowspan="10">Present illness</td><td>흡연력</td><td>20년 전부터 1갑, 10년 전부터 1.5갑, 흡연 장소(보통 학원에서 식후 커피 한잔하면서, 집에서)</td></tr>
<tr><td>니코틴 의존</td><td>첫 담배는 일어나서 화장실 다녀와서 바로 핌, 아침 담배 맛있음, 오전에 담배 많이 핌, 금연구역에서 참기 힘듦, 아플 때도 담배 핌, 담배 피는 양 증가</td></tr>
<tr><td>금단 증상</td><td>손 떨리거나 불안한 것과 같은 금단 증상은 없었음</td></tr>
<tr><td>금연 시도</td><td>예전 금연 시도(3번 정도), 제일 길었던 것 3달 정도, 가장 최근에 3달 금연, 그 전에는 1달 금연, 처음 금연시도는 신혼 초에 부인한테 잘 보이려고 1주일</td></tr>
<tr><td>실패 요인</td><td>스트레스 받는 것 때문에 다시 피게 됨, 3달 금연 시 실패요인(아끼는 학생한테 잔소리 같은 조언했더니 학원선생님이라고 무시해서), 입 심심해서 살찌는 것 같기도 함, 3개월 금연했을 때 5kg 증가</td></tr>
<tr><td>금연 동기</td><td>손 시려서 병원 갔더니 레이노드라고 담배 안 끊으면 손을 자를 수도 있다고 해서 깜짝 놀라서 금연 결심</td></tr>
<tr><td>금연 의지</td><td></td></tr>
<tr><td>흡연의 위험</td><td>건강에 안 좋음</td></tr>
<tr><td>금연의 이득</td><td>건강에 좋음</td></tr>
<tr><td>금연 시작일</td><td>당장이라도 시작하고 싶어요</td></tr>
<tr><td rowspan="5">Medical history</td><td>Asso</td><td>기침(+), 가래(+, 노랗지 않고 검은색이 섞여 나옴), 숨참(등산 시)
손시림(레이노드라고 들음)</td></tr>
<tr><td>약물력</td><td>없음</td></tr>
<tr><td>과거력</td><td>DM/HTN/Tb/간질환(−/−/−/−)
건강검진(−)</td></tr>
<tr><td>사회력</td><td>회사원
술 맥주 조금, 스트레스 약간</td></tr>
<tr><td>가족력</td><td>아버지, 형 고혈압
부인은 흡연 크게 말리지 않는 편(스트레스보다 담배가 낫다고 생각)</td></tr>
<tr><td rowspan="2">Physical exam</td><td>Vital sign</td><td>130/85mmHg, 80회/분, 20회/분, 36.5℃</td></tr>
<tr><td>Positive findings</td><td>−</td></tr>
<tr><td colspan="2">환자의 질문 또는 기타 특이사항</td><td></td></tr>
</table>

10 CHAPTER

관련증례

45-1-1 16세 남학생이 최근 흡연으로 학교에서 적발되어 금연클리닉으로 의뢰되었다. 하루 2~3개비를 친구들과 함께 피운다. 금연의 필요성과 흡연의 피해를 느끼지 못하고 있다.

45-1-2 42세 남자가 하루 1~2갑씩 23년 간 피웠다. 평소에 가래와 기침이 있으나, 직장 건강검진에서는 아직까지 특별한 질병을 진단받은 적은 없다. 아침에 일어나면 화장실에서 담배를 피우는 것으로 하루를 시작한다. 외국 출장 때면 비행기 내에서 담배를 참는 것이 대우 힘들다. 최근 회사일로 스트레스가 많아 흡연량이 늘었다. 2년 전 아내의 권유로 금연한 적이 한 차례 있으나 금연 후 초조하고 안절부질못하여 다시 피우게 되었다. 금연해야겠다는 생각은 있으나 아직은 담배 없이는 못살것 같다.

> 활력징후는 혈압 120/80mmHg, 맥박수 78회/분, 호흡수 18회/분, 체온은 36.5℃, BMI 23kg/m^{2}이었다.

45-1-3 51세 남자가 금연을 위해 왔다. 하루 2갑을 30년간 피웠다. 10년 전부터 고혈압과 고지혈증으로 치료 중이다. 두 차례 금연을 시도한 적이 있으나 체중이 증가하여 다시 피우게 되었다. 한 달 전 당뇨병을 진단받은 뒤로 다시 금연을 결심하게 되었다. 직장에 흡연하는 친구들이 많다. 술자리를 즐겨하여 일주일에 2~3회는 소주 2~3병을 마신다. 술자리에서 담배를 피우게 된다.

> 활력징후는 혈압 130/88mmHg, 맥박수 82회/분, 호흡수 18회/분, 체온은 36.2℃, BMI 26kg/m^{2}이었다.

Answer | 45-1-1. 니코틴 의존 45-1-2. 니코틴 의존 45-1-3. 니코틴 의존

Check-list

	병력청취 채점항목	예	아니오
1	흡연력을 파악하였다.	☐	☐
2	니코틴 의존도를 파악하였다(Fagerstrom).	☐	☐
3	금단증상이 있는지 물어보았다.	☐	☐
4	금연의지와 동기/계획이 있는지 물어보았다.	☐	☐
5	과거 금연시도와 실패이유를 물어보았다.	☐	☐
6	주변에 금연을 방해하는 요소/사람이 있는지 물어보았다.	☐	☐
7	동반증상이 있는지 물어보았다.	☐	☐
8	가족력을 확인하였다(폐암, 만성 폐쇄성 폐질환 등).	☐	☐

	환자교육 채점항목	예	아니오
1	흡연이 건강에 미치는 영향을 설명하였다.	☐	☐
2	금연 후 생길 수 있는 금단증상에 대하여 설명하였다.	☐	☐
3	금연을 위한 약물치료 및 정신치료를 설명하였다.	☐	☐
4	금연을 위한 행동요법을 설명하였다.	☐	☐
5	치료에 대한 동기를 부여하고 격려하였다.	☐	☐
6	필요한 검사를 설명하고 동의를 구하였다.	☐	☐
7	금연 시작일을 정하고 다음 내원일을 정하였다.	☐	☐

	환자의사관계 채점항목	아주우수	우수	보통	미흡
1	효율적으로 잘 물어보았다. - 효율적 질문 : 개방형 질문 사용, 확인, 중간 요약 - 피할 질문 : 유도 질문, 복수 질문	☐	☐	☐	☐
2	나의 말을 잘 들어주었다. - 대꾸하기, 경청 자세, 눈 맞춤 & 말 가로채지 않기	☐	☐	☐	☐
3	나의 입장을 이해하려고 노력하였다. - 공감 표현, 나의 입장 파악	☐	☐	☐	☐
4	환자가 이해하기 쉽게 설명하였다. - 간단명료함, 이해도 점검, 질문 기회 & 쉬운 용어	☐	☐	☐	☐
5	나와 좋은 유대 관계를 형성하려고 했다. - 자기소개, 일상 대화, 존중, 자신감 & 신뢰감	☐	☐	☐	☐

45-2 음주 상담

대표증례 – 1

상황지침

54세 남자 나광남 씨가 술을 많이 마신다고 병원에 왔다.

[활력징후]

- 혈압 : 130/74mmHg
- 맥박 : 80회/분
- 호흡 : 19회/분
- 체온 : 36.7℃

응시자는 이 환자에게

– 증상과 관련된 병력을 청취하고,

– 환자의 금주 계획에 대하여 교육하고 상담하시오.

해설

※ **감별 진단** : 알코올 의존

※ **검사계획/상담 · 교육** : 간기능검사, 복부초음파 / 금주모임 가입 권고, 심리치료

- CAGE screening을 우선적으로 물어봐야 됩니다.
- 현재 증상에 대해서 먼저 좀 여쭤보고 금단증상, 요새 생활에 대해서 전반적으로 물어보다가 건강이랑 연결 지어서 말씀드리면 잘 수긍하는 것 같습니다.
- 알코올 장애나 간질환의 가족력을 물어보고 가족력이 있는 경우 건강문제와 연관 지어 발병가능성이 매우 높고 위험군임을 주지시켜 드립시다.
- 금단증상이 있으므로 도움드릴 수 있는 약물치료를 설명하고, 자조모임 등에 대하여 소개하고 필요한 경우 연결해드릴 수 있다고 말씀드릴 수 있습니다.

시나리오

Sex/Age	M/54	
Chief Complaint	음주 문제 상담	
Present illness	음주력	주 5회 하루에 소주 2~3병, 3년 전 명예퇴직 이후부터 양 증가, 친구들 불러서 같이 마심, 20대부터 주 3회 하루 소주 1~2병
	알코올 의존	C/**A**/G/E(−/**+**/−/−), C(금주할 생각 없음), A(부인과 딸이 술 끊으라고 함), G(죄책감 없음), E(해장술 안함)
	내성	알코올 내성(+, 취하기 위해 마시는 양이 늘어남)
	금단 증상	금단 증상(+, 손떨림, 두근거림, 불안 증상)
	남용	알코올 남용(−, 결근, 위험행동, 법적문제 대인관계 문제없음)
	금주 동기	최근 몸이 안 좋은 것 같아 걱정, 어제도 술 마셨고 지금 살짝 손이 떨림
	금주 의지	아내와 딸이 술 끊으라고 하는데 본인은 끊을 생각 없음
	음주의 위험	
	금주의 이득	
	금주 시작일	
Medical history	Asso	비특이적 증상(피곤, 소화불량, 속쓰림)
	약물력	없음
	과거력	DM/HTN/Tb/간질환(−/−/−/−) 건강검진(+, 간수치 상승)
	사회력	5년 전 퇴직, 담배(−)
	가족력	어머니 간암, 형 고혈압
Physical exam	Vital sign	130/74mmHg, 80회/분, 18회/분, 36.7℃
	Positive findings	−
환자의 질문 또는 기타 특이사항		끊을 생각은 없는데 몸이 걱정됨

10 CHAPTER

대표증례 – 2

상황지침

38세 남자 김민식 씨가 술을 많이 마신다고 병원에 왔다.

[활력징후]

- 혈압 : 116/70mmHg
- 맥박 : 78회/분
- 호흡 : 16회/분
- 체온 : 36.3℃

응시자는 이 환자에게

– 증상과 관련된 병력을 청취하고,

– 환자의 금주 계획에 대하여 교육하고 상담하시오

해설

※ **감별 진단** : 알코올 의존, 과음

※ **검사계획/상담 · 교육** : 간기능검사, 복부초음파 / 금주모임 가입 권고, 약물치료 안내

- 친구들과의 술자리가 매우 잦습니다. 환자 교육 시 술자리 자체를 줄이거나 피하는 것이 좋고, 모임이 필요하다면 금주/단주 모임도 좋은 방법임을 교육하는 것이 좋습니다.
- 간경변 뿐 아니라 당뇨, 고혈압과 합병되는 심혈관계질환도 큰 문제가 될 수 있음을 교육하고, 가족력도 있어 금주가 꼭 필요함을 강조합니다.
- 환자가 약물치료를 원하여 약물들의 기전(혐오조건화, 보상효과 감소, 대체요법)에 대해 간단히 설명해주시는 것도 좋습니다.
- 금주시작일을 같이 정해보도록 합시다.

시나리오

Sex/Age	M/38	
Chief Complaint	술을 끊고 싶어요	
Present illness	음주력	일주일에 12병 이상 마심, 일주일 5~6번, 1~2병 정도, 시장일 끝나고 같이 친구들과 같이 마심, 고등학교 2학년부터 20년 간
	알코올 의존	C/**A**/G/E(−/**+**/−/−), C(몇 달 전 비인두염으로 입원치료 받을 때 10일 정도 끊었으나 어쩔 수 없는 것이었고 나의 의지가 아님), A(아내가 잔소리를 많이 함), G(−), E(−)
	내성	−
	금단 증상	−
	남용	술 때문에 아침에 가게 문을 못 열기도 함, 대인관계 문제나 법적 문제는 없음
	금주 동기	술 같이 마시던 친한 친구가 간 경변으로 사망한 것에 충격, 그래서 술 끊기로 결심
	금주 의지	최대한 빨리 끊고 싶음
	음주의 위험	
	금주의 이득	
	금주 시작일	미정
Medical history	Asso	우울감/기억력저하/집중력저하(−/−/−) 식욕저하/구토/복통/황달/복수(−/−/−/−/−)
	약물력	당뇨약, 고혈압약
	과거력	DM/HTN/Tb/간질환(+/+/−/−) 건강검진(+, 당뇨 고혈압) 축농증 수술
	사회력	자영업(재래시장), 담배(10PY)
	가족력	아버지 과음으로 인한 간 경변
Physical exam	Vital sign	116/70mmHg, 78회/분, 16회/분, 36.3℃
	Positive findings	−
환자의 질문 또는 기타 특이사항		술을 잘 끊을 수 있을까요?, 술 끊는 약 주세요

10 CHAPTER

대표증례-3

상황지침

27세 여자 김민 씨가 술을 많이 마신다고 병원에 왔다.

[활력징후]

- 혈압 : 112/60mmHg
- 맥박 : 72회/분
- 호흡 : 17회/분
- 체온 : 36.5℃

응시자는 이 환자에게

- 증상과 관련된 병력을 청취하고,
- 환자의 금주 계획에 대하여 교육하고 상담하시오

해설

※ **감별 진단** : 알코올 의존

※ **검사계획/상담·교육** : 간기능검사, 복부초음파 / 음주의 위험성 교육, 금주 선언, 음주일기 작성

- 스트레스로 인한 간헐적인 폭음이 있는 환자이지만, 평소 음주량과 음주횟수 또한 많습니다. 현재 불면증 외에 큰 증상을 호소하고 있지는 않지만 음주의 위험성에 대해 교육하고 금주를 권유합시다.
- 스트레스 상황을 줄이기 위해서 주변인에게 금주 사실을 알리고 도움을 요청하는 것도 방법이 될 수 있습니다.
- 혼자서 마시는 경우를 줄이기 위해 집에 술을 사놓지 않도록 하고, 음주일기를 작성하도록 교육합니다.

시나리오

Sex/Age		F/27
Chief Complaint		술을 끊고 싶어요
Present illness	음주력	일주일에 10병 이상 마심, 일주일 5~6번, 2병 정도, 남편이 집에 늦게 들어오면 혼자 마심, 대학교 1학년부터 7년 간 친정 문제와 남편과의 갈등으로 스트레스가 많음, 4년 전 임신 때문에 1년 끊고 다시 먹기 시작함
	알코올 의존	C/A/G/E(−/−/−/−)
	내성	알코올 내성(+)
	금단 증상	금단증상(+, 불면증)
	남용	술 먹고 위험한 일(음주운전, 싸움)(−), 술 때문에 집안일 못하기도 함, 대인관계 문제나 법적 문제는 없음
	금주 동기	아이가 어린이집에 가면서 아이를 위해서 술을 끊기로 결심
	금주 의지	최대한 빨리 끊고 싶음
	음주의 위험	
	금주의 이득	
	금주 시작일	미정
Medical history	Asso	우울감/기억력저하/집중력저하(−/−/−) 식욕저하/구토/복통/황달/복수(−/−/−/−/−)
	약물력	잠 안올 때 수면제
	과거력	DM/HTN/Tb/간질환(−/−/−/−) 급성 췌장염으로 치료 건강검진(−, 임신했을 때 이후로 안받아봄)
	사회력	가정주부, 담배(−)
	가족력	없음
Physical exam	Vital sign	112/60mmHg, 72회/분, 17회/분, 36.5℃
	Positive findings	−
환자의 질문 또는 기타 특이사항		

관련증례

45-2-1 43세 남자가 금주상담을 위해 왔다. 평소 거의 매일 소주 2~3병 정도를 마시고 있었다. 최근 들어 속쓰림이 심해서 실시한 위내시경상에 위궤양 소견이 있었다고 하였다. 위장약 복용과 함께 금주에 대한 권유를 받고 어제부터 술을 중단했다고 하였다. 현재 땀이 많이 나고, 심장이 두근거리고, 손이 떨리며 많이 불안하다. 환자는 이것이 술 때문인 것 같다고 하였다.

활력징후는 혈압 135/85mmHg, 맥박 90회/분 호흡수 20회/분, 체온 36.8℃이었다.

45-2-2 49세 남자가 금주상담을 위해 왔다. 거의 매일 술을 마시고 있었으며 보통 소주 3~4병은 마셔야 취하였다. 술을 마시는 것으로 인해 가족과의 시간을 갖지 못함으로써 부부 사이에 갈등이 심한 상태이다. 이전과 같이 취한 느낌을 느끼기 위해서는 소주 5병정도를 마셔야 하게 되었다. 술을 끊고 싶어서 시도를 했지만 실패한 경험이 있다. 얼마 전에 받은 건강검진에서 간이 나쁘고 당뇨병이 있어 술을 끊으라고 권유를 받았다. 이번에는 술을 확실히 끊어야겠다고 생각하고 병원에 왔다.

활력징후는 혈압 130/80mmHg, 맥박 86회/분, 호흡수 18회/분, 체온 36.5℃이었다.

Answer | 45-2-1. 알코올 의존 45-2-2. 알코올 의존

Check-list

	병력청취 채점항목		예	아니오
1	환자의 음주습관에 대하여 구체적으로 물어보았다(음주량, 빈도, 의존/금단 증상).		☐	☐
2	음주 시기와 과음 시기, 계기가 있었는지 물어보았다.		☐	☐
3	스트레스나 기타 문제가 있는지 물어보았다.		☐	☐
4	동반증상이 있는지 물어보았다(정신과적 증상 포함).		☐	☐
5	일상생활에 지장이 있는지 물어보았다(직업, 가족/친구, 법적문제).		☐	☐
6	앓고 있는 질환이 있는지 물어보았다.		☐	☐
7	가족력에 대하여 물어보았다.		☐	☐
	신체진찰 채점항목	**제대로 함**	**제대로 못함**	**하지 않음**
1	환자의 의식/정신상태를 확인하였다.	☐	☐	☐
2	공막 황달과 입냄새 등을 확인하였다.	☐	☐	☐
3	복부 진찰을 시행하였다.	☐	☐	☐
4	필요한 신경학적 검사를 시행하였다(안구진탕, 퍼덕떨림).	☐	☐	☐
	환자교육 채점항목		**예**	**아니오**
1	음주문제에 대한 의학적/정신사회적 위험성에 대해 설명하였다.		☐	☐
2	현재 상태와 문제점에 대하여 설명하였다.		☐	☐
3	필요한 검사에 대하여 설명하고 동의를 구하였다.		☐	☐
4	알코올 사용 장애의 치료원칙과 약물치료, 대처 등을 교육하였다.		☐	☐

	환자의사관계 채점항목	아주우수	우수	보통	미흡
1	효율적으로 잘 물어보았다. – 효율적 질문 : 개방형 질문 사용, 확인, 중간 요약 – 피할 질문 : 유도 질문, 복수 질문	☐	☐	☐	☐
2	나의 말을 잘 들어주었다. – 대꾸하기, 경청 자세, 눈 맞춤 & 말 가로채지 않기	☐	☐	☐	☐
3	나의 입장을 이해하려고 노력하였다. – 공감 표현, 나의 입장 파악	☐	☐	☐	☐
4	환자가 이해하기 쉽게 설명하였다. – 간단명료함, 이해도 점검, 질문 기회 & 쉬운 용어	☐	☐	☐	☐
5	나와 좋은 유대 관계를 형성하려고 했다. – 자기소개, 일상 대화, 존중, 자신감 & 신뢰감	☐	☐	☐	☐

10 CHAPTER

46 물질 오남용

대표증례 – 1

상황지침

32세 여자 이혜림 씨가 약을 처방받고 싶다고 병원에 왔다.

[활력징후]	
• 혈압 : 130/80mmHg	• 맥박 : 84회/분
• 호흡 : 18회/분	• 체온 : 36.8℃

응시자는 이 환자에게
- 증상과 관련된 병력을 청취하고,
- 추정진단과 향후 진단계획 등에 대해 환자와 논의하시오.

해설

※ **감별진단** : 프로포폴 의존·금단
※ **치료계획** : 다른 약물로 대체, 정신건강의학과에서 불면증 상담

• 약물 중독의 경우 문제지침에 해당 약물에 대한 설명이 대략적으로 나와 있습니다. 즉 약물의 효능, 부작용이 나와 있으니 각 약품의 금단 증상, 과다복용 증상 등을 다 외우실 필요는 없습니다. 상담 CPX 부분은 암기보다는 어떤 flow와 태도로 환자를 잘 설득하고 교육하느냐가 더 중요하게 여겨진다고 생각됩니다.
• 커피 줄이기 등 생활습관교정도 잊지 말고 시행하도록 합시다.

시나리오

Sex/Age		F/32
Chief Complaint		프로포폴 처방해주세요(불면)
Present illness	Onset	1년 전
	Situation	1년 전 피부과 진료 보면서 맞기 시작하여 지금까지 지속 오늘은 해당 피부과 휴진이라 처방을 위해 병원에 내원
	Time	최근 하루 1~2회로 늘어남(원래 일주일 1~2회)
	Character	주사로 투약 약을 구하는 게 어렵지는 않음(동네병원에서 처방)
	물질 의존성	효과 : 피로회복, 기분 좋아짐 약물 중단 시도(+, 금단 증상으로 3일만에 다시 투약)
	내성	+, 최근 투약 횟수 많아짐
	금단	+, 심계항진, 불안, 불면, 피로, 초조
	남용	−, 결근/위험행동/법적 문제/대인관계 문제 모두 없음
	Associated symptoms	호흡곤란(−), **손떨림(+)** 속쓰림/위궤양(−/−)
Medical history	약물복용력	다른 약은 없음
	과거력	DM/HTN/Tb/간질환(−/−/−/−) 2년 전 건강검진 이상소견(−)
	외상/수술력	−/−
	사회력	호텔 직원, 스트레스(+, 조금), 음주(−), 흡연(−), 커피(4~5잔)
	가족력	특이사항 없음
	여성력	월경 규칙적, 월경량 보통, LMP 2주 전
Physical exam	Vital sign	130/85mmHg, 80회/분, 20회/분, 36.5℃
	Positive findings	−
환자의 질문 또는 기타 특이사항		굉장히 불안해 보이는 환자로 중간에 프로포폴을 달라는 요구를 함

대표증례-2

상황지침

45세 여자 조미경 씨가 약을 처방받고 싶다고 병원에 왔다.

[활력징후]

- 혈압 : 130/80mmHg
- 맥박 : 84회/분
- 호흡 : 18회/분
- 체온 : 36.8℃

응시자는 이 환자에게
- 증상과 관련된 병력을 청취하고,
- 추정진단과 향후 진단계획 등에 대해 환자와 논의하시오.

해설

※ **감별진단** : 불면증, Lorazepam 중독

※ **치료계획** : 다른 약물로 대체, 정신건강의학과적 불면증 상담, 커피 줄이기

- 기분변화, 우울, 불안에 대해서 물어봐야 할지 말지 고민했다는 응시자가 많은데, 당연히 물어봐도 됩니다. 금단증상 중 대표적인 게 불안감이죠.
- "이렇게 중독되셔서 계속 수면제에 의존하시게 될까봐 걱정된다. 불면증 자체를 한 번 치료해보고 끊어보는 것은 어떻겠냐?"라고 말하면 좋겠죠.
- 수면제 없이 주무시기 힘든 상황에 대해 공감해 드리면 좋아하실 거에요.
- 아티반의 부작용(깊은 수면이 잘 되지 않음)을 교육해야 합니다. 불면증과 연관 지어 설명하면 좋겠죠.

시나리오

Sex/Age	F/45	
Chief Complaint	아티반 처방해주세요(불면)	
Present illness	Onset	3년 전(불면증은 5년 전부터)
	Situation	동네병원에서 처방 수면 위생 좋음
	Time	최근 하루 1~2회로 늘어남(원래 일주일 1~2회)
	Character	약을 구하는 게 어렵지는 않음(동네병원에서 처방)
	물질 의존성	효과 : 먹으면 바로 잠, 안 먹으면 잠이 안 옴 1년 전부터 의존증 심해짐 약물 중단 시도(+, 불면으로 이틀만에 다시 투약)
	내성	+, 6개월 전부터 복용량 많아짐(1알 → 3~5알)
	금단	+, 심계항진, 불안, 불면
	남용	−, 결근/위험행동/법적 문제/대인관계 문제 모두 없음
	Associated symptoms	졸림(−), 멍함(−), 불안(−), 초조(−), 손떨림(−), 호흡곤란(−), 속쓰림/위궤양(−/−)
Medical history	약물복용력	다른 약은 없음
	과거력	DM/HTN/Tb/간질환(−/−/−/−) 2년 전 건강검진 이상소견(−)
	외상/수술력	−/−
	사회력	주부, 스트레스(+, 시어머니 치매기 있으신데 남편은 요양원에 보내기 싫어해 갈등), 음주(−), 흡연(−), 커피(4~5잔)
	가족력	특이사항 없음
	여성력	월경 규칙적, 월경량 보통, LMP 2주 전
Physical exam	Vital sign	130/85mmHg, 80회/분, 20회/분, 36.5℃
	Positive findings	동공반사 정상, 상하지 근력/감각 정상, 흉부검사 정상
환자의 질문 또는 기타 특이사항		

대표증례 – 3

상황지침

26세 여자 김나라 씨가 약을 처방받고 싶다고 병원에 왔다.

[활력징후]

• 혈압 : 110/70mmHg	• 맥박 : 72회/분
• 호흡 : 18회/분	• 체온 : 36.2℃

응시자는 이 환자에게
- 증상과 관련된 병력을 청취하고,
- 추정진단과 향후 진단계획 등에 대해 환자와 논의하시오.

해설

※ **감별진단** : 벤제드린(amphetamine) 중독·남용

※ **진단계획/치료계획** : 일반 혈액 검사, 혈중 약물농도 검사 / 소변 검사

- 벤제드린이라고 하면 혹시 약의 상품명까지 알아야 하나 걱정하시는데 다 적혀있습니다.
- 상황지침에 암페타민의 부작용이 적혀 있지만 공부할 때 암페타민에 대하여 공부하는 것이 혹시 모를 상황에 대비하는 데 좋겠죠. 총론 감별진단 파트를 참고해주세요.
- 벤제드린은 amphetamine의 상품명으로 중추신경 자극제입니다.

시나리오

Sex/Age	F/26	
Chief Complaint	벤제드린(암페타민 상품명) 처방해 주세요	
Present illness	Onset	2년 전
	Situation	다이어트 위해 복용 시작
	Time	최근 하루 2번 2알로 늘어남(원래 하루 2번 1알)
	Character	
	물질 의존성	효과 : 대인관계 좋아지고 다이어트도 됨 증상 : 심계항진, 손떨림, 자아도취, 흥분, 불안/우울은 없음
	내성	+, 복용량 증가
	금단	약물 중단 시도(−)
	남용	−, 결근/위험행동/법적 문제/대인관계 문제 모두 없음
	Associated symptoms	정신과적 증상(−) A/N/V/**C**/D(−/−/−/**+**/−)
Medical history	약물복용력	변비 심해 변비약 수시로 먹음
	과거력	DM/HTN/Tb/간질환(−/−/−/−) 건강검진(−)
	외상/수술력	−/−
	사회력	대학생, 스트레스(+, 몸매에 대한 스트레스), 음주(−), 흡연(−), 커피(−)
	가족력	특이사항 없음
	여성력	월경 규칙적, 월경량 보통, LMP 2주 전
Physical exam	Vital sign	110/70mmHg, 72회/분, 18회/분, 36.2℃
	Positive findings	결막(−), 구강 검사 정상, 폐/심음 정상, 복부진찰 정상
환자의 질문 또는 기타 특이사항		

관련증례

46-1 23세 남자가 근육이 잘 늘지 않는다며 병원에 왔다. 헬스클럽을 다니면서 운동을 시작한 지 1년이 되었다. 매일 2시간씩 운등을 했는데 근육이 기대한 것만큼 생기지 않아 아는 사람의 소개로 6개월 전부터 약을 복용하기 시작했다. 근육량은 예전보다 확실히 늘었으나, 최근 주변 친구들에게 짜증을 많이 내고, 식당 등에서 사소한 말다툼을 하는 일이 늘어나기 시작했다. 최근 일주일간 운동을 쉬었다가 다시 시작했다. 근육량이 줄어든 것을 걱정하며 더 과격하게 운동을 하고 집으로 돌아가는 길에 지나가던 남자와 어깨가 부딪혀 싸움을 하게 되어 경찰서에 갔다. 걱정이 된 가족들에 의해 오늘 병원을 오게 되었다.

> 활력징후는 혈압 135/85mmHg, 맥박 90회/분, 호흡수 20회/분, 체온 36.5℃이었다. 피부에 약간 변색된 여드름이 있었다. 나이에 비해 머리숱이 적은 편이었다.

46-2 60세 여자가 수면제 처방을 위해 내원하였다. 2년 전부터 불면증으로 수면제를 처방받아서 복용해 왔다. 처음에는 반 알만 먹어도 되었는데, 시간이 지나면서 차차 그 용량으로는 잠을 잘 수 없게 되었다. 최근에는 4~6알올 복용하고 자다가 깨서 잠이 오지 않아 더 먹어야 할 때도 있다. 그래서 여러 병의원을 다니면서 약을 처방받아 많은 양을 복용하고 있다. 수면제를 먹으면 두 시간 정도는 잠들었다가 바로 깨어나면 더 또렷해지고 다시 잠을 자기가 어렵다. 낮에도 멍한 기분이 있어서 그 기분을 없애기 위해 수면제를 복용하는 경우가 있다.

> 활력징후는 혈압 130/80mmHg, 맥박 80회/분, 호흡수 18회/분, 체온 36.5℃이었다.

Answer | 46-1. 스테로이드 사용장애 46-2. 수면제 중독·금단

Check-list

	병력청취 채점항목	예	아니오
1	어떤 약을 얼마만큼의 용량으로 얼마동안 복용하였는지 물어보았다.	☐	☐
2	약물을 복용하는 이유와 계기에 대해서 물어보았다.	☐	☐
3	약물 복용에 따른 동반 증상이 있는지 물어보았다.	☐	☐
4	약물을 복용하지 않았을 때 나타나는 증상이 있는지 물어보았다.	☐	☐
5	약물에 대한 내성, 의존도, 금단을 확인하였다.	☐	☐
6	약물 복용으로 인해 일상생활에 지장이 있는지 물어보았다.	☐	☐
7	약물중단을 권하고 도움을 주겠다고 설득하였다.	☐	☐

	신체진찰 채점항목	제대로 함	제대로 못함	하지 않음
1	환자의 활력징후를 확인하였다.	☐	☐	☐
2	의식 수준과 정신 상태를 확인하였다.	☐	☐	☐
3	동공의 축동/산동 여부를 확인하였다.	☐	☐	☐
4	흉부 진찰을 시행하였다.	☐	☐	☐
5	자살시도나 자해의 흔적이 있는지 확인하였다.	☐	☐	☐

	환자교육 채점항목	예	아니오
1	약물 오남용에 의한 부작용과 위험성에 대하여 설명하였다.	☐	☐
2	질환이나 합병증 확인을 위해 필요한 검사를 설명하고 동의를 구하였다.	☐	☐
3	길항제와 금단증상에 대한 치료방법 등에 대하여 설명하였다.	☐	☐

	환자의사관계 채점항목	아주우수	우수	보통	미흡
1	효율적으로 잘 물어보았다. - 효율적 질문 : 개방형 질문 사용, 확인, 중간 요약 - 피할 질문 : 유도 질문, 복수 질문	☐	☐	☐	☐
2	나의 말을 잘 들어주었다. - 대꾸하기, 경청 자세, 눈 맞춤 & 말 가로채지 않기	☐	☐	☐	☐
3	나의 입장을 이해하려고 노력하였다. - 공감 표현, 나의 입장 파악	☐	☐	☐	☐
4	환자가 이해하기 쉽게 설명하였다. - 간단명료함, 이해도 점검, 질문 기회 & 쉬운 용어	☐	☐	☐	☐
5	나와 좋은 유대 관계를 형성하려고 했다. - 자기소개, 일상 대화, 존중, 자신감 & 신뢰감	☐	☐	☐	☐

47-1 가정폭력

대표증례 – 1

상황지침

4세 남아가 온몸에 멍이 들고 가슴 X선에서 왼쪽 쇄골 골절이 보였다.
어머니가 병원에 데려왔다.

[활력징후]

• 혈압 : 110/70mmHg	• 맥박 : 92회/분
• 호흡 : 16회/분	• 체온 : 36.6℃

응시자는 이 환자에게
- 아동학대가 의심되는 환아의 어머니와 상담하시오
- 환아는 CT를 찍기 위해 수면제 투여하고 자고 있으니 환아에게 신체진찰하지 말 것

해설

※ **진단계획/치료계획** : 정신건강의학과 의뢰 / 아동학대 신고, 가족 상담, 대처방법 교육

- 아이가 누군가에게 맞은 것으로 보인다, 아이를 도와주고 싶어서 이런다, 여기서 말하는 것은 기밀 보장이 된다 등 비밀 보장과 협조 등을 강조하며 여러 번 회유해야 어머니가 겨우 대답해 줍니다.
- 아이 아빠도 정신과 상담 받아보는 게 어떠냐고 물어보는 것이 좋겠죠.
- 공감하며 기다려보고 물어봐야 합니다.
- 용기내서 얘기해줘서 감사하다고 ① 가정폭력유형 간단히 설명, ② 신고전화번호 적어드리고, ③ 향후 대처방법에 대해 설명해 드립니다.
- 대개 가정폭력은 아동학대, 노인학대, 배우자 폭력 이 3가지 범주에서 나오기 때문에 공부하실 때 3가지 주제에 알맞은 질문과 교육을 각각 준비하시는 것이 처음 접하시더라도 당황하지 않으실 수 있습니다.

시나리오

Sex/Age		M/4
Chief Complaint		온몸의 멍과 왼쪽 쇄골 골절로 어머니가 병원에 데려옴
폭력 파악	Location	온 몸 멍, 왼쪽 쇄골 골절
	Onset	6개월 전 어머니가 처음 발견 2~3개월 전 딸아이(누나)가 발견
	Situation	재혼한지 2년 된 가정으로 환아는 어머니 아이. 환아 누나(8세)는 아버지 아이임. 어머니는 직장에 다니고, 아버지는 1년 전 실직. 환아는 아침에 어린이집에 맡기며 아빠게 데리러 옴. 아빠, 환아, 딸아이만 있는 시간이 길다. 환아는 아버지를 무서워하고 살갑게 대하지 않아 아버지가 폭력을 쓴 것으로 보임
	Time	1~2주에 한 번 폭력을 씀(술마시고)
	Character	애 아빠가 발로 차고 빗자루로 때리고 욕설 성적 폭력(−) 어머니는 아이가 맞는 것을 직접 본 적은 없고 딸아이에게 들음
	가해자	아이 아버지 남에게 지면 못 참는 성격
	대처	아이한테 잘 해주라고 남편에게 이야기 한 적은 있음 치료를 위해 병원에 온 것은 처음
의학적 상태	Asso	아이는 이전에 비해 우울해 보임
	약/과/외	어머니가 직장에 다니느라 주변에 친한 이웃이 없음 폭력을 피할 수 있는 곳(−), 친정은 미국
	사회력	어린이집 교사 말로는 예전에 비해 멍하게 있을 때가 많다고 함
	여성력	−
Physical exam	Vital sign	110/70mmHg, 92회/분, 16회/분, 36.6℃
	Positive findings	지시문에 시퍼렇게 멍이 든 아이 사진이 있음
환자의 질문 또는 기타 특이사항		환아는 CT를 찍기 위해 수면제 투여하고 자고 있으니 환아에게 신체진찰하지 말 것(실제로 방안에 어머니밖에 없음)

대표증례 – 2

상황지침

29세 여자 양수민 씨가 얼굴과 팔다리 여러 곳에 타박상을 입어 왔다.

[활력징후]	
• 혈압 : 124/70mmHg	• 맥박 : 82회/분
• 호흡 : 19회/분	• 체온 : 36.7℃

응시자는 이 환자에게
- 가정 폭력을 의심하면서 환자에게 적절한 문진을 하고,
- 증상과 관련된 적절한 신체진찰을 시행한 후,
- 향후 계획 등에 대해 환자와 논의하고 교육하시오.

해설

※ **진단계획/치료계획** : X선 검사, 일반 혈액 검사 / 가정폭력 대처법 교육, 정신과 상담

- 환자의 진심어린 걱정과 비밀에 대한 보장을 해주고 한 10초 가량 침묵을 유지해주시면 환자가 알아서 말해줍니다. "병원에서 한 말은 비밀로 유지해 드립니다. 많이 불안해 보이는데 긴장 푸셔도 됩니다. 도움을 드릴 수 있을 테니 편히 말씀해 보세요."
- 폭력 발생 시 112, 또는 1336으로 신고할 수 있도록 교육합니다. 구타를 당한 경우 사진 기록과 진료 기록이 법적인 증거로 활용될 수 있음을 안내합니다. 집을 나갔을 때 머물 곳이 없는 여성의 경우 1336 여성안심센터에서 쉼터를 제공하며, 필요한 보호 조치와 도움을 받을 수 있습니다.

시나리오

Sex/Age	F/29	
Chief Complaint	온몸에 멍이 들어서 왔어요	
상처 파악	Location	왼쪽 눈, 양쪽 팔
	Onset	3일 전
	Situation	처음에는 냄비 꺼내다가 부딪혀서 생긴 것이라고 말함
폭력 파악	Onset	
	Situation	전화를 늦게 받거나 모르는 남자와 이야기하는 모습을 보고 바람핀다고 때리기 시작 주로 술 마시고 취한 상태에서 잡히는 것을 무작정 던지거나 사용
	Time	주 1~2회
	Character	흉기 사용(−), 도구 사용(+) 욕설(+), 성폭력(−)
	Factor	주로 음주 시 폭행
	범위	부모/아이(−/−)
	가해자	가해자와 둘이 살고 있음 폭행 다음 날 사과함
	대처방법	의지할 이웃, 가족, 친구 없음
Medical history	Asso	**우울감(+), 무가치감(+), 불안(+), 수면장애(+), 자살사고(+), 두근거림(+)**, 기타 신체 증상(−)
	약/과/외	6개월 전 팔 골절로 치료 받음, 그 외 특이소견(−)
	사회력	특이사항 없음
	여성력	월경 규칙적, 월경량 보통, LMP 2주 전
Physical exam	Vital sign	124/70mmHg, 82회/분, 19회/분, 36.7℃, Chest X-ray 정상
	Positive findings	−
환자의 질문 또는 기타 특이사항		왼쪽 눈에 멍든 분장을 하고 있음

10 CHAPTER

대표증례-3

상황지침

74세 여자 이춘자씨가 얼굴과 팔 다리 여러 곳에 타박상을 입어 왔다.

[활력징후]

• 혈압 : 135/75mmHg	• 맥박 : 62회/분
• 호흡 : 18회/분	• 체온 : 36.5℃

응시자는 이 환자에게

- 가정폭력을 의심하면서 환자에게 적절한 문진을 하고,
- 증상과 관련된 적절한 신체진찰을 시행한 후,
- 향후 계획 등에 대해 환자와 논의하고 교육하시오.

※ 특이사항 : 간호사가 지켜본 결과 가정폭력이 의심된다.

해설

※ **진단계획/치료계획** : X선 촬영 / 법적 처벌 가능함을 교육, 폭력 대처법 교육

- 위급할 때 연락할 수 있는 비상연락처가 있는지 물어보고, 단축번호 등을 활용해 빠르게 연락하거나 112로 신고할 수 있도록 교육합니다. 쉼터 등 도움을 요청할 수 있는 기관에 대해 정보를 제공합니다.
- 폭력이 재발하는 상황을 대비하여 현관 근처에 돈이나 카드, 신분증을 미리 준비해서 급히 나갈 때 챙길 수 있도록 하는 것과, 주변 이웃에 큰 소리가 나면 경찰에 신고해달라고 부탁해놓는 것이 도움이 될 수 있습니다.
- 추후 폭력이 다시 발생하면 반드시 병원을 방문할 것을 권유합니다.

시나리오

Sex/Age	F/74	
Chief Complaint	밭일하다가 넘어져서 왔어요	
폭력 파악	Location	양쪽 눈주위, 양 쪽 팔, 다리에 멍듦
	Onset	어제
	Situation	아들이 며느리와의 폭력 문제 때문에 이혼 후 어머니와 단둘이 같이 살면서 폭력이 어머니에게까지 미침
	Time	2주에 한 번, 술 마신 상태이기도 하고, 맨정신이기도 함
	Character	신체적 폭력, 무작정 던지거나 맨 손을 사용, 흉기는(−)
	가해자	아들 폭력 후 사죄 없이 바로 집을 나가버림 대외적으로 평판이 좋음
	대처	치료를 위해 병원에 온 것은 처음 대피소 없음(남편도 돌아가시고, 슬하에 가해자인 아들 1명) 피하면 오히려 더 화내고 안 좋아질까봐 못 피함
의학적 상태	Asso	**우울(+)**, **자살생각**/시도(**+**/−), 아들을 죽이고 싶다는 생각(−)
	약/과/외	당뇨약 **DM**/HTN/Tb/간질환(**+**/−/−/−), 건강검진(−) 수술력(−)
	사회력	이웃집이나 다른 도움을 청할 곳이 없음
	여성력	−
Physical exam	Vital sign	135/75mmHg, 62회/분, 18회/분, 36.5℃
	Positive findings	양팔과 다리, 얼굴에 멍, 그 외 특이사항 없음
환자의 질문 또는 기타 특이사항		−

관련증례

47-1-1 29세 여자가 회음부 불편감으로 병원에 왔다. 우울하고 불안해 보이며, 눈 주위에 멍이 있고 회음부에 상처가 있다. 남편이 환자의 의사에 관계없이 강제적으로 성행위를 하곤 한다. 남편은 술을 마시면 상습적으로 구타도 한다. 배와 다리 등에도 여러 군데 멍 자국이 있다.

> 활력징후는 혈압 130/80mmHg, 맥박수 90회/분, 호흡수 18회/분, 체온 36.8℃이었다.

47-1-2 7개월 된 여아가 오른쪽 허벅다리가 많이 부어서 응급실로 왔다. 의붓아버지가 소파에서 떨어뜨렸다고 말한다. 다리 이외에도 등과 가슴에 멍과 꼬집힌 상처 등이 많이 관찰되었다.

> 활력징후는 혈압 110/65mmHg, 맥박수 110회/분, 호흡수 30회/분, 체온 36.5℃이었다. X선 촬영 결과 오른쪽 넙다리뼈 몸통 골절이 발견되었다.

47-1-3 83세 남자가 의식불명으로 응급실에 실려 왔다. 평소 관절염으로 거동이 약간 불편하였으며 당뇨병으로 경구혈당강하제를 복용하고 있었다. 응급처치 후 깨어난 할아버지는 가정 문제로 아들을 나무란 후부터 아들이 고의로 약을 숨겨 놓고 주지 않았다고 말했다.

> 활력징후는 혈압 135/85mmHg, 맥박 90회/분, 호흡수 20회/분, 체온 36.8℃이었다.

Answer | 47-1-1. 배우자 학대 47-1-2. 아동학대 47-1-3. 노인학대

Check-list

	병력청취 채점항목	예	아니오
1	외상의 발생시기와 상황, 늦게 왔다면 그 이유를 확인하였다.	☐	☐
2	외상소견과 진술이 일치하는지 확인하였다.	☐	☐
3	일치하지 않는 경우 환자의 안전과 비밀을 보장하고 폭력에 의한 것인지 확인하였다.	☐	☐
4	피해 양상에 대하여 자세히 물어보았다.	☐	☐
5	가해자의 질병력과 약물력에 대하여 물어보았다.	☐	☐
6	동반증상이 있는지 물어보았다(우울, 불안, 자살사고 등의 정신과적 증상 포함).	☐	☐
7	폭력 발생시 피난처나 도움을 청할 곳이 있는지 물어보았다.	☐	☐

	신체진찰 채점항목	제대로 함	제대로 못함	하지 않음
1	전반적인 영양/위생상태를 확인하였다.	☐	☐	☐
2	외상부위를 진찰하였다.	☐	☐	☐
3	주소 외 다른 부위의 외상이 있는지 확인하였다.	☐	☐	☐
4	성적 학대가 의심되는 경우 회음부/항문 주위를 진찰하였다.	☐	☐	☐

	환자교육 채점항목	예	아니오
1	학대/폭력을 인식시키고 도움이 필요함을 설명하였다.	☐	☐
2	필요한 경우 병원 또는 경찰의 도움을 받을 수 있음을 설명하였다.	☐	☐
3	폭력 발생 시 사실을 알릴 사람 또는 피신할 곳을 교육하였다.	☐	☐
4	가해자를 신고 또는 치료를 받도록 교육하였다.	☐	☐

	환자의사관계 채점항목	아주우수	우수	보통	미흡
1	효율적으로 잘 물어보았다. - 유용적 질문 : 개방형 질문 사용, 확인, 중간 요약 - 피할 질문 : 유도 질문, 복수 질문	☐	☐	☐	☐
2	나의 말을 잘 들어주었다. - 대꾸하기, 경청 자세, 눈 맞춤 & 말 가로채지 않기	☐	☐	☐	☐
3	나의 입장을 이해하려고 노력하였다. - 공감 표현, 나의 입장 파악	☐	☐	☐	☐
4	환자가 이해하기 쉽게 설명하였다. - 간단명료함, 이해도 점검, 질문 기회 & 쉬운 용어	☐	☐	☐	☐
5	나와 좋은 유대 관계를 형성하려고 했다. - 자기소개, 일상 대화, 존중, 자신감 & 신뢰감	☐	☐	☐	☐

47-2 성폭력

대표증례 – 1

상황지침

24세 여자 김서영 씨가 성폭행을 당했다고 응급실에 왔다.

[활력징후]

- 혈압 : 124/70mmHg
- 맥박 : 82회/분
- 호흡 : 19회/분
- 체온 : 36.7℃

응시자는 이 환자에게
- 증상과 관련된 병력을 청취하고,
- 증상과 관련된 적절한 신체진찰을 시행한 후,
- 추정진단과 향후 진단계획 등에 대해 환자와 논의하시오.

※ 간호사가 1인 옆에 있다고 가정하고 진행하시오.

해설

※ **진단계획/치료계획** : 소변·혈액 hCG, 성병 항체검사, 골반초음파 검사 / 사후피임약, 항생제

- 나쁜 소식 전하기와 비슷한 느낌이면서 병력청취 할 것도 많고 신체진찰도 해야 하는 CPX의 끝판왕입니다. 실제 성폭행 피해자가 응급실에 내원했을 때도 가장 중요한 것은 "동의서 받기"임을 명심하세요!
- 문진내용이 기존의 진료접근법과 비슷하면서도 미세하게 다릅니다. 모범답안을 보면서 숙지하도록 합시다.
- 성폭행 피해자는 현재 충격과 공포에 휩싸여 있는 상태입니다. 당황스럽더라도 의사로서 침착한 모습으로 병원은 안전한 곳이라는 점을 강조하여 안심시키고, 진료에 응해주어서 고맙다는 말과 함께 상담 중간 중간 격려해주는 것이 중요합니다.

시나리오

Sex/Age		F/24
Chief Complaint		성폭행 당했어요
폭력 파악	Onset	2시간 전(현재 새벽 2시)
	Situation	"나이트클럽 화장실을 가려는데 뒤에 자꾸 따라오더니 갑자기 저를 잡았어요"
	Time	"잘 모르겠어요"
	Character	질내 삽입(+), "그게... 아래쪽으로...", 콘돔 사용 안함 구강/항문 성교(−)
	범위	반항하다가 손목에 멍이 들었음, 허벅지에 멍 의식을 잃지는 않았고 술을 많이 마신 상태였음
	가해자	처음 보는 큰 체격의 남자, 이름은 김동성 술에 많이 취해있는 것 같았음
	대처	샤워/양치(−/−), 대소변(−), 사후 피임약 복용(−), 탈의/환복(−), "집에 들렀다가 아무 것도 안 하고 그대로 왔어요"
의학적 상태	Asso	많이 우울해요
	약/과/외	약물복용(−) DM/HTN/Tb/간질환(−/−/−/−), 건강검진(−)
	사회력	−
	여성력	LMP 2주전 정상적인 마지막 성관계 2달 전, 임신가능성(−)
Physical exam	Vital sign	124/70mmHg, 82회/분, 19회/분, 36.7℃
	Positive findings	**양 손목**에 멍, **허벅지 안쪽**에도 멍(직접 볼 수 없음), **압통(+)**, 구강(별 다른 이상 없음), 골반 검사(종이 줌, **질 뒤천장에 하얀색 액체**가 있음, **질 입구에 화끈거림**이 있음), 항문 검사(이상 없음)
환자의 질문 또는 기타 특이사항		

대표증례-2

상황지침

40세 여자 정하늘 씨가 얼굴과 성폭행을 당했다고 응급실에 왔다.

[활력징후]

• 혈압 : 124/70mmHg	• 맥박 : 82회/분
• 호흡 : 19회/분	• 체온 : 36.7℃

응시자는 이 환자에게
- 증상과 관련된 병력을 청취하고,
- 증상과 관련된 적절한 신체진찰을 시행한 후,
- 추정진단과 향후 계획 등에 대해 환자와 논의하시오.

※ 간호사가 1인 옆에 있다고 가정하고 진행하시오.

해설

※ **진단계획/치료계획** : 소변·혈액 hCG, 성병 항체검사, 골반초음파검사, 증거 채취 / 사후 피임약 복용, 자궁내 장치 삽입, 예방적 항생제

• 성폭력 CPX의 경우 진료 동의를 먼저 받고 문진을 시작하게 됩니다. 총론에 설명된 면담과정 설명, 동의 구하기, 환자 존중의 과정을 거치면 환자분께서 뜸 들이지 않고 진료 동의를 해주십니다.

• 상담의 경우는 기존의 진료접근법과 비슷하면서도 미세하게 다릅니다. 각자 본인에게 맞는 상담법을 익히도록 합시다.

시나리오

<table>
<tr><td>Sex/Age</td><td colspan="2">F/40</td></tr>
<tr><td>Chief Complaint</td><td colspan="2">성폭행으로 내원</td></tr>
<tr><td rowspan="7">폭력 파악</td><td>Onset</td><td>4시간 전(현재 새벽 3시)</td></tr>
<tr><td>Situation</td><td>모텔, 회식 장소에서 술에 취한 환자를 직장 상사가 집에 데려다 준다고 한 뒤 데리고 나와 모텔에서 성폭력</td></tr>
<tr><td>Time</td><td>정확히 기억나지 않음</td></tr>
<tr><td>Character</td><td>정확히 기억 나지 않지만 속옷에 흰색 정액 같은 것이 묻어 있음
구강/항문성교(−/−, 한 것 같지 않다)
콘돔사용(−)</td></tr>
<tr><td>범위</td><td>폭행, 도구사용 등은 기억 나지 않음
술 많이 마심</td></tr>
<tr><td>가해자</td><td>직장 상사 1명</td></tr>
<tr><td>대처</td><td>샤워/양치(+/+), 대변/소변(−/+), 사후 피임약 복용(−)
탈의/환복(+/+,입었던 옷을 증거물로 가져옴)</td></tr>
<tr><td rowspan="4">Medical history</td><td>Asso</td><td>우울감(+, "많이 우울해요"), 불안(+)
자살사고/타살사고(−/−)</td></tr>
<tr><td>약/과/외</td><td>약물복용(−)
갑상선 기능 저하증(+)</td></tr>
<tr><td>사회력</td><td>−</td></tr>
<tr><td>여성력</td><td>마지막 성관계 1달 전, 임신 가능성(−)
월경 규칙적, LMP 3주 전</td></tr>
<tr><td rowspan="2">Physical exam</td><td>Vital sign</td><td>120/80mmHg, 84회/분, 17회/분, 36.7℃</td></tr>
<tr><td>Positive findings</td><td>양 손목에 멍, 허벅지 안쪽에도 멍(직접 볼 수 없음), 구강(별 다른 이상 없음), 골반 검사(종이 줌, 질 뒤천장에 하얀색 액체가 있음, 질 입구에 화끈거림이 있음), 항문 검사(이상 없음)</td></tr>
<tr><td colspan="2">환자의 질문 또는 기타 특이사항</td><td></td></tr>
</table>

대표증례 - 3

상황지침

22세 여자 박하늘 씨가 성폭행을 당했다고 응급실에 왔다.

[활력징후]

• 혈압 : 114/60mmHg	• 맥박 : 72회/분
• 호흡 : 17회/분	• 체온 : 36.3℃

응시자는 이 환자에게
- 증상과 관련된 병력을 청취하고,
- 증상과 관련된 적절한 신체진찰을 시행한 후,
- 추정진단과 향후 진단계획 등에 대해 환자와 논의하시오.

※ 간호사가 1인 옆에 있다고 가정하고 진행하시오.

해설

※ **진단계획/치료계획** : 소변·혈액 hCG, 성병 항체검사, 질분비물 검사 / 사후피임약, 항생제

- 환자가 매우 불안하고 두려워합니다. 환자를 안심시키고 격려하며, 추후 진료 과정이나 증거 채취에 대해서 충분히 설명한 후 진료를 재개하는 것이 좋습니다.
- 월경력에 대해 물어보았을 때 생리가 "끝난 지" 2주 되었다고 대답하였던 증례입니다. LMP를 계산할 때는 일주일 정도를 더하거나, 시작일을 확인해보아야 합니다.
- 앞으로의 치료 및 예방법에 대하여 설명하고, 필요한 경우 심리상담, 정신과적 치료를 권할 수 있습니다.

시나리오

Sex/Age	F/22	
Chief Complaint	성폭행 당했어요	
폭력 파악	Onset	5시간 전(현재 오전 6시)
	Situation	동호회 사람들과 MT에 가서 술을 많이 먹고 방에 있었는데 같이 간 동호회 회원이 성폭행을 함
	Time	"잘 모르겠어요"
	Character	질내 삽입(+), 콘돔 사용 여부 잘 모름 구강/항문 성교(−) 술을 많이 먹어 자세히 기억나지 않음
	범위	다른 폭행은 없었음 의식을 잃지는 않았고 술을 많이 마신 상태였음
	가해자	동호회 회원
	대처	**샤워**/양치(**+**/−), 대소변(−), 사후 피임약 복용(−), **탈의/환복**(**+**, 성폭행 당시 입었던 속옷은 챙겨옴/+)
의학적 상태	Asso	두려워요
	약/과/외	약물복용(−) DM/HTN/Tb/간질환(−/−/−/−), 건강검진(−)
	사회력	−
	여성력	월경력 : 생리 끝난 지 2주 됨 정상적인 마지막 성관계 1달 전, 임신가능성(−) 월경 주기 28일, 규칙적
Physical exam	Vital sign	114/60mmHg, 72회/분, 17회/분, 36.3℃
	Positive findings	구강(별 다른 이상 없음), 팔목에 멍(−), 허벅지 멍(−), 골반 검사(종이 줌, 질 내부에 하얀색 액체가 있음, 질에 혈종 및 부종이 있음), 의사로서 성폭행 키트를 열고 진찰을 완료함, 항문 검사(이상 없음)
환자의 질문 또는 기타 특이사항		−

관련증례

47-2-1 13세 여자아이가 등굣길에 골목에서 낯선 아저씨에 의해 성폭행을 당한 것 같다고 엄마와 함께 응급실에 왔다. 어린이는 옷의 여기저기에 흙이 묻어있었고, 소변보는 데가 아프다고 한다.

활력징후는 혈압 110/65mmHg, 맥박수 95회/분, 호흡수 20회/분, 체온 36.5℃이었다.

47-2-2 66세 여자가 성폭행을 당해 병원에 왔다. 홀로 농사를 짓고 살고 있는 중에 집에 침입한 50대 남자에게 성폭행을 당했고, 다음날도 같은 남자가 또 찾아와 성폭행하였다고 했다. 마을 사람이 데리고 왔다.

활력징후는 혈압 140/90mmHg, 맥박 80회/분, 호흡수 16회/분, 체온 36.5℃이었다.

Answer | 47-2-1. 성폭력 47-2-2. 성폭력

Check-list

	병력청취 채점항목	예	아니오
1	진료동의를 구하였다.	☐	☐
2	발생시기와 상황, 목격자가 있는지 물어보았다.	☐	☐
3	피해 양상에 대하여 물어보았다.	☐	☐
4	사건 후 어떤 조치를 취하였는지 물어보았다.	☐	☐
5	동반증상이 있는지 물어보았다.	☐	☐
6	복용중인 약물이 있는지 물어보았다.	☐	☐
7	월경력과 임신가능성에 대하여 물어보았다.	☐	☐

	신체진찰 채점항목	제대로 함	제대로 못함	하지 않음
1	신체진찰 동의를 구하였다.	☐	☐	☐
2	외상부위를 확인하였다.	☐	☐	☐
3	구강 진찰을 시행하였다.	☐	☐	☐
4	골반 진찰을 시행하였다.	☐	☐	☐
5	항문 진찰을 시행하였다.	☐	☐	☐
6	검체 채취의 필요성을 설명하고 동의를 구하였다.	☐	☐	☐

	환자교육 채점항목	예	아니오
1	필요한 검사 및 치료계획에 대하여 설명하였다.	☐	☐
2	응급피임법에 대하여 설명하고 교육하였다.	☐	☐
3	성병, 매독 등에 대한 예방조치가 필요함을 설명하였다.	☐	☐
4	외래 추적과 검진에 대하여 설명하였다.	☐	☐

	환자의사관계 채점항목	아주우수	우수	보통	미흡
1	효율적으로 잘 물어보았다. - 효율적 질문 : 개방형 질문 사용, 확인, 중간 요약 - 피할 질문 : 유도 질문, 복수 질문	☐	☐	☐	☐
2	나의 말을 잘 들어주었다. - 대꾸하기, 경청 자세, 눈 맞춤 & 말 가로채지 않기	☐	☐	☐	☐
3	나의 입장을 이해하려고 노력하였다. - 공감 표현, 나의 입장 파악	☐	☐	☐	☐
4	환자가 이해하기 쉽게 설명하였다. - 간단명료함, 이해도 점검, 질문 기회 & 쉬운 용어	☐	☐	☐	☐
5	나와 좋은 유대 관계를 형성하려고 했다. - 자기소개, 일상 대화, 존중, 자신감 & 신뢰감	☐	☐	☐	☐

48 나쁜 소식 전하기

대표증례 - 1

상황지침

42세 여자 이가을 씨가 소화불량 및 구토 증상으로
2주일 전에 본원에서 시행한 위 내시경 검사 결과를 보러 내원하였다.

[활력징후]

• 혈압 : 130/80mmHg	• 맥박 : 84회/분
• 호흡 : 18회/분	• 체온 : 36.8℃

응시자는 이 환자에게
- 검사 결과를 설명하고,
- 향후 계획 등에 대해 환자와 논의하고 교육하시오.

해설

- 수술이 가능한 위암 2기 환자증례입니다. 환자의 입장에서는 매우 놀라는 모습을 보이기 때문에 조심스럽게 접근하고 충분한 공감표현을 하도록 합니다.
- 환자 병록기록지가 테이블 위에 놓여져있고, 현병력, 내시경 영상소견, 조직검사소견, 복부CT 영상소견이 주어져 있습니다. 해당 소견을 통해 수술가능성 및 향후의 치료계획을 판단하셔야 합니다.
- 환자에게 기록지를 보여드리면서 설명해줘도 좋습니다. 가령 CT 사진을 보여주면서 "암이 여기에 있고 다행히 주변 장기에 전이는 없어서 수술이 가능할 것 같다"고 설명하신다면 환자분이 쉽게 이해할 수 있겠죠?
- 가족에게 암에 걸렸다는 사실을 전달하기 힘들다고 하십니다. 다음 내원시 가족과 함께 오시면 설명해 드리겠다고 안심시킵니다.

시나리오

Sex/Age	F/42		
Chief Complaint	Gastric cancer stage 2	Onset	1주일 전
상담과정	Setting	2주 전에 소화가 잘 안 되고 먹은 것도 토하고 해서 병원에서 위 내시경 검사 했었어요. 2년 전에도 위내시경 검사 받았었는데 이상소견 없었어요	
	Perception	특별히 걱정되는 것은 없어요	
	Invitation	혼자서 들을게요. 치료까지 자세히 알려주세요	
	Knowledge		
	Emotion	환자 반응 참고	
	Strategy	수술하면 완치가 가능한가요? 가족들에게 어떻게 말해야 될지 모르겠어요	
환자 반응	부정	제가 그럴 리가 없어요. 검사 결과가 잘못 나온 것 아닌가요? 평소 때 아팠던 적이 없어요	
	분노	–	
	타협	–	
	우울	갑자기 결과를 들으니 너무 힘들어요. 아무런 생각이 나지 않아요	
	수용	저는 앞으로 어떻게 해야 되나요?	
Medical history	약물력	–	
	과거력	DM/HTN/Tb/간질환(–/–/–/–) 건강검진(+, 2년 전 위내시경 정상)	
	외상력	수술(–), 외상력(–)	
	사회력	주부	
	가족력	아버지 위암으로 40세에 돌아가심	
	여성력	para 2-0-0-2 월경 규칙적(주기 28일), 월경량 정상, 월경통 정상, LMP 1주 전	
Physical exam	Vital sign	122/84mmHg, 82회/분, 18회/분, 36.7℃	
	Positive findings	–	
환자의 질무 또는 기타 특이사항		테이블 위에 환자 진료 기록지(1장), 위 내시경 사진(1장), 조직 검사 소견(1장), 복부 CT 사진(1장)이 올려져 있음 이버지께서 위암 항암치료 후 돌아가셨던 기억 때문에 암에 걸린 것에 대해서 굉장히 힘들어하시고 가족에게 전하기 힘들어하심	

대표증례 – 2

상황지침

42세 여자 김진경 씨가 가슴에 만져지는 멍이 때문에 일주일 전에 본원에서 시행한 검사 결과를 보러 내원하였다.

[활력징후]

- 혈압 : 130/80mmHg
- 맥박 : 84회/분
- 호흡 : 18회/분
- 체온 : 36.8℃

응시자는 이 환자에게

– 검사 결과를 설명하고,

– 향후 계획 등에 대해 환자와 논의하고 교육하시오.

해설

- 나쁜 소식 전하기 항목에서 그나마 덜 진땀을 뺄 수 있는, 유방암 1기 환자입니다. 초기암이지만 '암'이라는 이야기를 듣는 순간 환자는 매우 놀라기 때문에 최대한 조심스럽게 결과를 말씀드리고, 적극적으로 위로해 드려야 합니다. 꽤 많은 시간이 소모되는 부분이므로 적극적으로 환자의 감정에 반응하고 달래서 빨리 다음 단계로 넘어가는 것이 중요합니다.
- 실제로 환자들이 대부분 부정하는 단계를 거칩니다. 그런 경우에 "저도 검사결과를 보고 굉장히 놀라서 혹시 환자정보가 바뀐 것은 아닌지 수차례 확인했고, 검사실에도 전화하여 판독이 잘못되지 않았는지 확인해 보았습니다만, 가능성이 낮은 것으로 판단되었습니다. 예상 외의 결과라 유감스럽게 생각합니다." 정도로 알려주면 됩니다. 시간이 많이 남을 수도 있기 때문에 유방보존술에 대한 설명으로 안심을 시켜주거나 환우회 모임 등을 설명할 수 있겠습니다.
- 이 문항에서 출제 빈도가 높은 질환(말기암, 조기암, 에이즈 등)에 대해 미리 학습해 놓는 것이 환자와의 추후 상담에 있어서 도움이 될 수 있습니다. 본 증례에서도 1기 유방암은 5년 생존율이 100%에 가까워 완치가 가능함을 설명하면 상담에 큰 도움이 됩니다. 혹시라도 해당 질환의 치료방법이나 예후를 잘 모르더라도 절대 당황하지 마시고, 치료에 적극적으로 최선을 다할 것이며 환자에게 희망을 잃지 말고 함께 이겨나가자는 식으로 말씀하시면 무난하게 통과하실 수 있을 것입니다.

시나리오

Sex/Age	F/42		
Chief Complaint	Intraductal cancer stage 1	Onset	1주일 전
상담과정	Setting	저번에 유방촬영술하고 조직 검사한 것 기억나요. 잘못된 결과 나올까 봐 긴장했어요	
	Perception	조직 검사가 나쁘게만 안 나왔으면 좋겠어요. 잘 모르겠어요	
	Invitation	혼자서 듣겠습니다. 병에 대해서 자세히 알려주세요	
	Knowledge	제가 유방암이라고요?	
	Emotion	환자반응 참고	
	Strategy	다음에 남편하고 함께 오겠습니다. 가족력도 없는데 왜 걸리나요?	
환자 반응	부정	제가 그럴 리가 없어요. 검사가 잘못된 것 아니에요?	
	분노		
	타협		
	우울	너무 힘드네요	
	수용	치료만 잘 받으면 괜찮은 건가요?	
Medical history	약물력	–	
	과거력	DM/HTN/Tb/간질환(–/–/–/–) 건강검진(+, 2년 전 정상)	
	외상력	수술(–), 외상력(–)	
	사회력	주부	
	가족력	없음	
	여성력	para 2-0-0-2 월경 규칙적(28일), 월경량 정상, 월경통 정상, LMP 1주 전	
Physical exam	Vital sign	130/80mmHg, 84회/분, 20회/분, 36.8℃	
	Positive findings	–	
환자의 질문 또는 기타 특이사항		가족력도 없는데 왜 걸리나요?	

10 CHAPTER

대표증례 – 3

상황지침

50세 여자 이숙자 씨는 췌장암으로 항암치료를 총 4 cycle 시행했으나 간, 주변 림프절에 암이 추가로 전이되었고 췌장에 있는 암조직은 더 커졌다. (당신은 환자를 계속 치료해와서 환자를 잘 아는 사람이라고 생각하라)

[활력징후]

- 혈압 : 130/80mmHg
- 맥박 : 84회/분
- 호흡 : 20회/분
- 체온 : 36.8℃

응시자는 이 환자에게
- 근치적 치료가 불가능함을 설명하고,
- 통증조절과 호스피스치료에 대하여 설명하시오.

※ 5년생존율은 2%이다.

해설

- 공감을 보여주기 위해 손잡아 드리고 휴지도 뽑아드리는 등의 제스처가 필요합니다.
- 더 이상의 항암치료가 의미가 없고 통증 조절 하시면서 남은 시간을 의미 있게 보내기 위해 호스피스 치료하는 것이 좋겠다고 권할 수 있습니다. 호스피스가 환자를 포기하는 게 아니고 계속 같이 만나서 증상 조절할 것임을 설명하면 좋겠죠.
- 환자가 매우 감당하기 벅차합니다. 이럴 땐 힘드실 거 안다, 지금 당장 결정하라는 게 아니다, 오늘은 충격이 크실 테니 집에 가셔서 안정 취하시고 가족들과 이야기도 해보신 뒤 다음에 가족들과 함께 다시 오시면 좋을 것 같다고 말씀드립니다.
- 결과를 말씀드릴 때는 펼쳐서 간에 전이된 췌장암의 CT단면 사진 보여드리면서 설명해드렸습니다. Median survival, 삶의 질, 가족 이야기 섞어서 잘 이야기해주세요.

시나리오

Sex/Age	F/50		
Chief Complaint	췌장암 말기	Onset	
상담과정	Setting	항암치료 때문에 소화 안 되고 토하고 변비 심함	
	Perception	네 기억나요. 추가적인 검사 해보신다고 하셨어요	
	Invitation	혼자 듣겠습니다. 자세히 설명해 주세요	
	Knowledge		
	Emotion	환자의 반응 참고	
	Strategy		
환자의 반응	부정	'이게 내 사진 맞아요?'라고 물어봄, 아무 말도 안 들려요	
	분노		
	타협		
	우울	환자의 표정과 말에 힘이 없고 우울해 보임	
	수용	저는 얼마나 더 살 수 있나요?	
Medical history	약물력	항암치료	
	과거력	췌장암 4기	
	외상력	수술(−), 외상력(−)	
	사회력	기독교	
	가족력	아들 고등학생이고 딸 중학생 자녀 걱정 많음, 가족들에게 얘기 전하는 것 싫어함	
	여성력	para 2-0-0-2, 폐경함	
Physical exam	Vital sign	130/80mmHg, 84회/분, 20회/분, 36.8℃	
	Positive findings		
환자의 질문 또는 기타 특이사항		췌장암 진단될 때부터 진료기록지(1장)와 항암치료 4cycle 후 복부 CT 단면 사진(1장)이 파일 안에 들어있음(생존기간 3개월 이내로 추정)	

대표증례 – 4

상황지침

9세 남아가 원인모를 고열로 일주일 전에 본원에서 골수검사를 시행하였다.
결과를 보러 보호자(어머니)가 내원하였다.

[활력징후]	
• 혈압 : 130/80mmHg	• 맥박 : 112회/분
• 호흡 : 23회/분	• 체온 : 38.8℃

응시자는 이 환자에게
- 검사 결과를 설명하고,
- 향후 계획 등에 대해 환자와 논의하고 교육하시오.

해설

- 백혈병 증례입니다. 일단 본인이 아닌 어머님에게 해드리는 것이라 좀 더 까다롭게 느낄 수도 있겠습니다.
- 실제로 우시면 휴지를 건네 드리면서 위로의 말 한 마디 건네면 좋습니다.
- 환아 어머니를 안정시킨 후 치료에 적극적으로 임하도록 격려하는 게 중요합니다. 약제 처방 시에는 환아 가정의 경제력도 함께 고려하여 맞는 약제를 처방하시면 좋습니다.

시나리오

Sex/Age	M/9		
Chief Complaint	Acute myeloid leukemia	Onset	1주 전
상담과정	Setting	저번에 골수검사 한 것 기억나요	
	Perception	그냥 단순한 열 때문에 온건데 골수검사까지 해서 걱정돼요. 무슨 병일지는 생각 안 해봤어요. 백혈병만 아니었으면 좋겠어요	
	Invitation	우선 혼자 듣겠습니다. 자세히 다 알려주세요	
	Knowledge	백혈병이라고요?	
	Emotion	환자반응 참고	
	Strategy	다음에 아이 아빠랑 같이 올게요	
환자 반응	부정	어떻게 저희 아이가 백혈병이에요. 말도 안돼요. 검사가 잘못된 거 아니에요?	
	분노	-	
	타협	-	
	우울	아직 9살밖에 안된 아이인데 하면서 우심	
	수용	치료 잘 받으면 건강하게 자랄 수 있을까요?	
Medical history	약물력	없음	
	과거력	없음	
	외상력	수술(-), 외상력(-)	
	사회력	초등학생	
	가족력	없음	
	여성력	-	
Physical exam	Vital sign	130/80mmHg, 112회/분, 23회/분, 38.8℃	
	Positive findings	시행할 수 없음	
환자의 질문 또는 기타 특이사항		-	

관련증례

48-1 33세 여자이다. 2주 전 우연히 유방멍울이 만져져서 유방조직검사를 시행했다. 조직검사 결과 유방암으로 확진되었다. 남편과 함께 검사 결과를 들으러 왔으며, 조직검사한 후 한숨도 못 자고 걱정이 많았다. 유방암인가 해서 인터넷에서 여러가지 정보를 찾아보고 왔다.

48-2 56세 남자이다. 위암이 간까지 다발성으로 전이된 말기로 진단받았다. 더이상 완치 치료는 불가능하여 치료방법을 완화치료로 전환해야 하는 상황이다. 환자는 보호자 없이 혼자 결과를 듣길 원하며, 생의 마지막을 품위 있게 보내며 인생을 정리하고 싶어한다.

48-3 31세 남자가 요도분비물과 통증으로 병원에 왔다. 검사 결과 HIV(+)였다. 환자는 검사 결과를 혼자 듣고 싶어 하며, 부인에게 알리고 싶어 하지 않는다. 검사 결과가 이렇게 나온 것에 대해 억울하면서도 수치스러운 감정을 느끼고 있다. 검사결과가 정확한지 궁금해한다.

Answer | 48-1. 유방암 48-2. 위암 말기 48-3. HIV 감염

Check-list

	병력청취 및 환자교육 채점항목	예	아니오
1	Setting : 환자의 기분과 안부를 물어보고, 마음의 준비를 시켰다.	☐	☐
2	Perception : 환자의 인식 정도를 파악하였다.	☐	☐
3	Invitation : 얼마나 자세히 알고 싶은지, 혼자서 또는 보호자와 함께 듣고 싶어하는지 등을 파악하였다.	☐	☐
4	Knowledge : 검사 결과 및 진단명을 환자가 이해하기 쉬운 말로 정확하게 전달하였다.	☐	☐
5	Knowledge : 나쁜 소식을 전하게 되어 유감을 표현하였다.	☐	☐
6	Emotion : 환자가 받아들일 때까지 충분한 시간을 가지고 위로와 유감을 전하였다.	☐	☐
7	Emotion : 환자가 내용을 정확히 이해하였는지 확인하였다.	☐	☐
8	Strategy : 향후 치료계획에 대하여 설명하였다.	☐	☐
9	Strategy : 치료 방법과 계획에 대하여 논의하였다.	☐	☐
10	궁금한 점이나 다른 걱정거리가 있는지 물어보았다.	☐	☐

	환자의사관계 채점항목	아주우수	우수	보통	미흡
1	효율적으로 잘 물어보았다. – 효율적 질문 : 개방형 질문 사용, 확인, 중간 요약 – 피할 질문 : 유도 질문, 복수 질문	☐	☐	☐	☐
2	나의 말을 잘 들어주었다. – 대꾸하기, 경청 자세, 눈 맞춤 & 말 가로채지 않기	☐	☐	☐	☐
3	나의 입장을 이해하려고 노력하였다. – 공감 표현, 나의 입장 파악	☐	☐	☐	☐
4	환자가 이해하기 쉽게 설명하였다. – 간단명료함, 이해도 점검, 질문 기회 & 쉬운 용어	☐	☐	☐	☐
5	나와 좋은 유대 관계를 형성하려고 했나. – 자기소개, 일상 대화, 존중, 자신감 & 신뢰감	☐	☐	☐	☐

10 CHAPTER

II

VOLUME

CLINICAL PERFORMANCE EXAMINATION

PACIFIC CPX

증례집

발 행 2021년 7월 15일

발행인 최 명 희
편저자 퍼시픽 학술국
발행처 **퍼시픽북**
서울시 중구 충무로 29 아시아미디어타워 503호
TEL. 02-2272-7766(代) / FAX. 02-2272-7166
E-mail : papu77@hanmail.net

ISBN 979-11-5814-352-7
set ISBN 979-11-5814-354-1

정가 31,000원